Андрей ДЫШЕВ

ИГРА ВОЛЧИЦЫ

ЭКСМО-ПРЕСС
1999

УДК 882
ББК 84(2Рос-Рус)6-4
Д 87

Разработка серийного оформления
художника *Г. Саукова*

Серия основана в 1993 году

Дышев А. М.
Д 87 Игра волчицы: Роман. — М.: ЗАО Изд-во ЭКСМО-Пресс, 1999. —
416 с. (Серия «Черная кошка»).

ISBN 5-04-003119-X

В парке старинной усадьбы, в присутствии понятых, вскрывают свежую могилу. Но извлекают из нее не покойника, а... нечто иное. Хитроумная игра, затеянная владельцем усадьбы Родионом Орловым и его другом Стасом Ворохтиным, вышла из-под контроля. Их противник оказался изворотливее, чем они думали. Его ходы непредсказуемы, и каждый ход несет смерть. Игра неотвратимо близится к финалу...

УДК 882
ББК 84 (2Рос-Рус)6-4

Глава 1

ГРОЗА В ФЕВРАЛЕ

Все началось с того морозного февральского вечера, когда внезапно улеглась вьюга, молочная поземка покрыла сугробы россыпью ледяной пыли и на парк опустились фиолетовые сумерки со звеняще колким звездным небом.

Был поздний час. Я провожал Родиона по кипарисовой аллее парка, соединяющей хозяйский белоколонный дом с особняком Родиона, стоящим в глубине парка недалеко от пруда. Мы говорили о предстоящей поездке в Гималаи, где на двухкилометровой стене Ледовой Плахи должны были отснять первые кадры нашего фильма. Родион по обыкновению, по стойкой привычке шел чуть впереди меня, глядя по сторонам несколько рассеянным взглядом, каким любуется природой политик, думая о власти. Я был не только его компаньоном и вторым номером в альпинистской связке. Я был еще и другом, но Родион не думал о таких глупостях, как этикет, с легкостью перебивая меня и часто показывая свою спину. Но я не обижался на него. Единственный сын богатого художника, потомственного князя, мыслил категориями человека, наделенного властью денег, и я понимал, что иначе он уже просто не может.

Я говорил о том, что в московском магазине «Альпинос» заказал четыре бухты по пятьдесят метров костромского репшнура[1], изготовленного по швейцарской технологии, но Родион вдруг остановился, повернулся и посмотрел на меня рассеянным, как хвост кометы, взглядом. Наверное, сейчас он видел освещенную мощным солнцем заснеженную вершину Ледовой Плахи, издали напоминающую египетскую пирамиду, вымазанную в безе.

---

[1] Вспомогательная альпинистская веревка относительно небольшого диаметра.

— Четыре бухты мало, заказывай шесть, — сказал он и протянул мне руку. — Будь здоров!

И к этой манере стремительного и неожиданного прощания я успел привыкнуть. Молча пожал Родиону руку, а затем еще несколько мгновений провожал взглядом его рослую и несколько сутулую фигуру.

Я повернулся и пошел обратно. Уже после возвращения из Непала князь предоставил в мое распоряжение уютную мансардную комнату в особняке Родиона. Но тогда, в феврале, я еще жил в центре Арапова Поля, где снимал у пенсионерки комнату.

До главных ворот усадьбы, где круглосуточно дежурила охрана, мне надо было пройти не меньше километра, но я не успел сделать и пяти шагов, как услышал за своей спиной щелчок выстрела.

Мне показалось, что мое сердце остановилось и все внутренности превратились в ломкий лед. Ожидание тупого удара в спину или в затылок было столь сильным, что я отчасти внушил себе боль; мне запомнилось, что я, страдая от этой фантомной боли, скрипел зубами и не мог понять, почему не падаю, почему не гаснет сознание.

Все было как во сне, где движения тягуче-медленные. Я повернулся, вглядываясь в темную аллею, в конце которой на снегу ничком лежал Родион. Кажется, я что-то крикнул и кинулся к нему. В темной норковой шубе он напоминал убитого медведя, но больше всего меня поразило, что в такой беспомощной, нелепой позе у моих ног лежит сильный и властный человек, крепче которого, казалось, стоять на земле не может никто.

Я рухнул перед ним на колени, схватил за плечи и попытался поднять тяжелое тело, чтобы не видеть его брошенным на снег. Но Родион вдруг зашевелился, приподнялся и сел, тряся головой. Если бы он тогда рассмеялся и признался, что разыграл меня, я бы безоговорочно перестал верить в то, что слышал выстрел, и принял бы его за плод собственной фантазии. Но даже в плотных сумерках было заметно, как Родион напуган. Лицо его было настолько бледным, что можно было подумать, будто оно припорошено снежной мукой.

— Что это? — спросил он, до боли впиваясь пальцами мне в плечо. Он смотрел в ту сторону, откуда я только что прибежал. — В меня стреляли?

Я тряс его за плечи. Мне важно было узнать другое.

— Ты ранен? — хриплым голосом спрашивал я. — Все цело?

— Да откуда я знаю?! — раздраженно ответил Родион и оперся о мое плечо. — Ну-ка, помоги встать!

Помню, какой ужас наполнил мою душу, когда мы быстро возвращались по аллее и я уловил едва ощутимый запах пороховой гари — совсем рядом с тем местом, где я услышал выстрел. И я видел, как Родион, привыкший играть со смертью в горах, вдруг сник и лицо его приняло выражение покорной обреченности.

Мы вломились в кабинет его отца, и Родион, не говоря ни слова, тотчас принялся стаскивать с себя шубу, расправил ее, нашел в складках две маленькие, с палец, дырки, затем швырнул шубу на пол и тяжело сел на диван. Низкорослый, седой, тщедушный, не по годам подвижный князь Орлов, кажется, все понял без слов, схватился за колокольчик, но в коридоре уже гремели ботинками охранники. Потом кабинет стал наполняться служащими и эмоциями. Родион пил водку и отвечал на вопросы начальника охраны односложно и без охоты. Зачем-то зашла глухонемая садовница, одетая в телогрейку, повязанная платком. Мне запомнились ее глаза: сколько в них было бессловесного ужаса! Родион при ней немного ожил, встал с дивана, взял женщину за плечи и громко, артикулируя, сказал:

— Все хорошо! Хорошо! Иди домой!

Потом начальник охраны вернулся — возбужденный от настоящей работы, в которой он был дока, с блестящими живыми глазами, и положил на стол князя полиэтиленовый пакетик с обугленной гильзой для охотничьего гладкоствольного ружья. Родион заставил меня взять в руки рюмку с водкой. Начальник вполголоса докладывал князю про найденные следы, поглядывал на мои ноги, а я пил водку, как нарзан, и не мог оторвать взгляда от ледниково-голубых глаз старика.

— Будьте добры, дайте мне ваш ботинок, — попросил начальник охраны, и эта просьба мне показалась просто дикой — фальшивый, чужой нотный ряд в стройной партитуре. Ботинок? Зачем ботинок? При чем здесь мой ботинок?

Он вышел. Я прятал разутую ногу под столом и чувствовал себя голым. Потом обратил внимание, что не могу поймать ни одного взгляда — они выскальзывали, как живые карпы из рук. Начальник охраны снова вернулся, но уже другим человеком. От него тянуло свежим морозом. Он был подчеркнуто вежлив со мной и даже слегка присел, кладя мой ботинок на пол, а я смотрел на темно-коричневую, с низким каблуком «саламандру» и на комочки налипшего к подошве снега, которые медленно таяли, превращаясь в темные лужицы. Начальник охраны молча кивнул князю, и всеобщее молчание стало невыносимым, как самая обидная клевета, самое низкое оскорбление, и мне казалось, что голова моя от этого молчания разорвется, словно граната.

Никто никаких претензий мне не высказал, но я чувствовал себя в тот вечер очень, очень гадко, и те удивительные флюиды, которые делали нас с князем едва ли не родными людьми, растаяли, как снежные комки.

Уголовное дело милиция возбуждать отказалась, сославшись на отсутствие состава преступления. Какой-то умник объяснял нам, что грозы в феврале — не такое уж редкое явление, и гром вполне можно было принять за выстрел. А что касается дырок в шубе, то они, дескать, имеют «ярко выраженную проеденную молью природу». Родион смеялся до слез. Старый князь в сердцах швырнул на пол чернильницу.

Я хорошо представлял, какие чувства испытал старик, едва не потеряв единственного сына. Это была пощечина его чувствам, его безоглядной любви к той земле, о которой он столько лет думал и мечтал в эмиграции, где его представления об Арапове Поле, как у всякого влюбленного, были наивны и светлы.

Сказать, что он стал жесток? Или обезумел? Перестал вдруг верить сразу и всем? Не знаю, судите сами... Не важно, сам ли князь придумал дьявольский розыгрыш для первого апреля, или ему кто-то подсказал идею Игры, но как бы то ни было, тяжесть ее для меня оказалась намного большей, чем вес штурмового рюкзака, набитого кислородными баллонами и страховочным «железом».

— Что будем делать? — спросил он, вызвав к себе меня и

Родиона через несколько дней после происшествия. — Устраивать супрядки, пока из нас поочередно яшку не сварят? Я же чувствую: этот выстрел — только начало!

Я думал, что вопрос его риторический, что старику просто хочется выговориться, излить душу, но ошибся. Князь молча ждал от нас ответа.

— Стрелял кто-то из наших, — уверенно сказал Родион. — Я спрашивал у охраны.

— Спрашивал у охраны! — горько усмехнулся князь. — Никогда не знаешь, чего от этой охраны можно ждать... Что предлагаешь?

— Уволить всех к чертовой матери, если к ним нет доверия.

В усадьбе у князя служило человек двадцать пять или тридцать. Уволить, конечно, их можно было. Но где потом набрать новый персонал? В спившемся Араповом Поле?

Я предложил другой путь:

— Пусть каждый наш работник подробно напишет, где и с кем был в тот вечер. Потом проверить показания, проверить свидетелей, которые будут подтверждать их алиби...

Князь поморщился и махнул на меня рукой.

— Кто этой ерундой будет заниматься?

— Могу я, — ответил я.

— У тебя со строительством грота полный завал! Нет, не то! Что больше думать, то хуже... Поступим иначе. Разыграем спектакль, чтобы вся тварь, которая рядом с нами прячется, сразу свою харю показала. Когда вы летите в Непал?

Повторяю, тогда я еще не знал, сам ли князь придумал этот чудовищный розыгрыш, или ему кто-то подсказал идею. Но когда Орлов изложил нам весь план, я думал не о цинизме и риске, а о том, что старик опять доверяет мне, как прежде, и радость от осознания этого вытеснила все сомнения. Я безоговорочно принял условия Игры.

По замыслу князя, мы должны будем взять с собой в Непал «ноутбук» с записанной на нем программой пластических вмешательств в лицо человека и «липовый» договор с бангкокским центром репродукции человека, в котором надо указать мою фамилию в качестве заказчика пластической операции. Оставив все это на видном месте в базовом лагере, мы в одной связке, без носильщиков, начнем восхождение на Ледовую Плаху. На достаточно большой высоте, куда никогда не сможет подняться профессиональный криминалист и разгадать нашу аферу, мы должны будем сымитировать убийство Родиона: оставить альпинистскую веревку с четким следом среза, высотный ботинок с личным вензелем Родиона и прочие предметы, которые любого альпиниста обязательно наведут на мысль о преднамеренном, преступном нарушении правил страховки.

Затем мы с Родионом перевалим через седловину и спустимся в какую-нибудь забытую богом непальскую деревушку. Там я должен буду остаться и просидеть тихо, как мышь, пару недель, а Родион вернется в Арапово Поле. Но вернется не в роли Родиона, а в роли преступника, изменившего внешность и ставшего очень похожим на Родиона.

Словом, весь фокус заключался в том, чтобы слухи об убийстве в горах единственного наследника миллионера дополнились версией о пластической операции: Стас Ворохтин, напарник и убийца Родиона, в Бангкоке сделал себе пластическую операцию и принял облик убитого им наследника князя. Превратившись в копию Родиона, он приезжает в Арапово Поле, в усадьбу. Все сотрудники усадьбы будут заранее нашпигованы слухами о чудовищном обмане. И тут, по замыслу князя, и проявятся их истинные лица и истинные помыслы. Тот, кто честен, наверняка откажется работать с «самозванцем» и потребует вмешательства прокуратуры. А негодяй, стрелявший в Родиона (князь был уверен, что это один человек, от силы — два), раскроется перед «самозванцем», попытается вступить с ним в преступный сговор, чтобы получить свою долю от наследства. По правилу: рыбак рыбака видит издалека.

Излагая свой план, князь не смог скрыть восторга от предвкушения того, как сильно будет шокирован этот негодяй в день первого апреля, когда Игра будет закончена, князь объявит всем о розыгрыше, и Родион принесет извинения за столь жестокий экзамен на верность.

Мне, точнее, моему имени, выпадала не лучшая роль. Имя Стаса Ворохтина на целые две недели отдавалось на растерзание и поругание работникам усадьбы. Но меня утешало то, что эта жертва преследует благую цель, и я не стал

10

возражать князю, когда он спросил моего мнения относительно Игры.

Родион тоже не нашел никаких веских аргументов против розыгрыша. Он по своей природе был авантюристом и с удовольствием шел на рискованные трюки.

Если бы тогда мы знали, чем обернется Игра! Но, охваченные азартом, мы не думали о последствиях. Мы чувствовали себя всего лишь ловкими и изобретательными весельчаками, которые взялись крупно одурачить собственный коллектив.

Через две недели мы с Родионом улетели в Непал.

Когда в «ноутбук» Родиона уже были занесены файлы с моими портретами для программы «Building of a face», подготовлен «договор» с центром репродукции на предстоящую операцию Стаса Ворохтина по изменению внешности, Родион вдруг все переиграл. В те дни мы жили в Катманду, в гостинице «Эверест», и не могли закрыть все свои дела из-за того, что возникли проблемы в министерстве по туризму: нас не хотели пропускать в национальный парк, где находилась Ледовая Плаха. Плюс к этому мы опоздали в министерство связи, где должны были получить разрешение на пользование радиостанциями. Мы всюду опаздывали, нам всюду не везло. И в довершение всего Родион вдруг начал перекраивать сценарий.

— Знакомься: Никифор Столешко! — объявил Родион, появившись в нашем номере с высоким рыжеволосым мужчиной, коричневый загар на лице которого безошибочно выдавал в нем альпиниста. — Мастер спорта международного класса, «снежный барс», покоритель двух...

— Трех, — вежливо поправил незнакомец и скромно опустил глаза.

— ...трех восьмитысячников! Он будет работать вместо тебя.

Не могу сказать, что я был в шоке, но столь решительный поступок Родиона меня озадачил. Я не мог понять, что за вожжа попала ему под хвост, почему ни с того ни с сего он решил вывести меня из Игры и посвятить в наши тайные планы постороннего человека?

Впрочем, дальнейший разговор все поставил на свои места. Родион усадил Столешко за стол и налил ему водки. Я искоса рассматривал безбровое, лобастое лицо альпиниста, его тонкие губы, мелко вьющиеся волосы, которые не нуждались ни в расческе, ни в укладке и не боялись никакого ветра. Сказать, что в первую минуту он мне понравился, значит, сказать неправду, но ничего отталкивающего в облике альпиниста я не нашел. Живет в Донецке, трое детей, в составе сборной Украины участвовал во многих восхождениях шестой, высшей категории сложности. Не скрывает, что испытывает острую нужду в деньгах, потому как сдуру занялся бизнесом и однажды неудачно вложил солидную сумму в поддельный товар.

— Я заплачу тебе двадцать тысяч долларов за восхождение на Плаху! — сказал Родион и барским жестом опустил свою руку на плечо Столешко. — Устраивает?

— Конечно, — дрогнувшим голосом произнес Столешко и потянулся за бокалом с водкой.

— Тебе надо будет подняться со мной до высоты семи тысяч двести метров, преодолеть седловину и спуститься в деревню Хэдлок.

— Не слышал о такой...

Родион взмахом руки прервал Столешко, словно хотел сказать: не заостряй внимание на второстепенных деталях.

— Там мы с тобой расстанемся. Я окольными путями вернусь в Катманду и вылечу в Москву. А ты должен сидеть в Хэдлоке и две недели носа оттуда не показывать.

На этом можно было бы закончить постановку Столешко задачи, но Родиона прорвало, и он начал подробно рассказывать о нашем плане, не забыв упомянуть о своем знаменитом отце, о выстреле, о бессилии милиции. Я наступал Родиону на ногу, но он не реагировал. Столешко, казалось, слушал невнимательно, но все время кивал головой.

— То есть, — подытожил Родион, — по легенде, ты сбросишь меня в пропасть, завладеешь моими документами, переправишься в Таиланд и там изменишь свою внешность. Станешь моей копией. Понятно?

— Не совсем, — ответил Столешко. — Вы хотите, чтобы в эту легенду поверили в России?

— Совершенно верно!

— А кто и как будет ее там распространять?

— А вот это уже головная боль моего друга Стаса Ворохтина! — ответил Родион. — Он у нас будет главным провокатором. Он должен будет убедить и полицию Непала, и наши органы в том, что гражданин Столешко в корыстных целях убил гражданина Орлова и взял себе его внешность.

— Не совсем приятная роль, — с сомнением произнес Столешко, отщипывая кусочек сыра.

— А большие деньги, мой друг, не всегда легко достаются, — заверил Родион.

— А как потом я докажу, что никого не убивал?

Родион всплеснул руками.

— Вот чудак! Зачем тебе надо будет что-то доказывать, когда ты вылезешь из Хэдлока и появишься в Катманду? Скажешь: я Никифор Столешко, «снежный барс», покоритель двух...

— Трех.

— ...трех восьмитысячников. Засветишь свое красивое и честное лицо перед телекамерами. В ответ на это наша доблестная милиция спросит меня: а вы кто в таком случае? И я отвечу в том же духе: Родион Орлов, бывший эмигрант, сын художника Святослава Орлова...

Я уже не просто наступал Родиону на ногу. Я бил по ней каблуком. Орлов же наваливался на свою цель танком, и всякая мелочь, отвлекающая от работы или стоящая на пути, выводила его из себя. Он не выдержал:

— Да что же ты с моей ногой делаешь?!

— Выйдем, поговорим, — процедил я и схватил Родиона за рукав.

Очутившись в коридоре, я бесцеремонно взял его за ворот свитера.

— Ты что творишь? — зашипел я.

— Цыть! — прикрикнул на меня Родион. — Ты зачем дергаешься, чудила? Тебе охота, чтобы твое имя склоняли во все стороны? Пусть этот парень перед миром позорится, ему деньги нужны!

Видя, что я не нахожу возражений, он добавил:

— Пойми же ты! Стоит только один раз попасть в прессу и на телевидение с клеймом «преступник», так потом за всю жизнь от него не отмоешься! Тебе это надо? Нам с тобой еще не один фильм снимать, потому стоит позаботиться о чистоте имени. А спортивной карьере этого парня каюк! От него, как от прокаженного, теперь все отмахиваться будут.

Вроде бы он меня убедил. Теперь я становился главным провокатором, как с легкостью окрестил меня Родион. После того, как Родион и Столешко уйдут через седловину Плахи в деревню Хэдлок, я должен буду подняться с одним или двумя свидетелями на место «преступления», найти оставленные там «улики» и растрезвонить об убийстве Родиона по всему Непалу, а потом и по Арапову Полю. И уже после этого в усадьбе появится Родион. Представляю, сколько шишек посыплется на его несчастную голову!

В этот же день мы сочинили письмо, которое Столешко якобы написал Родиону с просьбой взять его в нашу связку в качестве высотного носильщика. При помощи «Полароида» я сделал несколько портретов Столешко, сканировал их и записал файлы на чистую дискету. Потом переделал «договор», вписав в него фамилию Столешко.

Кажется, мы предусмотрели все. Столешко потребовал у Родиона всю обещанную сумму сразу и наличными. Когда он пересчитывал купюры, раскладывая их аккуратными стопками на столе, я подумал, что честное и незапятнанное имя тоже стало товаром.

Седьмого марта вертолетом ВВС Непала мы втроем вылетели к подножию Ледовой Плахи, где расположился базовый лагерь американской экспедиции Креспи.

Игра началась.

Глава 2

ДВАДЦАТЬ ДВЕ ТЫСЯЧИ ФУТОВ НАД УРОВНЕМ МОРЯ

Я оглянулся, медленно подтягивая к себе веревку, но Бадура не увидел — портер[1] скрывался за перегибом карниза. Я висел над пропастью, почти упираясь темечком в ледяной язык натечного льда. Свободной веревки осталось пять метров. Этого было мало для того, чтобы я мог добраться до небольшой скальной полочки, где можно было бы без риска

---

[1] Наемный носильщик-высотник.

забить крюк. А здесь, в окружении линз льда, один удар молотка мог обрушить на голову шерпа[1] многотонную сосульку.

Ветер крепчал с каждой минутой. Все вокруг затянуло серой мглой. Порывы ветра швыряли в лицо колкий снежный песок. Время от времени исполинское тело горы начинало мелко дрожать, словно где-то вверху проносился тяжелый железнодорожный состав — не выдерживая тяжести выпавшего снега, с крутых склонов одна за другой срывались лавины.

— Почему застряли, сэр?! — по-английски орал снизу портер.

Я держался на стене из последних сил. Рука в перчатке шарила в поисках хоть какого-нибудь выступа, за который можно было бы ухватиться. Зубья титановых кошек под моей тяжестью крошили лед, белая крошка сыпалась в бездну. Я часто дышал, в голове грохотал колокол, пульсировала в висках кровь. Серое, отдающее холодом тело стены стояло перед моими глазами. Я прижался к нему всем телом, различая мельчайшие пупырышки и сколы; камень был земным и казался обыкновенным, но эта стена меня не принимала, она будто отвернулась от меня, не желая видеть мое искаженное напряжением лицо и слышать крик, сдавленный зубами. Спасти мог только ледоруб. Я приподнял его, выискивая место, куда можно было вы вогнать отточенный с зазубринами клюв, но снова подавил в себе желание шарахнуть по ледовому языку.

— Сэр! Бадур хочет идти вниз! — донесся до меня голос портера. Интонация была интересной — в ней наполовину угадывался вопрос, наполовину — каприз. Он словно давал мне понять, что пока еще спрашивает моего разрешения, но очень скоро просто объявит мне о своем решении.

У меня не было сил подыскивать в уме ругательства, и в ответ я лишь дернул веревку. Потом прислонился лбом к стене и мысленно сказал ей: «Что ж ты делаешь со мной, гадина?» Клюв ледоруба несильно тюкнулся о камень, высекая искру. Черные круглые очки припорошило снегом, и я почти ослеп. Поднял руку еще выше, снова опустил клюв на ка-

---

[1] Народ на востоке Непала.

15

мень и провел им сверху вниз. Не вовремя загудел зуммер радиостанции. Меня вызывал базовый лагерь. Руки держали на себе мою жизнь, и я не мог даже протереть стекла очков, не то что вынуть из чехла радиостанцию.

Ледоруб сам нашел полочку и зацепился за нее кончиком клюва. Она была столь ничтожна, что ее по размерам можно было сравнивать с прыщом на физиономии подростка, и все же ледоруб крепко насел на нее, и я постепенно перенес на него вес тела.

Теперь я мог перевести дыхание и оглядеться. Подо мной разбухал, раздувался, будто в гигантском котле, белый пар, кажущийся плотным, как ватные комки. Он, преследуя нас, постепенно взбирался по стене, обросшей огрызками скал, словно шипами. Еще полчаса, от силы сорок минут — и облако поглотит нас, лишив возможности ориентироваться.

Я снова задрал голову, подтянулся на ледорубе, царапая кошками стену, и чудом сумел ухватиться за свободный ото льда карниз. Потом произвел какой-то немыслимый акробатический трюк и закинул на карниз ногу.

— Гора слушает! — хрипло произнес я в микрофон, сорвав с лица кислородную маску.

— Где вы опять застряли, сэр? — вопил под карнизом Бадур.

Я лежал на узком карнизе, одной рукой сжимая радиостанцию, а второй ввинчивая ледовый крюк в гигантскую линзу.

— Гора! Ответьте Базе! — запищала радиостанция слабым голосом.

— Уже ответил! Кто говорит?

Крюк ввинчивался с трудом. На каждом обороте ледяная глыба издавала оглушительный треск. Трещина тонкой лентой разделила ее надвое и стала напоминать белый шелковый шарф, вмерзший в лед. Радиостанция представилась женским голосом:

— Дежурный радист.

— Гималайский аферист! — не сдержался я, узнав Татьяну Прокину, эту странную девушку, появившуюся в лагере буквально за день до выхода Родиона на гору. — Представляться надо! Дай микрофон Креспи!

— Не хами, — почти по-родственному посоветовала Прокина.

От моего дыхания решетка микрофона покрылась инеем, который студил губы. Я затянул крюк до упора и навесил на него карабин с оттяжкой, намертво пристегивая себя к ледяной глыбе.

— Стас, где вы? — сухо покашливая, спросил Креспи.

— Двадцать тысяч футов, — не задумываясь, ответил я. — До третьего лагеря не больше часа ходу, но видимость нулевая, ветер срывает со стены... Послушайте, Креспи, посадите у станции вместо Татьяны самого тупого шерпа, мне с ним легче будет изъясняться!

Я забыл, что радиостанция в базовом лагере оснащена громкоговорителем.

— Все будет о'кей, — ответил Креспи нейтрально, чтобы не обидеть ни меня, ни Татьяну, наверняка стоящую рядом с ним. — Почему вы не идете на жумарах?[1]

— Потому что веревок нет! — ответил я, переворачиваясь на другой бок и глядя с карниза вниз. — Здесь стена чистая, будто никто до нас ее не проходил!

Некоторое время радиостанция ловила только шум помех. Я представлял, каким недоуменным взглядом смотрит Креспи на Татьяну, а у той взгляд еще более недоуменный, если не сказать глупый, потому что она не понимает и в принципе не может понять сути проблемы.

— Зачем же они сняли веревки? — прохрипел Креспи.

— Не знаю! У меня нет времени думать об этом! Будем идти выше, к лагерю, чего бы нам это ни стоило. Наши запасы кислорода на нуле. Бадур уронил вниз свой рюкзак. Улетели альтиметр[2] и еда.

— А как же вы определили высоту? — удивился Креспи, нарываясь на стандартную альпинистскую шутку.

— На глаз! — заорал я, отключая радиостанцию.

Бадур поднимался медленно и тяжело. Капюшон почти полностью закрывал его лицо, и сверху казалось, что на веревке болтается пуховик, словно на вещевом рынке. Движения шерпа были заторможенны, будто он работал под водой.

---

[1] Это приспособление позволяет альпинисту быстро подниматься по заранее натянутой веревке.

[2] Прибор для определения высоты над уровнем моря.

Он загонял передние зубья кошек в лед слабыми ударами без замаха, медленно разгибал колени, медленно передвигал жумар по веревке и вновь подтягивал ногу, как некий тяжелый и малополезный предмет. Я ему хорошо заплатил за этот труд, он нужен был мне в качестве свидетеля, но на горе ценности меняются очень быстро и радикально. Деньги здесь превращались в совершенно бесполезную субстанцию, они даже не горели из-за низкого содержания кислорода в воздухе.

Я начал затаскивать портера на карниз, и он расслабился совсем, превратившись в тяжелый мешок. Я хрипел и орал от напряжения, а он едва шевелился.

— Сэр, Бадур очень устал, — тихо бормотал портер. И что это за привычка говорить о себе в третьем лице? — Дышать трудно...

Я прислонил его спиной к стене, провел перчаткой по заснеженным очкам и, делая страшный голос, чтобы напугать больше, чем гора, ветер и снегопад, вместе взятые, зашипел:

— Ты что ж, паук безлапый, нарочно рюкзак сбросил?! И кислород свой сбросил?! Я же тебя, Санта-Клаус копченый, сейчас вниз спущу по самому короткому пути!

Я схватил его за ворот и изо всех сил тряхнул. Бадур крутил головой, кашлял и слабо сопротивлялся.

— Сэр, я замерзаю... — бормотал он. — Ноги прихватило... Не могу...

— Надо идти! — злобно кричал я, растирая рукавицами коричневые щеки шерпа. — Здесь ты подохнешь! А там, наверху, палатка, горячий кофе, кислород... Вставай!

Пока я проводил воспитательный урок, нас изрядно присыпало снегом. Видимость сократилась настолько, что скальные выступы и нависающие глыбы льда можно было различить только в радиусе пяти метров, все остальное было поглощено белой мглой.

Бадур притих. Снег сыпался на его коричневое лицо и не таял. Над полураскрытыми губами едва струился пар. Я скинул с себя рюкзак и вытащил оттуда свой запасной кислородный баллон. Я лишал себя самого главного, что на высоте поддерживало жизнь, но другого способа заставить портера продолжать подъем не было.

Я прижал к его губам и носу маску и поставил кран на

максимальную подачу кислорода. Бадур стал жадно дышать. Я мысленно считал в уме секунды.

— Все, пора, — сказал я, поднимаясь на ноги с таким усилием, словно был разбит параличом..

— Бадур не может, — глухим голосом из-под маски отозвался портер. — Прихватило ноги... Ничего не чувствую...

Бессилие и отчаяние хлынули на меня. Я снова схватил портера за пуховик, приподнял его, но тот даже не попытался защититься или встать на ноги, только схватился обеими руками за маску, чтобы я не смог сорвать ее. Я качнулся и привалился к стене. Мой баллон уже истощился. Запасы кислорода и провианта ждали нас в третьем высотном лагере, но у меня не хватило бы сил затащить туда Бадура на себе. К тому же бескислородное восхождение было чревато отмиранием тканей головного мозга. Но я обязан был добраться до лагеря любой ценой.

— Черт с тобой! — крикнул я портеру, вырывая вмерзший в снег ледоруб. — Жди меня здесь! Я принесу тебе еды!

Что мне оставалось делать? Я лишался человека, который подтвердил бы полиции, что видел в третьем высотном лагере обрезок веревки и ботинок Родиона. Но, даже добравшись до лагеря, Бадур уже был бы не в состоянии понимать смысл предметов. Собственно, он вполне мог умереть по пути к лагерю. Наш, казалось бы, безукоризненный план дал первый сбой.

Я придвинул Бадура вплотную к скале, чтобы он ненароком не свалился с карниза в пропасть, снял с себя пуховик и накрыл его с головой. Бадур с благодарностью замычал из-под пуховика. Я оставил здесь же рюкзак, веревки и все «железо». Ледяной ветер насквозь продувал мой свитер, и я начал быстро остывать. Я здорово рисковал, разоружившись перед горой, но меня грела надежда, что сумею подняться до третьего лагеря в быстром альпийском стиле, а там кислородом и едой восстановлю силы.

Стиснув зубы, я карабкался по заснеженному гребню. Порывистый ветер бил меня в лицо, словно боксер, посылая отрывистые и точные удары. Кошки скрежетали о камень и лед. Каждые три-четыре шага я останавливался, чтобы успокоить дыхание. Кислорода в баллоне уже почти не осталось, и я начал задыхаться. Кратковременный отдых не восстановил сил. Они, словно кровь из раны, уходили из тела независимо от того, стоял я или шел. Я потерял счет времени и не думал уже ни о чем, превратившись в машину, запрограммированную на движение вверх по склону. Перед глазами плыли остроугольные камни, обломки льда и снежные дюны. Когда я останавливался, они продолжали плыть, растекаться, растягиваться и сжиматься.

Я крепче натянул на посиневшую от холода руку перчатку и сделал шаг, потом второй, третий... Весь смысл этого подъема заключался в том, чтобы портер был со мной рядом. Он обязательно должен был дойти до палатки третьего высотного... Как тяжело! Как противится, сопротивляется организм этим космическим условиям. Топтать ступени на запредельной высоте — это стремительное старение. И все ради чего? Для одних — спортивный азарт, для Орлова — Игра, тест. Нечто лабораторное, что-то вроде центрифуги, в которой гоняют мочу...

Я вспомнил, как Родион предложил мне возглавить строительные работы в его усадьбе на окраине Арапова Поля в Тверской области, на живописном берегу Двины. Я даже приблизительно не мог сказать, сколько это стоило — двадцать четыре гектара земли с парком, прудом, беседками, хозяйским домом, библиотекой, гротом, летним театром, конюшнями, псарней, домиками прислуг... А отец Родиона тем временем восстанавливал церкви в близлежащих деревнях, строил церковно-приходские школы и открывал личные картинные галереи. Обнищавшие провинциалы смотрели на потомственного князя как на тронувшегося умом мессию, от которого пользы, как от иконы, висящей в углу избы, — вроде всесилен, а денег не выпросишь. Нам вообще не дано понять русских эмигрантов с их гипертрофированным определением истинной ценности...

Моя нога сорвалась с зеркала — тончайшего натечного льда, залившего все зацепки на стене, но я даже не успел испугаться. Когда из-за гипоксии притупляется интеллект, страх тоже становится каким-то мягким и тянущимся, словно жвачка, на которую нечаянно садишься в метро. Несколько метров я летел вниз, потом упал в сугроб лицом вниз, и все вокруг потемнело.

Некоторое время я лежал неподвижно, ожидая продолжения полета в сольном исполнении или вместе с лавиной, а когда понял, что силы гравитации отказываются работать на меня, приподнял голову, сдвинул залепленные снегом очки на лоб и сразу увидел чуть правее и выше распластанную красную палатку, похожую на большую спящую черепаху.

Это был третий высотный лагерь. Вчера утром Родион вместе со Столешко вышли отсюда на седловину и час спустя перестали отвечать на позывные базы. Больше суток о судьбе двух альпинистов в базовом лагере никто ничего не знал. Конечно, кроме меня.

Глава 3

КРАСНАЯ ПАЛАТКА

Я не стал тратить силы на то, чтобы подняться на ноги, и пополз к палатке на четвереньках, как уставший от пастбища баран в свою овчарню. Я разгребал перед собой снег и дрожал от холода, предвкушая чашку горячего кофе со сливками и медом, тепло газовой горелки, представлял, как, насытившись и согревшись, надену на обмороженный фейс маску и стану дышать чистым кислородом, и мозги мои просветлеют, очистятся от галлюцинаций и панических мыслей.

Добравшись до полочки, я настолько изнемог, что ничком повалился на красный тент палатки и лежал так довольно долго, мысленно играя две роли, одна из которых приказывала немедленно подняться, а другая просила оставить в покое еще на пару минут.

Родион и Столешко вытащили концы распорок, чтобы палатка распласталась и стала менее подвластна ветру. Я совершал подвиг, загоняя распорки в свои гнезда и придавая «Сьерре» форму купола. Когда наконец палатка налилась объемом, я издал хриплый вопль победителя и ввалился через рукав-тамбур внутрь.

Пятизвездочный отель на берегу лазурного моря не ввел бы меня в такой экстаз, как это хлипкое, раскачивающееся из стороны в сторону жилище — единственное место на горе, защищенное от ветра и способное хранить тепло. Я стоял на четвереньках на клеенчатом полу и понимал, что человеческое счастье на самом деле заключается в отсутствии снега и льда вокруг себя, а все остальное — мелкие прибавки. Мои глаза еще не привыкли к сумеречному фону, которым было наполнено внутреннее пространство, я еще видел перед собой зеленых медуз, но уже слепо шарил руками по бугристому полу, отыскивая газовую горелку, пакеты с порошковым супом, сухофруктами, пластиковые баночки с медом, творожные шарики в шоколаде... Заледенелые перчатки со свистом скользили по полу, но не встречали препятствий. Я двигался по кругу, и движения мои становились все более торопливыми. Наконец я замер, стоя на коленях, и почти с ужасом посмотрел вокруг себя.

Палатка была пуста. В ней не было ни баллонов с кислородом, ни газовой горелки, ни продуктов, ни спальных мешков. Через рваную дыру в потолке, которую я только сейчас заметил, внутрь сыпался снег.

Я принялся обыскивать карманы, нашитые на боковые перегородки. Выворачивая их, я кидал на пол отработанные аккумуляторы, пустые газовые баллончики, обрывки бумаги. Лишь только в тамбурном отсеке, отделенном от жилой зоны, я нашел наполовину исписанную тетрадь и обернутую в полиэтилен дискету, на которую несколько дней назад записал файлы с портретами Столешко и Родиона.

От палатки тянуло сырым могильным холодом. Я полз сюда из последних сил, надеясь влить свежую жизненную струю в свой слабеющий организм, но надежда оказалась обманутой. Что произошло здесь сутки назад? Какая причина заставила Родиона и Столешко вынести неприкосновенный запас, который пополнялся здесь усилиями нескольких связок восходителей? Разве они не знали, что для нас с портером кислород и провиант станут вопросом жизни и смерти?

Мне хотелось плакать от отчаяния и боли, но не было сил выдавить из себя слезу. Затолкав тетрадь и дискету под свитер, я вылез из палатки через дыру и снял ее с себя, словно широкую юбку.

Надежду я похоронил под палаткой, куда на всякий случай заглянул, да еще и порылся в окружающих сугробах. Нет ничего! Вверху — черные камни, перемежеванные с языками льда и косыми застругами снега, внизу — бездонная пропасть, и все высечено хлестким ледяным ветром, отшлифовано снежной крошкой. Мгла наваливалась на крохотный мирок, доступный моему обозрению, становилась плотнее, и черные краски в ней набирали силу, вытесняя белый свет, словно мою жизнь.

Я сделал несколько шагов по полочке и в том месте, где ее вылет сходил на нет, плавно срастаясь с отвесной стеной, выкопал из-под снега высотный люминесцентно-салатовый ботинок «Koflach» с выгравированным на носке вензелем Родиона «ОррО».

Спустить ботинок вниз я не смог бы ни за какие деньги. Я закинул его в палатку, выдернул растяжки и засыпал палатку снегом.

— Креспи, — прохрипел я в радиостанцию, — я спускаюсь.

— Ты где?! — сквозь треск помех долетел голос американца.

— В третьем.

— Ну?! Что?! Где они?

— В палатке никаких следов. Нашел только ботинок Родиона и обрывок веревки.

Креспи понял, что я мысленно похоронил Родиона и Столешко. Он сразу переключился на того, кого еще можно было спасти, — таков закон гор.

— Доктор просит, чтобы ты прихватил шприц-тюбик с глюкозой и атропином для Бадура... Слышишь меня?.. И кислород!

— Ну да, здесь целый кислородный склад... Если сможешь, вышли нам навстречу двойку. Я Бадура далеко не унесу. Дай бог самому доползти до него.

— Хорошо, через час выйду на связь!

Что было дальше — я помню смутно. Через час меня привел в сознание сигнал вызова, и я обнаружил себя на карнизе, где оставил Бадура. Портера не было. Я ползал по карнизу, смотрел в пропасть, звал его осипшим голосом, но никто не отзывался. Вместе с Бадуром пропал мой пуховик и рюкзак.

Стемнело. Аккумулятор, питающий лампочку на налобной повязке, быстро истощился. Я уже не чувствовал ни рук, ни ног и с безразличием воспринимал свои страдания. Я не хотел думать о том, что заставило Родиона и Столешко так бесчеловечно поступить со мной. Поджав ноги к животу и закрыв перчатками лицо, я лежал на краю карниза. Я знал, что умираю, но не испытывал ужаса от прощания с жизнью. Истощенному, обессилевшему человеку воспринимать смерть намного легче, чем цветущему и сильному.

Радиостанция смешно пищала мне в ухо, казалось, что внутри ее суетились какие-то говорящие жучки, скребли мохнатыми лапками по мембране и проводам, а я пытался что-то сказать в ответ, но сил хватало только на разбавленный тяжелым дыханием шепот.

— Стас! Ответь мне! Из второго лагеря к тебе вышла двойка! Они скоро подойдут! Держись! Еще немного...

Держаться было не за что, кроме как за свое лицо. Перчатки, которые я прижал ко рту, побелели от конденсата. Холод, захватив ноги и задницу, уже брал штурмом живот, стремясь проникнуть внутрь меня, выстудить желудок, легкие и сердце, остановить их конвульсии, сковать морозом и тем самым подарить мне счастье остаться на горе вечно молодым и нетленным. Это представлялось заманчивым, намного более заманчивым, чем продолжать жить.

Потом, как во сне, я видел в темноте скользящие по камням и льду световые пятна, слышал крики, скрежет кошек. Кто-то переворачивал меня с бока на спину, связывал мне ноги веревкой, протыкал иглой сонную артерию, загоняя в кровь огонь, а потом меня долго-долго тащили в спальном мешке по крутому склону волоком, как покойника, и я временами приходил в чувство, слышал скрип снега и видел у самого лица движение ног в ярких ботинках.

В тесной, но прогретой палатке второго высотного лагеря, когда несколько капель горячего супа пробили себе путь между моих опухших от мороза губ, я сумел выдавить из себя несколько слов благодарности двум американцам, которые стащили меня вниз.

— Нет, шеф, никакого отека легких, дыхание у него чистое! — говорил один из них по радиостанции с базовым лагерем. — Только очень устал и обморозил пальцы на руках. С рассветом начнем спуск. Он что-то бредит про обрезанную веревку, но сейчас с ним разговаривать бессмысленно...

Я увидел, как из темноты на меня надвинулось темное лицо Бадура. Отогревшийся, отдохнувший, он сверкал свинцовыми белками и скреб грязными ногтями по щекам, сдирая кожу, которая из-за солнечных ожогов слезала клочьями.

— Будете жить, сэр! — с поганеньким оптимизмом говорил он, прихлебывая подогретую ракшу. — Вы думаете, что Бадур бросил вас и ушел вниз?.. Ай, напрасно! Я за помощью пошел. Я понял, что вас спасать нужно...

Он коверкал английские слова, перекатывая их во рту вместе с жирной ракшой, и воровато поглядывал на возню у тамбура, где мои спасители отстегивали кошки и стаскивали ботинки.

— Что ж ты пуховик мой на карнизе не оставил, когда понял... — прошептал я.

Мое внимание уплывало вместе со взглядом, и портер, чтобы снова напомнить о себе, тихонько подергал за край моего спальника.

— Очень трудное было восхождение, — тихо шепнул он, склонившись надо мной. — Бадур сильно рисковал жизнью. Надо бы заплатить побольше. Я согласился с вами идти за пятьсот баксов, потому что думал, что погода будет хорошая. А если б знал, что начнется буран... Бадур здоровье на этой горе подорвал. Большая семья в Катманду, шестеро детей...

Силы стоило экономить, но ради такого случая я пустил в ход резервы. Высунув из спальника руку, я не без труда сложил непослушные обмороженные пальцы в кукиш и поднес его к лицу портера.

— Выкуси, а потом сбегай за своим рюкзаком, альпиноид, — прошептал я и снова отключился.

Глава 4

ПИСЬМОВОДИТЕЛЬ КНЯЗЯ

Мораль — самая тяжкая ноша из числа тех, которые мы взваливаем на себя добровольно. Когда я натыкался на грузный от тоски взгляд руководителя экспедиции Гарри Креспи, мораль обрушивалась мне на плечи мокрой лавиной.

Креспи относился к моим доводам, мягко говоря, с плохо скрытым скептицизмом. Мало того, он был уверен, что кислородное голодание и психологическая нагрузка серьезно повредили мой мозг. В то время как я сидел в раскладном кресле, укрытый пуховым спальником, и нервно стучал зубами, Креспи стоял по одну сторону от меня, а экспедиционный врач по другую, и оба с состраданием смотрели на меня.

— И где же эта обрезанная веревка? — мягко спросил руководитель, глядя мне в рот. Мой взгляд был ему неприятен, и, чтобы не отводить глаза, он как бы притворился косоглазым. Сосульки на его бороде напоминали хрустальные подвески на люстре, только не звенели, когда начальник дергал головой.

— Там осталась, — ответил я, кивая куда-то наверх. — У меня не было сил вырубить ее изо льда.

— Может быть, вам показалось? — спросил врач, заботливо поправляя спальник на моей груди. Это был даже не вопрос, а доброжелательное утверждение, нестрашный диагноз, вроде: ты дебил, приятель, но это заурядно — в мире очень много дебилов.

— Не надо, доктор. Не надо, — посоветовал я. — Я все прекрасно помню. Это была оранжевая, с голубой оплеткой семимиллиметровка.

— Да мы не о веревке, а о срезе, — поспешно пояснил Креспи и в доказательство своих слов поднял с пола конец репшнура. — Вот это, например, обрыв или обрез?

— Обрез, — ответил я уверенно, так как репшнур был мой. — Причем годичной давности. Поэтому он обтрепался и теперь похож на обрыв. Но там я видел совершенно свежий срез.

— Ну хорошо! — теряя терпение, произнес Креспи. — Я могу вызвать полицейский вертолет. А что будет, если полиция квалифицирует этот сигнал как ложный вызов? Мне придется оплатить перелет в оба конца.

— Я оплачу. Только не тяни с вызовом, Креспи.

Креспи и врач переглянулись. Руководитель нервничал. Он не хотел неприятных разговоров вокруг экспедиции, спонсором которой была известная итальянская фирма «Треккинг», производящая горное снаряжение. Экспедиция носила рекламный характер, и вызов полиции в базовый лагерь мог повредить делу.

— Ну, что же ты молчишь? — прервал я затянувшуюся паузу.

Руководитель, высохший от возраста и любви к горам, белизну коротких волос которого оттеняло загоревшее до черноты лицо, стащил зубами рукавицу, кивнул врачу и что-то неслышно сказал. Решение выходило из него мучительно медленно. Я понял, что он сказал «о'кей», но скорее пока только для себя.

— А о чем говорить? — сглаживая слабоволие Креспи, ответил врач. — Вы пока не убедили нас в необходимости полиции. Мы должны выслушать Бадура.

— Бадур до третьего лагеря не дошел. Потому ничего интересного он не скажет, — возразил я.

— Выздоравливай! — категорично потребовал Креспи и протянул мне руку, ставя точку на разговоре.

— Вам надо отоспаться. Я принесу хорошее успокоительное, — добавил врач таким тоном, с каким палач обещает жертве добросовестно намылить веревку.

Я проводил их взглядом и, как только услышал затихающий скрип шагов за палаткой, сразу же подсел к столу и включил «ноутбук» Родиона, который он всегда брал с собой в горы. Я вогнал в прорезь дискету и вызвал команду на загрузку программы. Обмороженные пальцы с трудом попадали на нужные клавиши, глаза совсем некстати стали слезиться. Я тер воспаленные веки кулаком и пялился на возникшие на экране портреты Столешко и Родиона анфас и в профиль. За этим занятием меня застала Татьяна. Я едва успел отключить экран.

— Здравствуй, — сказала она, скидывая с головы капюшон. От нее тянуло свежим морозом. В протекторах ботинок девушка принесла снег, и на полу, между входом и столом, осталось несколько белых следов, словно Прокина, как мышь, прибежала с мучного склада. — Ты позволишь мне сесть?

Я искоса взглянул на нее и нахмурился.

— Спасибо, — сказала Татьяна, словно я расшаркался перед ней. Расстегнув «молнию» на пуховике, она села на сколоченную из ящиков скамейку. — Я принесла письмо от князя. Вообще-то оно адресовано Родиону, но ты тоже можешь его прочитать, чтобы потом не задавать мне лишних вопросов.

— Меня не интересуют чужие письма, — ответил я.

Она держала лист бумаги в вытянутой руке. Я смотрел на клавиатуру. «Каким же мерзким кажусь я ей со стороны!» — подумал я. Мне приходилось играть несвойственную роль, и меня коробило оттого, что игра давалась без напряжения. Раньше мне казалось, что сыграть подлеца порядочному человеку очень трудно.

— Хорошо, я зачитаю, — сказала Татьяна спокойно, опуская руку. Она со странной внимательностью рассматривала мое лицо: ее зрачки безостановочно двигались, будто по моей физиономии бежала строка телетекста. Я не выдержал этой почти ощутимой ласки вниманием и поднял глаза. Ее взгляд неуловимо изменился, и я догадался, что девушка думает уже не о пропавшей альпинистской связке, а о моей голове с пылающими мозгами.

— У меня есть французский аэровит, — сказала она, расстегивая «молнию» на пуховике. — Он здорово помогает от «горняшки». Тебе будет легче...

— Мне будет легче, — пробормотал я, — если ты выйдешь отсюда... Кто тебя просил беспокоиться о Родионе? Кто тебя прислал сюда?

— На все эти вопросы я уже ответила Родиону.

— Тогда и свои вопросы задай ему!

Татьяна вздохнула и с завидным терпением произнесла:

— Меня прислал сюда Святослав Николаевич Орлов, бывший эмигрант, потомственный князь, владелец усадьбы в Араповом Поле. — Вынув из-за пазухи коробочку, девушка встряхнула ее, как погремушку, и, взяв мою руку, развернула ее ладонью вверх. На линию жизни выкатились две желтые, нагретые ее пуховиком пилюли. — Можно не запивать. Разгрызи как следует и проглоти.

Лоб девушки закрывала оранжевая повязка, она же превращала прическу в некое подобие букета, в котором светлые, выгоревшие почти до белизны волосы фонтаном шли кверху, в романтическом беспорядке опадали на высокий воротник пуховика, на лоб и глаза и только уже где-то за воротником сплетались в косу. Словом, каждая деталь ее облика была гармонично связана с альпийской экзотикой, и портрет девушки мог бы украсить обложку какого-нибудь журнала для любителей активного отдыха.

— И что тебе от меня надо? — устало спросил я, опуская таблетки в карман.

— Исчерпывающей информации о Родионе и Столешко, — ответила Татьяна, легко рассматривая мои глаза. Ее лицо освещал рассвет улыбки. — Твоя гипотеза об убийстве меня не устраивает. Я должна знать все подробности: в каком состоянии был лагерь, что ты нашел в палатке, где находились веревка, горный ботинок...

— А государственную тайну тебе не выдать? — грубо спросил я. — Что это за манера такая — лезть в душу! Дай сюда твое письмо!

Я почти вырвал лист из руки Татьяны. Если бы она держала его крепче, то он бы порвался. Я положил письмо перед собой.

— И для какой цели тебе нужна информация? — произнес я и углубился в чтение короткого письма, прищурив один глаз, словно был на тестировании у окулиста.

«Дорогой сын! Танюша Прокина — мой новый письмоводитель, девушка весьма легкая на подъем, блестяще справляется со всеми моими поручениями (английский и французский в совершенстве, изумительнейшая физическая подготовка, верховая езда и бальные танцы!!!), что и навело меня на мысль отправить ее к тебе, полагая, что такой человек не только не станет обузой, но и поможет во многих твоих делах. Обнимаю — твой отец князь Орлов».

Почерка князя я не знал, и у меня не было полной уверенности, что письмо действительно написано отцом Родиона.

— Ну и что? — отчужденно спросил я. — Я сам могу такое написать. Ты Родиону его показывала?

— Конечно.

— И что он сказал?

— Ничего. Он поцеловал меня.

— Погорячился, конечно, — пробормотал я.

— Надо понимать, ты отказываешься со мной говорить? — уточнила Татьяна, причем так легко и малозначимо, будто давно смирилась с этим, и мой ответ особого значения для нее не имел.

— Правильно понимаешь, — ответил я.

На этом наш недолгий разговор был прерван редкими и

гулкими звуками ударов. Повар, колошматя палкой по пустой бочке из-под соляры, приглашал «сахибов», то есть восходителей, на ужин. Татьяна поднялась со скамейки и протянула мне руку, сузив ладонь лодочкой. Мне почему-то пришло в голову, что она хочет, чтобы я пожал или поцеловал ее руку. Но ей всего лишь нужно было письмо.

Прежде чем вернуть его девушке, я поднял лист и посмотрел через него на свет. Во всяком случае водяные знаки в виде замысловатого логотипа князя просматривались четко. «Однако никаких инструкций относительно письмоводителей я не получал, — подумал я и слишком откровенно уставился на девушку, дожидаясь, когда она выйдет из палатки. — Кто она? Новая фигура на игровом поле князя?»

Глава 5

ЧЕСТЬ ФИРМЫ

Столовая уютно располагалась на краю лагеря, среди каменных завалов горного «мусора», который ледник, сползающий с Плахи, аккуратно сгребал в одну кучу. Шерпы питались из общего котла, но в своих палатках, используя в качестве посуды армейские котелки. А привередливые американцы постарались превратить процесс потребления пищи в приятную и комфортную процедуру. В большой палатке, освещенной светильниками, был установлен длинный стол, собранный из кусков легкого пластика, на краю которого возвышались стопки одноразовых тарелок, пластиковых ложек и чашек. А дальше, по всей длине стола, стояли блюда с яствами. Тихо играл джаз. На тканевых стенах висели фотографии голливудских звезд, президентов, кто-то продолжил галерею портретами жен, собак и младенцев. Исхудавшие, с черными лицами, восходители в свитерах грубой вязки и тяжелых высотных ботинках изо всех сил старались вести себя так, как в «Макдоналдсе», и, неторопливо продвигаясь вдоль стола, загружали тарелки отварным рисом, сухой овсянкой, сушеными фруктами, кружочками копченой колбасы, наливали в чашки густой порошковый суп или бульон из кубиков.

Даже глубоко уважая ностальгию клаймберов[1] по своей родине, я не смог сдержать улыбку, войдя в палатку. Стоящий у входа шерп в замусоленном белом халате предложил мне влажную салфетку для мытья рук, которой я тотчас прикрыл рот. Народу было немного. Большинство членов экспедиции, разбившись на штурмовые двойки, ютились сейчас в тесных высотных палатках промежуточных лагерей, в сравнении с которыми базовый был курортным раем.

Я взял тарелку и в раздумье остановился перед медным чаном с отварным рисом, сдобренным гуляшом из сублимированной говядины. Креспи вместе с малорослым представителем фирмы «Треккинг» стоял у противоположного торца стола. Руководитель экспедиции заметил, как я зашел в палатку, но сделал вид, что увлечен беседой с итальянцем. Креспи имел право так поступать, потому что я не был членом команды.

— Добрый вечер! — поздоровался я, бесцеремонно прервав беседу Креспи и итальянца. Ложка с тушеной фасолью, которую Креспи намеревался отправить в рот, повисла между мной и фирмачом, словно шайба в момент вбрасывания.

Руководитель сдержанно поклонился, зато итальянец, лицо которого было обрамлено курчавой бородкой, плавно переходящей в бакенбарды, а затем в лысину, жизнерадостно протянул мне руку. Осуществляя рукопожатие, я рассматривал лицо фирмача и думал о том, что если его голову оторвать, перевернуть и поставить лысиной вниз, то получится новый тип лица — гладко выбритое, с торчащей дыбом короткой прической.

— Это господин Ворохтин, — выразительно представил меня Креспи. — Тот самый альпинист из России.

Услышав, что я «тот самый», итальянец торопливо отдернул руку. Его универсальное лицо вмиг помрачнело. Он сделал шаг назад и покосился на мои французские ботинки. Щедро смазанные ветрозащитной помадой, его губы дрогнули и презрительно скривились. Во всем лагере только я и Татьяна не были обуты в итальянские «Треккинги», и фирмач смотрел на меня, как на негра в толпе куклуксклановцев.

— Вы вызвали полицию? — спросил я у Креспи.

— А вы по-прежнему настаиваете? — выдержав паузу, во-

---

[1] Climber — альпинист *(англ.)*.

просом на вопрос ответил американец, кидая картонную тарелку в пластиковый пакет для мусора.

— Не просто настаиваю, а требую, — уточнил я. — Мы упускаем время. С каждым часом преступник уходит все дальше, и доказать его вину будет сложнее.

Креспи передернуло от слова «преступник». Он отвернулся к столу и в растерянности посмотрел на блюда.

— Я очень сожалею о трагической гибели ваших друзей, — пробормотал он. — И понимаю, что эта утрата невосполнима. — Он повернулся ко мне лицом. В белой пластмассовой ложке лежала иссиня-черная маслина. — И все же... Все же нельзя терять голову и принимать решения сгоряча. Вы понимаете меня? Преступления не было! Не бы-ло!.. Если, конечно, не считать преступницей гору.

— Креспи, — произнес я усталым голосом, — вы талантливый организатор и альпинист от бога. Но, поверьте, криминальные дела не в вашей компетенции.

Руководитель сник, выпадая из строя защитников чести фирмы. И тогда его подменил итальянец.

— А в чем, собственно, проблема? — свежим голосом возвестил он. — Давайте начистоту, господин... простите, как ваша фамилия? Какие у вас к нам претензии? Что конкретно вас не устраивает?.. Но не торопитесь с ответом. У меня для вас большой сюрприз!

Начались рекламные штучки, понял я. Креспи о чем-то задумался, гоняя косточку маслины во рту. У входа в палатку появился рыжеголовый врач, он приветственно вскинул руку и принялся расстегивать многочисленные замки и липучки на куртке.

— Наша фирма решила презентовать вам последнюю модель суперботинок! — объявил итальянец. — Комбинация нижней пластиковой части и кожаного верха делает обувь чрезвычайно прочной и комфортной для технического лазания...

— Креспи, вы делаете себе только хуже, — произнес я. — Вольно или невольно, но вы потворствуете действиям преступника. А это чревато последствиями.

— ...Двойной ударопоглотитель и система «мангуст», обволакивающая ногу по бокам, особая вентиляционная способность дают ощущение...

Руководитель, сплевывая косточку на ложку, вскинул на меня взгляд.

— А вы не задумывались, какими последствиями обернется для вас вызов полиции?

— ...Самоочищающийся профиль дополняет образ истинно агрессивного дизайна для тех, кто нацелен на победу... — не видя ничего вокруг, кроме своих ботинок, продолжал рекламное выступление итальянец.

Я выжидающе смотрел на Креспи. Ему уже стало ясно, что убеждением и ботинками с агрессивным дизайном меня не взять. Но если он нашел, чем меня зацепить, то обязательно выложит свой козырь. Креспи хотелось увидеть в моих глазах если не испуг, то хотя бы любопытство. Не знаю, что он там увидел, но его лицо выражало разочарование.

— Не задумывались, — понял он. — Тогда я вам объясню. Портер, с которым вы поднимались в третий лагерь, утверждает, что намного ниже третьего лагеря вы услышали крики о помощи, которые доносились с гребня контрфорса.

— Крики? — переспросил я. — Портер сказал, что слышал крики?

— Он сказал, что вы оба слышали крики, — уточнил Креспи.

— Так. Дальше!

— Портер предложил вам пойти на голоса и помочь людям, но вы ответили, что намерены продолжить восхождение к третьему лагерю. И тогда он сказал, что пойдет на помощь русским один.

— И неужели пошел? — спросил я, пожимая руку итальянцу в знак благодарности за впечатляющую рекламу.

— Пошел, — кивнул Креспи.

— Может быть, он спас Родиона и Столешко, а я до сих пор ничего об этом не знаю?

— Не исключено, что спас бы, — ответил Креспи, подставляя под краник бачка чашку. — Если бы вы не отобрали у него рюкзак с кислородом и провиантом.

— Креспи, — сказал я, — вы действительно верите в это?

— У меня нет оснований не верить Бадуру. Он не в первый раз работает в моей экспедиции и хорошо зарекомендовал себя.

На его лбу выступили капли пота. Казалось, что короткий седой ежик на голове американца — иней, который от тепла столовой начал таять, и капли воды покатились по лбу. Спортивные успехи Креспи остались в прошлом, а материальные всецело зависели от «Треккинга». И надо было всего ничего — немного солгать, немного пойти против совести, что стоило лишь нескольких капель пота.

— Я думаю, что мы обойдемся без полиции, — сказал итальянец и примирительно похлопал меня по плечу. — Я вам еще не рассказал о нашей куртке «Полярное солнце». Это нечто необыкновенное!

Врач с тарелкой на ладони подошел к нам.

— Как самочувствие? — поинтересовался он у меня. — Будьте добры, подайте хлеба, вы рядом стоите... А я принес вам то, что обещал. Держите!

Я уже забыл, что он обещал скормить мне какие-то успокоительные таблетки, и машинально протянул руку. Из пластиковой упаковки мне на ладонь выкатились две желтые пилюли. Я смотрел на них и думал, чем для меня может обернуться слишком узнаваемое повторение эпизода с таблетками.

— Выпейте, — сказал врач, теребя клиновидную рыжую бородку.

— Рекомендации врачей надо выполнять, — нравоучительным тоном добавил итальянец.

— Мы не желаем вам зла, — заверил Креспи. — А о вашем неблаговидном поступке я постараюсь забыть.

Они обступили меня со всех сторон. Я продолжал стоять, держа пилюли на ладони. Они таяли, клеясь к мозолям.

— Вы уверены, что эти таблетки мне помогут? — спросил я врача.

— Вне всякого сомнения, — ответил он.

— А память они улучшают?

— И память тоже.

Креспи протянул мне свою чашку, предлагая запить лекарство. Я опустил руку с таблетками в карман, где уже лежала пара очень похожих таблеток, вежливо отстранил итальянца и быстро пошел к выходу, затылком чувствуя недобрые взгляды. Президенты с фотографий смотрели на меня так же отчужденно, словно были в сговоре с Креспи, врачом и итальянцем.

Я вышел в ночь, под колючий свет звезд, хоровод которых острым углом закрывала Плаха, тускло отливающая холодным серебром. Палатку шерпов я нашел скорее по звуку электрогенератора, чем зрительно, откинул полог из старого верблюжьего одеяла и зашел внутрь. Большинство носильщиков уже спали, кое-кто еще подогревал на горелке ракшу или играл в карты. Бадур, сидя перед керосинкой, точил напильником зубья кошек. Увидев меня, он отложил работу и стал торопливо менять сосредоточенное выражение лица на счастливое.

— Привет! — громко поздоровался он со мной, чтобы привлечь внимание своих земляков. — Почему не спишь так поздно?

— Привет, — ответил я и похлопал его по плечу. — Я тебе кое-чего принес. Выйдем на воздух.

Наверное, Бадур рассчитывал на деньги, потому не стал надевать ботинки и пуховик, и вышел в чем был — босиком и в свитере. Мы стояли по колени в снегу рядом с кемпинговой палаткой руководителя экспедиции, за тонкой стенкой которого тихо шипела включенная на прием радиостанция. Этот звук, не меняющийся на протяжении прошедшего дня, напоминал процесс приготовления яичницы.

Без вступлений, ударом в челюсть я свалил Бадура на снег, сел на него верхом и вставил ему между зубов дюралевый крюк.

— Глотай! Может быть, вспомнишь, как все было на самом деле, — сказал я, заталкивая Бадуру под язык таблетки. — Да не рычи ты, я же не драться с тобой пришел, а помочь... Ну? Проглотил? В голове стало светлее?

Глава 6

ФРАНЦУЗСКИЙ ЛЭРОВИТ

Оранжевый вертолет с военными опознавательными знаками на борту, не выключая двигателей, со свистом резал морозный разреженный воздух и поднимал снежную пыль. Она кружилась вокруг, словно геликоптер попал в эпицентр смерча. Открылась дверь, и на снег спрыгнул офицер в коричневом свитере с матерчатыми нашлепками на плечах, медной бляхой на груди, в малиновом берете. Низко пригибаясь и прикрывая лицо от ледяных опилок, он побежал в нашу сторону.

Мы с Креспи стояли рядом, но как бы отдельно друг от друга. Очень недовольный тем, что я самовольно воспользовался радиостанцией, он с утра не разговаривал со мной и старался не замечать. Я же был с ним подчеркнуто вежлив. Представитель фирмы, вчистую забывший о своем обещании сделать мне подарок, нервно крутился между нами, вытаптывая в снегу восьмерку, и беззвучно шевелил губами, словно повторял перед ответственным выступлением текст речи.

Я прикрывал глаза рукой и щурился, глядя в вихревой снежный столб, из которого появился полицейский. Мои глаза слезились от ослепительного света, мороза и керосиновой гари, и инспектор мог подумать, что я излишне сентиментален и восприимчив, а таким, как известно, не очень-то верят. Гора, отражая своими снежными зеркалами солнце, выдавала миллиарды люкс, и кожей лица я физически ощущал волну золотистых нитей как тысячи швейных иголок, вонзающихся мне в лоб, щеки, губы. Я старательно тер глаза рукавицей, но, похоже, сделал еще хуже.

Опасаясь, что я могу нарушить субординацию и представиться первым, Креспи шагнул навстречу гостю и сделал неопределенное движение руками, словно хотел извиниться за то, что потревожил столь высокое начальство из-за пустяка.

— Привет! — поздоровался он с инспектором. — Я начальник экспедиции Гарри Креспи. Долетели нормально? Все в порядке?

Инспектор козырнул, пожал руку Креспи, а затем итальянцу, который в мгновение ока оказался рядом. Я продолжал стоять на тропе, ожидая, когда инспектор получит из уст Креспи и итальянца исчерпывающую информацию обо мне. Но руководитель быстро устал и закашлялся. Безвкусный, ледяной воздух обжигал горло. Итальянец тоже закрыл рот, потому как умел долго говорить только о продукции своей фирмы.

— Ворохтин, — представился я инспектору, когда тот поравнялся со мной, и убрал с глаз черные очки. — Это я связался с полицией.

Смуглое лицо непальца, утяжеленное густыми черными усами, вытянулось от удивления.

— Неожиданная встреча! — безрадостно произнес он. — Кажется, мы недавно встречались?

Я тоже узнал его. В Катманду у нас неожиданно возникла проблема: у Столешко оказалось просроченным разрешение на посещение национального парка, куда входила Ледяная Плаха. Проблема казалась пустяковой, достаточно было написать повторное заявление и уплатить небольшую пошлину. Но Столешко неожиданно для нас пальнул по воробьям из пушки. Он преподнес инспектору пухлый почтовый конверт, что здорово смахивало на взятку. Правда, писать заявление и платить пошлину ему все равно пришлось.

Мы топтались на тесном пятачке в двух десятках метров от вертолета. Инспектору была явно неприятна наша встреча, он заметно сконфузился.

— Я сначала поговорю с руководителем, а к вам подойду позже, — сказал он, глядя на двух шерпов, которые, часто перебирая ногами, тащили волоком большой кусок пластиковой клеенки, на которой лежал Бадур.

— У нас больной, — сказал Креспи инспектору, дождавшись, когда шерпы поравняются с нами. — Тяжелое отравление. Жалуется на боль в животе... — Креспи кинул на меня быстрый многозначительный взгляд и подытожил: — Надо бы госпитализировать.

— Это полицейский вертолет, а не санитарный! — с неожиданной злостью ответил инспектор. Он все еще был под впечатлением нашей встречи, и это его злило. — В лагере есть врач? Какой он поставил диагноз? Чем отравился больной?

Тембр вертолетного двигателя стал меняться, из свиста превращаясь в частый глухой стук, и полупрозрачная «тарелка» винта выгнулась воронкой. Вертолету не терпелось оторваться от ледника. Я посмотрел на кабину. Пилот отчаянно жестикулировал, постукивая пальцем по запястью, где были часы. Рот пилота был широко раскрыт — то ли он что-то кричал Креспи, то ли ему, как и вертолету, не хватало воздуха.

Шерпы подняли Бадура на руки и принялись заталкивать в салон. Я на мгновение увидел распухшее лицо портера с отечными веками, заострившимся, как у покойника, носом и губами. «Зря я это сделал, —подумал я. — Теперь будет очень трудно доказать, что таблетки, которые я скормил Бадуру, дали мне врач и Татьяна. Какими именно портер отравился — одному черту известно. Начнутся разбирательства, меня надолго выведут из Игры».

Инспектор, увидев, что Бадура грузят вопреки его запрету, закричал и погрозил шерпам кулаком. Креспи коснулся рукой плеча инспектора, бессловесно извиняясь, и побежал к вертолету. Шерпы, сбитые с толку, смотрели то на кричащего инспектора, то друг на друга и не знали, что делать со своим коллегой. Бадур вращал зрачками, глядя вокруг себя, и шевелил пересохшими губами. Кажется, он очень боялся вращающегося над своей головой винта. Начальник экспедиции с белым от снежной пыли лицом стал размахивать руками и отталкивать шерпов от вертолета, хватая их за воротники пуховиков. Бадур, проявляя с начальником солидарность, согнул ноги в коленях и начал отталкиваться от края вертолетной палубы. И вдруг кинулся от грохочущей винтокрылой машины прочь. Пилот то ли нечаянно, то ли нарочно приподнял вертолет на метр. Такелажный крюк, торчащий сбоку дверного проема, зацепился за куртку Креспи, с треском разорвал ткань, обнажая белый наполнитель, американца приподняло над землей. В воздушном вихре, смешиваясь со снежной пылью, закружился пух, словно Креспи был плюшевым медвежонком, которому озорной ребенок распорол брюшко. Шерпы закричали и засвистели. Американец сорвался с крюка и упал на снег. Полоз вертолета едва не придавил его ноги.

Я обязательно сплюнул бы, если бы во рту не пересохло.

Вокруг вертолета, ставшего центром внимания, собиралось все больше обитателей лагеря. На черных остроугольных камнях, торчащих из-под снега, как позвонки древнего ящера, я увидел Татьяну, которая, словно оранжевая ящерица, грелась в лучах солнца и поглядывала на клоунаду Креспи.

«Очень кстати!» — подумал я и, медленно пятясь, чтобы не привлечь ее внимания, обошел вертолет по большой дуге, а когда оказался за спиной Татьяны, побежал по тропе в лагерь.

Ее малиновая палатка, как и большинство других, была раскрыта, полог откинут в сторону, чтобы горячие солнечные лучи прогрели и просушили внутренность. Не останавливаясь, я с ходу нырнул внутрь, снял очки и огляделся. Гнездышко милой письмоводительницы мало чем отличалось от походного жилища рядового клаймбера, разве что подвешенными к потолку пучками остро пахнущих высушенных трав, которые девушка, видимо, нарвала в окрестностях Биратнагара. Ложе, представляющее собой розовый спальник-кокон, было отделено кажущейся здесь нелепой москитной сетью. Собственно, сама палатка по своей конструкции мало подходила к высокогорью, с его ветрами и снегопадами.

Я взялся за рюкзак, перевернул его вверх дном и вытряхнул под ноги бесчисленное количество пакетов с одеждой. Потом обыскал карманы рюкзака. «А что я хочу найти? — думал я, заталкивая вещи обратно. — Большое красное удостоверение, в котором будет написано, что Татьяна Прокина — мошенница и воровка, практикующаяся на молодых и богатых мужчинах?»

Я расстегнул «молнию» москитной сетки и опустился на колени перед спальником. Ощупал его пухлые бока, сунул под него руку и сразу наткнулся на тонкий холодный предмет. Вытащил ледериновую папку на липучке, раскрыл ее и начал рассматривать бумаги. Сверху лежало уже знакомое мне письмо князя. Ниже — нарисованная карандашом схема усадьбы в Араповом Поле, причем место, где в Родиона стреляли, было помечено крестиком. Под схемой — ламинированный квадратик, похожий на водительское удостоверение. Я пробежал глазами по мелкому тексту: *«Руководствуясь Уголовным кодексом РФ и Законом об оружии... вправе применять оружие (пистолет Макарова № 7057429)...»*

— Интересно? — вдруг услышал я за своей спиной голос Татьяны. Обернувшись, я увидел то, о чем только что читал, — ствол пистолета Макарова, нацеленный мне в лоб.

Даже если бы мое лицо не было коричневым от загара, я все равно бы не покраснел. Для меня не играло большой роли то, как мои поступки выглядели со стороны. Главное — с какой совестью я их совершал. Закрывая папку, я с интересом рассматривал черную дыру в пистолетном стволе.

— Это у тебя что? Пистолет? — спросил я, аккуратно заталкивая папку под спальник. — Настоящий? Дай пострелять!

— Не смешно, — ответила Татьяна.

— И мне не смешно, — сознался я, встал на ноги, подошел к девушке и отвел ствол в сторону. — Теперь так принято — снабжать письмоводителей оружием? Или это твоя личная инициатива? А?

— Хватит! — оборвала меня Татьяна, пряча пистолет под пуховик. — Что тебе здесь надо?

— Французский аэровит, — сознался я. — Вчера вечером я угостил им Бадура. И знаешь, так вдруг захотелось, чтобы меня тоже внесли в вертолет вперед ногами на руках!

— Внесут, — пообещала Татьяна, опуская руку в карман. — А таблетки я ношу с собой.

Она раскрыла ладонь, показывая мне голубую упаковку.

— Ты предлагаешь его всем, у кого болит голова? — поинтересовался я.

— Нет, не всем.

Нравился мне ее массирующий взгляд! Люди с таким взглядом отвечают на вопросы быстро и честно.

— Наверное, Родиону предлагала? — наобум спросил я.

— Конечно.

У меня внутри все похолодело.

— А Столешко?!

— И ему тоже.

Я почувствовал, что мне не хватает воздуха. Татьяна не могла не заметить ужаса в моих глазах, и на ее лицо, как на мое искаженное отражение, упала тень.

— Что ты на меня так смотришь? — дрогнувшим голосом произнесла она.

«Одно из двух, — подумал я, — или она не знала, что творила своим аэровитом, или же разыгрывает спектакль похлеще нашего».

— Ты сама их пробовала? — произнес я. — Ты уверена, что это действительно аэровит, а не какой-нибудь мышьяк?

Я здорово испугался, не скрою. И Татьяна сдрейфила, причем вполне правдоподобно. Она немедля поднесла коробочку к глазам, прочитала на ней все, что можно было прочитать, затем вытряхнула оттуда желтую таблетку и отправила ее в рот. Когда распробовала вкус пилюли, хлынули эмоции.

— Я принимаю их по три раза в день! — рассерженно крикнула она и даже замахнулась на меня кулаком. — Что ты страху наводишь, как истеричка в самолете?

У меня отлегло от сердца. Я вытер взмокший лоб, выхватил коробочку из рук Татьяны и затолкал ее себе в карман.

— Господин Ворохтин! Вас просит инспектор.

У входа в палатку высилась фигура Креспи. Я посмотрел на покрытую инеем седую бородку, потрескавшиеся губы, широкие скулы, туго обтянутые задубевшей на солнце и ледяном ветру коричневой кожей. Второй месяц Креспи топтал гималайский снег и дышал разреженным воздухом. На его месте я бы давно сошел с ума от такого счастья. Наверное, ему очень нужны были деньги, нужны до такой степени, что он ни в грош не ставил свои здоровье и силы, продав их итальянскому «Треккингу».

— И вас, госпожа Прокина, тоже, — добавил он, посмотрев на девушку.

Глава 7

НЕ УДЕРЖАЛАСЬ НА УШАХ ЛАПША

Во всей этой безумной и дорогостоящей затее с фильмом я выполнял отнюдь не игровую роль. Родион определил меня своим основным напарником по альпинистской связке. Я должен был страховать его во время съемок на самых опасных участках. А по совместительству исполнял обязанности «огнетушителя» при капризном и взрывоопасном миллионере, где добрым словом, а где кулаком отгоняя от него мошенников, попрошаек, поклонниц и прочих носителей ненужных проблем. Так я и объяснил инспектору смысл своей фигуры в этой истории.

Он слушал меня не перебивая. Некоторым нравятся такие слушатели. Я же их не переносил. Если я долго говорил, а меня все это время слушали молча, то я начинал подозревать собеседника в глухоте или слабоумии, что не позволяло ему полноценно воспринимать мои мысли. Я привык чувствовать контакт и нормально относился к спору, даже если он заканчивался кулачными разборками. Истина всегда рождается в муках.

Татьяна сидела у радиостанции в складном кресле, не выпуская из руки стальной чашки с горячим чаем. Пар, клубящийся из чашки, сдувало настырным сквозняком, несмотря на двойную стенку из ткани «рипстоп». Я все время уводил глаза в сторону, чтобы не поранить свои нервы о ее взгляд. Креспи, опершись руками о стол, несколько мгновений смотрел на свежий номер «Непал таймс», который инспектор привез вместе с почтой. В заметке о Родионе, помещенной на первой полосе, кто-то прожег спичкой дырку, а рядом посадил жирное пятно, но я сумел прочитать весь текст: *«Сумасшедший русский Родион Орлов, сын известного и весьма состоятельного художника-реалиста Святослава Орлова, примкнул к гималайской экспедиции, возглавляемой американцем Гарри Креспи, и намерен совершить сольное восхождение на сложнейший восьмитысячник Гималаев, прозванный клаймберами Ледовой Плахой, а также пройти самые «смертельные» скальные маршруты мира...»*

Пора было переходить к самому главному — моим злоключениям в третьем высотном лагере, но мне не удавалось поймать искру любопытства в глазах инспектора, и я замолчал. От моего молчания инспектор оживился и, склонив голову набок, спросил:

— И что же было дальше?

Это был первый вопрос, который он задал. Я терзал пальцами щеку, покрытую жесткой щетиной. Как только мы высадились на ледник, я забыл о бритье. У меня был с собой и станок, и баллончик с пеной, можно было каждое утро приводить себя в порядок, но я не делал этого, следуя альпинистской традиции.

Креспи нервным рывком сорвал приколотую к стенке карту Ледовой Плахи, точнее, крупный аэрофотоснимок, сделанный в таком ракурсе, что отчетливо были видны все гребни, лавинные желоба, полки и кулуары горы-убийцы. Красным пунктиром были обозначены маршруты, треугольниками — промежуточные лагеря. На вершине красовался флажок, похожий на топор.

— Когда они последний раз выходили на связь? — спросил инспектор, искоса взглянув на карту.

— Позавчера около семи утра я разговаривала со Столешко, — за Креспи ответила Татьяна. — Они готовились выходить из третьего лагеря на стену.

Я только зубами скрипнул и покосился на девушку. Вот же выскочка! Кто ее спрашивает, черт возьми! Она, безусловно, обладала привлекательным лицом, которое еще не успело испортить безжалостное солнце, но злость всегда делала меня безразличным к красоте.

— А Родион с вами не говорил? — спросил инспектор, не поднимая головы.

— Нет. Но я слышала его на дальнем фоне. Он пел.

Голос Татьяны, как у большинства альпинистов-высотников, был немного хриплым, простуженным. В другой ситуации я непременно посоветовал бы ей боржоми с молоком. Но сейчас осведомленность Татьяны выводила меня из себя, и я думал о том, как бы выпроводить ее из палатки.

— Пел? — насмешливо переспросил я и мельком взглянул на Креспи, желая убедиться, что руководитель разделяет мой скептицизм. — Он пел на высоте двадцати тысяч футов? После ночевки при температуре минус тридцать? Бред какой-то!

Бледные из-за защитной помады губы девушки были полуоткрыты и слегка вытянуты вперед, словно она в ответ на мою колкость намеревалась поцеловать воздух; ее светлые глаза отражали едкую голубизну неба, а несколько вздернутый кверху веснушчатый нос придавал ей дерзкий и упрямый вид.

— Это не бред, — спокойно ответила она. — Я отчетливо слышала, как Родион пел. И еще я хочу напомнить тебе о том, что в горах в период адаптации у некоторых людей заметно снижается интеллект. Если высота пять тысяч, то на пятьдесят процентов. Если семь — то на семьдесят. Сейчас мы находимся на высоте пять с половиной тысяч метров. Делай выводы.

Может быть, у меня в самом деле понизился интеллект, так как я не сразу понял, для чего Татьяна озвучила эту статистику. Мне казалось, что в левый висок вбивают раскаленный гвоздь. «Анальгин не поможет, — думал я. — Надо убедить инспектора в своей правоте, склонить его на мою сторону. Иначе вся эта свора сожрет меня».

Я смотрел в глаза Татьяны, на ее спокойное лицо и щеки, покрытые, как яблоки, дымчатым румянцем, и понимал, что глубоко ошибался, когда ждал от жизни в высокогорье, вдали от людей и цивилизации, простых и понятных истин.

— Мы слушаем вас, господин Ворохтин, — произнес инспектор.

— Когда я поднялся в третий лагерь, то сразу понял, что там случилось что-то из ряда вон выходящее, — сказал я, прислушиваясь к шагам Креспи за своей спиной. Он ходил между импровизированных столов. Волосы на моем затылке шевелились от движения воздуха, и это раздражало не меньше, чем сосредоточенное внимание Татьяны, сидящей рядом с инспектором.

— Что значит из ряда вон выходящее? — уточнил инспектор.

— Во-первых, крыша палатки была порвана, как если бы ее распороли ножом. Ни лавина, ни осколки ледяных линз этого сделать не могли бы.

Взгляд инспектора ушел выше моей головы. Он вопросительно посмотрел на Креспи, словно хотел получить подтверждение моим словам. Я не видел, какое выражение изобразил на своем лице американец.

— Если это могли сделать только люди, то зачем? — спросил меня инспектор.

— Чтобы палаткой больше никто не смог воспользоваться, — сказал я. — Чтобы альпинист, который поднимется в третий лагерь, был обречен на холодную и голодную ночевку, что с большой долей вероятности означает летальный исход. Иначе говоря, это было сделано для того, чтобы то, о чем я вам собираюсь рассказать, никому не стало известно.

За моей спиной раздался короткий шипящий звук, словно Креспи высморкался.

— Я обыскал весь лагерь, но под стеной нашел только ботинок Родиона и обрезок страховочной веревки. Кислород, продукты, одежда, медикаменты — все исчезло.

— Как же Родион мог идти по снегу без ботинка? — удивленно спросил инспектор.

— Никак. Он и не шел. Он падал.

— Куда?

— В пропасть.

— Зачем?

Я вздохнул и вытер пот со лба. Даже Креспи, который был бесспорным союзником инспектора, начал терять терпение.

— Господин Ворохтин утверждает, что Родиона умышленно скинул в пропасть его напарник Столешко, — пояснил он инспектору.

— Зачем?

Этот вопрос, в точности повторивший предыдущий, тем не менее пришелся к месту. Для меня он был чем-то вроде «Гюльчатай, покажи личико!».

— Сейчас объясню. Это фотография Столешко, — сказал я, протягивая инспектору полароидный снимок, сделанный мной в гостинице. Дождавшись, когда инспектор как следует рассмотрит лицо Столешко на фоне хмельной компании, я протянул еще один снимок. — А это Родион. На заднем фоне Капитолий. Но, в общем, не в нем дело... Вы ничего не замечаете?

Креспи стоял за моей спиной, изогнувшись плакучей ивой и стараясь рассмотреть снимки.

— А что я должен заметить?

Теперь и Татьяна повернулась к инспектору, пытаясь рассмотреть изображения на снимках. Я заинтриговал всех.

— Они очень похожи! — объявил я. — Столешко и Родион похожи как две капли воды. Рост, телосложение, форма черепа...

— Позвольте? — не выдержал соблазна Креспи и протянул руку, но инспектор не спешил отдать ему снимки.

— М-да, — согласился он. — В некоторой степени похожи. Только у Столешко волосы короткие и рыжие, а Родион шатен... И все-таки я не пойму, почему вы решили, что Родион сбросил Столешко...

— Наоборот! — остановил я его. — Столешко сбросил Родиона.

— По-моему, это обычный несчастный случай, — сказал инспектор, закидывая ногу на ногу. — В Гималаях, господин Ворохтин, это, к сожалению, перестало кого-либо удивлять. В позапрошлом году погибло семнадцать человек, в прошлом — двадцать три...

— Вы читали эту заметку? — снова перебил я инспектора и кивнул на газету, которая лежала под его локтем.

— Какую? Эту? — уточнил инспектор, опуская взгляд. — «Сумасшедший русский Родион Орлов, сын известного и весьма состоятельного...» Да, читал. Ну и что?

Поморщившись, я провел рукой по пульсирующему лбу, словно утерся.

— Прекрасно! Тогда взгляните на это!

Я показал непальцу дискету, которую нашел в красной палатке, вставил ее в «ноутбук» и повернул компьютер так, чтобы его экран был хорошо виден инспектору и Креспи. Они смотрели, как экран рисует сетку и выводит список файлов.

— Знаете ли вы, господин инспектор, для какой программы предназначены эти файлы? — спросил я.

— Нет, не знаю, — признался инспектор.

— Для программы «Building of a face», по которой, как прическу в парикмахерской, можно модернизировать лицо человека, то есть изменить форму носа, ушей, губ, разрез глаз.

Инспектор откинулся на спинку стула, словно от экрана «ноутбука» тянуло нестерпимым жаром, и переглянулся с Креспи. Тот, склонившись перед компьютером, коснулся клавиши. Файлы начали распускаться, как бутоны роз, превращаясь в трехмерные портреты Столешко и Родиона.

— Пока ничего особенного я здесь не вижу, — произнес он, но в его голосе уже не было прежней уверенности.

— Я тоже, — быстро поддержал его инспектор.

Я пустил в дело последний козырь.

— Это дневник Столешко, который я нашел в палатке, — сказал я, кладя перед инспектором тетрадь. — А в нем оказался очень любопытный документ... Раскройте, пожалуйста.

Инспектор откинул обложку тетради. Хорошо, что он не умел читать по-русски, и мелкие карандашные записи о недавнем восхождении на Канченджангу не привлекли его внимания. Он перелистывал страницы с той нетерпеливостью, с какой ребенок ищет во взрослой книге картинки.

— Ну? — говорил он. — Что вы хотите мне показать?

У меня не было необходимости вмешиваться. Инспектор

сам нашел лист бумаги, вложенный между страницами дневника.

— «Медицинский центр репродукции человека, — читал он английский текст. — Таиланд, Бангкок. Предмет обсуждения (нужное подчеркнуть): изменение пола, косметическая хирургия (бородавки, папилломы, родимые пятна и т.д.), изменение цвета кожи, липоксация, устранение врожденных уродств, коррекция фигуры, изменение формы носа, ушных раковин...» Что это?!

Я взял из рук изумленного инспектора лист и повернулся к руководителю.

— Креспи, вас ничего не настораживает?

Американец молча взял документ и устремил взгляд в его середину. Татьяна тихо рассмеялась. От этого смеха облегченно вздохнул инспектор, и даже мне стало легче. Татьяна взглянула на меня. Губы ее дрожали.

— Когда у человека нет своего объяснения, он занудно перечисляет факты и все время понукает слушателей: «Ну, поняли наконец? Поняли?»

— Да, — кивнул инспектор. — Хотелось бы понять, на что вы все время намекаете.

— Да я уже не намекаю, а говорю открытым текстом! — взмолился я и полез в нагрудный карман. — Вот вам еще письмо Столешко, написанное им месяц назад Родиону. Он предлагает свои услуги в качестве компаньона и напарника для горных восхождений. Родион согласился. А почему бы и нет? Прекрасная кандидатура — мастер спорта международного класса, покоритель трех восьмитысячников, один из сильнейших альпинистов сборной Украины.

— А где конверт? — спросила Татьяна, бесцеремонно перехватывая письмо, которое я протягивал инспектору — впрочем, он все равно бы ни слова не понял — оно было написано по-русски.

— Мы встретились со Столешко в Катманду, — продолжал я, пропустив мимо ушей вопрос Татьяны. — И меня сразу поразило сходство Столешко с Орловым. Но еще больше поразило то, что Столешко был прекрасно осведомлен о финансовом состоянии дел Родиона и его отца. Он подробно расспрашивал о том, как идут реставрационные работы усадьбы в Араповом Поле, сколько еще денег надо вложить в роспись фасада грота.

— Почему вы решили присоединиться к экспедиции Креспи? — не по теме спросил инспектор. Я почувствовал, что от моего рассказа об усадьбе его стало клонить ко сну.

Я обернулся и взглянул на руководителя, полагая, что он сумеет дать исчерпывающий ответ на этот вопрос, но Креспи предпочел молча ходить за моей спиной.

— Нет, — возразил я. — Никакого присоединения не было. Мы решали свои задачи, а Гарри свои. Он всего лишь приютил нас здесь в обмен на две сотни шлямбурных и ледовых крючьев.

Креспи опять шумно выдохнул. Татьяна читала письмо Столешко. Я выхватил его из ее рук и, сминая, затолкал в карман.

— Такое ощущение, что написано под диктовку, — сказала Татьяна. — Почерк размашистый, вольный, с завитушками и кренделями, что выдает в Столешко виртуоза лжи.

— А теперь постарайтесь понять меня, — продолжал я, глядя на инспектора. — Вы уверены в том, что на горе произошел несчастный случай. Даете официальное сообщение о гибели двух альпинистов. А Столешко, скинув в пропасть Родиона, по альпинистским тропам спускается в долину и переправляется в Таиланд, где в бангкокском медицинском центре ему делают пластическую операцию, оплаченную и оговоренную заранее. Ему убирают с лица последние внешние различия с Орловым, красят волосы, и Столешко становится копией Родиона.

Креспи перестал ходить. С лица Татьяны исчезла ироническая усмешка. Инспектор нахмурился.

— Что это? — спросил он. — Зачем это ему надо?

Я не успел рта раскрыть, как Татьяна ответила за меня:

— Чтобы унаследовать состояние Орлова-старшего.

— Ты напрасно иронизируешь, — ответил я ей. — Это состояние оценивается в несколько десятков миллионов долларов. И Родион — единственный наследник...

Инспектор кинул на стол карандаш и резко поднялся со стула.

— Знаете, — сказал он, — вот уже полчаса я пытаюсь понять вас! Но все, что вы сказали здесь, шито белыми нитками! Все, от начала до конца, придумано! Какой-то обрывок веревки, дискета, договор с таиландской клиникой, причем ксерокопия — это не доказательства преступления! Это просто личные предметы альпинистов, которые говорят о чем угодно, но только не о преступлении!

— Именно о преступлении, инспектор! — заверил я. — Дискета с программой — разве не улика? А договор с медицинским центром на пластическую операцию? Разве вас не настораживает, что среди бела дня без видимых причин вдруг исчезли два опытных альпиниста?

— Спокойно! — остановил мое красноречие инспектор, вскидывая руку и показывая мне свою ладонь, словно штрафную карточку. — Следите за своей речью!

— У тебя больное воображение, парень! — произнес Креспи и опустил свою руку мне на плечо.

Я скинул руку американца, словно анаконду, упавшую на меня с дерева, и невольно попятился.Что ж, на «ты» так на «ты»...

— Сейчас, Гарри, ты озабочен чистотой рекламы «Треккинг», от которого тебе перепадет кусочек, и потому готов немного покривить душой.

— Спокойно, — еще раз произнес инспектор и поправил на голове берет. — Вы ведете себя вызывающе.

— Мне все понятно, — произнес я, глядя то на Креспи, то на инспектора. — Вы сговорились. Должен признать, неплохо...

— Что вы сказали? — вскинул густые черные брови инспектор. — Мы сговорились?

Он задел теменем заиндевевший потолок палатки, и ледяная пыль посыпалась за ворот его свитера. От этого почему-то мне стало холодно, хотя от спора я разогрелся, как в шезлонге на пляже в Майами.

— Инспектор, — стараясь погасить разгорающийся конфликт, сказал Креспи, — гипоксия иногда делает поступки альпинистов непредсказуемыми. Господин Ворохтин пережил на высоте двадцать две тысячи сильнейший стресс. Прошу вас снисходительно относиться к его словам. Я за него приношу вам свои извинения.

Инспектор стоял ко мне боком, постукивал пальцем по столу и смотрел себе под ноги. Руководитель американской экспедиции ублажал его самолюбие. Инспектор чувствовал себя значимой и уважаемой фигурой. Если бы я не произнес больше ни слова, инспектор остался бы удовлетворен примиренческим унижением Креспи. Но мой язык заворачивался во рту в трубочку от желания высказаться. Прекрасно понимая, что сам загружаю себя дурными проблемами, я все-таки выпалил:

— Ваш скептицизм, инспектор, был бы просто необъясним, если бы в Катманду вы не приняли из рук Столешко взятку!

Креспи наступил мне на ногу. Хорошо, что на его итальянских «треккингах» не было кошек. Татьяна взглянула на меня с испугом и едва заметно покачала головой. Инспектор подпрыгнул на месте, юлой повернулся ко мне, и в его черных глазах вспыхнуло бешенство.

— Что?! — крикнул он, зачем-то засовывая обе руки в карманы плотных серых брюк из ячьей шерсти. — Взятку?! Вы оскорбили должностное лицо! Вам это так просто не сойдет!..

— Инспектор, — пытался вмешаться Креспи, отталкивая меня локтем, чтобы встать между мной и инспектором, — вы неправильно его поняли! Господин Ворохтин хотел сказать совершенно противоположное...

— Я все правильно понял! — распалялся инспектор и все норовил схватить меня за руку. Я не уворачивался и не сопротивлялся, но инспектор вроде как все время промахивался. — Оскорбление должностного лица при исполнении им служебных обязанностей! Вы будете арестованы и жестоко осуждены!

Татьяна повернулась и вышла из палатки. Я, конечно, вляпался, но отступать не намеревался, считая это унижением своего достоинства. Инспектор действительно принял деньги, которые ему подсунул Столешко, и этот факт ни под каким соусом нельзя было отнести к разряду моей гипертрофированной фантазии. Все, что касалось версии убийства в горах, можно было оспаривать и опровергать. Но за факт взятки я готов был рвать зубами глотки.

— Какого черта ты полез на рожон! — тихо сказал мне Креспи. Его голос на фоне крика инспектора казался очень заботливым и даже родственным. — Извинись сейчас же!

— Но он в самом деле получил взятку от Столешко, — настаивал я. — Почему я должен извиняться?

— Вы арестованы! — сорвавшимся голосом прохрипел инспектор.

Я добровольно протянул руки, но наручников, как и желания выворачивать мне руки, у инспектора не оказалось. Сам факт ареста клаймбера в экспедиционном лагере был нелеп. Такого история мирового альпинизма еще не видела.

— Если ты закроешь рот, — не сдавался Креспи, — то я постараюсь все уладить.

Инспектор вместе со своим гневом ретиво выскочил наружу, словно вынес из палатки вспыхнувший факелом примус.

— Это не все! Мы еще кое-что выясним! — рассыпал во все стороны угрозы инспектор. — Почему отказался идти на помощь, если слышал крики? Почему пытался отравить портера? Вам будет очень тяжело ответить на все мои вопросы!

Я вышел вслед за ним и окунулся в слепящую белизну Гималаев. По тропе к вертолету шла вереница шерпов с ящиками, рюкзаками и баулами. Снег звенел и трещал под ногами носильщиков. Уступая им дорогу, Татьяна встала на самом краю тропы, приблизившись ко мне почти вплотную. Мы стояли рядом, касаясь друг друга пуховиками и нарочито глядя в разные стороны, словно были незнакомы и находились в переполненном вагоне метро. Я смотрел на вертолет, а девушка — на ледник, похожий на замерзшую реку.

Шерпы разбирали каркас малиновой палатки. Ветер играл ослабленным куполом крыши. Полог хлопал и дергался, как крыло подстреленной птицы. Я сдвинул очки на лоб и провел по лицу рукой. Если долго смотреть на слепящий снег, а потом закрыть глаза, то видятся почему-то зеленые пятна.

— В общем, так, — сказал я. — Слушай и запоминай. Не путайся у меня под ногами! Спрячься, исчезни на месяц, чтобы я тебя не видел и не слышал. Тебе же будет лучше. Уяснила?

— Уяснила, — кивнула Татьяна и поправила повязку на лбу. — Только у меня тоже есть просьба. Расскажи мне всю правду о том, как Столешко давал взятку.

51

Глава 8

ОПЯТЬ НЕ ПО СЦЕНАРИЮ

На имени Родиона лежало проклятие, и все, что прямо или косвенно было связано с ним, искрило, словно электрические провода в грозу. Инспектор, чтобы чем-нибудь занять себя во время полета, перебирал бумаги, линейки и карандаши внутри своего портативного чемоданчика, пытался что-то писать в блокноте, но резкие и неточные движения выдавали его: он все время думал обо мне, и внутри его, наверное, все клокотало и кипело от злости, словно смола в чане.

Татьяна, уговорившая инспектора взять ее в качестве пассажирки, прилипла к иллюминатору, глядя на ослепительные горные пирамиды, и внешне не проявляла никакого интереса ни ко мне, ни к инспектору с перекошенным от злости лицом. Она положила ноги на упакованную в чехол палатку, спрятала, чтобы было теплее, руки на груди, запрокинула голову на пухлый, как подушка, капюшон, и ощущение хрупкого уюта, который она создала вокруг себя, невольно передалось мне.

Я делал вид, что дремлю, наблюдая из-под полуприкрытых век за нарочитой суетой инспектора. Тот сам уже был не рад, что заваривал всю эту кашу. Его не устраивала незавершенность нашего нервного разговора, так как он не успел выяснить главного — насколько я опасен для него. Я демонстрировал спокойствие человека, уверенного в своих силах, и это раздражало полицейского более всего. Он не мог знать, какие ходы я подготовил на крайний случай, чтобы защитить себя.

Думаю, что за взятку по непальским законам предусмотрено весьма жесткое наказание, о чем красноречиво говорили руки и плечи инспектора, которые беспрестанно двигались независимо друг от друга, словно на хорошо смазанных шарнирах. Он весь ломался прямо на моих глазах, и его состояние я прекрасно понимал. Допустим, он посадит меня в какой-нибудь жуткий буддийский карцер с крокодилами, и я, как свидетель взятки, стану для него безопасен. Но инспектор не мог не подумать о том, каким боком к нему повернется судьба, если Столешко окажется жив. Живой Столешко — это свидетель номер один: взяткодатель.

Потому инспектор нервничал и неточными движениями тыкал карандашом в блокнот, поглядывая на меня. Его и без того тяжелый взгляд утяжеляли низкие надбровные дуги и черные лохматые брови, и все-таки этот ячий взгляд был здорово подпорчен страхом бойни. Я жаждал скандала и с аппетитом уминал тушенку, вылавливая из банки куски говядины и желе. Яркие круглые пятна света, потоком льющегося через иллюминаторы в салон, ползали по потолку, стенам и полу. Вертолет летел по узким коридорам скальных массивов, уходя то круто влево, то круто вправо, словно запутывал преследователя.

Инспектору вскоре надоело перебирать бумажки в чемоданчике. Он принялся бесцельно ходить по салону, каждый раз перешагивая через ноги Татьяны, затем подсел к ней, пытаясь заинтересовать ее рассказом о величии и красоте Гималаев, но девушка все видела сама и в комментариях не нуждалась.

Инспектор бережно топтал свое самолюбие, постепенно приближаясь ко мне. Его глаза молили о помощи: ему как воздух нужны были мои раскаяние, просьбы о помиловании и тусклый блеск глубокой печали в глазах. Но я не был намерен спасать самолюбие инспектора даже за деньги и продолжал налегать на тушенку, попеременно откусывая от луковицы и бутерброда с салом и горчицей. Татьяна, любуясь горами, сдержанно улыбалась, словно каким-то образом видела меня и понимала мое состояние. Я предложил ей ломтик «Бородинского» с салом, но она не отреагировала.

Наконец я вытер губы салфеткой, затолкал ее в опустошенную банку, а затем сплющил эту банку ударом ботинка.

— Будь по-вашему, — сказал инспектор, тяжело опускаясь рядом со мной на откидной стульчик и превращая свое темное лицо в символ великодушия. Какой, однако, интересный ход! — Креспи очень просил меня не портить вам жизнь, а я уважаю Гарри.

Я ковырялся в зубах заточенной спичкой. Вертолет сделал очередной крен, и луч света, как из прожектора, осветил лицо инспектора. Тот стал щуриться и прикрыл глаза ладонью, словно решил поиграть со мной в жмурки и начал водить.

— Я думаю, что причина вашей несговорчивости в предвзятом отношении к Столешко, — сказал инспектор из-под ладони. — Вы почему-то хотите кинуть тень на его имя. Я прав?

— Не просто кинуть тень, — ответил я. — Я хочу, чтобы его судили за убийство и мошенничество.

— Но он же мертв! — стараясь сдерживать себя, процедил инспектор.

— Вы лично видели труп?

Инспектор, стремительно превращаясь в сердитого яка, привстал со стула, склонился надо мной и, упираясь ладонью в иллюминатор, произнес:

— Никто до сих пор не видел трупов жителей Чар Клерка, но нет идиотов, которые бы верили в то, что кто-то из них остался жив[1].

— Я рад, что в Бангладеш, в отличие от салона нашего вертолета, нет идиотов, — ответил я. — А что касается Столешко, то он живее нас с вами, потому что ходит по земле, а мы летим на этом ржавом геликоптере.

— Конечно, ходит! — не выдержала Татьяна, присоединяя свой сарказм к нашей милой беседе. — Я даже вижу его. Вон он, мятежный, убегает от йети!

— Как вы не поймете! — прошипел мне инспектор и постучал себя кулаком по лбу. — Я хочу вам помочь!

— А я хочу вас огорчить: в ваших услугах я более не нуждаюсь, — отмахнулся я. — Знаете почему? Потому что представитель Интерфакса в российском посольстве уже приготовил трехчасовую кассету для записи интервью со мной.

От моей безупречной лжи цвет лица инспектора слился с цветом его малинового берета. Мне страшно было на него смотреть. Казалось, его глаза сейчас вылетят из орбит, как пробки от шампанского, и попадут мне в лоб.

— Хотела бы я посмотреть на представителя Интерфакса, — сказала Татьяна, вынимая из пуховика маленькое круглое зеркальце и заглядывая в него, — когда он услышит

---

[1] Один из островов Бангладеш, уничтоженный вместе с жителями циклоном 25 мая 1985 года.

твои басни про обрезанную веревку и дискету с обыкновенными иллюстративными файлами, какие в любой журнальной редакции валяются под ногами...

Она что-то нашла на щеке и сразу забыла о своем желании. У меня в животе урчало от лука, но этого никто не слышал из-за рокота двигателей.

— Танюша! — позвал я, вынимая из кармана блокнот и вырывая из него лист. — Вот мой московский телефон. Когда князь оштрафует и уволит тебя, то сразу позвони мне. У моего соседа много пустых бутылок, может быть, мы тебе поможем материально.

— Я чувствовала, что ты добрый и, главное, умный человек, — ответила девушка. Ее глазки оживились. Мой тупой юмор повышал ей настроение. — Но меня не за что штрафовать. Я добросовестно выполняла свои обязанности.

— Об этом ты расскажешь Орлову, когда станет известно, как ты кормила базовый лагерь рвотными таблетками и повторяла вслед за инспектором идиотские аргументы в защиту убийцы, в то время как Родион вмерзал в ледник на Плахе.

— Если бы он понимал по-русски, — ответила Татьяна, кивнув на инспектора, — то за такие слова врезал бы тебе по физиономии.

Страсти внутри вертолета накалялись. Несмотря на то, что мы с Татьяной разговаривали столь же нежными по интонации голосами, какими общаются кот с кошкой мартовской ночью, инспектора душила гипертония, вызванная нервным перевозбуждением. Он не понимал русскую речь, но опрометчиво полагал, что я морально разбит его очаровательной единомышленницей. Опасаясь, что он достигнет кондиции раньше, чем мы совершим посадку в аэропорту Катманду, я поманил инспектора пальцем и утешил его:

— Не волнуйтесь! Не думаю, что вас понизят в звании. Какое дело министерству внутренних дел Непала до какой-то скандальной статьи в русской газете об инспекторе-взяточнике? Правда?

Эффект, вызванный моими словами, превзошел все ожидания. Инспектор вдруг растопырил ноги, слегка согнув их в коленях, выгнул вперед шею, отчего стал похож на удивленного динозавра, и трясущейся рукой принялся расстегивать кобуру.

— Ты у меня посидишь! — отрывисто выкрикивал он совсем не страшные угрозы. — Ты у меня попляшешь!.. Я тебе покажу кино...

Такой момент я не мог упустить. Татьяна уже поднялась со своего места, чтобы своим вмешательством вернуть конфликт в русло вялой перебранки, но я оказался проворнее и с широкого замаха влепил инспектору звонкую пощечину. На короткое мгновение я почувствовал ладонью жесткую щетину и рельефную скулу, затем произошло что-то вроде бесшумного взрыва. Трудно описать, как в эту секунду выглядело лицо инспектора.

— Сумасшедший! — крикнула Татьяна, но я не понял, кому был адресован этот диагноз, так как инспектор, вытащив револьвер из кобуры, поднял его над своей головой и выстрелил.

— Ты.. ты...

Чем сильнее он впадал в экстаз злости, тем труднее ему было формулировать свои мысли. Я еще никогда не видел, чтобы наделенный властью государственный служащий так легко и надолго терял над собой контроль. Его тело корежили конвульсии, он шлепал тяжелыми губами и брызгал слюной, дрожащая рука судорожно сжимала рукоять оружия. Прогремел еще один выстрел, затем еще. Я видел, как за его спиной окаменела Татьяна, глядя в продырявленный потолок, из которого тугой струей начала хлестать маслянистая темная жидкость.

С треском распахнулась дюралевая дверка пилотской кабины. Я увидел голову летчика в наушниках и больших темных очках, что делало его похожим на муху.

— Падаем!! — крикнул он.

Это уже не входило в мой сценарий.

Глава 9

СЛОВО ОФИЦЕРА

Мерный рокот лопастей стал быстро деформироваться, напрягаться, превращаясь в тяжелый частый лязг, словно на втулку винта сел верхом какой-то злой демон и, вращаясь вместе с ней, принялся лупить кувалдой куда попало. Я почувствовал, как начал проседать пол, как вертолет «посыпался» с нарастающей скоростью, и машинально ухватился за кожаную такелажную петлю. Инспектора с револьвером повело назад, и он попятился, наступая на ноги Татьяне. Письмоводительница не запищала истошным голосом, что, по моему мнению, в подобной ситуации обязана делать всякая особь женского пола, лишь приглушенно ахнула, увидев в иллюминаторе мельтешащие скалы, да сердито оттолкнула от себя инспектора.

Агония вертолета продолжалась недолго, мотор начало заклинивать, и над нашими головами с ужасным грохотом разорвался редуктор. В то же мгновение фюзеляж ударился о снежный склон, задрожал и, переворачиваясь, покатился вниз. Грубая сила кинула меня к противоположному борту, затрещала обшивка, вмиг рассыпались стекла иллюминаторов, и мне в лицо ударила струя мелкого снега, перемешанного со стеклом. Впору было проститься с жизнью, но никакая, даже самая короткая мысль не посетила меня в эту критическую секунду. Ослепший, оглохший, потерявший ориентацию в пространстве, я кувыркался вместе с инспектором, Татьяной, рюкзаками и баулами, зачем-то хватаясь за всякий предмет, за который можно было ухватиться, дергал ногами, невольно попадая то по тугому рюкзаку, то по мягкому животу инспектора.

И вдруг хаотическое движение прекратилось и тотчас наступила тишина. Стоп-кадр застал меня в совершенно нелепом положении. Я стоял на голове, ушедшей в рыхлый снег по плечи, руки были разведены в стороны и придавлены хламом, одна нога крепко запуталась в какой-то петле, которая и поддерживала меня в вертикальном положении, а вторая была свободна, и я продолжал ею дергать.

— Черт вас подери, инспектор! — крикнул я, выковыривая снег из ушей. — Зачем вы прострелили маслопровод?

В салоне, сумеречном, наполовину засыпанном кашей из снега и вещей, а потому ставшем неузнаваемым, стоял крепкий запах керосина и жженого металла. Я выпутывался из петли, словно муха из паутины. Где-то рядом капало и журчало, сливалась в снег вертолетная кровь. На меня свалился покореженный кронштейн, крепко треснув по темечку.

— Татьяна! — заорал я от боли, потирая ушибленное место. — Что ты притихла? Где прячешься?

— Мне отдавило мошонку! — сдавленным голосом простонал инспектор.

Только сейчас я заметил, что он стоит на четвереньках и трясет головой, как искупавшаяся в пруду собака.

Я смог подняться на ноги. Голова все еще гудела, словно была отлита из качественного чугуна, но тело слушалось. Отводя в сторону торчащие сверху обрывки проводов, я перешагнул через баррикаду из мокрого, как сырой гипс, снега и баулов и увидел сидящую под пустым проемом иллюминатора Татьяну. Она прижимала ладони к лицу и покачивалась, словно молилась.

Я присел перед ней и тронул ее за плечо.

— Все цело? Нос, уши, глаза?..

— Да отстань ты! — из-под ладоней ответила Татьяна. — Доигрался, чучело!

— Кто доигрался? — вспылил я. — У своего инвалида лучше спроси, зачем он подбил вертолет! Зенитчик с берегов Брахмапутры!

— Не надо было его дразнить!

— Дразнить! — проворчал я и ударил ногой по двери. — Что я тебе, тореадор, чтобы дразнить этого психопата?.. Перевяжи его, — добавил я, выпрыгивая наружу. — Вертолет ему на мошонку упал.

Помятый, с разбитой вдребезги пилотской кабиной, вертолет чудом держался на крутом заснеженном склоне, упираясь на большой сугроб. Утопая в снегу по колени, я обошел фюзеляж, едва ли не с мистическим ужасом осознавая редкость и масштабность своего везения. Тяжелый редуктор проломил крышу, но не упал бомбой внутрь салона только потому, что зацепился обломками лопастей за края дыры. Я хотел перекреститься, но вместо этого зачерпнул в ладонь снега и прижал его ко лбу.

— Эй, пилот экстра-класса! — позвал я, подходя к разбитой кабине, похожей на изуродованную вандалами телефонную будку. — Ты живой или притворяешься?

Чем ближе я подходил, тем меньше мне хотелось заглядывать в кабину через битый плексиглас. За свою альпинистскую практику я вдоволь насмотрелся на трупы. Но среди ледников, словно в гигантском холодильнике, они не были страшны. В разбитой пилотской кабине, по моему мнению, меня ожидало нечто из фильма ужасов, нехорошая мясо-котлетная субстанция, и я не был настойчив в своем продвижении к кабине. Пилот не отзывался. Скалы с острыми гранями, обступившие место катастрофы, аккумулировали вокруг себя тишину, и потому в ушах резонировал стук моего сердца, словно шаман в экстазе бил меня по голове бубном.

— Пилот! — совсем тихо произнес я и бережно взглянул на кресло.

Воображение, как часто со мной бывало, немыслимо превосходило реальность. Ни живого, ни мертвого пилота в кабине не было. На пустом кресле блестели осколки пластика. Маленькая дверь была вырвана вместе с петлями и держалась на пружинах.

— Ушел, не попрощавшись, — высказал я свою обиду, просунув голову между острыми краями битого окна. — Теперь мне понятно, почему вертолет падал так быстро.

— У него сломано бедро, — услышал я голос Татьяны.

— Интересно, — вслух подумал я, — если он спутал мошонку с бедром, не означает ли это, что свою задницу он ошибочно принимает за...

— Может, ты заткнешься? — попросила девушка. — Иди сюда, надо шину наложить.

Мы вытащили инспектора на снег. Точнее, тащил только я, а Татьяна поддерживала его правую ногу. Но все равно он скрипел зубами и орал во всю глотку. Я, конечно, не изверг, и прекрасно понимал, что несчастному приходится не сладко, и все же пытался обратиться к его совести и стыду — нельзя же так вести себя мужчине перед девушкой и перед снежными карнизами, готовыми от малейшего шума сорваться на нас лавинами.

Татьяна без моей помощи принялась прилаживать к ноге инспектора обломок дюралевой рейки. Я топтался вокруг и смотрел по сторонам. Вопли инспектора разлетались во все стороны ущелья и эхом возвращались обратно.

— Ну? — нервно крикнула мне Татьяна, туго стягивая концы бинта. — Что ты хочешь сказать?

Если бы я сказал ей все, о чем в этот момент думал, — она бы застрелилась из своего «макарова».

— Я знаю, что у тебя на уме, — не дождалась она от меня откровения.

— Тогда прими соболезнования, если ты такая догадливая, — ответил я.

— Его придется тащить на себе, — высказала она оригинальную мысль.

— А я думал, что ты мне предложишь отремонтировать вертолет.

— Где мы находимся? Хотя бы приблизительно.

— В Гималаях. Полагаю, что нас окружают горы.

— Не остроумно!

— Мое остроумие, милая, исчерпалось на базе и там, на небесах. А здесь вообще нет желания ни говорить с тобой, ни слушать твоего ворошиловского стрелка... Эй, господин инспектор! Это вам не Ла Скала, убавьте, пожалуйста, громкость!

— Ему надо сделать укол промедола!

— Надо — делай! Что ты смотришь на меня, как невеста на часы перед брачной ночью?

С ее энергией горы вверх дном переворачивать, подумал я после того, как Татьяна засветила мне в лоб снежком. Я повернулся к инспектору спиной, присел и завел его руки себе на плечи. Он был тяжелым, почти неподъемным, как рюкзак на высоте выше восьми тысяч метров, только инспектора нельзя было, как рюкзак, скинуть в пропасть.

— И куда мы пойдем? — спросила Татьяна.

Я выразительно посмотрел на нее и сквозь зубы процедил:

— Уж, конечно, не вверх по склону.

Утопая в рыхлом снегу, я сделал несколько шагов и сразу устал. Ноги инспектора оглоблями торчали с обеих сторон от меня и все время норовили врезаться в снег. Руками он обхватывал мою шею так крепко, что я не мог сказать определенно: или он просто держит меня, чтобы я не убежал, или же на всякий случай пытается меня задушить.

Татьяна, подкравшись к нам с аптечкой, всадила инспектору в зад иглу шприц-тюбика. Инспектор замычал и обмяк. Мы начали спускаться, удаляясь от чадящего вертолета. Татьяна шла передо мной, протаптывая тропу и часто оглядываясь, словно хотела удостовериться, что я все еще демонстрирую свое феноменальное благородство.

— Вам удобно? Я не слишком быстро иду? — заботливо спрашивал я инспектора, когда останавливался, чтобы перевести дух. Тяжелые скальные массивы, похожие на крепостные башни, плыли перед моими глазами, как театральные декорации, пот лился по лицу, разъедая кожу. Она нестерпимо зудела, и я мечтал впиться в щеки ногтями и разодрать их до крови.

Наверное, ни я, ни инспектор не владели английским в той степени, чтобы в полной мере передать друг другу оттенки настроения. Полицейский воспринял мои полные ненависти слова так, словно я признал свою вину.

— Нога немеет, — с недовольством ответил он. — Вы не идете, а прыгаете.

— А вы предпочли бы, чтобы я полз? Или летел вниз головой?

— Я предпочел бы, чтобы вы обращались со мной так, как я того заслуживаю! — сердито выпалил инспектор, даже не подозревая, что он нажал на кнопку сброса бомбы. И я тотчас эту бомбу сбросил.

Свалившись в сугроб, инспектор взвыл на высокой ноте, словно Моська, угодившая под ноги слона. Не оборачиваясь, я продолжал идти вперед как ни в чем не бывало.

— Я вас... я вас... — орал дурным голосом инспектор. — Немедленно... Я требую...

Мне стало смешно. Я остановился и обернулся. Инспектор глубоко ушел в снег, почти по плечи, и напоминал пережаренного и злого Колобка.

— Ну? — усмехнулся я. — Что вы требуете? Что вы вообще можете сейчас сделать самостоятельно?

Задыхаясь, Татьяна подошла ко мне, с трудом вытаскивая глубоко увязающие в снегу ноги.

— Это уже слишком, — прошептала она, убирая с глаз светлую челку. — Не издевайся над раненым.

— У тебя иней на ресницах выступил, — заметил я.

Татьяна покусывала губы. Инспектор хрипел и разгребал вокруг себя снег, словно он был оленем и хотел ягеля.

— А у тебя, — произнесла девушка жестко, — мозги на лбу сейчас выступят, если посмеешь оставить его.

— Оба! — воскликнул я. — Еще один стрелец! И чем ты пытаешься меня испугать? Своим пистолетиком? Ты сможешь выстрелить в меня? В свою жизнь? В свое спасение? В сексуально привлекательного молодого человека, в конце концов?

Я играл ее волей, и Татьяна ненавидела меня за это. Она опустила лицо и отвернулась, чтобы я не увидел ее беззвучного смеха.

— Стреляешь на счет «три», — я нежно потрепал девушку за прядь, тем самым добивая ее окончательно. — Мобилизуйся. Представь, что ты Мухтар, служишь на границе, а я нарушитель... Раз! Два!.. Три!

Я дырявил ботинками снег, наступая на собственную тень. Солнце стояло высоко, и короткая тень напоминала Санчо Пансу. Мне в затылок дышали немотой горы. Снег искрил, мелко передразнивая солнце. Сугробы и заструги изображали женские округлости. Все вокруг было жизнерадостным. Никто в меня не стрелял.

Остановившись, я обернулся. Татьяна сидела на снегу и держала в ладонях лицо. Плечи ее вздрагивали. Злой Колобок безмолвно таращил на меня глаза, будто подавился ягелем.

Я вернулся по своим следам, присел рядом с Татьяной.

— Смотри, — сказал я. — Подснежник!

Татьяна опустила ладони, и я поймал пальцами ее нос.

— Иди к черту, — беззлобно попросила она, оттолкнула меня и убрала со щеки слезу.

— Посуди сама, — примирительно сказал я, поглядывая на притихшего инспектора. — Разве могу я с оптимизмом нести на себе этого истребителя вертолетов, если он собирается посадить меня в тюрьму?

— Меньше языком мели!

— Хорошо. Тогда поговори с ним сама.

— Что ты хочешь?

— Во-первых, чтобы не вешал на меня Бадура. Если твои таблетки в самом деле неядовиты, то портер скорее всего налакался протухшей ракши. А во-вторых, я хочу, чтобы инспектор возбудил уголовное дело по факту убийства Родиона.

Татьяна вскинула голову и посмотрела на меня сквозь дрожащие слезы.

— Ты... — произнесла она, поднимаясь на ноги и отступая назад. — Ты вообще представляешь, кто ты такой? Ты способен оценить свои поступки? Ты же маньяк! Тобой управляет навязчивая идея!

— Неужели уговорить инспектора тебе труднее, чем тащить его на себе с горы?

— Можешь проваливать, — глухим голосом ответила Татьяна. — Я ни о чем не буду с ним говорить.

— Даже ради его жизни и своего благополучия?

— Ты напрасно считаешь себя незаменимым.

— У тебя есть выбор?

— Сюда скоро должен прилететь спасательный вертолет.

— Сюда? Скоро? — возмутился я наивности девушки. — Это же Гималаи, милая! И находимся мы в Непале!

— Не называй меня милой!

— Тогда я буду называть тебя глупой. Когда сюда прилетит спасательный вертолет, инспектор умрет от гангрены, а ты сойдешь с ума от печали.

— Зато ты, наверное, будешь счастлив!

— Господи, и как только твое солнечное личико выдерживает столько презрения!

— Ты достоин не только презрения! Дебил!

— Нахожу успокоение в том, что ты в конце концов послушаешься этого дебила.

Инспектор не терял времени даром и внимательно прислушивался к нашей беседе на непонятном для него русском языке. По интонации он должен был догадаться, что до взаимного признания в любви еще далеко, а это не в его пользу. Дождавшись паузы, в ходе которой Татьяна мысленно модулировала новые оскорбления в мой адрес, он зашевелился в своем окопе и могильным голосом позвал меня:

— Подойдите, пожалуйста... Кхы-кхы... Ворохтин... господин Ворохтин...

Татьяна, следуя извечному бабьему инстинкту руководить мужчиной, к которому неравнодушна, не преминула меня вдохновить:

— Иди же, не стой!

— На бой Руслана с головой, — добавил я и послушно

63

подошел к Колобку. Он грустил, словно его покусал высокогорный цзо, но во взгляде еще присутствовала сталь.

— Сядьте, — предложил он, хотя сесть я мог только ему на голову. — Давайте поговорим как мужчина с мужчиной. Я действительно немного погорячился.

И он кинул полный раскаяния взгляд на покореженный вертолетный фюзеляж.

— И с Бадуром вы погорячились, — тотчас принялся я отвоевывать оккупированные позиции.

— Но он сказал мне, что вы отравили его какими-то таблетками.

— Эти таблетки мне дал врач. Обыкновенные витамины.

— Допускаю. Изо рта Бадура сильно пахло спиртным.

— Вот видите: портер страдает редкой формой высокогорного алкоголизма, а вы сразу обвинили меня в коварном умысле.

— Да разве это я? — махнул рукой инспектор и принялся отрывать ледяные колтуны с обтрепанных рукавов свитера.

Инспектор соглашался со мной запросто. Он уступал в мелочах, чтобы я уступил ему в главном.

— И криков о помощи не было, — внес я еще один пункт обвинения в список на реабилитацию.

— Да я знаю!

«Вот же бегемот сырокопченый! — подумал я, глядя на голову инспектора, как козел на кочан капусты. — Обо всем знал, а слюной брызгал!»

— Но и вы меня правильно поймите, — взял инициативу инспектор, кидая на меня короткие взгляды. — То, что вы называете... Я имею в виду поступок Столешко... Это совсем не то, что вы думаете...

— Вы имеете в виду взятку? — помог я инспектору справиться с подбором термина.

— Да разве это взятка! — болезненно поморщился инспектор. — Там денег было на две бутылки пива, а вы столько шума подняли!

— Если мы не выловим Столешко, то он поднимет еще больше шума! — предупредил я. — И тогда вы со своей ногой сможете только плевать в потолок тюремной больницы.

Инспектор долго думал над моей последней гипотезой. Он уже очистил от льда рукава, но продолжал теребить их, вытягивая нитки. Перспектива плевать в потолок его явно не устраивала.

— Но это же смешно! — вдруг вмешалась в разговор Татьяна. Она подкидывала на ладони отполированный теплом ее рук снежок, словно готовилась метнуть его мне в лоб.

— Ах, какая смешливая выискалась! — ощетинился я, предчувствуя серьезный натиск со стороны девушки. — Тебя же предупредили — разговор мужской! Лучше тропу пробивай, чтобы мне легче было нести инспектора.

— Инспектор, он толкает вас на должностной подлог!

— За раскрытие преступления Столешко вам дадут орден, — пообещал я, тоже скатывая снежок.

— Родственники погибшего Столешко потребуют от вас компенсации за моральные убытки! — пригрозила Татьяна.

— Вспомните про потолок, — вернулся я к самому сильному аргументу. — Если мы не обезвредим Столешко, то он вас посадит.

— Мне жаль ваши звезды, — вздохнула Татьяна.

У инспектора лопнуло терпение. Он дернулся в своем сугробе, отмахнулся от солнечных лучей и сердито крикнул:

— Тихо! Всем молчать!

Мы подчинились. Казалось, в наступившей тишине утомленные горы облегченно вздохнули. Инспектор наморщил свой лоб древесного цвета и погрузился в раздумья. Он взвешивал все «за» и «против», причем этот процесс раскачивал его из стороны в сторону.

— Сделаем так, — наконец огласил он приговор, опираясь руками о наст перед собой. — У нас все-таки недостаточно аргументов для того, чтобы возбудить против Столешко уголовное дело. Можно сказать, их вообще нет. Я могу проявить настойчивость и взяться за это дело, но министерство не выделит мне ни одной рупии.

— Меня интересует не столько возможность расследования этого дела, — мягко поправил я, — сколько ваше официальное заключение.

— Ну какие еще могут быть вопросы, инспектор! — взорвалась Татьяна. Снежок просвистел над моей головой. — Он же открытым текстом говорит, что добивается официального признания Столешко преступником! Ему во что бы то ни стало надо кинуть тень на альпиниста! Вы посмотрите на его физиономию! Он даже не скрывает ухмылки! Может быть, это он сам убил Родиона!

Кажется, она даже испугалась такого крутого заноса, вмиг замолчала и опустила глаза. Инспектор с вялым любопытством взглянул на меня, чтобы убедиться, что я в самом деле не скрываю ухмылки. Я пожал плечами и развел руки в стороны, бессловесно возмущаясь хулиганской выходке Татьяны.

— А что вам лично даст официальное заключение? — спросил он, выгибая дугой одну бровь.

— То, что мошенник Столешко уже не сумеет осуществить свой коварный замысел и завладеть наследством князя Орлова.

Инспектор стал нервно покусывать кончики усов. Он мысленно прикидывал, чем для него может обернуться ошибка в оценке происшествия.

— Это ваше единственное условие? — уточнил он размер гонорара за мои услуги.

Я кивнул. Татьяна, чувствуя, что инспектор готов протянуть мне руку, с презрением сказала:

— Стыдно смотреть, как вы продаетесь!

Пристыженный инспектор посмотрел на Татьяну и задал очень хороший вопрос:

— А вы сможете донести меня до ближайшей деревни?

— Попытаюсь! — огрызнулась Татьяна.

— В таком случае я откланиваюсь, — сказал я.

— Подождите! — рассердился на меня инспектор. — Что вы все время прыгаете? Сделаем так... — Он еще некоторое время оформлял мысль и наконец вынес вердикт: — Если вы доставите меня живым до ближайшей деревни, откуда я смогу вызвать вертолет, то гарантирую вам, что в ближайшее время вышлю в МВД России официальное сообщение о том, что случилось в горах. В нем я подробно изложу вашу версию о пластической операции и выскажу рекомендацию проверить личность человека, который будет выдавать себя за Родиона Орлова. Это вас устраивает?

— Устраивает, — согласился я. — Но где гарантии, что вы не передумаете?

— Даю словно офицера, — шевельнул усами инспектор.

Татьяна усмехнулась, молча закинула на плечи лямки рюкзака и пошла вниз.

Глава 10

ВХОЖДЕНИЕ ИНСПЕКТОРА В ДОРХАН

Я не поленился, сходил к останкам вертолета, свинтил в салоне скамейку, обшитую ледерином, и соорудил из нее некое подобие саней. Этот шедевр инженерной мысли настолько хорошо скользил по снегу, что мне иногда приходилось кидаться навзничь, чтобы удержать его лихой полет по склону в пропасть. Татьяна постоянно отставала от нас, настроение ее было испорчено не только тем, что инспектор принял мои условия; ее огорчало, что не она первой додумалась до такого простого способа эвакуации раненого.

Мы быстро сбрасывали высоту, и нам все чаще попадались обширные проталины, поросшие пожухлой травой. Снежники или языки натечного льда были моими союзниками, и я с тоской смотрел, как снизу на нас надвигаются теплые альпийские луга и пастбища, по которым мне придется нести инспектора на себе. Татьяна в предвкушении мести даже пустилась вниз бегом, чтобы первой выйти за границу ледника и там полюбоваться моим ишачеством и вволю позлорадствовать.

Но судьба оказалась более благосклонной ко мне, нежели к ней. Едва нам под ноги лег травяной ковер и я, взвалив инспектора себе на спину, сделал несколько шагов, как нам открылась великолепная панорама прикрытого дымкой ущелья, разрезанного вдоль шумной зеленоводной рекой. По обе стороны от нее ступенями поднимались террасы с разноцветными лоскутами пашни, а к сыпучему склону прилипли два-три десятка лепных домиков с угловатыми соломенными крышами.

— Деревня!! — закричал я.

Татьяна попыталась испортить мне настроение:

— Это еще не значит, что отсюда можно связаться со спасателями.

— Можно, — охотно возразил инспектор, жадно всматриваясь в струйки дымков над жилищами. — Возможно, это река Тамур...Что же вы встали, Стас?

— Если бы вы, инспектор, не поддались панике и трусости, — глухо произнесла Татьяна, — то вам не пришлось бы давать этому жулику дискредитирующее вас обещание. Ручаюсь, что до этой деревни я бы вас смогла донести.

Я посмотрел на девушку и зарычал, так как на ум не пришло подходящего ругательства. Татьяна как ни в чем не бывало стаскивала с себя лишнюю одежду. Я смотрел на этот альпийский стриптиз и продолжал изображать из себя разъяренного хищника. На траву упали объемный пуховик, свитер, синтепоновые брюки-комбез... Девушка с иронией поглядывала на меня, худея прямо на глазах. Я подумал, что если она не перестанет разоблачаться, то с последней деталью одежды исчезнет, как облачко пара. Оставшись в плотно облегающих шерстяных колготках и футболке с короткими рукавами, Татьяна затолкала добрую половину своего прежнего объема в рюкзак, надела легкие ботинки «Пантера», забросила на плечи рюкзак и, сказав нам «Чао!», быстро пошла в деревню.

Мы с инспектором недолго провожали ее взглядами.

— Худенькая какая, — повторил мои мысли инспектор.

— Не донесла бы, — скептически произнес я.

— Что не донесла? — не понял инспектор.

— Вас не донесла бы. Умерла бы на полпути от печали.

Я расшнуровал и принялся стаскивать с инспектора высокие крепкие ботинки. Три кило долой. А вот медную бляху с четырехзначным числом, что означало принадлежность к младшему офицерскому составу, выкидывать как балласт инспектор наотрез отказался.

Я завалил ботинки инспектора и свой пуховик булыжниками, пометил клад корявой высохшей веткой и взвалил инспектора на спину.

— Не торопитесь, — попросил он со сдавленным стоном. — Что-то опять прихватило...

Идти по «сыпучке» было труднее, чем по снегу. Инспектор снова душил меня, и пот снова заливал мне глаза, зудел на спине и груди. Я облизывал пересохшие губы, мечтая о какой-нибудь чистой выбеленной комнатушке с нарами в углу, где будет сладко пахнуть скотиной, ячьим молоком и печным дымком; приветливая хозяйка подаст мне горячий чай с лепешкой; через маленькое окошко будет проникать шум листвы и скачущей по порогам реки; не вставая, можно будет любоваться узкой пыльной улочкой, а гор не будет видно вовсе.

— Вы сказали, что это река Тамур, — прохрипел я.

— Я так думаю, — после паузы уточнил инспектор. Он то ли засыпал, то ли устал держать голову прямо, и его подбородок острым клином стучал по моему плечу.

— А как называется деревня?

— Может быть, Дорхан. Или Джируфа, — неуверенно ответил инспектор и снова тюкнулся подбородком мне в плечо. — Нет, вероятнее всего, Дорхан.

Я подкинул его на себе, и офицер клацнул зубами.

— А Хэдлок отсюда далеко?

— Что? Хэдлок? А зачем вам Хэдлок?

Я хотел с ходу соврать, что там живет моя бабушка, но вовремя остановился.

— Если не ошибаюсь, — медленно говорил я, давая инспектору понять, что я не верблюд и мне тяжело говорить и нести его одновременно, — там проходит тропа к восточным склонам Ледяной Плахи.

— Ну и что? — подозрительно цепко пристал ко мне инспектор. — Да, тропа, а вам-то какое до нее дело?

Черт дернул меня за язык! Я снова подкинул на себе инспектора и, набрав полную грудь воздуха, дал исчерпывающий ответ:

— Раз там проходит тропа альпинистских экспедиций, значит, местные жители торгуют бывшим в употреблении снаряжением, и я смогу поменять ботинки, которые уже наполовину сожрали мои ноги, и я иду на культях, и чувствую боль не слаще вашей, и уже силы мои на пределе, и мне кажется, что проще скинуть вас здесь и самому сходить за быком, впряженным в повозку, черт вас подери!

Инспектора удовлетворил мой ответ, и он больше не задавал мне вопросов относительно Хэдлока и вообще не раскрывал рта до тех пор, пока я не стукнулся головой о подвесной бамбуковый водопровод и высыпавшиеся из моих глаз искры не осветили чумазых детей, обступивших нас плотным кольцом.

— Приехали! — возвестил он тогда голосом Иисуса, вошедшего в Иерусалим, и я, уставший исполнять роль молодого библейского ослика, свалил его на кучу сушеной кукурузы, а затем повалился рядом с ним, ибо не осталось сил, чтобы держать на ногах даже самого себя.

Был душный непальский вечер. Нас с инспектором

несли на носилках бритоголовые монахи в хламидах цвета запекшейся крови. Тесную улочку как тисками сдавливал с обеих сторон нескончаемый ряд выложенных из камней хибар, сараев, овчарен и убогих торговых лавок. На нас смотрели бронзовые идолы с оскаленными дырявыми ртами, закамуфлированные пятнами грязи попрошайки и надменные йоги. Сладко пахло фимиамом и специями. Женщины в красных сари и с золотыми медальонами в носу держали на головах кувшины и старые пластиковые канистры из-под бензина. Лобастые, с широко расставленными глазами дети стояли вдоль дороги босоногим строем. Меланхоличные коровы, оставляя за собой коричневые кучки, пялились на нас своими добрыми глазами. Все ликовали. Деревня встречала раненого инспектора из Катманду со сдержанным экстазом. Мне казалось, я сплю, потому что такой сладкий полет над головами добрых людей бывает только во сне.

Людской поток, в котором мы плыли, становился все плотнее и шумнее. Приподнимая слабую руку, инспектор двумя пальцами руководил движением, указывая направление, хотя идти по узкой дороге можно было только прямо или обратно. Его жесты жадно впитывали в себя десятки глаз. Монахи, идущие сзади, приподняли носилки выше своих голов, чтобы инспектор не свалился с них, и эскорт начал подъем на пустынный, насквозь выветренный бугор, поросший пожухлыми колючками. Я где-то слышал, что буддизм — самая миролюбивая религия, но в те минуты меня начал грызть червь сомнения, потому как я ничего не знал об обрядах жертвоприношения. Но только я собрался уточнить у инспектора, есть ли что-нибудь общего между этим бугром и Голгофой, как увидел одинокий выбеленный известью двухэтажный дом, с треугольной соломенной крышей, миниатюрными окошками, закрытыми белыми ставнями, и широкими коричневыми полосами по периметру. Рядом с дверью висел кусок фанеры, на котором неровными буквами было начертано: «STATION-MASTER»[1].

Те несколько минут, пока нас заносили внутрь жарко натопленного помещения и усаживали в глубокие плетеные кресла, пока женщина с золотыми украшениями вместо носа

---

[1] Начальник станции.

подавала нам чай с жирным ячьим молоком, а инспектор, изогнув одну бровь, принимал доклад очень взволнованного шерпа, который по-петушиному выкрикивал гортанные, лишенные протяжных гласных слова, отдавая честь оттопыренной пятерней, я перебирал в уме варианты станции, на которой мы находились. Конечно, это была не железнодорожная, не конно-почтовая и не лодочная станция. По-видимому, и не спасательная. Прихлебывая из эмалированной кружки с обколотыми краями, я рассматривал начальника станции и монахов, число которых быстро уменьшалось, словно они были сделаны из снега и незаметно таяли.

Закончив доклад, начальник станции стащил с головы белую с красным узором шапочку топи и вытер ею пот со лба.

— Мне надо срочно связаться с полицией в Катманду, — сказал инспектор по-английски и выразительно посмотрел на меня, вот, мол, я держу свое слово.

Начальник торопливо взглянул на часы, выдал беспомощную фразу о том, что министерство связи выделило им более позднее время, на что инспектор лишь насупил брови и кашлянул. Отойдя в угол комнаты, огороженной занавеской, начальник благоговейно сдвинул ее в сторону и сам встал так, чтобы не мешать нам созерцать идола цивилизации. В углу стояла гробоподобная радиостанция, какой еще наверняка пользовались английские колонизаторы в соседней Индии.

Вместе с начальником мы перенесли инспектора к радиостанции. Некоторое время мы ждали, пока нагреются лампы, затем начальник при помощи скрипящей рукоятки настроился на полицейскую волну, надел на голову инспектора обод с наушниками и протянул микрофон.

Сквозь шум и треск помех я услышал далекий голос дежурного связиста. Инспектор спросил у него, готов ли тот принять информацию особой важности. Разговор шел на английском. Я встал с кресла и принялся прохаживаться по комнате, рассматривая закопченные стены. Комната была изолированной, никаких других дверей, кроме входной, в ней не было. Маленькое окошко наполовину было закрыто фанерой, наполовину — мутным стеклом. Если его аккуратно выставить, думал я, то все равно нельзя будет пролезть — плечи застрянут.

Инспектор докладывал об исчезновении «русской двойки» обстоятельно. В выводах он был сдержан, зато живо обрисовал сложные погодные условия и те трудности, которые выпали на его долю.

Обойдя комнату, этот экзотический офис начальника радиостанции, я встал за спиной инспектора, вполуха слушая его доклад. На стене, над станцией, были приколоты терновыми шипами разновеликие бумажки с приказами и распоряжениями, графиком выхода на связь и перечнем радиочастот. Я скользил взглядом по списку частот, предназначенных для связи с различными анчолами[1]. Деревня Хэдлок была дописана внизу от руки в столбце с другими деревнями.

Начальник станции, заметив мой интерес, собрался было прокомментировать список, но в это время его вниманием всецело завладел инспектор, пуская в эфир прозрачные намеки на криминальную основу происшествия в горах. При этом он ссылался на дискету с программой «Создание портретов» (в переводе на русский его термин прозвучал именно так) и на ксерокс «прайса с услугами в области транссексуализма». В общем, я за голову схватился, представив, в каком виде придет моя информация из Непала в МВД России. Утешило только то, что инспектор старательно, по буквам передал имена Родиона и Столешко.

Я вышел на крыльцо, если так можно было назвать грубо сколоченную реечную решетку, брошенную под ноги, и две красные пустые бочки из-под соляры, стоящие перед входом на манер колонн. Ветхая дверь «STATION-MASTER» не имела никаких признаков замка, что отозвалось в моей груди теплой волной нежности к скромной и честной жизни горных непальцев. Я обратил внимание на кривое высохшее полено, приставленное к стене. Оно стояло здесь не случайно, но было пригодно разве что для изготовления горбатого Буратино. Судя по всему, начальник подпирал этим поленом дверь на ночь.

— Скажите, — обратился я к начальнику, который с раскрытым ртом нависал над инспектором, — вы не видели в деревне девушки с рюкзаком?

— Альпинисты и туристы заходят сюда часто. Были и девушки, — ответил начальник.

---

[1] Административные зоны Непала.

Он не совсем точно понял меня, но я не стал уточнять. Она так просто не успокоится, думал я о Татьяне. Спать не будет, есть не будет, в лепешку расшибется, отыскивая новые доказательства того, что криминала не было. А вот этого-то мне и не надо... И все же жалко девчонку. Раз она так мечется, значит, очень боится потерять работу у князя. Но с другой стороны: если что и случилось с Родионом, разве за его жизнь вправе отвечать простой делопроизводитель?

— ...Однако вертолет внезапно стал терять высоту, — диктовал в микрофон инспектор. — Мне удалось выяснить, что произошла поломка одного из маслопроводов, это и привело к заклиниванию двигателя. Я подготовил пассажиров к аварийной высадке...

Я вспомнил, как мы кувыркались в салоне, словно в шейкере. «Ничего не скажешь, подготовил он нас, — подумал я. — Королевский орден зарабатывает».

— Вы не могли бы устроить меня на ночлег в этом доме? — спросил я у начальника.

Землистое лицо непальца стало еще темнее от выражения глубочайшего сожаления. Прежде чем дать мне отлуп, он долго теребил вязаную бордовую безрукавку и несколько раз тяжело вздохнул.

— Для приезжих у нас есть отель «Як», — ответил он.

— Далеко отсюда?

— Это рядом с моим домом. Минут десять... Вы поможете отнести инспектора ко мне?

— Вертолет будет завтра утром, — сказал инспектор, снимая наушники, и, взглянув на меня, добавил: — А вашу информацию отправят в Москву не позднее завтрашнего утра.

Я пожал инспектору руку и взялся за носилки.

Глава 11

ДОЛГ ВЕЛИЧИНОЙ В ПОЩЕЧИНУ

Гостиничный номер здорово смахивал на тюремную камеру с той лишь разницей, что на окне не было решетки, как, собственно, и стекла. Завешенное синтетической противомоскитной сеткой, оно пропускало в комнату все сказочные звуки и запахи непальской деревни.

Смеркалось. Я сидел за хромым столом, который не падал только потому, что опирался о стену, которая, в свою очередь, не падала благодаря двум крепким бамбуковым шестам, подпирающим ее от пола. На чем держался пол, я не знал, архитектурный модерн отеля «Як» выходил за пределы моих познаний о строительстве. При скупом свете керосиновой лампы я убивал время, читая дневник Столешко. Это было скучное и занудное описание восхождения на Канченджангу, изобилующее монотонным перечислением малозначимых событий: «*Проснулся. Встал. Оделся. Погода так себе. Ел рис...*» — и душевных страданий, вызванных завистью к более удачливым членам команды: «*Эта шепелявая сволочь обещала, что двойка Гарвенко — Сидорич закинет кислород в штурмовой лагерь для меня и Пацюка, чтобы мы поднялись туда налегке и сохранили силы для последующего штурма вершины. Но вчера вечером он передумал и сказал, что двойка Г. — С. выйдет на штурм первой, а мы с Пацюком будем обеспечивать ихнее восхождение. А когда мы пойдем — хрен его знает. Всю ночь не спал из-за этого. Кому-то «бабки» и почет, а кому-то кукиш со смальцем...*»

Из тетради выпало помятое письмо Столешко, которое мы сочинили в гостинице в Катманду. Татьяна, когда прочитала его, удивительно быстро догадалась о том, что это «липа». И про конверт, которого никогда не было, не случайно спросила. Умная головушка, не спорю. Вот только ее предположение, что почерк Столешко выдает в нем «виртуоза лжи», — слишком смелое заявление. Нормальный, на мой взгляд, парень, согласился помочь нам. Не бескорыстно, конечно. Но кто сейчас помогает кому-либо бескорыстно?

Я прикрутил фитиль, встал из-за стола и подошел к окну. Сумерки засыпали ущелье темнотой быстро и безнадежно. Улица притихла. В оконных проемах хибары напротив тускло светились керосиновые лампы, по темным стенам и потолкам двигались тени. Я видел сферу странной и непонятной для меня жизни непальской семьи, пространственной, как Гималаи, не загруженной проблемами цивилизации, аскетической настолько, что мой избалованный организм воспринял бы ее как жестокое наказание. Если бы эти люди могли заглянуть мне в душу, прочитать мои мысли, то приняли бы меня за инопланетянина, интеллект которого работает в ином измерении. И спросили бы меня непальцы: «А зачем это все надо?» И я не смог бы ответить.

Я вышел в коридор и по скрипучей лестнице спустился в холл, здорово напоминающий подземный гараж, только без торцевых стен. За столиком, сервированным кофейным набором, сидели два седовласых джентльмена с полными ртами ослепительного фарфора. Они кивнули мне и приветствовали: «Хай!» Кажется, это были англичане, которые строили в деревне школу. Китченбой в приталенной рубахе навыпуск предложил мне ужин из отварного риса и рисовой водки, но я отказался.

— Если меня будет кто-нибудь спрашивать, — сказал я официанту, — инспектор или... или русская девушка, скажи, что я вернусь минут через сорок.

Шансы, что в столь поздний час я буду нужен этим людям, были ничтожны, но я преследовал другую цель: поставив рядом с собой имя инспектора полиции из Катманду. Теперь моя ночная прогулка по деревне уже не должна была вызывать недоумение и вопросы.

Сунув руки в карманы, я вальяжной походкой пошел по улице и, едва плотная тень скрыла меня от взглядов англичан, ускорил шаги. Призрачно-синий конус горы, нависающей над деревней, освещал улицу ровно настолько, чтобы я сослепу не налетел на какой-нибудь забор, ограждающий тихое бормотание скота, но больше я ничего не видел, и глаза привыкали к темноте очень медленно. Дорога не отличалась идеальной ухоженностью, и всякий раз, когда я спотыкался о колдобины, намеревалась встать дыбом и припечататься к моему лицу. Проще было купить эфирное время, думал я. Мысль эта была бесполезной и вредной, но именно такие сидят в мозгу особенно крепко.

Я скорее почувствовал, чем увидел, что дорога пошла вверх. Темный овал бугра постепенно опускался, и словно из-под земли вырастал силуэт «STATION-MASTER». На фоне холодного свечения горы дом напоминал часовню или избушку на курьих ножках, которая от стылого холода эти самые ножки поджала под себя.

Поднявшись до пожухлых кустов, я остановился, огляделся по сторонам, но мало что увидел и пожалел о том, что не захватил с собой спички или зажигалку. Лунный свет, на который я надеялся, либо вовсе не проникал в это ущелье, либо проникал ненадолго и строго в определенное время, как сеанс связи с Катманду.

Если бы не знакомые мне бочки, выполняющие роль античных колонн, мне пришлось бы долго искать дверь. Как я и ожидал, трухлявая перегородка охранялась горбатым Буратино, которого я вежливо отшвырнул ногой. Зайдя внутрь помещения, где было темно как в могиле, я начал продвигаться по периметру вдоль стены, пока не нащупал штору, отделяющую заветный угол.

И только когда я сел на стул перед радиостанцией и нащупал тумблер включения, то вспомнил, что электрификация этой деревне еще только снится в сладких снах и коммуникационный гроб времен английского колонизаторства работает от генератора, который стоит на улице в собачьей будке.

Надо было видеть, как я схватил себя за волосы, взвыв дурным голосом! Генератор, если я его заведу, наполнит спящую деревню таким оглушительным треском, что на Ледовой Плахе проснутся клаймберы в своих высотных палатках. И нет никакой гарантии, что инспектор не войдет в служебный экстаз и не кинется за мной в погоню на одной ноге.

Я сидел перед станцией и решал дилемму: связываться с Хэдлоком или же сохранить отношения с инспектором в удовлетворяющем обе стороны вакууме. Конечно, очень соблазнительно было услышать протяжно-ленивый голос Родиона и в крепких выражениях высказать ему, что не по-товарищески оставлять меня на высоте семь двести без кислорода и жратвы. Опустив подбородок на кулак, я стал думать над тем, как грохнуть двух зайцев сразу: и станцию включить, и вовремя ноги унести.

Пока я думал, ноги уже вынесли меня на улицу. По кабелю я добрался до будки, нащупал рукоятку запуска с тросиком, подбодрил себя тем, что это не бог весть какой криминал, и рванул ручку на себя.

Генератор завелся, как разбуженная сторожевая собака. Треск оглушил меня, и я до каждого нервного узелка прочувствовал масштабы своего хулиганства. Бегом к двери! Удар лбом о косяк. Табурет с грохотом упал на пол. Шторка на веревке треснула, как сарафан девки под гусаром... Я ощупывал приборную панель. Генератор заливался треском, будто воем сирены. Я надавил на тумблер. Внутри станции, за мутными стеклышками, медленно забрезжил рассвет. Лампы накаливания лениво сосали энергию. Я начал вращать ручку настройки. Хэдлок, шестьдесят шесть и две десятых мегагерца... В наушниках что-то треснуло. Я прижал к губам микрофон и надавил на тангенту.

— Хэдлок! Примите срочное сообщение! Хэдлок! Хэдлок!

Я так и не понял, ответил мне кто-то или нет. Генератор вдруг заглох, и смесь шума и голосов в наушниках стала быстро стихать, лампочки затухли, как в кинозале, и станция опять растворилась во мраке. Не успел я вскочить со стула, как мне в глаза ударил яркий луч света. Несколько сильных рук вытолкнули меня из помещения на улицу. Я не сопротивлялся и даже проявлял инициативу, помогая молодым и разогретым ракшой шерпам вести себя к инспектору.

Я неплохо позабавил деревню. Жители многих домов вышли на улицу и, завернувшись в одеяла, стояли по обе стороны дороги живой изгородью. Видя мое раскаяние и желание содействовать органам правопорядка, мои конвоиры перестали усердствовать, и я мог шевелить и даже помахивать над головой руками.

Свернув с главной улицы, мы подошли к двухэтажному дому с длинным балконом, протянувшимся вдоль всей стены под крышей. Узкий вход прикрывал сверху кусок жести. Дверь была открыта, и на пороге уже был выставлен трон для носителя справедливости и возмездия. Инспектор, завернутый в одеяло, был свиреп. Наверное, его разбудили совсем недавно, может быть, в тот момент, когда я запустил по гималайским ущельям первый пучок радиоволн.

— Ну в чем дело? В чем дело? Ну в чем?! — обрушил он на меня лавину вопросов, которые ровным счетом ничего не означали.

Конвоиры за моей спиной вполголоса комментировали мой поступок. Они говорили на непали, но меня это не смущало, и я соглашался с их комкообразной речью, кивая.

— Да, господин инспектор, я самовольно воспользовался станцией.

— Но зачем? Мы же с вами уже все решили! Я доложил так, как вы хотели! Ну что еще?

Один из шерпов снова вставил короткую фразу, и я разобрал слово «Хэдлок».

— Что? — недовольно воскликнул инспектор. Он сверкал в темноте сизыми белками глаз, переводя взгляд с меня на шерпов. — Опять Хэдлок? Что это значит? Почему Хэдлок?

— Не могу больше лгать вам, инспектор, — покаялся я. — В Хэдлоке на строительстве дороги работает англичанка, инженер из Ливерпуля. Мы с ней уже четыре года переписываемся...

— Какая дорога? — опешил инспектор и зашевелился в своем коконе из одеяла. — В Хэдлоке и тропы нормальной никогда не было. Горные козлы себе ноги ломают!

Врал я всегда вдохновенно, но малоубедительно. Обычно мне безоговорочно верили только одинокие женщины, мечтающие о большой и чистой любви. Перед инспектором я выдохся окончательно и принялся молча вытряхивать пыль из своих карманов.

— Идите к себе! — сердито приказал инспектор. — Утром с вами поговорю.

Я пожелал присутствующим спокойной ночи и пошел в отель. До того, как свернуть за угол, я дважды обернулся. Конвоиры и инспектор не сводили с меня глаз. «Как все это мне надоело!» — подумал я, мечтая забраться в спальный мешок с головой, уснуть покойницким сном и проснуться только в усадьбе князя Орлова, в ажурной беседке, на которой играют в догонялки тени берез и где вечный оптимист и чудак Святослав Николаевич прогуливается по гаревым дорожкам, выбирая среди деревьев подходящую натуру.

— Вами интересовался мальчик, — сказал мне китченбой, едва я занес ногу на ступеньку, чтобы подняться на второй этаж отеля.

— Кто? Мальчик? Какой еще мальчик? — не поверил я своим ушам.

— Это сын портера, который живет на краю деревни в каменном доме, — пояснил официант. — Там у него лавка по продаже горной обуви.

Я передумал подниматься наверх.

— И что спросил этот мальчик? — с неприятным осадком в душе выяснял я.

— Он спрашивал, проживает ли в отеле русский альпинист Стас Ворохтин и когда вы будете у себя.

— И что потом?

— А потом он убежал.

— Куда?

— Туда, — махнул в темноту китченбой.

— У тебя водка есть? — спросил я, прислушиваясь к своим ощущениям. В душе был беспорядок, и я надеялся поправить этот недостаток проверенным способом.

— Ракша, сэр!

— Налей ракши.

Я выпил из кружки, встал на пороге «гаража», всматриваясь в темноту. Гулять в потемках по деревне не хотелось, но любопытство пинками гнало меня вперед. Сунув в руку официанта несколько смятых рупий, я пошел по улице, на сей раз в противоположную от «STATION-MASTER» сторону. Конечно, мальчика кто-то подослал, думал я, поднимая ногами невидимую пыль — ее можно было только почувствовать по запаху. А курьера посылают только в двух случаях: когда очень лень идти самому и когда не хочется оставаться в памяти свидетелей.

Я думал о том, насколько вероятно, что это чудачила Татьяна. Надо ли ей было выяснять то, что очевидно? Куда я мог понести инспектора, как не в деревню? И не надо было иметь семи пядей во лбу, чтобы догадаться: русский, поселившийся в «Яке», это Стас Ворохтин, он же единственный русский альпинист во всей деревне...

Я был так увлечен поступком загадочного мальчика, что перестал ощущать свое движение по улице и, быть может, потому не сразу обратил внимание на темный контур человека, который появился рядом со мной, отстав всего на полшага. Я машинально остановился, чтобы пропустить его вперед, но человек, словно он был моей тенью, тоже замер в темноте, затем рядом что-то просвистело, и меня ослепила тупая боль в голове. Кажется, я успел крикнуть.

Потом — полный провал.

* * *

Штормило, меня укачивало, к горлу подкатывала тошнота, и я морщился, качал головой, но все никак не мог открыть глаза.

— Выпей, выпей! — говорил кто-то рядом, и я чувствовал, как мои зубы стучат о металл.

Я с трудом воспринимал пространство вокруг себя. Трудно сказать, сколько усилий мне потребовалось на то, чтобы определить, что я лежу на дощатом полу, а надо мной, словно ангелы, порхают рукава и полы одежды и оттого по лицу прогуливается сквознячок.

Приоткрыв глаза, я увидел лицо Татьяны. Без налобной повязки оно казалось бесстыдно голым. Девушка держала у моего рта кружку и заставляла что-то пить.

— Ты что... — с трудом произнес я, едва ворочая распухшим языком. — Обалдела... Чем ты меня ударила?.. Убери кружку!

За ее спиной звездно мерцали круглые глаза китченбоя. Он мял в руках мокрое полотенце, не зная, на что его намотать.

— Это не я тебя ударила, — мягко возразила Татьяна, убирая кружку от моего рта и внимательно глядя мне в глаза. — Ты вообще ничего не помнишь?

— А кто же меня ударил?..

— Не знаю. Я только слышала, как ты крикнул. Пошла по улице и увидела тебя лежащим...

Я приподнял голову и завел руку под затылок.

— Мозги, наверное, вытекли, — простонал я, нащупав больное место. — Дайте руку, какого черта я тут как ворсистый ковер...

Китченбой едва успел поддержать меня. Меня качало. Доски под ногами ходили ходуном, словно палуба фрегата во время шторма.

— Кожа немного рассечена, — сказала Татьяна, рассмотрев мой затылок.

— Ты не видел, кто меня шарахнул? — спросил я у официанта.

— Нет, сэр, я в это время был на кухне, — ответил китченбой. Он был так напуган, словно ждал от меня ответного удара, и вздрагивал, если я делал резкое движение.

— Ну, конечно! — проворчал я, выдергивая из рук официанта полотенце и прикладывая его к затылку. — Никто ничего не видел. А мне в десяти метрах от гостиницы едва голову не проломили... Лед у тебя есть?.. То, что его на Джомолунгме до хрена, это я и без тебя знаю, но мне нужен не айс-шелф[1], дружище, а айс фо коктейл. Понимаешь?

Я сел на стул. Боль неприятно пульсировала на затылке, словно меня методично шлепали мухобойкой. Татьяна с чашкой кофе маятником двигалась передо мной, как-то странно поглядывая на меня. Официант, дабы не нарываться на новые упреки, исчез на кухне. Я сидел в позе роденовского «Мыслителя», с той лишь разницей, что одной рукой прижимал к ране полотенце. Деревня, увязнув в темноте, хранила свои тайны.

— Не знаю, насколько ты замял конфликт с инспектором, — произнесла Татьяна тихо, — но я бы не стала полностью исключать его...

— Ладно! — сердито махнул я рукой. — Не старайся. Все равно я не верю ни тебе, ни инспектору, ни этому разносчику мороженых лямблий. Я тут всем мешаю.

— Зачем ты включал станцию?

— О! Вся деревня уже в курсе дела. Этой темы для обсуждения должно хватить на месяц.

— Лез куда не надо, вот и получил, — сделала вывод Татьяна.

Я пялился на ее шерстяные колготки, которые плотно обтягивали ноги, на свитер грубой вязки, достающий до колен, на эту уютную человеческую кошку с розовым носом и чувствовал, что в хитрости и тьме души заметно ей проигрываю.

— Понятно, — кивнул я и тотчас поморщился от боли. — Это сделал или инспектор, или начальник станции... Словом, кто угодно, но только не ты.

— Очень ты мне нужен, — фыркнула Татьяна и звякнула чашечкой о блюдце. — Мне от тебя ни вреда, ни пользы.

— Нет-нет! — возразил я. — От мелкой пакости так иногда сладко на душе бывает! Разве у тебя ни разу не возникало желания ударить меня по голове?

— Возникало, — созналась Татьяна. — Но не думаю, что тебе желали всего лишь мелкой пакости... Ты хорошо рассмотрел свою рану в зеркало? Если бы орудие пошло не по касательной, твой череп раскололся бы, как грецкий орех.

---

[1] Ледник.

81

— Хватит пугать, — буркнул я. — Считай, что ты меня морально раздавила. Но хочу на всякий случай предупредить: не позднее завтрашнего утра я узнаю, кто это сделал. Если кто-то из местных, по приказу инспектора, то я заставлю его скакать, как одноногого тушканчика, прямо во дворец правосудия. Ну а если... Впрочем, хватит страшилками перекидываться.

— Почему же! — оживилась Татьяна. — Мне очень интересно, что ты сделаешь со мной?

— Попытайся догадаться. Даю три попытки!.. Нет, милая, ты меня не знаешь и даже предположить не сможешь, насколько страшна будет кара... Будь другом, смочи полотенце!

Татьяна тотчас встала, подошла ко мне, взяла меня за чуб и наклонила голову так, чтобы видеть затылок.

— Полотенце тебе больше ни к чему, — решила она, вернулась за свой стол, раскрыла «молнию» на походной аптечке. — А почему ты так уверен, что я тебя совсем не знаю?

Она перебирала тюбики с мазями, близко поднося их к глазам, чтобы прочесть название. Плохое зрение, подумал я. С такой близорукостью запросто можно промахнуться даже с двух шагов.

— А что ты можешь обо мне знать? — пожал я плечами. — Имя, фамилию, пол, спортивный разряд... Что еще?

Девушка вертела в руках тюбик с синтомицином.

— Не только это, — произнесла она медленно, будто моя биография мелким шрифтом была напечатана на тюбике. — Я знаю, что год назад ты работал начальником контрольно-спасательного отряда в Приэльбрусье и сотрудничал с органами госбезопасности... Знаю, что у тебя были неприятности из-за связи с какой-то немкой... Потом ты работал в частном сыскном агентстве и тренировался на скалодроме в люберецкой спортивной школе... В составе российской команды ходил на траверс Дхаулагири. Потом вместе с американцами восходил по южному склону Лхоцзе, где и познакомился с Родионом... Потом он предложил тебе поработать высотным кинооператором, а в свободное от съемок время заняться реставрацией усадьбы в Араповом Поле. Я не ошибаюсь?

Она кинула на меня вопросительный взгляд. Я не то что был удивлен. Я словно под лед провалился вместе со стулом и раной на затылке и стремительно погружался в ледяную воду. Надеть на физиономию гипсовую маску невозмутимости мне никак не удалось — щекам, ушам, глазам было очень тесно.

«Князь, однако, болтун, — подумал я, испытывая неприятное чувство, словно из одежды на мне были только рваные носки. — Но о сотрудничестве с органами, по-моему, даже он не знал».

— И как тебе удалось все это разнюхать? — спросил я, стараясь не показывать, что осведомленность девушки меня задела.

— Святослав Николаевич кого попало на должность письмоводителя не взял бы, — легко ответила Татьяна, вскрывая упаковку со стерильным бинтом.

— Ну, хорошо, — проглотил я. — Обойдемся без саморекламы... Эй-эй! Ты этой мазью мне все волосы вымажешь!

Татьяна растирала вокруг раны синтомицин.

— Я не знаю, чем еще надо вымазать твои волосы, чтобы они стали грязнее, — ответила она.

— Только, пожалуйста, без оскорблений, умная ты моя и осведомленная!

Она связала узлом концы бинта, отошла от меня на шаг и полюбовалась на свою работу.

— Просто прелесть! Только одно ухо у тебя стало больше другого.

Она испортила мне настроение. «Что она может еще знать обо мне? — думал я. — А про Столешко и Родиона? Неужели ей известно про Игру? Но для чего в таком случае она валяет дурочку?.. Зачем же ты ее сюда прислал, Святослав Николаевич?»

— Одолжи пистолет на ночь, — попросил я.

— Он тебе не поможет, — с совершенно серьезным видом ответила Татьяна, складывая лекарство в сумочку. — К тебе же запросто можно подойти и тюкнуть чем-нибудь тяжелым по голове. Тебе что пистолет, что танк, что авианосец — все без толку.

— Я вот все думаю, — произнес я. — Твои услуги в качестве письмоводителя как оплачиваются? Как на Тверской — сто баксов в час, или дешевле?

Татьяна оставила аптечку на столе, подошла ко мне, внимательно посмотрела на мои глаза, повязку, губы, словно хирург, который выбирает, что отрезать в первую очередь.

— Ты пока больной, и тебя надо жалеть, — сказала она, улыбнувшись. — Будем считать, что пощечина остается за мной.

Глава 12

ТИТАНОВЫЙ КЛЮВ

Спал я плохо. Какая-то копытная живность, поселившаяся в одном из номеров первого этажа, пугливо фыркала, чавкала и топталась по полу, отчего отель резонировал, как высохший аль-уд под лопнувшей струной. Помимо этого, всякий раз, когда я поворачивался с боку на бок, давала знать о себе рана на голове. Повязка в конце концов съехала мне на шею и начала душить. Я несколько раз вставал и выглядывал в коридор, прислушиваясь к ночным звукам, происхождение большинства из которых не мог определить. В итоге в самой сердцевине ночи я задел саморучно изготовленное сигнальное устройство в виде натянутой над полом лески, привязанной к кружке с ложкой. От грохота алюминиевой посудины где-то в горах сошла лавина.

Едва ущелье стал заполнять матовый рассвет, я оделся и спустился вниз. Татьяна уже сидела за столиком с чашкой кофе, листая старый журнальчик. Смотреть на нее было приятно: лицо свежее и легкое, волосы аккуратной шапочкой облегали голову. Невольно сравнивая с ней себя, я посмотрел в зеркало над умывальником и едва не разбил его. Глаза заплыли, на шее — шарфиком — болтается окровавленный бинт, по лбу и щеке проходит розовый «шрам» от подушки. Готовый персонаж для фильма ужасов.

— Привет! — сказала Татьяна и вскинула вверх руку. — Как голова?

— Затылочная часть приклеилась к подушке, — буркнул я, намыливая лицо.

— Ты в самом деле плохо выглядишь, — уколола Татьяна.

— Могла бы, между прочим, поддержать морально, — проворчал я. Мыло разъедало глаза. Вода — талый лед — смывала пену плохо.

— Папа и мама учили меня всегда говорить правду.

— Плохо учили...

Растирая лицо и шею жестким полотенцем, я хотел сесть за соседний столик, но Татьяна положила перед собой небольшой продолговатый предмет, завернутый в кусок черного полиэтилена, и сказала:

— Это тебе. Сюрприз.

— Не много ли сюрпризов для одной деревни? — задал я риторический вопрос и поймал себя на мысли, что рад подвернувшемуся поводу сесть рядом с девушкой.

Я опустился на шаткий стул и придвинул сверток к себе. Развернув пленку, я взял в руку титановый клюв ледоруба с привязанным к нему метровым куском альпинистской веревки. С минуту я рассматривал килограммовую чушку со всех сторон, потом поднял взгляд на Татьяну.

— Это вещица для ритуального самоповешения альпинистов? — предположил я.

— Эту штуку я нашла недалеко от того места, где тебя ударили, — ответила девушка. — Конец веревки запутался в решетке забора, и клюв, видимо, вырвало из рук злоумышленника, когда он убегал.

Теперь я смотрел на орудие нападения другим взглядом, почти родственным.

— Очень просто и удобно, — комментировала Татьяна. — Раскручиваешь ее над своей головой, а потом сносишь голову противнику. Нечто похожее — булыжник на веревке — с успехом пользовали некоторые племена каннибалов в Новой Зеландии. Они называли это орудие мэром.

— Что ты говоришь! — порадовался я познаниям девушки в области этнографии. — Говоришь, с успехом пользовали?

Клюв был аккуратно свинчен с рукоятки. Веревка проходила через его внутреннее отверстие и была связана петлей Гарда — классическим альпинистским узлом.

— Не думаю, что здесь можно кого-либо удивить ледорубом или узлом, — вслух подумал я. — В каждом дворе, наверное, целые склады старого снаряжения.

— Не уверена, что этот клюв слишком старый, — на удивление к месту возразила Татьяна. — Я, конечно, не слишком разбираюсь в снаряжении, но такие анатомичные ледорубы

«Камп» выпускают, по-моему, сравнительно недавно, и у местных они вряд ли могут быть.

Китченбой поставил перед нами тарелки с рисом, сдобренным каким-то соусом, и кружки с теплым молоком. Я тронул его за руку и объяснил, показывая на клюв, что хочу купить ледоруб такого же класса или рукоятку к нему. И без того суетливый парень кивнул и улетел в свои апартаменты атакующей пчелой. Через несколько минут он вывалил на пол у моих ног с десяток еще вполне пригодных ледорубов и ледовых молотков. Едва я взглянул на них, так сразу понял, что Татьяна глубоко заблуждается. Я поднял с пола и протянул ей превосходный образец — ледоруб «Хайпер Кулуар», последний писк моды итальянской альпиндустрии.

— Трофеи, — сказал я, перебирая ледорубы. — Богатые экспедиции после восхождений бросают «железо» на леднике, чтобы не тащить вниз, а портеры собирают и продают менее богатым экспедициям... Спасибо, дружок, все это для меня слишком дорого, — объяснил я китченбою и поднялся из-за стола.

Мне показалось, что Татьяне очень хочется составить мне компанию, но она боится навязать мне свое общество, а я не захотел проявлять инициативу. Кажется, мы вдруг испытали неловкость оттого, что едва улеглась неприкрытая ненависть, как на ее месте стал пробуждаться интерес друг к другу. И мы невольно стали тормозить и растягивать эту метаморфозу.

Я дошел до конца деревни и там при помощи английского и жестов узнал, где живет портер с сыном. Но мне снова пришлось пережить удар по голове, правда, на этот раз психологический. Дом портера оказался пуст, вся семья рано утром направилась в Биратнагар за покупками, а до него — больше сотни километров. Кто посылал мальчика узнать обо мне, я вряд ли теперь смогу узнать.

Когда в удрученном настроении я вернулся к отелю, меня пудовым взглядом, от которого тотчас стали подгибаться ноги, встретил инспектор. Он сидел в глубоком плетеном кресле, его поломанная нога была накрыта клетчатым пледом, отчего инспектор напоминал президента Рузвельта. Выгнув дугой одну бровь, он на мое «гуд монин» ответил нестандартно:

— Что с вами случилось? Почему сразу мне не доложили?

— Как я мог вам доложить, — вспыльчиво ответил я, — если был уверен, что это по вашей просьбе меня тюкнули по затылку ледорубом?

— Что? — обалдел инспектор и дернулся в кресле. — По моей просьбе?!

Мне казалось, что, будь в его руке клюка, он обязательно засвистел бы ее мне в голову. Никак не могли мы с ним сойтись характерами.

— Значит, так, — шлепая мясистыми влажными губами, сказал инспектор, грозя мне коричневым, похожим на обрубок высохшей лозы пальцем. — До прибытия вертолета находиться в своей комнате! Подготовить мне подробную объяснительную — зачем включал радиостанцию, что говорил, с кем говорил и почему ходил по деревне поздно вечером. Я предупреждал вас! — распалялся инспектор, тряся лозой. — Вы упрямитесь и продолжаете вести себя вызывающе!

— Простите его, — зачем-то заступилась за меня Татьяна, щелкая фисташки и сплевывая скорлупки в кулачок. — Он больше не будет.

— Знаешь, кто меня больше всего волнует? — сказал я девушке по-английски, чтобы инспектор меня понял. — Наш пилот. Если его снимут со склона раньше, чем нас, то он расскажет, как инспектор прострелил маслопровод. Потом начнут допрашивать нас с тобой. А мы с тобой подтвердим это, так ведь?

— Вертолет — это очень дорого, — согласилась Татьяна, угощая меня орешками. — До конца жизни можно не расплатиться.

Мы стали лузгать орешки дуэтом. Инспектор издал неопределенный звук, с каким движется тяжелый книжный шкаф по паркету, и махнул рукой своим рабам.

— Он не упустит удобного случая свести с тобой счеты, — сказала Татьяна, глядя вслед шерпам с носилками, на которых разгневанным императором восседал инспектор.

— Если уже не пытался свести, — уточнил я, коснувшись рукой саднящего затылка, и кинул на девушку многозначительный взгляд. — Или я ошибаюсь?

Она поняла меня так, как надо было, отчего усмехнулась, качнула головой и, убирая челку со лба, сказала:

— У меня есть железное алиби, что это сделала не я. Но оправдываться нет необходимости. Ты не так опасен, как мне казалось раньше.

Нормального мужчину, на мой взгляд, должно оскорбить заявление о его безопасности — это сродни упреку в мужской несостоятельности. Я принял воинственную позу, подбоченив руки и навесив на свой взгляд гири амбиций.

— Что значит не так опасен? — спросил я. — Что значит неопасен? Ты уже не боишься, что князь уволит тебя за то, что ты плохо опекала Родиона?

— Нет, не боюсь! — Татьяна смотрела на меня лукаво, словно заигрывала. Ее зубы беспощадно расправлялись со скорлупой фисташек, словно с моей напыщенной воинственностью. — Ты же сам прекрасно знаешь, что как раз *именно за это* он меня не уволит. Или я ошибаюсь?

Она либо все знала про Игру, либо брала меня «на пушку». Я понял, что не в моих интересах развивать с ней эту тему. Я должен был убедиться, что Татьяна действительно та, за кого себя выдает — письмоводитель, то есть секретарь князя, которой доверено многое.

— Вчера за ужином начальник станции рассказал мне, о чем инспектор доложил в полицию, — сказала Татьяна, глянув по сторонам. — Не думаю, что в России на этом основании будет возбуждено уголовное дело. Знаешь почему? Потому что экспедиция по поиску трупа Родиона на Ледяной Плахе и спуску его вниз обойдется нашему МВД в несколько миллионов долларов. Проще заплатить тебе, чтобы ты не поднимал шума, или... Или сам знаешь, как еще можно закрыть тебе рот. Для тебя будет лучше, если ты закроешь его сам.

— Спасибо, — кивнул я. — Я обязательно воспользуюсь твоим советом.

— И еще, — помолчав, добавила девушка. — Если ты когда-нибудь, где-нибудь встретишься со Столешко, то постарайся сделать так, чтобы рядом тотчас появились свидетели этой встречи... К примеру, я.

Я внимательно смотрел в глаза Татьяне.

— Никак не могу понять, кто же ты все-таки такая, — произнес я.

— Кажется, я показывала тебе письмо князя?

— Прикрылась ты этим письмом, как фиговым листком, — проворчал я.

Видя мой нестандартный взгляд, девушка шагнула ко мне и, приблизив свое лицо ко мне настолько, что впору было начинать целоваться, выразительно произнесла:

— Я невеста Родиона. И хочу стать его женой. И родить от него ребенка. И унаследовать не только титул... Все понятно?

Я опешил от такой правды, и во мне родилось странное чувство, словно я проморгал свою жизнь, прожил зря.

Глава 13

ОБНОВЛЕНИЕ КРОВИ

Скрыть информацию о двух пропавших без вести альпинистах и две иголки в стоге сена — не одно и то же. В аэропорту Катманду нас атаковали журналисты и спортивные радиокомментаторы. Судя по их вопросам и порочным приметам жажды сенсаций на лицах, я сделал вывод, что они осведомлены о событиях на Плахе не хуже инспектора.

Инспектор с хмурым лицом раздвигал мочалки микрофонов, словно рыбак камыши. Он принял на себя главный удар, но держался с достоинством. Мы с Татьяной шли следом за плывущим на носилках инспектором, на ходу стаскивали теплые куртки и невольно увеличивали дистанцию, чтобы не быть втянутыми в информационную воронку. «Не знаю», «Это может повредить делу», «Однозначно сказать не могу», «Некорректный вопрос», — отстреливался налево-направо инспектор. Когда он вместе с носилками исчез в утробе санитарной машины, журналюги кинулись к нам с Татьяной и вмиг обступили плотным кольцом.

Прикидываясь не вполне нормальным, я свел зрачки к переносице, высунул кончик языка и надул щеки. Это помогло, и вопросы мне не задавали, зато охотно фотографировали. Татьяна же выбрала микрофон побольше, взяла его двумя пальцами, как бокал, наполненный до краев шампанским, и усталым голосом объявила, что, несмотря на обрушившийся на высотный лагерь буран и резкое падение температуры воздуха, она до конца не уверена в гибели аль-

пинистов. Корреспонденты, собаку съевшие на альпинистской теме, смотрели на нее как на дурочку. Скептицизм Татьяны еще сильнее убедил их в том, что душами двух клаймберов давно распоряжается бог.

— Он даже не попрощался, — сказал я Татьяне, когда са-
нитарная машина тронулась с места и ринулась в запружен-
ные велосипедистами и священными коровами кварталы.

— Мы ему не нужны, — ответила Татьяна, возвращая
микрофон журналисту.

Было жарко. Мы вышли к украшенной флажками буд-
дийской ступе. Шоколадная девушка с прямым пробором и
голым животиком кружилась перед нами и щелкала пальцами в такт бубну. Торговцы хлопали в ладоши и ныли песню.
Косматые бороды, точки во лбах, коровы, велосипеды и статуи Будды кружились вокруг нас хороводом. Татьяна купила
у бритого наголо непальца силиконовую кобру со стеклян-
ными глазами и напугала ею меня.

— Скоро первое апреля, — сказала она, вешая кобру себе
на шею. — Разыграю кого-нибудь в Москве.

Торговцы замечали ее взгляд за несколько километров и
загодя готовились умереть, но всучить товар. В ушах стоял
шелест рупий. Татьяна приценивалась к большому медному
сосуду, предназначенному то ли для комнатной пальмы, то
ли для замачивания белья.

— Как ты думаешь, эту штуку придется сдавать в багаж
или можно будет пронести с собой в самолет? — спросила
она.

Я не узнавал ее. Она вела себя со мной так, словно мы
были знакомы много лет и никогда не конфликтовали, словно между нами не было непреодолимой стены недоверия.

— Почему ты так на меня смотришь? — спросила она.

Рукав моего пуховика волочился по земле. Струйка пота
щекотала между лопаток. Сумка оттягивала руку. Мне хотелось скинуть с себя все, включая прилипшую Татьяну, окунуться в ледниковое озеро, потом обернуться в белую простыню и поселиться на облаках. Я устал от игры с Татьяной.
Она поддавалась мне и ждала, когда я побегу под уклон и
стану самим собой. Чтобы потом взять меня голыми руками.
Она выигрывала, и я не знал, какие позиции мною уже
сданы.

90

— Почему ты так на меня смотришь?

— Ты не знаешь, где тот лес, куда уходили благочестивые брахманы, чтобы стать отшельниками?

— Разве тебе это поможет? — вопросом ответила Татьяна. — Давай лучше сходим в индийский ресторан.

— Не могу понять, — произнес я, чувствуя, что невысказанная правда осела тяжелыми кристаллами на душе и вот-вот начнет с треском осыпаться. — Как ты можешь радоваться жизни, если твой жених остался на горе? И не будет теперь ни свадьбы, ни титула, ни наследства.

Мы стояли посреди людского потока, как два речных валуна в бурунах. Мне в затылок дышала священная корова. Дыхание ее было теплым и мокрым, как полные слез глаза иконы.

— Ты ведь тоже радуешься жизни, хотя утверждаешь, что его убили, — сказала она, глядя на меня. Затем сняла с себя кобру и повесила ее мне на шею. — Попробуй этой штукой кого-нибудь обмануть, хорошо?

Только теперь я почувствовал, насколько уже отравлен ложью. У меня началась интоксикация, как после употребления метилового спирта. Меня мутило. Живые глаза Татьяны плыли, становились друг над другом и сливались в одно целое. Родион ошибся, когда предложил мне стать его компаньоном. Точнее, это я ошибся, полагая, что самое трудное — это страховать его на стенах... Патагония — южная стена Серро Торре. Аляска — Мак-Кинли. Франция — Фурнеле и Пти-Дрю. Норвегия — Тролльвеген. Киргизия — Асан...[1] Глыбы камня и льда, подпирающие небо, оказались детскими кубиками в сравнении с безмерной тяжестью лжи. Каждая клетка моего лица была набита ею, как ртутью, и маленькие мешочки с ядрами, митохондриями и вакуолями трещали, качались и тяжелыми каплями оттягивались к земле.

Я повернулся и пошел сквозь Катманду, мимо глазастых коров, велосипедистов, торговцев и монахов. Надо держаться, думал я. Не так все страшно. Еще немного. До первого апреля чуть больше недели. И наступит день, когда ртутная

---

[1] Эти вершины известны как объекты крайне опасного экстремального альпинизма.

капля лжи высочится из меня и упадет под ноги, и содрогнется земля, и обманутые поймут, что были обмануты, и мерзавцам откроется, что о них вытирали ноги.

Кобра слушала мои мысли, качая головой и хвостом.

* * *

Татьяна задержалась в дамской комнате аэропорта, и у меня появилось время накоротке переговорить с водителем князя, который приехал за нами в Шереметьево на хозяйском «Понтиаке». Меня интересовало одно: как Татьяна оказалась в числе приближенных к Святославу Николаевичу и на каком основании посмела назвать себя невестой Родиона. Бутылка английского джина, которую я приобрел в «дьюти фри», помогла водителю стать словоохотливым, и он рассказал мне все, что знал.

Жаль, что князь не обзавелся письмоводителем до того, как мы с Родионом вылетели в Непал. За те дни, которые волей судьбы я провел с Татьяной в Гималаях, у меня не сложилось сколь-нибудь завершенного впечатления о ней. Безусловно, эта молодая особа, которой было не больше двадцати пяти, привлекала и внешностью, и умом — ум ее был подвижен, родниково прозрачен и не замутнен какими-либо признаками высшего или специального образования. Кроме того, глубинка русского Севера, ставшая для нее естественным фильтром, оградила ее от той гаммы пороков, которые городская молодежь зачастую принимает за достоинства. Должно быть, это и сыграло решающую роль в выборе князя.

Оказывается, он не был исключением и, как большинство эмигрантов, отличался русофильной наивностью и чистотой надежд, словно ребенок. Он поставил перед собой цель найти в России живое воплощение народных сказок и былин и очень скоро, как ему показалось, достиг ее. Конечно, Татьяна не носила кокошник и длинный белый сарафан до пят, не пила воду из ендовы, не хранила молоко в глиняном кувшине и не обедала из ставцов. Но зачесывала льняные волосы на прямой пробор и заплетала их в косичку, была естественно румяна, ее светлые глаза изображали лишь два неизменных выражения: восторг от процесса жизни и неподдельное изумление всему тому, что она открывала для себя впервые. Кожа ее лица, словно сугробы на лесных зимних полянах, была свежа и свободна от следов алкоголя, кофе и табака, изящный нос и пухлые губы придавали лицу кукольное выражение. Она прекрасно подходила для роли Василисы Прекрасной, причем не требовала грима, искусственного румянца или веснушек — все было свое, родное.

Князь открыл Татьяну в местной нотариальной конторе, когда она тыкала пальчиком по сенсорным кнопкам копировального аппарата и бабочкой летала по тесной комнатке. По словам водителя, старика так впечатлила самобытная красота девушки, что уже через сутки он послал ей письмо с приглашением стать его письмоводителем.

Трудно сказать, по какому пути шла эволюция мысли в голове князя и когда именно его озарила идея женить сына на Татьяне. Водитель утверждал, что слух об этом внезапно разнесся по усадьбе со скоростью пожара, и о невесте богатого наследника вскоре узнало все Арапово Поле. Родион, насколько мне было известно, за свою жизнь был женат дважды — сначала на американке, потом на аргентинке, и оба раза неудачно, так как разводы наносили болезненные удары по состоянию Орловых. По всей видимости, старик решил, что русская Прокина в отличие от расчетливой и эгоистичной американки и бешеной аргентинки сможет искренне полюбить Родиона, а не грядущее ему наследство, и брак этот обогатит чистым и непорочным ручьем коньячно настоянную княжескую кровь.

Но вернемся в Шереметьево. Слушая рассказ водителя о фантастической карьере письмоводителя, я все чаще поглядывал на стеклянные двери аэропорта и на часы. И когда к нам вышла ссутуленная под тяжестью сумки скорбящая вдова в черном платке, я едва устоял на ногах от восхищения мастерством перевоплощения. Водитель, не сразу узнавший Татьяну, скривил лицо, с недоумением взглянул на меня и спросил:

— Что это с ней?

Я пожал плечами. Водитель кинулся к Татьяне. Надо было видеть, как он перед ней прогибался! Я знал его как мужика сурового, прекрасно знающего цену автомобиля, на котором он ездил, а значит, и свою цену. И потому был сражен наповал при виде такого бесстыдного лакейства. Татьяна вела себя так, чтобы водитель смог сполна проявить свое усердие и продемонстрировать верность, и при этом ничуть не стеснялась меня. Открыв рот, я смотрел, как она терпеливо стоит перед закрытой дверью машины, дожидаясь, когда водитель затолкает ее сумку в багажник, а затем откроет перед ней дверь.

— А где Родион? — спросил водитель, усадив Татьяну на заднее сиденье. Он был наполнен светом самодовольства, как если бы был военным и получил очередную звезду на погоны.

Только теперь я вспомнил о своей грустной обязанности.

— Родион погиб, — ответил я и полез в машину.

Водитель долго не мог тронуться с места. Он сидел за рулем, без надобности запускал стартер и тотчас его глушил. Снова запускал и глушил. Я понимал, что творилось в его голове в это время. Он расставлял фигуры по шахматному полю усадьбы в новом порядке и никак не мог определиться с фигурой Татьяны. Еще совсем недавно она была невестой Родиона. Невеста — без пяти минут жена, вторая полунаследница, третье лицо после князя и Родиона. А теперь? Невеста без жениха — не невеста. Просто девушка, просто письмоводитель. Какое место определит ей князь?

Наконец водитель успокоился и взялся за ручку передач. Должно быть, он решил, что вел себя по отношению к девушке универсально, безошибочно для любого случая. Вежливость — она еще никому не вредила.

Бордовый «Понтиак-Трансспорт», похожий то ли на крысу, то ли на торпеду, мчался по магистрали, мягко покачиваясь на рессорах. Мы с Татьяной таяли на заднем сиденье, и казалось, что в длинном и просторном салоне, кроме нас, нет больше никого. Водитель рулил где-то впереди, почти полностью скрытый спинкой и подголовником. Наверное, раньше он был то ли автогонщиком, то ли летчиком-истребителем, и понятие быстрой езды стало для него относительным. Машина уподоблялась тяжелому управляемому снаряду.

Я рассказывал водителю о том, как прервалась связь с Родионом, как я нашел пустую палатку и обрывок веревки. Водитель цокал языком, качал головой и с любопытством поглядывал на Татьяну в зеркальце заднего вида. Татьяна молчала, не комментировала мой рассказ и не перебивала меня. Она сняла траурный платок и стала теребить красный бантик, привязанный к кончику своей косы. В конце концов она развязала его, распушила, превратила в мохнатый клубок шелковых ниток.

С ней что-то происходило. Казалось, что черный платок, в котором она собиралась маскарадничать перед водителем, вдруг заставил ее поверить в гибель Родиона. И мой рассказ — короткий и убедительный, и выражение растерянности на лице водителя, и унылый мартовский пейзаж, в котором главенствовали серые цвета, стали последними и самыми весомыми аргументами.

«Обломал я девочке надежду! — думал я, поглядывая на нее. — Что ж, надо учиться и горькие пилюли глотать. Надеялась, что все сложится само собой — раз, два, и богатый жених в кармане! Невеста наследника миллионера — это так зыбко и звеняще-хрупко, это бокал из тончайшего стекла, стоящий на краю стола. И у стола вдруг подкосились ножки...»

Мы проскочили Ржев. Татьяне стало жарко, и она сняла с себя пуховик.

— Что же теперь делать? — произнесла она и вдруг испуганно посмотрела по сторонам, словно ехала в общественном транспорте и пропустила свою остановку. — Господи, что же теперь делать?

Это был тот случай, когда утешить невозможно. Что я мог ей сказать? Не переживай, приедет в Арапово Поле еще один миллионер — выйдешь за него. Этих миллионеров в Араповом Поле скоро как собак нерезаных будет! Ведь Арапово Поле — центр мировой иммиграции, все толстосумы земли спят и видят себя гуляющими по съежившимся улочкам, огороженным замшелыми покосившимися заборами, по которым плывет неровный колокольный лязг от пьяного звонаря.

«И с чего это вдруг князь решил отдать ее замуж за Родиона? — думал я, глядя на профиль девушки. Ее открытый выпуклый лоб, чуть приподнятый кверху носик и пухлые губы почему-то хотелось вымазать в сметане, а потом слизать. — Между ними — космос. Они мыслят в разных операционных системах. Они видят мир абсолютно по-разному».

— Ты думаешь... думаешь, что надеяться уже не на что? — спросила она, мокро взглянув на меня.

Ее шерстяной свитер линял, и влажные ладони Татьяны были облеплены шерстинками. Я держал ее руку, словно заячью лапу. Первый раз за время нашего странного знакомства она говорила со мной нормально, без злой иронии.

— А что изменить? — пожал я плечами. — Все сроки вышли. Человек не может выдержать на такой высоте больше трех дней. Даже если у него будет достаточно кислорода и еды.

— Ты говоришь правду?

— Я не хочу давать тебе пустых надежд.

— А как он умер? — спросил водитель, глядя на нас в зеркало. — Замерз?

«Если бы я дал из Катманду телеграмму, — подумал я, глядя на синие щеки водителя и его оттопыренные уши, — то не надо было бы сейчас произносить это гадкое слово».

— Нет, не замерз, — ответил я. — Его убили.

Татьяне стало плохо. Машину пришлось остановить.

Глава 14

ЕДИНСТВЕННЫЙ НАСЛЕДНИК

Князь, глядя из-под седых бровей на карандаш, который без устали крутил в пальцах, сидел в деревянном кресле за столом. На зеленом сукне стояли письменный прибор с промокашкой-неваляшкой, стакан с чаем в серебряном подстаканнике и раритетный томик Баратынского в черном переплете с золотым тиснением. И старик, и его кабинет с отполированной руками и годами мебелью напоминали экспонаты музея.

Большие напольные часы размахивали тяжелым маятником. Где-то в его недрах цокали молоточки. Мы молчали. Князь приказал собраться в своем кабинете всем своим служащим. Первой вошла Татьяна и села на обшитый кожей диван. В черном большом платке, из-под которого выглядывала косичка, она была похожа на летучую мышь с якорным

96

канатом на шее. Я стоял лицом к книжным полкам, рассматривая измочаленные корешки, на которых едва можно было разобрать имена авторов. Между книгами и стеклом выстроился длинный ряд фигурок из кости, дерева, железа. Малахитовый Будда с животиком, похожим на арбуз, которого я привез князю из Катманду, возглавлял строй, словно был назначен командиром над остальными фигурками.

Скрипнув половицами, в кабинет вошел водитель и, зачем-то пригибаясь, словно это был кинозал и уже шел фильм, на цыпочках прошел в угол и встал между глазурованной печью и диваном. Следом за ним, бережно сдвинув дверные шторы, вошел грузный, краснолицый конюх в светлых шароварах, рубашке навыпуск и калошах на босу ногу. Потом тенью обозначила присутствие молодая глухонемая садовница в телогрейке и белом платке. Она встала в дверях, то ли стыдясь своего вида, то ли боясь наследить на паркете выпачканными в черноземе резиновыми сапогами. Кабинет не мог вместить всех строителей, дворников и прислуг, и последними зашли выжлятник[1] со своей женой-поварихой. Полная, как положено по должности, женщина тотчас всхлипнула и прижала платок к красным глазам.

— Цыть! — немедля оборвал ее Орлов высоким, почти женским голосом и стукнул карандашом по столу. — Рано пока!

Снова стало тихо. Было слышно, как шлепают по маленькой наковальне часовые молоточки. Я оперся спиной об оконный наличник и скрестил на груди руки. Орлов, ссутулив угловатые плечи и склонив белоснежную голову, смотрел прямо перед собой выцветшими голубыми глазами. Его массивный, чуть сгорбленный нос придавал лицу хищное выражение. Тонкие губы были плотно сжаты. Смятые высокие залысины покрывали морщины. Он нервным движением расстегнул верхнюю пуговицу красной атласной косоворотки и очень тихо, заставляя присутствующих затаить дыхание и напрячь слух, произнес:

— Рано пока его хоронить...

Он говорил бы дальше, если бы в кабинет не заглянул высокий и длинноносый молодой человек, похожий на еди-

---

[1] Кинолог в современном переводе.

ницу, которую мстительно выводят учителя в дневнике безнадежных тупиц. Рискуя задеть дверной косяк, он склонил гладкую голову с волосяным хвостиком, однако нос его компасной стрелкой продолжал целиться в князя.

— Позволите, Святослав Николаевич? — приятным голосом и артикулятивно проговорил молодой человек, сверкнув черными глазами.

Князь, казалось, даже не взглянул на дверь и, не меняя положения седой головы, ответил быстро и злобно:

— Ступай на котушок[1], наглец!

Молодой человек, не отразив обиды на умном лице, увел голову за шторы, но уже через мгновение князь изменил меру наказания.

— Закличь его сюда! — приказал он поварихе и, как только длинноносый в точности повторил свое внедрение в кабинет, хмурым голосом спросил: — Что надо? Я тебя не приглашал.

— Слухи ходят, — осторожно ответил длинноносый чуть сиплым, посаженным голосом и поскреб по щеке ломаным, словно неряшливо склеенным из суставов, пальцем.

— Вот, пожалуйста, — с досадой произнес Орлов, обводя взглядом присутствующих и останавливаясь на мне. — Слухи ходят... Дурь на языках сидит! Еще раз повторю: кто будет о моем сыне лясничать, того нещадно накажу. Еще ничего не проверено, а Ворохтин уже успел обарабанить по всему городу!

Я молча перенес упрек. Обладатель длинного носа, охотно соглашаясь с Орловым, покачивал своей примечательной деталью и строго поглядывал на меня, будто хотел сказать, что незаслуженно пострадал по моей вине.

— Нет никаких оснований говорить о смерти Родиона, — тверже повторил Орлов и шлепнул ладонью по зеленому сукну, отчего звякнул стакан в подстаканнике. — Я уважаю Ворохтина, но уверен, что с выводами он явно поторопился. Обгодим чуток. Время все расставит по своим местам.

— Слухи о смерти оказались несколько преувеличены, —

---

[1] Котушок — это устаревшее название хлева для мелкой скотины. Князю будет свойственно и впредь дурачиться и говорить в подобной манере, но читатель с легкостью обойдется и без перевода всех его архаизмов.

развеселился носатый. — В самом деле, с чего это мы... Мало ли кто из нас...

Орлов не нуждался в его моральной поддержке и немедленно осадил взмахом руки.

— А ты себе язык подрежь!

— Слушаюсь, Святослав Николаевич! — радостно ответил носатый, слегка склонив голову, и тотчас негромким и пересушенным голосом стал рассказывать садовнице байку по этому поводу: — У нас в день выдачи пенсии телефонный звонок невозможно услышать из-за гомона бабушек. Крик стоит, как на стадионе. Так вот, заведующий говорит кассирше...

Садовница не слышала, о чем говорит ей этот человек. Она смотрела на него умными и красивыми глазами, как смотрят на утренний туман или на облака. Повариха устала выдавливать из глаз слезы и мягко зажмурилась, словно задремала стоя. Орлов придвинул к себе чистый лист, обмакнул перо в чернильницу и принялся скрипеть по бумаге. Его стремление реанимировать прошлое стоило больших нервов. Перо рвало бумагу, щелкало и брызгало чернилами. Орлов злился и негромко ругался себе под нос. Все присутствующие, кроме носатого, привыкли к чудачествам хозяина и смотрели с пониманием на борьбу князя с капризным пером.

— Возьмите мою, Святослав Николаевич! — некстати услужил носатый и шагнул к столу, протягивая старику шариковую ручку.

Я подумал, что Орлов сейчас плеснет в лицо молодому нахалу чернила, но он, нахмурившись, отшвырнул перо в сторону, взял авторучку и быстро закончил письмо. Сложив лист вчетверо, он протянул его Татьяне.

— Не умирай! — на высокой ноте сказал он. — Отнеси это попу, пусть срочно отчитается передо мной по всем счетам. В первую очередь — оплата богомазам за иконостас! И сними с себя этот вдовий казинет, чтобы глаза мои его не видели!

Орлов намеревался завершить собрание служащих на оптимистической ноте. Уже повариха не по теме начала жаловаться, что поставщики вечно запаздывают с доставкой продуктов и из-за этого она запаздывает с обедами, как я перебил ее, заставив присутствующих обратить на себя внимание:

— Я хотел бы уточнить, Святослав Николаевич, что высказал вам не только свое личное мнение, но также и официальное заключение непальской полиции.

— Что?! — с искусственным гневом воскликнул Орлов, глянув на меня так, словно я посмел произнести нечто в высшей степени неприличное. — Кто повторяет очевидные глупости, тот глуп вдвойне! Непальская полиция не знает волевых качеств моего сына!

— Со дня на день Министерство внутренних дел России получит официальное уведомление, — добавил я.

Мы разыгрывали заранее оговоренную сцену. Слепая, безосновательная вера отца в то, что сын жив, должна была вызвать у присутствующих обратный эффект. Сочувствуя Орлову, они все-таки в большей степени должны были поверить мне.

— Все! — прервал меня князь и встал из-за стола. Если бы я видел Орлова впервые, то был бы шокирован его маленьким ростом. Шаркая лаптями по полированному паркету, он подошел к книжному шкафу, снял с полки увесистый том «Российская архитектура. XIX век» и протянул его мне. — Я благодарю тебя за внимание к судьбе моего сына, но советую все же вернуться к своим обязанностям. Обрати внимание на обливистый контур крыши грота и постарайся установить стропила под большую нагрузку по всем законам физики и строительства.

Я внимательно посмотрел в глаза князя, уже научившись читать в них комментарии к словам, но Орлов глаза отвел, хлопнул меня невесомой ладошкой по груди и сказал:

— Ступай, братец, ступай!

Рядом с узкой дверью образовалась минутная толчея. Носатый, пропустив вперед себя садовницу, оказался передо мной.

— Что это на вас нашло? — спросил он, нетерпеливо выковыривая сигарету из пачки.

У меня не было желания развивать тему с незнакомым человеком, и я лишь прошелся пустым взглядом по его лицу, больно споткнувшись о нос. Мы вышли в длинный и узкий коридор, стены которого были увешаны пейзажами. Я нарочно приостановился у «Туманного рассвета на берегу Двины», чтобы увеличить дистанцию с носатым, но тот, как назло, тоже замедлил шаг.

— Увлекаетесь живописью?

— Что ж ты грех такой на душу берешь? — спросил меня не по годам стройный выжлятник Палыч, проходя мимо и сокрушенно качая белой, как одуванчик, головой.

Я растерялся, не зная, на какой вопрос отвечать в первую очередь.

Мы вышли на террасу. Косой мелкий дождь залил дощатый пол наполовину, и в нем, как в матовом зеркале, отражались черные стволы еще голых яблонь. Я поднял воротник куртки и пошел между волнистых рядов невысокого плетня. Гравий шуршал только под моими ногами — носатый исхитрился идти за мной в ногу, и его шагов я не слышал. Пригнув голову, я прошел под мокрой лапой старой ели и остановился напротив грота с недостроенным куполом.

Носатый не совсем уверенно, словно не исключал возможность того, что будет побит, приблизился ко мне, самоотверженно раскуривая вымокшую сигарету. Наверное, он задел головой ветку и попал под ледяной душ.

— Покорнейше прошу простить! — вычурно обратился он, отчего меня внутренне передернуло. Мы с ним были приблизительно одного возраста, в каком принято обращаться друг другу в совершенно иной манере. Но, видимо, носатый попал под влияние чудачеств Орлова, и его неудержимо тянуло на архаичный слог.

Я ничего не ответил, раскрыл книгу на закладке и посмотрел на чертеж грота. Орлов предлагал скопировать какого-то головастика с катастрофическим соотношением нагрузки и опоры: купол по своему объему превышал несущие конструкции едва ли не в два раза. Астрономическая обсерватория, а не грот!

— Палка, палка, огурец, — произнес носатый, рассматривая облупившиеся колонны грота, — вот и вышел человец... А меня зовут Филипп, — представился он и протянул мне свою ладонь. — Работаю в сбербанке, а по совместительству — казначеем у князя.

— Ага, — ответил я. Капли дождя усеяли страницу, и я захлопнул книгу. — Что надо?

— Я по этой усадьбе еще мальчишкой бегал, — сказал Филипп и ностальгически вздохнул. — Здесь сначала приют для бездомных был, потом больница. Потом школьный сад... Чувствую корни, понимаешь, — неожиданно перешел он на «ты» и с шумом выдохнул дым. — Голос крови! Тебе этого не понять...

Я сунул книгу под мышку и уставился на Филиппа. Для полноты счастья ему не хватало моей заинтересованности и вопросов.

— Мы ж с Николаичем родственники, — с подчеркнутой незначимостью ответил Филипп, что в его понимании выглядело как проявление скромности.

— С каким Николаичем?

— Да с Орловым! — великодушно пояснил Филипп. — Моя бабка и его мать были родными сестрами. Только его матери больше повезло — ее взял в жены титулованный чиновник. А моя бабка так и осталась пожизненной крестьянкой.

Я видел — он очень хочет признания и восхищения. Осчастливить родственника было совсем нетрудно. Я протянул ему руку.

— Так ты, значит... племянник Орлову, так, что ли?

— Ну! — радостно подтвердил Филипп. — Он мой двоюродный дядька!

— Что ж, поздравляю, — нелегким тоном произнес я.

— С чем? — заморгал глазами Филипп, хотя я был уверен, что он уже принял поздравления от половины Арапова Поля.

— Ты же теперь единственный наследник!

— Типун тебе на язык! — махнул рукой Филипп и взволнованно затянулся. Ему было очень трудно скрывать улыбку. — Я тоже не верю, что с Родионом случилось что-то серьезное. Не может быть. С какой стати?

— Не расстраивайся понапрасну, — дал я наследнику добрый совет и похлопал его по плечу. — Поверь в свое счастье и готовься за него бороться. Родиона убил человек по фамилии Столешко. Убил для того, чтобы прибрать к рукам наследство князя.

То, что происходило с лицом Филиппа, можно было

сравнить с клоунадой. Я еще никогда не видел, чтобы душе человека было так тесно в теле. Он затягивался потухшей сигаретой, чесал щеки, зрачки его метались в глазницах, словно обезьяна по клетке перед зеркалом, челюсть перемалывала беззвучные слова, ноги давили щебенку, щеки омывались дождем, и все это происходило одномоментно.

— У тебя в самом деле есть доказательства? — негромко спросил Филипп, без особых затруднений превозмогая стыдливость.

«Но почему я его уже ненавижу? — думал я, рассматривая темные глаза Филиппа, похожие на окна в доме, в котором хозяева выключили свет, чтобы не светить перед всеми подряд свою интимную жизнь. — Может быть, во мне говорит скрытая зависть? Ведь я никогда не испытаю тех чувств, которые обрушились на него. Почему я жду от него искренней грусти по поводу смерти далекого родственника, которого Филипп никогда раньше не знал, если обвальная радость от осознания себя наследником намного сильнее и честнее...»

— Да, есть доказательства, — ответил я. — Оставь мне свой телефон.

— Кайн проблем! — кивнул Филипп, вынул из нагрудного кармана куртки портмоне, а из него — визитку. — Звони по делу и просто так... Очень рад был познакомиться. Очень рад...

Он долго тряс мне руку и хрипло дышал. Рукопожатие его было крепким — модный ныне показатель хорошего здоровья и преуспевания.

Прежде чем сунуть визитку в карман, я взглянул на нее. *«Гонза Филипп Матвеевич. Сбербанк Российской Федерации, Араповопольское отделение. Старший кассир».* И рабочий телефон.

Глава 15

НЕУЖЕЛИ ВСЕ ТАК МРАЧНО?

Чего не удалось Орлову — так это переодеть своих охранников в белые мундиры с золочеными пуговицами, подпоясать их портупеями, обуть в сапоги до колен да в картузы. «Жандармы», перманентно дежурившие у въездных ворот, предпочли ретро-маскараду современный камуфляж. Я не успел дойти до ажурного особняка со стеклянным пузырем зимнего сада, в котором Орлов выделил мне мансардную комнату, как навстречу из кустов вывалился ужеподобный охранник.

— Зайди к хозяину, — сказал он мне, пренебрежительно швыряясь словами. —Только срочно.

И поковырялся в ухе антенной портативной станции.

Пришлось круто разворачиваться на сто восемьдесят. По парковой дорожке, присыпанной кирпичной крошкой, я дошел до кипарисовой аллеи, которая упиралась в парадное крыльцо главного дома усадьбы.

В кабинете Орлова я увидел Татьяну. Она сидела на диване на том же самом месте, где траурила утром, только уже без черного платка. Взамен него девушка надела черный кожаный берет и куртку «а-ля пилот ВВС США».

— Салют! — тихо приветствовала меня Татьяна и вяло кивнула.

— Сядь! — позволил Орлов и, не поднимая глаз, шевельнул перстом в сторону кресла.

Я успел рассмотреть лист с мелким текстом, который он читал. Кажется, сверху было написано: «Заявление».

— Вы знакомы? — все еще не поднимая головы, спросил Орлов.

— Знакомы, Святослав Николаевич, — ответил я.

Князь приподнял лицо и взглянул на меня из-под бровей.

— Увольняться надумала, — пробормотал он равнодушно, затем еще раз — сверху донизу — пробежал глазами по заявлению, поднял оценивающий взгляд на Татьяну и задал неожиданный вопрос: — Волосы крашеные?

— Что? — не поняла девушка и подалась вперед. — Волосы?.. Нет, не крашеные, — ответила она и, чувствуя неловкость, как бы невзначай коснулась пряди рукой. — Это так выгорели в горах.

— Хорошо, — удовлетворенно кивнул Орлов. — Так чего заявлениями кидаешься, коли волосы некрашеные?

Похоже, что Татьяна уже объясняла князю причину и ей не хотелось повторяться. Она вздохнула и промолчала.

Орлов снова проявил любопытство к заявлению. Придерживая у глаз пенсне, он принялся читать заново, а я гадал, неужели у Татьяны проснулась совесть и, поверив в гибель Родиона, она решилась на этот мужественный шаг?

— Не могу я у вас больше работать, Святослав Николаевич, — прошептала Татьяна и взглянула на меня глазами, полными мольбы о помощи. — После того, что случилось, не могу.

— Да что ж ты, дева, меня все клычешь? — бормотал князь. — И некрашеная к тому же... Зачем же подписывать отказную? Служи, камочка! Уволить я тебя всегда успею. А если ты по другой части грустишь, так жениха я тебе найду... Этот лоботряс тебе не подойдет?

Князь кивнул в мою сторону. Меня начинал разбирать смех. Татьяна ерзала на диване и ускользающим взглядом вспоминала то меня, то большие напольные часы, то заявление, на котором лежала невесомая рука Орлова. Наконец князь медленными движениями сложил лист вчетверо, изорвал его на кусочки и припорошил обрывками дно корзины.

— Продолжай трудиться. Я тебя не обижу. Если хочешь, дам комнату и кормить буду. Работай!

На минуту в кабинете повисла тишина. Взгляд Орлова путался в седых бровях, как рыба в сетях. Наконец он выдвинул ящик, вытащил оттуда скоросшиватель и выудил из него покрытый цифрами лист.

— Вот что, братец, — сказал Орлов мне уже другим тоном. — Здесь мне строительная фирма «Монумент», которая будет в деревне школу строить, как-то хитро насчитала. Ты цены на материалы лучше меня знаешь — пройдись своим опытным взглядом. Если где наглеют — пометь карандашом, а если все в норме — я подпишу и оплачу.

— Извините, Святослав Николаевич, — напомнила о себе Татьяна, поднимаясь с дивана. — Когда мне к работе приступать?

Орлов склонил голову и взглянул на девушку.

— Сегодня погуляй по парку, подыши воздухом. А завтра с утра садись за стол. Только курточку эту смени, она тебе не идет. Ты в ней как урява.

Поведение князя меня, мягко говоря, озадачило. Зачем он вызвал меня к себе именно в тот момент, когда у него находилась Татьяна? Почему позволил присутствовать при их разговоре? Может быть, он тем самым хотел дать мне понять, что за Татьяной нужен глаз да глаз?

Когда мы с девушкой оказались на улице, я сказал:

— Курточка тебе в самом деле не идет.

— Да пошел ты! — рассерженно ответила Татьяна и посмотрела на себя. — Чем она тебе не нравится? Сумасшедший дом какой-то! Он хоть раз на календарь смотрел, этот твой Орлов? Он знает, какой сейчас год? Сам в косоворотке ходит, а на мою куртку кидается!

— Будешь лясничать, — негромко пригрозил я, — он прикажет отвести тебя на конюшню и выпороть торбачем.

— Что?! — ахнула Татьяна и внимательно посмотрела мне в глаза. — Все. Вопросов больше не имею.

И все же вопросы с ее стороны отсутствовали недолго. Едва я, откланявшись, повернулся к ней спиной, как Татьяна сдалась, ухватилась за меня, как за последний вагон уходящего поезда, и взмолилась:

— Стас! Ну хоть ты разговаривай со мной нормально, а не как с больной!

— Ради бога, — ответил я, обернувшись. — Только не надо убеждать меня, что ты хотела уволиться из-за Родиона.

— Хорошо, — на удивление легко, без торга согласилась Татьяна. — Я расскажу тебе, почему я хотела уволиться. Но для начала покажи мне его комнату.

— А это еще зачем? — удивился я.

— Я многое смогу понять, если увижу его вещи. Книги. Одежду. Порядок, в каком расставлена мебель...

— Ничего не получится, — ответил я, покачав головой. — Дом могу показать, я живу как раз над его апартаментами, но без разрешения старика входить туда не советую.

Мы шли по кипарисовой аллее. Почерневшие комки снега тянулись по обе стороны дорожки, как бордюр. Садовница шла нам навстречу с полными ведрами чернозема. Проходя мимо, она кивнула мне.

— Странная женщина, — произнесла Татьяна, когда мы разминулись. — У нее такое лицо... Как бы точнее выразиться...

— Одухотворенное? — подсказал я.

— Можно сказать, что так.

— Это тебе так с непривычки кажется, — пояснил я, рассматривая кипарис, стоящий ближе всего ко мне. — Ее лицо, как и у всех остальных служителей усадьбы, наполнено ожиданием.

— Ожиданием чего? — уточнила Татьяна.

— Крошек с барского стола... Не стой здесь, это нехорошее место, — посоветовал я, кивнув под ноги Татьяне.

Она сразу же шагнула в сторону и посмотрела на свои следы, отпечатавшиеся на сырой кирпичной крошке.

— В лагере Креспи, — произнесла она, — ты производил на меня куда более сильное впечатление.

— Сильное — в том смысле, что я не казался тебе таким идиотом, как сейчас? — уточнил я.

— Это ты сказал, — ушла от ответа Татьяна.

Я встал на цыпочки и провел ладонью по шершавому стволу кипариса. Наполовину отколовшаяся щепка так и не прижилась, высохла до черноты, хотя сразу после выстрела я прижал ее к стволу резиновым жгутом.

— Месяц назад, — произнес я, отламывая щепку и без усилий превращая ее в крошево, — на том месте, где ты только что стояла, жизнь Родиона едва не оборвалась. В него стреляли.

Татьяна испуганно взглянула на меня.

— Я об этом ничего не знала, — ответила она. — И что? Удалось выяснить, кто стрелял?

Я недоверчиво смотрел в ее глаза. «Однако девочка лжет», — подумал я, вспомнив схему усадьбы, которую нашел в ее папке.

— Нет. Родиона спасло только то, что он сразу же упал в сугроб и не шевелился до тех пор, пока не подбежал я.

— Стреляли из-за этих кустов? — спросила она, кивая на мешанину из голых веток малины.

— Да, из-за этих, — подтвердил я.

— На снегу должны были остаться следы, — предположила девушка.

— Остались, — ответил я, отряхивая ладони от древесной пыли. — Следы моих ботинок. И еще следы ворон.

— Ты хочешь сказать... — начала было Татьяна, но замолчала, а потом спросила, уверенная в моем ответе: — И ты даже не попытался что-нибудь выяснить?

— Времени не было, — честно признался я. — Мы с Родионом готовились к вылету в Катманду.

— А ты сам что думаешь о следах? — начала любопытничать Татьяна.

— Думаю, что на меня хотели бросить тень... Что? Очень интересно?

— Почти детективная история!

Меня вдруг покоробило от того беззаботного обывательского тона, с каким Татьяна произнесла эти слова. Для нее это детективная история! Книжка! Да она просто молодая нахалка, которая хотела округ богатого наследника! Еще надо разобраться, для какой цели она составила схему усадьбы и пометила на ней место, откуда стреляли в Родиона! Еще надо выяснить, кто и для какой цели дал ей «макаров»!

Я повернулся к ней и, глядя в светлые, наполненные легкомыслием глаза, жестко произнес:

— И вот о чем я еще думаю. Старик направил тебя в Непал к Родиону для того, чтобы ты позаботилась о нем. Пока он еще тешит себя надеждой на его возвращение и потому твое заявление не подписал. А когда надежда угаснет...

— Ты так странно смотришь на меня, — заметила Татьяна, как только моя пауза слишком затянулась. — Как будто на что-то намекаешь.

— Не намекаю, а говорю открыто: ты играешь с огнем. Тебе опасно здесь оставаться.

Несколько мгновений Татьяна раздумывала над моими словами, машинально копируя мои движения и вдыхая запах растертой в ладонях веточки хвои.

— Неужели ты искренне беспокоишься о моем благополучии? — с сомнением произнесла она. — Или есть другая причина, чтобы выставить меня из усадьбы?

— Другой причины нет, — ответил я.

— В таком случае благодарю за предупреждение. Я буду осторожна.

Она шла за мной. Я, сам того не желая, припугнул девчонку, и теперь она чувствовала себя в сыром и затуманенном парке неуютно.

— Намерена поселиться здесь? — не оборачиваясь, спросил я.

— Да, — твердо ответила она. — Я остаюсь. Я нужна

князю. Может быть, он уже сам... Ах, ладно! Это уже не для тебя.

Я смотрел на девушку с интересом.

— Что ты хотела сказать? Что «он уже сам»?

— Что хотела сказать, то хотела! — отрезала Татьяна. — Много будешь знать, скоро умрешь.

— Уноси отсюда ноги, вот что я тебе скажу! — повторил я. — Птица ты перелетная! Не вздумай к старику клеиться — подстрелят тебя, как куропатку!

— Очень страшно! Но чем сильнее ты убеждаешь меня, чтобы я уехала, — заметила девушка, — тем сильнее мне хочется остаться.

Я резко остановился и обернулся. Татьяна едва не налетела на меня. Мы стояли друг против друга. Оглушительно каркая, с ветки вяза взмыл ворон. Раскинув широкие крылья, он черным крестом пропорол серое небо. По верхушкам прошелся ветер, и тяжелые капли шлепнулись на пропитанную влагой землю. Я натянул на озябшие руки лайковые перчатки.

— Даже если предположить... всего лишь предположить, что старик прав и Родион вернется, — рискованно прошелся я по самому краю тайны, — то твое пребывание здесь может быть омрачено, понимаешь? Преступник в первый раз промахнулся. Но второй выстрел наверняка будет точным. Сначала он уберет тебя, маленькую безгрешную прилипалу, а уже потом расправится с Родионом.

— Неужели все так мрачно? — попыталась ответить шуткой Татьяна, с малозаметной тревогой всматриваясь в темный частокол деревьев.

Я вздохнул. Убедительные аргументы закончились. А пугать ее интонацией, как ребенка, не хотелось. И я ответил непринужденно и доброжелательно:

— Посиди немножко в своей нотариальной конторе. А еще лучше — на больничном, дома. Я тебе чемодан видеокассет принесу. А сюда приходи после праздника. К тому времени здесь уже не будет таких темных и промозглых вечеров, как сегодня.

— После какого праздника? — тихо спросила Татьяна, пристально глядя мне в глаза, и я увидел, как ее лицо накрывает тень брезгливого ужаса, словно она разговаривала с сумасшедшим.

— После первого апреля.

Глава 16

СОН ПОСЛЕ ЛЕДЯНОГО ДУША

Я оставил ее одну на темной аллее и, не оборачиваясь, быстро пошел к дому, белые колонны которого светились между мокрых стволов деревьев. Поднявшись по потемневшим замшелым ступеням крыльца, я открыл ключом тяжелую, обитую медным ободком дверь и вошел в темную прихожую. С обеих сторон от лестницы, ведущей на мансарду, находилось две двери. Одна из них вела в каморку для прислуги, где сейчас находился склад стройматериалов, а вторая открывала апартаменты Родиона. Я не стал включать в прихожей свет и, чтобы Татьяна не ошиблась в потемках, чуть приоткрыл дверь Родиона массивную, из красного дерева.

Перешагивая через ступени, я поднялся в мансардную комнату со скошенным потолком, зажег свет, включил телевизор, подошел к окну и, расстегивая «молнию» куртки, задвинул шторы. После этого я снова спустился вниз, бесшумно вошел в комнату Родиона и присел за камином рядом с большой напольной вазой.

Некоторое время я слышал только глухой стук дождя по подоконникам. Глаза привыкли к темноте, и я отчетливо различал круглый стол на коротких гнутых ножках из реликтового можжевельника, окруженный жесткими креслами с высокими спинками, пианино, уставленное канделябрами всевозможных форм и размеров, торшер с кокетливо сдвинутым набок абажуром, похожим на шляпку парижанки, и картины в тяжелых рамах, отражающие лаковым глянцем тусклый оконный свет. Это была гостиная, которую, насколько мне было известно, Родион не переносил и не мог в ней долго находиться, несмотря на то, что выполнена она была по эскизам отца.

Прошло минут пять, но я еще не утратил надежды на то, что мышка юркнет в мышеловку. Сверху доносились приглушенные звуки мелодрамы — охи, вздохи и причмокивания. Они мне не мешали — даже если бы я не услышал скрип двери, то обязательно увидел бы, как она открывается.

Телевизионные события на втором этаже вдруг приняли характер безмолвный и тихий, что позволило мне услышать осторожный щелчок замка на внешней двери. Я перестал дышать и от напряжения даже приоткрыл рот, словно в нем находился третий глаз инфракрасного восприятия. Впрочем, никакого движения в гостиной не началось. Еще не менее четверти часа я уподоблялся напольной вазе, постепенно признавая, что ничего интересного больше не произойдет.

Чувствуя себя обманутым, я покинул засаду и вышел в прихожую. Внешняя дверь была закрыта, сверху доносился звук телевизора. Можно было бы поставить под сомнение сам факт пребывания здесь Татьяны, если бы не слабый горьковатый запах ее духов, витающий в воздухе. «Что-то ее спугнуло», — подумал я, поднимаясь по лестнице наверх, и тотчас обратил внимание на свои туфли. Пористая подошва, как губка, впитала в себя уличную влагу и штамповала следы всюду, куда ступала моя нога. Выходит, Татьяна попросту увидела свежие следы обуви, ведущие в комнату Родиона, и мгновенно ретировалась... «Эх, шляпа!» — укорил я сам себя и стукнул кулаком по полированным перилам.

Когда я открыл дверь мансардной комнаты, хлынувший на меня свет показался ослепительным, и не потому, что офисная настольная лампа, словно при классическом киношном допросе, светила мне прямо в глаза. Рядом с телевизором, верхом на табуретке, сидела Татьяна и старательно расчесывала волосы деревянным гребешком. «Я люблю тебя, Игнасио, — трепетно восклицала с экрана героиня сериала, — но никогда не смогу стать твоей!»

— Привет, Игнасио! — отреагировала на мой шок Татьяна, качнула головой вперед, затем назад, придавая волосам пышность.

— Ну да, — пробормотал я, убавляя громкость телевизора. — Давно не виделись... Вообще-то я в гости тебя не ждал.

— Да ладно тебе! — махнула рукой Татьяна. — А что же ты пятнадцать минут в нижней комнате делал?

— Тараканов туфлей гонял.

— Я так и поняла, — приятно улыбнулась она. — И потому не стала тебе мешать.

Она вела себя более раскованно, чем я, и эта демонстрация безусловной победы надо мной задела меня больше, нежели ее бесцеремонное появление в моей комнате.

— Надолго? — спросил я, убирая с дивана ее куртку.

— Минут на пять. От силы на семь.

— Отчего ж такой жесткий регламент? — Я открыл холодильник и прошелся взглядом по ряду бутылок. — Сейчас чего-нибудь выпьем. Потом в наших сердцах потеплеет, и нас потянет на поступки, которые утром нам будут казаться смешными и немножко глупыми...

— Никуда нас не потянет, — возразила Татьяна, поднимаясь с табуретки и подходя к окну. — Я вызвала охрану. При ней ты вряд ли сможешь делать глупые поступки.

— Вот как! — ответил я и потянулся за бутылкой пива. — Ты права. При охране не смогу.

Мы пристально смотрели друг другу в глаза. Я, сидя на диване и смакуя «Клинское», Татьяна — стоя перед шторами, как конферансье перед театральным занавесом. Прошла минута из отпущенных семи. Я поставил бутылку на пол и развел руками.

— Нет, — произнес я, потирая лоб. — Никак не получается. Не могу понять сути. Давай прямо и очень конкретно, как для дебила: что тебе от меня надо?

— Сиди спокойно и слушай меня.

— И все?

— Этого достаточно. Итак, начнем...

Я заметил, что она волнуется. Белый свитер грубой вязки «вдова геолога», плотно облегающий ее фигуру, не оставлял сомнения, что оружия при ней не было. Может, «макаров» остался в подозрительно тяжелой куртке, которую я повесил на дверную ручку, — не знаю.

— Помнишь титановую болванку на веревке, которой тебя как будто шлепнули по затылку?

— Что значит «как будто»? — не понял я и нахмурился. — Ты сомневаешься, что меня ударили?

— Что удар был — не сомневаюсь, — выскользнула Татьяна. — Но я хочу сказать о другом. Обрывок веревки, который я нашла, представляет собой альпинистский репшнур с сердцевиной из синтетических волокон в нейлоновой оплетке, произведенный в Костроме по швейцарской технологии. Таким репшнуром в Москве торгует магазин «Альпинос». Десятого февраля он продал по безналичному расчету три бухты такого репшнура по сорок метров, а за получателя расписался ты, Стас Ворохтин.

То, что Татьяна мне говорила, оказалось ненамного интереснее, чем я ожидал. Я сел удобнее и закинул ногу за ногу.

— Вот военную тайну раскрыла! — воскликнул я. — Тебе что же, делать было нечего, кроме как происхождение веревки выяснять? Да спросила бы меня, я бы тебе во всех подробностях рассказал, где, когда и какую веревку покупал... Ты объясни наконец, зачем тебе это все надо?

— А ты не догадываешься? — со странной улыбкой спросила Татьяна и, сдвинув край шторы, мельком взглянула в окно. — Ну, хорошо... Файлы к программе «Билдинг оф э фэйс», которые ты показывал инспектору, были записаны на дискету шестого марта, то есть в тот день, когда ты со Столешко и Родионом был в Катманду, и в этот же день с жесткого диска «ноутбука» зачем-то была стерта сама программа. Правда, странное совпадение?

— Ничего странного, — ответил я. — Это мог сделать Родион. Его компьютер — что хочет, то и стирает.

— Ладно, — согласилась Татьяна. — Но если дискета, как ты утверждаешь, принадлежит Столешко, то остается только удивиться тому, почему случайный и малознакомый вам человек запросто пользовался компьютером Родиона?

— Компьютер — это не жена, — возразил я. — Ничего страшного, что Столешко немного поигрался в отсутствие Родиона.

— Поигрался? — недоверчиво покачала головой девушка. — Но в «ноутбуке», насколько мне известно, все программы заблокированы паролями! Там шагу не сделаешь, как по минному полю!

— Ну и что? — пожал я плечами. — Мне известны все пароли.

— Так, может быть, и дискета вовсе не Столешко принадлежит? Может быть, она твоя?

«Далеко зашла, — подумал я, изо всех сил стараясь не подать виду, что слова Татьяны загоняют меня в тупик. — Она слишком близко подошла к нашей тайне». Чтобы скрыть некоторое замешательство, я снова взялся за бутылку, хотя она уже была пуста.

— Ты сосешь воздух, — не преминула заметить девушка и отдернула штору. Она боялась меня и выставила комнату напоказ свидетелям.

— Не понимаю, о чем ты говоришь, — проговорил я, не поднимая глаз. — Дискета, стерто, записано... Знаешь, я не очень хорошо соображаю в этом деле, и на «ноутбуке» Орлова только пару раз сыграл в покер.

— Ну-ну! — усмехнулась Татьяна. — А почему же ты так покраснел?

— Да что ты прицепилась к цвету моего лица?! — вспылил я. — Я же не спрашиваю у тебя, что ты здесь делала, пока я был внизу!

— Сейчас узнаешь, — многообещающе ответила Татьяна. — Я по достоинству оценила твою шутку с портмоне, но вынуждена его тебе вернуть.

Я перестал что-либо понимать.

— О чем ты говоришь, девушка? О каком портмоне?

— Не притворяйся, — категорично потребовала Татьяна. — Я тебе все равно не поверю. Ты хотел подкинуть мне улику, но все твои старания, как видишь, оказались бессмысленными.

— А? — У меня отвисла челюсть, и потому ничего более членораздельного я произнести не смог.

— Именно так, — подтвердила Татьяна, кивая.

— Дурочка, — наконец вымолвил я. — Ты просто лишена серого вещества! У тебя злокачественная патология! О какой улике ты говоришь? Проснись!

— Ты украл в комнате Родиона баксы, а портмоне подкинул мне. Ты это сделал сразу после собрания у князя, когда мы толкались в проходе. И сделал для того, чтобы припугнуть меня, закрыть мне рот! — распалялась Татьяна. — Не делай такое лицо, в прокуратуре будешь гримасы строить!

— Танюша, ты не права! — попытался я успокоить девушку.

— Придумал сказку про ядовитые таблетки, которыми я напичкала Родиона перед выходом на гору! — не слушая меня, продолжала Татьяна. — Убеждал всех, что Орлова убили на горе! Хитро! Это по принципу «Держи вора»? Потом сымитировал, будто на тебя напали, ударили ледорубом по голове. Чтобы снова на меня тень бросить?

Я устал с ней спорить. Бессмысленно выкапываться детской лопаткой, когда самосвалы беспрерывно сыплют на тебя снег. Лучше принять удобное положение и беречь силы.

— Кто видел, что ты делал на горе? — добивала меня Татьяна. — Что ты делал с обмороженными и обессилевшими людьми? Свидетелей нет! Очень удобное место — семь тысяч двести метров над уровнем моря! Делай что хочешь — все можно списать на гору, она не покраснеет и не выдаст. Но пусть тебя это не утешает! У меня есть доказательства!

Она выдыхалась. В споре со мной ей было бы легче меня добивать, поэтому я молчал. Мы смотрели друг другу в глаза. Мне казалось, что я начинаю кое-что понимать, какая-то очень простая истина стучалась мне в сознание, но мне никак не удавалось найти лазейку, через которую она могла бы озарить меня. Взгляд Татьяны менялся каждое мгновение. Ее удивительно красивые глаза блестели слезами. Девушка откинулась на спинку кресла, ресницы ее дрогнули. Внизу хлопнула дверь, послышались шаги.

— Имей в виду, — совсем тихо произнесла Татьяна. — Портмоне я вернула тебе. Оно здесь, в комнате. Только не пытайся его искать, это бесполезно...

Шумно, с запахом сырости, вошли два охранника в камуфляже. Они продолжали свой разговор, будто комната была пуста и своим появлением они никого не потревожили.

— Смотри, а он уже в порядке! — пробормотал один, зачем-то посветив мне в лицо фонариком. — Пиво лакает...

— Вы чего, девушка, панику навели? — спросил другой, скользнув заторможенным взглядом по ногам Татьяны. Взгляд этот был из другой темы. — «Человеку плохо!», «Срочно приходите!»... Разве не знаете, как с бодуна бывает?

— Испугалась, — смягчил вину Татьяны тот, который был с фонариком. — Теперь будет знать, что у мужиков это пивом лечится... Ну что, командир? Порядок?

Он склонился надо мной, заглядывая мне в глаза. Я кивнул и икнул. Раздался смешок. Холодная ладонь шлепнула меня по плечу.

Татьяна ушла с ними, оставив меня одного. В подобных ситуациях, когда мозги закручиваются в спираль, хорошая доза алкоголя наводит в мыслях порядок. Я пил до тех пор, пока телевизор не попрощался со мной.

С порядком в мозгах ничего не получилось, но спал я крепко.

Глава 17

ВОТ И ВЫШЕЛ ЧЕЛОВЕЦ

У меня начало складываться мнение, что в своем стремлении убедить всех в совершении на Плахе преступления я излишне перестарался. Татьяна не только обратилась в мою веру, но, кажется, начала подозревать в убийстве меня. Такого бумеранга я не ожидал, и удар был достаточно чувствительным — на следующее утро у меня нестерпимо болела голова.

Вскочив с дивана, я опустился на колени и заглянул под него. Потом, не поднимаясь на ноги, прошествовал под стол, просунул ладонь под тумбу для телевизора, вытер пыль под комодом, выдвинул и перевернул вверх дном ящики стола, перебрал содержимое холодильника и нехорошо выругался в морозильную камеру. После чего я сел посреди комнаты в позе лотоса и не менее получаса думал о том, куда могла сунуть портмоне выгоревшая в Гималаях натуральная блондинка.

— Ты что, пил? — строго спросил меня князь, когда я предстал пред его очами со счетом в руке.

— Пивком вчера побаловался, — ответил я, вдруг почувствовав себя подростком перед строгим отцом.

— Клыгу хлещешь! — брезгливо поморщился Орлов, прошаркал к буфету и снял с полки графинчик из синего стекла. Рюмки были размером с наперсток, но аромат зелья шибанул мне в нос, едва я поднес рюмку ко рту. Старик настаивал водку на одному ему известных кореньях и травах, отчего она обладала невыносимо интересным вкусом.

Мы выпили. Князь кивнул мне на тарелку с жареными

семечками. Он всегда закусывал семечками, но я никак не мог привыкнуть к столь странному ритуалу.

— Что там? — спросил он и нетерпеливо пощелкал пальцами.

Я протянул ему счет. Князь сел за стол и поднес к глазам очки.

— За кирпич здесь нарисовали такую цену, будто он сделан из золота, — начал пояснять я. — За кровельное железо тоже слишком много хотят. В ближайшем магазине стройматериалов цены на порядок ниже.

Князь крякнул — то ли от досады, то ли от моей скупости.

— Барте! — махнул он рукой. — Поздно, поезд ушел. Я уже дал Гонзе команду оплатить.

— Вы поторопились, Святослав Николаевич, — мягко укорил я старика. — Мне бы не хотелось, чтобы вас принимали за лоха.

— За кого? — вскинул брови князь.

— Это неологизм, Святослав Николаевич, — пояснил я. — Лох — это тот, кого легко обмануть.

— Баляба! — перевел Орлов этот неологизм на свой диалект.

Две эпохи, облачившись в слова, летали по кабинету.

— Что еще, братец? — спросил Орлов, заметив, что я не спешу выйти из кабинета.

— Я вас не могу понять, Святослав Николаевич, — оглянувшись на дверь, тише произнес я. — Почему вы не уволили Татьяну? Она ведет себя так, словно ей все дозволено! Я полагаю, что она либо догадывается про Игру, либо подозревает меня в убийстве Родиона.

— Что? — пробормотал князь, пряча глаза за бровями. — Уже подозревает?

— Может быть, вы сами наделили ее такими полномочиями — подозревать, — сгоряча произнес я и тотчас пожалел о сказанном, но Орлов то ли не расслышал этой фразы, то ли не придал ей значения.

— Значит, она тебе не нравится? Симпатий не вызывает? — мягко поинтересовался князь. — А ты в качестве своей невесты пробовал ее примерить?

— Кошку в мешке взяли вы на работу, — гнул я свое,

пропустив мимо ушей весьма конкретный намек. — Девочка себе на уме, это точно. Все время что-то высматривает, вынюхивает...

— Пусть работает! — отрезал Орлов. — А ты никак упудить меня решил?

— Мой долг вас предупредить, Святослав Николаевич.

Я знал, что Орлова невозможно в чем-либо убедить. Он или сразу соглашался, или отказывал навсегда, и потому наш разговор быстро подошел к финалу. Прогревая машину, я на малом ходу съехал к мосту и свернул на улочку, идущую вдоль реки. Небо затянуло низкими тучами, балчилось, как сказал бы князь, порывистый ветер раскачивал голые, словно обглоданные паразитами деревья, мелкий дождь мутил стекло, и щетки не успевали снимать с него водяную сыпь.

Я припарковался у самых дверей сбербанка, ухнув передними колесами в глубокую лужу. За зелеными входными дверьми долго вытирал туфли, через матовое стекло рассматривая зал, посетителей и кассиров. Мою фигуру, торчащую необоснованно долго на входе, успели заметить и видеокамера, и охранник, и Филипп, чей нос методично раскачивался над купюрами и квитанциями клиентов. Впрочем, носатый кассир виду не подал, что узнал меня, лишь раз сверкнул в мою сторону своими каштановыми глазами.

Охранник, скучающий в среде пенсионерок, выбрал меня объектом пристального наблюдения и начал добросовестно отрабатывать деньги. Это у меня натура такая совестливая: если чувствую, что меня в чем-либо подозревают — все, хана! Невольно начинаю вести себя так, что уже ни у кого не остается сомнений в моих недобрых намерениях. Вот и сейчас я шел к стойке на ватных ногах, спотыкаясь на кафеле, чувствуя, как охранник уже мысленно наряжает меня в полосатую робу.

— А-а! — протянул Филя, когда не заметить и не узнать меня уже было невозможно, и очень-очень обрадовался. — Сейчас я освобожусь... Еще десять копеек, бабушка! — громко сказал он сгорбленной под тяжестью прожитого старушке. — Нет, вы мне старые сто рублей даете. А надо новые десять копеек!

Очередь принялась нетерпеливо объяснять пенсионерке суть фокуса с нулями и деноминацией. Пенсионерка, повидавшая в своей жизни многое, почему-то не хотела понимать того, что ей втолковывали.

— Ты ко мне, дружище? — спросил Филя и с готовностью махнул носом. — Кайн проблем! Посиди у окна!

Лучше бы я стоял, маскируясь под пенсионера. Стоило мне сесть на стул и взять в руки рекламный буклет, как охранник тотчас начал выполнять свои обязанности. Не успел я ознакомиться с особенностями вклада «Праздничный» с хитрой и путаной системой процентов, как охранник, уже давно перечитавший от скуки все эти банковские анекдоты, перешел к процессуальным мероприятиям.

— Документы! — потребовал он и манерным жестом повернул в мою сторону ладонь, шевеля пальцами, как ножницами. При этом он не изменил позы, не шелохнулся, по-прежнему наваливаясь на стол, как пирамида Хеопса на Египет.

Мой паспорт он изучал основательно, искоса глядя на него, пролистал все, от первой страницы до последней, и когда сложил обо мне однозначное и безусловно негативное впечатление, огорошил меня бесхитростным вопросом:

— Ну что вы все липнете к нему, как мухи? Что вы все... — эту фразу он не договорил, швырнул мне паспорт и пригрозил: — Считайте, что это последнее предупреждение.

Несколько позже до меня дошел смысл столь глубокой озабоченности охранника. Когда Филя появился в зале, базарный гомон очереди стремительно сошел на нет и стало тихо, как если бы это был театр и после некоторого ожидания на сцену вышел актер, открывая увлекательнейшее действо. Десятки пар глаз устремились на кассира, во взглядах легко читалось недоброжелательство, смешанное с некоторой долей подобострастия, как если бы народ созерцал нелюбимого царя — на лицах маска верности и лести, а душа переполнена жаждой глупой ситуации, где, к примеру, царь поскальзывается и падает лицом в грязь или вдруг издает громкий непристойный звук.

Цокая по кафельному полу такими же длинноносыми туфлями, как и его лицо, Филя приблизился ко мне походкой оптимиста и удачника. Краем глаза я заметил, что охранник стремительно вырастает и превращается в складного и высокого человека с приятным голосом:

— Доброе утро, Филипп Матвеич!

Вот тогда-то я понял, что мне посчастливилось быть свидетелем редкого и замечательного явления наследника миллионера в операционном зале банка, и теперь мог объяснить служебное рвение охранника. Я попал в свет софитов, и недобрые мыслишки пенсионной очереди стали рикошетом задевать меня. В потоке всеобщего внимания, в отличие от Филиппа, я почувствовал себя неловко.

— Покурим? — предложил Филя, наполненный своей исключительностью, словно шарик летучим газом.

Мы вышли на улицу и сели на отполированную и никогда не ржавеющую перекладину оградки, спрятанную от дождя широким навесом. Филя предложил мне сигарету. Я отказался. Он приклеил кончик сигареты к губам и стал чиркать спичками. Они ломались и ядовито шипели.

— Палка, палка, огурец, вот и вышел человец, — пробормотал Филя, не вынимая сигареты изо рта. На каждом слове ее конец подпрыгивал вверх, словно дирижерская палочка в момент фортиссимо. — Чем признателен за столь приятный моему сердцу визит?

Я вынул из кармана и разровнял на колене счет за стройматериалы.

— Старика водят за нос, — сказал я.

— Кого? Николаича? — проявил родственную озабоченность Филя. Правда, мне показалось, что упоминание про нос ему не понравилось. Он взял из моих рук счет и, обкуривая его, принялся читать. — Цемент, блоки ЖБ, брус... Гм-м...

Он с возмущением кивал головой, словно список стройматериалов дополняли ругательства в адрес Орлова. Филя принадлежал к числу тех людей, у которых всегда есть готовый ответ на любой случай и которые вроде как все понимают с полуслова. С такими людьми, коль они все понимают, нужно больше молчать, дабы они не выдавали мысли собеседника за свои.

Я выждал, когда Филя докурит, утопит окурок в луже и сверкнет своими теплыми и темными, как свежий навоз, глазами в мою сторону.

— На итоговую сумму обратил внимание? — спросил я.

Филя усмехнулся и повел плечами, словно хотел сказать:

обижаешь, брат, я на сумму обращаю внимание в первую очередь.

— Надеюсь, ты не успел перевести деньги на счет этой строительной фирмы?

Этот вопрос несколько озадачил кассира. Он машинально полез в карман за сигаретами и некоторое время копошился членистыми пальцами в пустой пачке.

— Постой, — произнес он, — ты о каких деньгах?

— А зачем головой тряс, будто тебе все уже понятно? — не выдержал я, но тотчас понял, что пытаться припереть этого человека к стене — все равно что удержать пяткой обмылок на полу душевой.

— Ты что? — произнес он, часто моргая. — Ты понимаешь, что сказал? Ты в суть своих слов хорошо заглянул? Ты сердцевину способен уловить?

Если бы охранник увидел, как я задел Филю за живое, он бы наверняка огрел меня дубинкой.

— Орлов совсем не ориентируется в наших ценах, — стал терпеливо пояснять я. — И не торгуется. И вот результат: ему предъявили счет, а он сразу же поручил тебе его оплатить.

— Да я в курсе! — посвежел Филя. — Это я еще раньше тебя знал. Знаешь, сколько жулья вокруг него роится? Сколько раз я ему говорил: «Николаич! Ты хоть сперва со мной посоветуйся!»... Ну, конечно! — Филя ткнул пальцем в счет. — Алебастр по пятьдесят рублей за упаковку! Озверели вконец!.. А бетонные блоки по сто рэ за штуку? Это же грабеж!.. На! Убери это с глаз моих долой!

Он протянул листок мне.

— Значит, этот счет не оплачен?

— Какой? Этот? На двести тысяч? Не смеши мои коленки! Я вообще не понимаю, где ты эту бумажку нашел. Николаич такими деньгами не раскидывается.

— А какими раскидывается?

— А никакими! — безапелляционно ответил Филя и неожиданно метнул свое внимание к проходящему мимо мужчине. — Эй, мужик! Закурить дай!.. Пару возьму, ладно? — поставил он мужчину перед фактом, выуживая из чужой пачки сигареты.

— Он что, вообще никакие деньги со своего счета не снимает? — удивился я.

— Палка, палка, огурец, вот и вышел человец, — повторил свою дурацкую присказку Филя, раскуривая сырую дешевую сигарету. — Есть у него счет, конечно... До востребования, с мизерными процентами... Впрочем, ты в этом все равно не петришь. Так вот, иногда приходят на этот счет бабки из американского банка. Но редко. Так, по мелочам...

— Я не об этом, — перебил я Филю. — Орлов сегодня сказал мне, что эти двести тысяч уже переведены на счет строительной фирмы. И я хочу у тебя узнать: действительно ли переведены? Можно ли притормозить?

— Дай! — буркнул Филя и снова взял у меня счет. Щурясь от сигаретного дыма, он уткнулся в список. — Цемент, рамы оконные, двери с коробками в сборе... Нет, не видел такого.

Большинство дураков уверены, что вокруг них все дураки.

— Да что ты все про цемент талдычишь? — сквозь зубы процедил я. — Ты на сумму смотри! Вот эту — двести тысяч шестьсот семьдесят рублей — ты переводил на счет строительной фирмы «Монумент»?

— Да не станет он такие бабки на ветер швырять! — покачал головой Филя.

Я недоверчиво взглянул на кассира.

— Мне кажется, ты чего-то не понимаешь, — тихо произнес я, будто подумал вслух. — А на чьи же деньги он восстановил церковь? А школу строит за чей счет? А усадьбу, по-твоему, он возводит на пожертвования пенсионеров?

— Может, и на пожертвования, — согласился Филя. — Николаич скуп, как церковная крыса. Я ему сам говорил: чего ты над своим златом чахнешь? Сделал бы благотворительный взнос в какую-нибудь больницу. Или, скажем, в детский садик. Малышам чего-нибудь бы купил, одежонку или игрушки. Приятно же детишкам, правда?

— Правда, — согласился я и встал.

Охранник вывалился из дверей банка, как опара через край кастрюли, встал на крыльце, мелко плюясь себе под ноги и с ненавистью глядя на меня.

— Валентиныч! — обрадовался охраннику Филя. — Не в службу, а в дружбу: сгоняй за сигаретами, мои кончились.

— Сделаю, Филипп Матвеич! — послушался охранник, но не двинулся с места, пока я не подошел к машине и не сел за руль. Демонстрируя неожиданную резвость, охранник подскочил ко мне, просунул голову через опущенное окно и, жмурясь, произнес:

— Кончай к нему клеиться, чувак. Очень убедительно тебе намекаю. Таких, как ты, знаешь, у него уже сколько?..

Я рванул с места, и охранник поспешно убрал голову из окна.

Глава 18

ПЕРЕМИРИЕ

Князь, одетый в длинное черное пальто с каракулевым воротником и того же образца папаху, которые зрительно возвеличивали старика в росте, неторопливо шествовал по буковой аллее, опираясь на можжевеловую трость. Рядом с ним в длинной юбке и расстегнутом полушубке, играя на ходу косичкой, плелась Татьяна. Она пыталась идти с князем в ногу, но ее шаг был намного шире хозяйского, и девушке приходилось сдерживаться в резвости, как лошади на крутом обрыве.

Сблизившись, мы замедлили шаги, и Орлов окончательно остановил меня тростью, коснувшись ее наконечником моего живота. Этим жестом, зрительно определяющим дистанцию, он обычно выражал свое недовольство. Повернувшись в сторону грота, на ступенях которого ковырялись строители, он сказал:

— Краска на колоннах уже облезает, хотя я запретил малярные работы в сырую погоду. И калевка на перилах кривая, будто ее спьяну резали. Даю тебе право исшугать всякого бракодела, которого посчитаешь нужным, но халтуру я терпеть не буду...

Черт дернул меня согласиться возглавить строительные работы! И хотя это было побочной работой, скорее маскировкой, ответственность за качество Орлов с меня не снимал.

Я не стал оправдываться и что-либо объяснять, так как в подобных глупостях князь не нуждался. Он часто ограничивал обсуждение всякой темы только своими приказами и распоряжениями, справедливо полагая, что слишком стар, чтобы слушать ничего не значащие слова. Татьяна, опустив голову, рисовала на земле кончиком ботинка кривые полоски. На ее лице ярко полыхали крашенные дерзкой помадой губы, отчего естественный румянец на щеках напоминал блики пламени. Из-под распахнутого овчинного полушубка выпирали серьезные округлости, создавая впечатление, что застегнуть полушубок невозможно, да и незачем. Татьяна, горящая молодостью, красотой и силой, оттеняла старика разительно.

— И вот что еще, — ровно глядя мне в глаза, сказал Орлов. — Эта милая камочка преждевременно потребовала жалованье, а у меня наличной суммы не набралось. Заходил я в комнату Родиона, смотрел шкатулку, но там ветер гуляет. Был у него еще кожаный кошель, но его я не нашел. А ты случайно не видал?

У меня даже в ушах зазвенело от необходимости быстро и без колебаний ответить. Я молча покрутил головой, страшась того, что краска стыда может плеснуть в лицо и выдать меня. Но Орлов уже повернулся к Татьяне, протянул руку и коснулся пальцами мочки ее уха.

— Не изнуждай ты так себя, милая! — ласково сказал он. — Уже бледной и легкой стала, аки калтан. Все будет хорошо. Слышишь? Все будет хорошо!

— Вам легко так говорить, Святослав Николаевич, — вздохнула Татьяна. Бережно сняла руку князя со своего лица и вдруг, к моему удивлению, поднесла ее к своим губам. — Я Родиона никак забыть не могу... Из головы не выходит... Во сне по ночам вижу...

— Так и должно быть. Оттого, что ты девушка совестливая, хорошая, — определил князь.

— Была хорошая, да по будням изношена, — проворчала Татьяна.

Теперь каждая секунда, которую я проводил рядом с ними, каждое слово, оживляющее беседу, приносили острую боль, словно меня секли нагайкой по голым ребрам. Как нарочно, Орлов вдруг завел тему о припозднившейся весне, признаки которой он с трудом нашел в парке.

— Ну, иди куда шел, — наконец заметил он мое нетерпение.

Едва мы расстались, как я бегом устремился к своему дому, продираясь через кусты и свалки прелых прошлогодних листьев. Если бы в этот момент мне попалась на глаза Татьяна, вряд ли бы ей поздоровилось.

Зайдя в прихожую, я плотно закрыл за собой дверь и поднялся к себе. Оглядев комнату с порога, я опустился на корточки и стал скручивать ковер, обнажая некрашеные половые доски. Длинный толстый рулон загромоздил и без того тесную комнату, и я выкинул ковер из окна на снег. Ползая по полу, я сантиметр за сантиметром осмотрел идеально подогнанные доски, надеясь отыскать хоть крохотную щелочку. Потом стал колотить по ним тяжелой стеклянной пепельницей. Звук был резкий, плотный, никакой полой ниши под досками не угадывалось.

Я завелся не на шутку. Вскочив на ноги, я оглядел комнату, и следующей моей жертвой стал диван. «Быть такого не может, — думал я, прощупывая обшивку, — чтобы какая-то девчонка смогла меня перехитрить!» Угол спинки был слегка распорот по шву, и выглядывал деревянный брус каркаса. Я взялся двумя руками за обшивку и оторвал ее от каркаса. Потом я ощупывал пружины, поролон и соломенную набивку и, сдерживая дурацкий хохот, думал о том, что все это здорово смахивает на популярный сатирический роман про стулья.

Несчастный диван, изуродованный моим грубым вмешательством в его душу, сжег все мосты и сделал бессмысленным проявление какого-либо благоразумия и мебельного гуманизма. Не церемонясь, я вскрыл два антикварных стула только за то, что обшивка сидений снизу была слегка надорвана. «Шансы возрастают!» — успокоил я себя и, сняв со стены две тяжелые картины Орлова с пейзажами, ловко отделил от рам подрамники с полотнами. Мне даже думать не хотелось о том, как отреагировал бы на этот вандализм князь, если бы ему довелось внезапно появиться в моей комнате.

«Черта с два посадит она меня на крючок! — подумал я,

обуреваемый жаждой крушить. — Если портмоне здесь, то я его найду. И тогда для Танюхи наступят черные дни. Если даже не найду — все равно наступят».

Платяной шкаф пришлось очистить от моей одежды, кинув ее на пол. Когда опустевшие полки заполнились гулким эхом, я сел посреди горы тряпок и стал рыться в карманах. Проверенные пиджаки, куртки и брюки я с мазохистским удовольствием вышвыривал в окно, и они ширококрылыми птицами садились на ветки рябины и на землю.

Больше всего времени я потратил на книжный стеллаж. Пришлось перетряхнуть около сотни книг. Чего стоило только просмотреть ветхие страницы четырехтомника Толкового Словаря Даля издания тысяча девятьсот третьего года под редакцией Бодуэна де Куртенэ и двадцатипятитомный словарь русских народных говоров! А после восьмидесяти шести томов Брокгауза и Ефрона мне казалось, что я схожу с ума, превращаюсь в букву и гуляю по страницам энциклопедий, как космическая пылинка по Вселенной. Книжные кирпичи сложились передо мной в Великую Китайскую стену и затмили собой свет. Я не услышал, как в комнату вошла Татьяна.

— Ку-ку, — сказала она, приподнявшись на цыпочки и выглядывая из-за стены.

В тот момент я уже снимал заднюю стенку телевизора и целился молотком в электронную трубку. Татьяна очень рисковала. Если бы я побеспокоился о ней, то обязательно повесил бы на двери своей комнаты табличку вроде той, какие бывают в зоопарках: «Животное опасно». Я был готов растерзать наглую письмоводительницу, разорвать ее на куски, стереть в порошок, а потом пропылесосить комнату и утопить пылесос в Марианской впадине. Всего мгновения хватило на то, чтобы я созрел до прыжка. Пробив собой стену, мы вместе с Брокгаузом обрушились на девушку. Она с опозданием крикнула и шлепнулась на книги. С азартом палача я навалился на девушку, распял ее среди книг и только тогда с сожалением понял, что у меня не хватает рук, чтобы надрать ей уши.

Татьяна между тем испугалась меня не слишком. Лишенная возможности влепить мне пощечину и исцарапать лицо, она смотрела на меня с мстительным удовлетворением и сдувала кончик пряди, лежащий на ее глазах. Пока я разду-мывал, какого наказания заслуживает эта подлая человечес-кая кошка, в дверях неожиданно появился Орлов. Не было уже никакого смысла вскакивать, отряхиваться, делать какие-то телодвижения и что-то объяснять, и потому я про-должал с упрямством занимать прежнюю позицию.

Князь, не тревожась, спокойно оглядел комнату, столк-нул тростью с моей спины томик Гоголя и строго сказал:

— Жениться тебе надо, братец. Тогда, может быть, пере-станешь барабошить... А ты, камочка, впечатай ему пятерню, чтоб руки зря не распускал.

Скрипя ступенями, он спустился вниз. По щелчку двер-ного замка я догадался, что он зашел в апартаменты сына.

— Знаешь что, — тихо произнесла Татьяна, с весьма близкого расстояния рассматривая мое лицо. — А я снова хочу в горы.

— Что-о?! — зашипел я, вне себя от негодования. — Портмоне где?

— Холодно, холодно, — ответила Татьяна и улыбну-лась. — Продолжай в том же духе. Ты еще стены не ломал.

— Я сейчас тебя книгами завалю и гербарий из тебя сде-лаю!

— Да ты только обещаешь, а ничего не делаешь!

— Обещаю? — Я джинном взвился над Татьяной и, схва-тив ее за руку, рывком поднял на ноги. — Я только обещаю и ничего не делаю? Ну что ж...

Гнев лишает человека возможности замечать красоту. Та-тьяна, отреагировав на вчерашнюю критику Орлова, смени-ла свою военно-воздушную куртку на овчинный тулупчик вольного покроя и гофрированную юбку, сделала макияж и завивку, что радикально изменило ее спортивный имидж. Передо мной стояла хрупкая молодая женщина; тонкие каб-луки сапожек и нежные перчатки, туго обтягивающие руки, подчеркивали ее изящность; крепкий горьковатый запах кружил голову. Только ее живые глаза оставались прежними, и я, не реагируя на метаморфозу, боролся с этими глазами.

— Идем! — решительно сказал я и потянул Татьяну за собой на лестницу. — Я расскажу, как ты подкинула мне портмоне Родиона. А ты расскажешь про то, как я Родиона убил.

— Идем! — без колебаний согласилась Татьяна. — Только не надо тянуть меня за руку.

— Хочу тебя предупредить, что ты проиграешь по всем статьям, — предупредил я, когда мы уже спускались по лестнице.

— Какой ты самоуверенный! — похвалила Татьяна. — Одно мне непонятно: с чего ты взял, что князь тебе поверит? Зайти в кабинет Родиона, чтобы украсть баксы, мог только ты. У меня же нет ключей.

— Об этом сейчас и расскажешь, — ответил я, стараясь, чтобы усиливающаяся нерешительность не просочилась в голос.

— И не только об этом, — ответила Татьяна, придерживая юбку, словно края бального платья. — Еще обязательно расскажу о твоей встрече с Филиппом Гонзой. Как ты расспрашивал, насколько легко Орлов оплачивает крупные строительные счета и достаточно ли денег у князя, чтобы в ближайшие дни оплатить несколько липовых счетов на три миллиона рублей...

Я закрыл девушке рот ладонью и прижал ее к балясинам.

— Чего ты орешь?! — зашептал я, поглядывая на неприкрытую дверь апартаментов Родиона. — Совсем с ума взбесилась? Какие три миллиона? Какие липовые счета?

Татьяна убрала мою руку со своих губ.

— А чего ты так испугался?

— Я не испугался, — ответил я, рассматривая отпечаток губной помады на ладони, — просто не хочу, чтобы обо мне сочиняли небылицы.

— Если совесть чиста, то небылицы смешнее анекдота, — решила Татьяна. — Идем, чего остановился?

— Я тебе пойду! — пригрозил я и помахал пальцем. — Я тебе так пойду, что завтра же вылетишь из усадьбы!

— Не думаю, — мягко, как фантазирующему ребенку, улыбнулась Татьяна. — Святослав Николаевич пообещал мне выплатить премию за усердие в службе.

«Дурдом!» — подумал я и молча потянул девушку за руку, чтобы увести ее подальше от дверей, за которыми находился Орлов. Но Татьяна ухватилась за перила и осталась на месте. Скрипнули балясины. Я потянул ее сильнее; в этот момент девушка перестала сопротивляться и подалась на меня. Я потерял равновесие, попытался ухватиться за перила, но Татьяна ловко отбила мою руку, и опорой мне стал воздух.

Я с грохотом повалился спиной на ступени. Если бы они были сделаны из мрамора, быть мне инвалидом. Вышедшего на шум князя я созерцал лежа на полу, и потому он показался мне чрезвычайно высоким.

— Песьи мухи! — проворчал он, глядя на меня, хотя ругательство относилась и к Татьяне. — Понимаю: жена без грозы — хуже козы. И все же прошу утишиться. Весь дом уже перевернули.

— Мы хотели поговорить с вами, Святослав Николаевич, — лисьим голосом произнесла Татьяна, поправляя полушубок. — Вот только Стас почему-то упал на пол.

— Ну, это тебе виднее, почему он упал, — ответил князь и скрылся за дверью.

Я поднялся и вышел на воздух. В разгоряченные легкие хлынул сырой прохладный воздух. От моего дыхания пошел такой густой пар, словно я начал без устали курить. Любопытные грачи облюбовали брошенный на серый снег ковер и, поглядывая на меня, украдкой чистили о жесткий ворс клювы.

— Им нравится по ковру ходить, — из-за моей спины сказала Татьяна. — Лапки не мерзнут, сухо, мягко.

Я повернулся к ней и взял ее за руки. Мы стояли как влюбленные в эпицентре рождения весны.

— Танюша, — произнес я, — давай помиримся! И договоримся.

— О чем? — с придыхом спросила девушка.

— Что до первого апреля не будем вставлять палки в колеса, шпионить друг за другом, доносить друг на друга Орлову.

— Это почти объяснение в любви! — рассмеялась девушка. — А почему только до первого апреля?

— Потому что потом все вопросы, которые тебя мучают, отпадут сами собой.

— Ты уверен?

Я вздохнул.

— Ну скажи, сколько времени ты знаешь Родиона? Без году неделю и почти заочно? А мы с ним дружим больше двух лет. Понимаешь, о чем я говорю? Многое в наших отношениях для тебя потемки. Ты путаешься под ногами и ломаешь хорошо слаженную игру. Никто здесь не нуждается в тебе, поверь мне! Князь оставил тебя при себе только потому, что любит молодых русских баб.

— И некрашеных, — уточнила Татьяна.

— Если ты не успокоишься, не отстанешь от меня, то потом тебе будет очень стыдно за свои мысли и поступки, — заверил я. — Все, что от тебя сейчас нужно, — это забрать из моей комнаты портмоне и подробно рассказать, как и при каких обстоятельствах оно к тебе попало.

— Все? — спросила Татьяна.

— Пока да.

Она стянула с руки перчатку, потянулась к моей голове и неожиданно принялась перебирать волосы.

— На эту сторону тебе не идет, — сказала она, что-то вытворяя с моей челкой. — Сейчас так не модно. В общем, сходи для начала в парикмахерскую, а договориться мы с тобой всегда успеем.

Глава 19

«СОРОК ВОСЬМОЙ»

Я позвонил в российское посольство в Катманду в десять утра с таким расчетом, чтобы там по местному времени был полдень, когда все сотрудники должны скучать на своих рабочих местах. Секретарь посольства Олег Гончаров был простужен и больше кашлял в трубку, чем говорил со мной. Собственно, ничего интересного он мне не сказал — пару фраз о погоде, о неудачной попытке взять Лхоцзе французами и о повышении цен на бензин.

От этого разговора настроение у меня несколько подпортилось, особенно после того, как я вышел из мастерской Орлова. На мое известие, что секретарь посольства ни словом не обмолвился о Родионе и Столешко, князь, покачивая палитрой, тяжелой от множественных разноцветных ляпок, ответил в привычной фольклорной манере:

— Жил-был царь, у царя псарь, да не было пса: и сказка вся... Будь здоров, братец!

Он даже не дал мне времени на то, чтобы расшифровать

130

подтекст пословицы, и указал выпачканной в краске рукой на дверь. В часы, когда Орлов заканчивал очередное полотно, наполняя его жизнью, общение с ним всегда было кратким и трудным.

Я спустился вниз, где рядом с застекленными дверьми, ведущими на террасу, громоздился стол письмоводителя, заваленный папками с бумагами, деловыми тетрадями и журналами встреч и визитов. Телефоны, факсы и принтеры, как и некоторые другие достижения цивилизации, Орлов в своем доме не выносил, предпочитая почту или посыльных, оттого Татьяне приходилось ежедневно принимать и отправлять десятки писем и телеграмм, занося корреспонденцию в книгу учета.

Когда я склонился над русой головушкой неудавшейся невесты, Татьяна готовила к отправке короткое письмо князя: «*Арапово Поле. Администрация города. Заместителю Главы администрации по строительству господину Городовицкому А.А. Милейший сударь! Принимаю Ваше предложение отужинать с Вами 31 марта в 20.00 часов. Буду без опоздания. Готов представить Вам для обсуждения проект Устава Центра Российской Культуры и Словесности. С почтением — князь ОРЛОВ*». Девушка подписывала конверт крупным ученическим почерком, затем обозначала содержание письма, адресата и дату отправки в журнале учета, потом вкладывала письмо в конверт, слюнявила клейкую полоску и запечатывала. При этом выражение на ее лице было почти несчастным.

Приближался час приема населения по личным вопросам. Раз в неделю охранники открывали ворота усадьбы перед каждым желающим. В прошлый раз, если не ошибаюсь, к князю пожаловали всего два посетителя, причем оба инспекторы. Один налоговый, а второй пожарный. Очень скоро они были выдворены вон. Я видел, как охранник конвоировал тщедушного податного с потертым портфельчиком под мышкой. Чиновник широко раскрывал рот и беззвучно ругался.

Сегодня в узком коридоре, который упирался в комнату секретарши, как топорище в топор, было полно народа. Я сидел на краешке стола, щелкал выключателем настольной лампы с желтым матерчатым абажуром и пытался вызвать Татьяну на откровенность.

— Ты мне объясни, как ты смогла в этом захолустном городишке в совершенстве овладеть английским и французским, да еще обучиться верховой езде и бальным танцам?

— Тебе заняться нечем? — не отрываясь от журнала, произнесла Татьяна. Перед ней в деревянной рамке стояла фотография Родиона, и девушка, словно молясь, касалась ее лбом.

— А я думал, что здесь можно освоить лишь правила проживания в коммуналках и этикет базарной ругани, а также некоторые рекомендации по снятию похмельного синдрома.

Татьяна подняла голову, закинула ногу за ногу и уставилась на меня пронзительными глазами. Я смотрел на них, как на непокоренную вершину, которая притягивает, манит, будоражит воображение, но тем не менее предостерегает о скрытой опасности.

— Могу представить, что с тобой сделает князь, если я передам ему твои слова, — исподлобья глядя на меня, выдала Татьяна. Крылья ее носа стали расширяться, брови сдвинулись к переносице. Она становилась забавной в своем искусственном гневе. — Следующий! — крикнула она через плечо.

Время, в котором мы оставались наедине, быстро таяло, скрипнула дверь, ведущая в коридор. Я уже не сидел на краю стола, а наваливался на него всем телом, стараясь сократить расстояние между нашими глазами.

— Филя в самом деле говорил тебе про липовые счета или ты это придумала? — прошептал я. — Быстро отвечай! Да в твоих же это интересах!

— Конечно! — кивнула Татьяна и хлопнула меня по лбу линейкой, полагая, что ей больше нечего мне сказать, но тотчас запустила вдогон аргументы покрепче: — О каких ты интересах говоришь? Думаешь, мне легче станет, если я перед тобой выверну душу? Сможешь Родиона вернуть? Найти, оживить и привести ко мне?.. Фамилия!

К столу медленно приблизился еще не старый человек, малорослый, желтоволосый, с большими коричневыми залысинами, щедрый на показ золотых коронок во рту. Он был одет во что-то сильно поношенное, бесцветное, пахнущее керосином и плесенью. За руку мужчина вел испуганную девочку в пальтишке и раздутых на коленках колготках.

— Мы из Веселок, — сказал он, сдержанно улыбаясь искривленным ртом. — К Святославу Николаевичу...

— Цель! — буркнула Татьяна и нацелила ручку в пустую графу.

— Меня зовут Борис, фамилия Закута. А это соседская дочка Катюша. В садик уже ходит...

— Це-э-эль, — протяжно и тихо повторила Татьяна, исподлобья глядя на посетителя

— Тут фамилия, конечно, роли большой не играет, — певучим голосом произнес мужчина, сверкая золотым ртом. — Одним словом, моя прабабка, Катерина Ивановна, тысяча восемьсот семьдесят второго года рождения, всю жизнь в Веселках прожила, и к ней, как она овдовела, стал в любовниках ходить Гордей Евсеич. Мне об этом сама бабка рассказывала. Но что интересно: этот Гордей был сводным братом бабки по матери нашего Святослава Николаевича.

Татьяна покусывала губы и нервно тюкала пером в журнал, глядя на посетителя.

— И что вы от князя хотите? — голосом, не обещающим ничего хорошего, произнесла она.

— Ну как чего? — заторможенно повторил мужчина, приглаживая ладонью скользкие волосы и открывая интеллигентные залысины. — Кто его знает, как там наши предки пересекались меж собой... Мне бы консультацию получить от Святослава Николаевича, может, мы с ним родственники в каком-нибудь колене. Вдруг слыхал он про мою Катерину Ивановну...

Татьяна стала тихо покашливать. Не сводя взгляда с мужчины, она захлопнула тетрадь, на ощупь нашла другую и раскрыла ее перед собой.

— Для родственников, — сказала она, — у меня особый журнал имеется. Еще раз. Отчетливо. Фамилия, имя, отчество. Год и место рождения.

— Борис Закута, — торжественно объявил мужчина. — А это Катюша, соседская дочка... Ну-ка, Поросенок, расскажи тете стишок, который в садике выучила... Как там? «Ходит мишка на двух лапах...»

133

— Про мишку необязательно, — сквозь зубы процедила Татьяна. — Проходите в комнату ожидания... Следующий!

Пока сменялись действующие лица, Татьяна налила из графина воды и выпила.

— Ничего смешного, — сказала она мне.

— А я и не смеюсь. Это у меня оскал такой. И много уже родственников набралось?

— Много. Как узнали о гибели Родиона, пошли косяками. Этот, Закута, сорок седьмой.

— И все хотят наследства?

— Не знаю, чего они хотят... Фамилия!

Энергичной походкой в комнату зашел зреловозрастный господин с седыми усиками. Клетчатый светлый пиджак, не вполне длинные зеленые брюки, из-под которых выглядывали оранжевые носки, и узконосые туфли с медными «намордниками» характеризовали человека относительно денежного, жизнерадостного и иногда интересующегося женским полом. Сию же минуту на стол Татьяне легла гвоздика и шоколадка, а мне была протянута ладонь.

— Игорь Петрович Хрустальский! — объявил он о себе, невесомо взмахнул рукой, расстегнув пиджак, тотчас закарманил руку и принялся уютно расхаживать по комнате, выбрасывая туфли в стороны.

— Курите? — спросил он меня, протягивая пачку. — Правильно делаете. А я все, знаете... Извините, забыл, как вас зовут, — переключился он на секретаршу. — Татьяна? Прекрасное имя!.. Танюшка, милая, отметьте в журнале, пожалуйста, что я по крайне важному делу. Если можно, пусть шеф примет меня вне очереди.

— Вы тоже родственник? — настороженно спросила Татьяна, убирая шоколад и цветок на подоконник.

— Увы! — ответил Игорь Петрович, размахивая зажженной сигаретой. — А хотя кто его знает... Все мы в какой-то степени родственники, от Адама и Евы... Пожалуй, отметьте, что я тоже родственник, если вам не трудно. Но я не с пустыми руками. Как говорят англичане, ай'м нот элоун. Я подготовил грандиозный проект! Нет-нет, вы такого еще не видели! Голову даю на отсечение!

— Как вас представить? — угрюмо спросила Татьяна. Должно быть, Игорь Петрович надеялся на более теплое к себе отношение и в душе пожалел о напрасно подаренных шоколадке и гвоздике.

— Вот моя визитка, — небрежно, обращая внимание на свою скромность, произнес он, и в его руке, словно это был фокус, матово блеснул глянцевый квадратик. Он с щелчком положил его перед Татьяной и стал на память декламировать: — Публицист, правовед, поэт, режиссер, генеральный директор межрегиональной ассамблеи представителей правозащитников, сопредседатель общественной кампании «Педагоги против насилия», член ассоциативного комитета экологического движения «Мэнкайнд энд гранд корпорэйшн»... Ну, этого, наверное, достаточно. Если я начну перечислять все свои титулы, вам журнала не хватит.

Я заметил, как Татьяна в графе «Род занятий» написала «Член» и задумалась.

— И вам тоже, — перенес на меня свое обаяние Игорь Петрович, протягивая еще одну визитку мне. — Ай'м глэд ту мит ю! В отпуске были?

Я почувствовал, что теряюсь от обилия информации, и растерянно пожал плечами.

— Прекрасно! — чему-то обрадовался Игорь Петрович. — Танюшка, голубушка! Ну-ка, быстренько отпечатайте на принтере рекомендательное письмо. Текст небольшой. «Директору дома отдыха «Ласточка» Иванченко В.А. Прошу вас взять под свою опеку господина...» Как ваша фамилия?

— Ворохтин, — ответил я, не успев солгать.

— «...под свою опеку господина Марохтина с женой и детьми». А подпись сделаем не мою, а генерального директора производственного объединения «Витязь» Всемилова Андрея Андреевича... Вы, конечно, знаете Всемилова?

Я отрицательно покрутил головой.

— Как же! — разочарованно произнес Игорь Петрович и замер напротив меня, широко расставив ноги и пуская дым колечками. — Мы с Всемиловым как-то такие дела крутили! Такие дела!.. Так на чем я остановился?.. Да! Покажете Иванченке эту бумагу, и он вас устроит в своем доме отдыха на самой опушке леса... Вы гжель любите? Могу устроить. Но я, собственно, не по этому поводу к шефу. По секрету — у меня грандиозный проект! Усадьба не контролируется ментами. Можно раскопать несколько родников и наладить

135

выпуск отличнейшей водочки. Имеются акцизные марки и все необходимое оборудование. Представьте: автостоянка, склады готовой продукции, гостиница и бар. Рядом с прудом — автомойка и сервис-центр. Берем еще круче и открываем центр оптовой торговли «Скандинавия — Прибалтика — Россия — Азия». Звучит, да?.. Неограниченные партии, льготы по пошлинам — я все беру на себя. Нужны только деньги и согласие шефа... Ну как? Впечатляет?

— Наверное, этот проект стоит огромных денег, — предположил я.

— Да бросьте вы! — поморщился Игорь Петрович и вновь задвигался. — Для кого-нибудь, может, и огромные, а для Орлова — копейки. Да все это окупится за один месяц, можете не сомневаться. Кстати...

Игорь Петрович поднял палец вверх, окунул руку под пиджак и извлек оттуда две стодолларовые купюры.

— Это вам! — громко и возбужденно произнес он, опуская одну купюру на стол для Татьяны, а затем повернулся ко мне. — А это вам!

— Ну что вы! — в один голос сказали мы с Татьяной, ошарашенные столь щедрым подарком.

Девушка залилась краской стыда, отчего ее волосы стали казаться белыми. Я не прикоснулся к купюре, хотя Игорь Петрович продолжал держать деньги в вытянутой руке. Поступок незнакомого человека был нелеп; я никогда и ни у кого не брал незаработанные деньги, думая не столько о последствиях, сколько о собственном достоинстве.

— Возьмите, возьмите! — радостно настаивал он. — Может, мало? Тогда нате вам еще!

Он достал из кармана еще сто долларов. Татьяна с полными недоумения глазами смотрела на меня, словно спрашивая, как ей поступить по отношению к столь щедрому гражданину.

— Да не нужны мне ваши деньги! — с мягким раздражением сказал я и тут вдруг начал понимать суть происходящего. Сопредседатель общественной кампании «Педагоги против насилия» пытался всучить нам всего лишь рекламные календарики с изображением стодолларовой купюры на одной стороне. Он от души рассмеялся, крякнул от удовольствия и даже ударил ладонь в ладонь от избытка чувств.

Я глаза прикрыл от стыда и почувствовал себя гадко, словно попался на каком-то тайном пороке. Татьяна, пялясь в журнал, схватилась за стакан с водой и принялась топить в нем свой позор. Игорь Петрович, очень довольный своей шуткой, возобновил движение по комнате, рассказывая о том, как сегодня утром он таким же образом надул продавщицу сигарет в ларьке и нищенку на паперти у старой церкви, и пообещал, что непременно надует князя.

— Хочу похвастать, — рекламировал себя Игорь Петрович, вкусно покуривая сигарету. — Для Святослава я приготовил еще один потрясающий подарок! Вы даже предположить не сможете, что я ему привез. Ну-ка, Танюшка, даю три попытки!

Татьяна, еще не пришедшая в себя после ста долларов, лишь молча покачала головой, отказываясь от игры в угадайку. Я воспользовался только одной попыткой:

— Сто фунтов стерлингов.

— Мимо! — обрадовался Игорь Петрович, подошел к стулу, на котором лежал его кейс, щелкнул позолоченными замочками, приподнял крышку и с таинственным видом, предвосхищая наш восторг, положил на стол нечто тяжелое, завернутое в пергамент. Бережно развернув бумагу, он представил нашему вниманию кусок бетонной плиты размером с хороший энциклопедический словарь.

Мы с Татьяной смотрели на подарок как два идиота. Игорь Петрович выдержал паузу, в течение которой, по его мнению, мы должны были умереть от любопытства, после чего бережно упаковал строительный мусор в пергамент и спрятал в кейс.

— Кусок Берлинской стены, — пояснил он дрогнувшим голосом, словно только что показал нам яйцо от Фаберже. — Символ крушения тоталитаризма и экстремизма. Я думаю, что князь будет в шоке...

— Еще в каком! — подтвердила Татьяна.

— Представьте, — прищурившись, виртуозно фантазировал Игорь Петрович, — мраморная подставка в виде античной колонны. На ней, на красном сукне, эта реликвия. Сверху — стеклянный колпак. Чтобы не пылилась, чтоб руками не трогали. И чеканная надпись на бронзовой табличке: «Обломок Берлинской стены. Декабрь тысяча девятьсот восемьдесят девятого года. Начало новой эры». Впечатляет?

— Следующий! — произнесла Татьяна и с опаской покосилась на дверь.

Очередная посетительница вытеснила Игоря Петровича, который нехотя удалился в соседнюю комнату. Шаркая ногами, вошла низкорослая женщина в синтепоновой куртке и платке. За ней волочились выпачканные в чем-то пахучем дети. Девочка держала в руке надкусанное яблоко, а мальчик — надкусанное печенье.

— Фамилия, — произнесла Татьяна, как-то странно поводя носом.

— Бергамотовы мы, — ответила женщина. Ее мелкое лицо выражало страдание, но голос был твердым и полным оптимизма.

— С какой целью к Орлову?

— Мы люди не здешние, — принялась объяснять женщина, невыносимо растягивая слова. — Беженцы мы. Детям моим требуется платная операция...

Я склонился над ухом Татьяны и прошептал:

— Мужайся! Если старик будет спрашивать — скажи, что к восьми часам я буду.

Она кивнула, не поднимая головы, и не заметила, как я взял из стопки несколько чистых бланков для писем, украшенных личным экслибрисом князя.

Потом вышел на крыльцо, где вполголоса разговаривал и курил хвост очереди, разрыхленный и утративший очертания. Под ногами тлели окурки, шуршали бумажки от шоколада и мороженого. Люди смотрели на меня оценивающим и завистливым взглядом, пытаясь догадаться, много ли денег удалось мне выпросить у князя. В этой очереди они были бесстыдны и доверчивы, как больные в очереди к врачу. Только вместо болезней несли старику свои пороки.

Глава 20

ООО

Нужен был принтер, на крайний случай пишущая машинка, чтобы никто не придрался к моему почерку, но ни в библиотеке, ни в школе, куда я заехал по дороге в «Монумент», подобной оргтехники не было. До окончания рабочего дня оставалось двадцать минут, и мне пришлось переписывать список от руки. Я перечислил мешки с цементом, шпатлевку, краску, оконные рамы и прочие строительные материалы в той же последовательности, в какой они были приведены на фирменном бланке «Монумента» и заверены подписью главбуха.

Парень в синем комбинезоне, покачиваясь из стороны в сторону на офисном стульчике, читал мятую книгу и, судя по выражению на лице, уже мысленно распрощался с рабочим днем. Вряд ли он назвал меня хорошим словом в уме после того, как я протянул ему покупочный список, в котором значилось три десятка наименований товаров. Почесывая отверткой затылок, он медленно двигался глазами по строчкам, обдувал список дымом сигареты и все время качал головой, словно ничего подобного в жизни не читал.

— Алебастра нет, — бормотал он так тихо, но тотчас поправлял сам себя: — Стоп! Есть алебастр, есть... Гвозди «соточки»... Не помню, остались «соточки» или нет.. Ах, да, да! Еще два ящика осталось. Что там еще?

Изучив список, он щелкнул по нему пальцем и с надеждой спросил:

— Тут, мужик, товара на два «ЗИЛа» будет. На чем повезешь?

— С машинами проблем не будет, — ответил я. — Ты меня по деньгам сориентируй — во сколько все это выльется.

— Оля! — крикнул под потолок ангара парень, снова расслабляясь на стуле. Он понял, что интуиция его не подвела и рабочий день для него в самом деле закончился. — Иди сюда, посчитать товар надо!

Пришла Оля с чашечкой кофе и кудрявой головой, хотела меня прогнать, но вовремя взглянула на большие круглые часы, висящие над кассовым аппаратом.

— Что там у вас?

Список ей понравился, такими заказами ее баловали не часто. Она уже другим взглядом — оценивающим — прошлась по моей куртке, туфлям, лицу и, не выдавая выводов, села за кассу. Положила поверх списка линейку, придвинула к себе калькулятор, прайс и принялась за подсчеты. Я тем временем прошелся вдоль стеллажей с пыльным, тяжелым, мешковатым товаром, из которого складываются дома и отделываются квартиры.

— Сто сорок тысяч двести рублей, — подвела итоговую сумму кассирша и выжидающе взглянула на меня, будто хотела сказать: ну что, слабо такую сумму выложить?

— У вас что, цены резко упали? — спросил я, прикидывая, чем удобнее будет защищаться — граблями или перекладиной для ванной комнаты.

— Вроде нет, — пожала плечами кассирша. — А у вас другая сумма получилась?

Я вынул из кармана счет, который уже оплатил князь, и протянул кассирше.

— Двести тысяч шестьсот семьдесят рублей, — пробормотала она, переводя удивленный взгляд с итоговой суммы на логотип своей фирмы, будто не узнавала его. — Восемнадцатое марта. Неделю назад... И тот же перечень товаров?

— Тот же, — подтвердил я.

Уже и парень в синем халате заинтересовался цифрами и вместе с кассиршей склонился над счетом.

— На шестьдесят тысяч больше, — вполголоса говорил он, рассматривая счет, принюхиваясь к нему и едва ли не пробуя на зуб. — Грачев подписал... Да что-то на его подпись не похоже...

— Нет, не похоже, — согласилась кассирша, смекнув, что честное имя главбуха Грачева надо срочно спасать. — Не его это подпись.

Они продолжали рассматривать счет, как диковинное насекомое — с любопытством и с некоторой долей недоверия и брезгливости, и выжидали, когда я приступлю к агрессивным действиям. «Были бы у них рыльца в пушку, — подумал я, — давно бы засунули меня головой в цементный мешок».

— Могу я видеть бухгалтера? — спросил я.

— Бухгалтера? — переспросила кассирша, даже не пытаясь отклеить взгляд от счета.

— Я разве не ясно выразился?

— Он, может быть, уже домой ушел, — начал откровенно наглеть парень в халате.

Чтобы им легче было поднять на меня глаза, я взял с кассы счет и рукописный список, сложил их, сунул в карман и стянул со стеллажа приглянувшееся мне «Весло лодочное алюминиевое». Оно было хоть и легким, зато крепким.

— Так где бухгалтер? — вежливо поинтересовался я, помахивая веслом как опахалом.

— Да ты... — начал свирепеть парень, надвигаясь на меня с недвусмысленными намерениями. — Положь товар на место! Заплати, а потом хапай!

Он так и не понял, для чего я взял весло, и мне пришлось ткнуть его гнутой лопастью в живот. Парень сложился пополам, а кассирша, раздувая щеки, вдруг начала отчаянно свистеть в свисток, как футбольный судья. Я не ожидал, что мое появление на складе произведет столько шума и, откинув в сторону бесполезное оружие, во весь дух побежал в торец ангара, где чернотой зияла открытая дверь.

Потом я путался в узком сумеречном коридоре с толстыми трубами вместо потолка, успокаивал дыхание, улыбался по сторонам, пока не нашел маленькую белую комнату с жалюзи на окне. В комнате был сейф, был стол, заваленный папками и бумагами, и был молодой добросовестный человек.

— Пусть зайдет! — сказал он охраннику, который уже сильно вспотел, ожидая меня и предвкушая разминку с моим лицом.

Охранник угрюмо сдвинулся в сторону, освобождая проход. Я зашел, захлопнул за собой дверь, провернул ключ, торчащий в замочной скважине, а потом сунул ключи себе в карман.

— Только не надо горячиться! — посоветовал бухгалтер, поглядывая на мой карман, и щелкнул пальцем по желтой клавише калькулятора. — Не надо! Сейчас во всем разберемся! Что там у вас?

В то время как его руки и плечи двигались, голова оставалась неподвижной, как у эквилибриста, который держит на темечке наполненный до краев стакан. Бухгалтер берег свою идеальную прическу, где волосок был уложен к волоску, и достаточно было слегка кивнуть, чтобы разрушить гармонию. Я с уважением отнесся к искусству неизвестного парикмахера и протянул свои бумаги так, чтобы не было ветерка.

— Ну и что?.. Ну и что? — повторял бухгалтер, щелкая на калькуляторе. — И зачем кричать?

В дверь стучался нетерпеливый охранник. Он истосковался по добыче и мучился от того, что чесались кулаки.

— Двести тысяч шестьсот семьдесят рублей, — озвучил бухгалтер итоговое число в счете. — Все правильно, но цены не наши. Бланк наш, а цены не наши, — уточнил он. — Где это видано, чтобы за дверные петли мы брали по сто восемьдесят рублей?

— Но подпись ваша? — спросил я, хотя можно было и не задавать глупого вопроса.

— Не моя, — накатанно соврал бухгалтер. — Я вот так расписываюсь, смотрите! Вот как... Вот так вот...

И он стал покрывать размашистыми каракулями чистый лист бумаги. Полюбовавшись на оригинал своей подписи, он кинул бумажку в корзину и раскрыл перед собой скоросшиватель.

— Ладно, — сказал он. — Что мы с вами огород городим? Вот квитанция номер пятнадцать от двадцать второго марта. Читайте! От кого? «Орлова Святослава Николаевича». Дальше! Банк получателя: «Сбербанк РФ, Араповопольское отделение». Все верно? Верно! Получатель: «ООО «Монумент». Сумма прописью... Читайте, читайте! Вслух читайте!

Мне ничего не оставалось, как признать, что в платежной квитанции указана та же сумма, которую несколько минут назад насчитала мне кассирша — сто сорок тысяч двести рублей. Князь оплатил по счету одну сумму, фирма получила на свой счет другую. Почти шестьдесят с половиной тысяч исчезли бесследно. Я не мог найти концы.

Бухгалтер, мягко улыбаясь мне, взял двумя пальцами фиктивный счет и поднес его к уничтожителю бумаг. Еще мгновение — и счет втянется в узкую щель, пройдет через острые ножи и превратится в тончайшие бумажные стружки. Обрушив органайзер, рассыпав скрепки и карандаши по столу, я кинулся на листок, как бык на тряпку, и выхватил его, оставив в пальцах бухгалтера лишь маленький треугольный обрывок.

— Напрасно, — сказал бухгалтер, не сильно печалясь, что не накормил уничтожитель. — С этой бумажкой вы далеко не уйдете.

Это он мог и не говорить. Еще когда я схватился за весло, то понял, что уйти из магазина мне будет намного труд-

142

нее, чем зайти в него. Вынув из кармана ключ, я приставил его к замку.

— Ваня! — крикнул бухгалтер. — Не выпускай его, у него бумага!

Я сделал глубокий вдох и, приоткрыв дверь, крикнул охраннику:

— Что вы стоите, Ваня? Зайдите, вас зовут!

И снова захлопнул дверь. Едва я успел сделать шаг в сторону и прижаться к косяку, как в кабинет танком въехал охранник. Я снова почувствовал едкий запах животного, плохо поддающегося дрессировке, и протиснулся между косяком и танком. Выскочив из кабинета, я даже исхитрился захлопнуть за собой дверь, но вставить ключ и запереть ее не успел. Не жалея двери, охранник пошел на меня кратчайшим путем, не замечая препятствий. Дверь он открыл как-то странно, в необычной плоскости — сверху вниз. Она белым прямоугольником припечаталась к полу, подняв известковую пыль. Бухгалтер в глубине кабинета заходился в истерике. Его я не видел — заслоняя собой свет, на меня надвигалась гора мышц.

Прежде чем обратиться в бегство, я врезал кулаком по тяжелой лоснящейся челюсти и с удовлетворением отметил, что животное не умеет уклоняться от ударов и потому вполне досягаемо. Но я удержался от соблазна убедиться в этом еще раз и кинулся прочь.

На просторах торгового зала я сумел продемонстрировать свои лучшие скоростные качества. Правда, я не вписался по габаритам между двумя стеллажами и обрушил столб из пластиковых ведер, что, надеюсь, было последним огорчением для работников «Монумента». Не встретив больше препятствий, я выскочил на улицу — и прямиком к своей машине.

«Шляпы!» — с ласковым укором думал я о своих проигравших противниках, на хорошей скорости петляя по улочкам и поглядывая в зеркало заднего вида. «Хвоста» не было. Я качал головой, возмущаясь вопиющей неопытности охранного персонала «Монумента». Достаточно было выставить у моей машины двух животных, и я бы никуда не делся.

Я сунул руку в карман, вытащил помятый счет, чтобы еще раз полюбоваться документом, цена которого в моем представлении выросла многократно. Развернув его, я долго не мог понять, почему вместо счета держу чистый лист бумаги.

Остановив машину, я выскочил наружу и вывернул все карманы. Счет исчез бесследно, как и злополучные шестьдесят тысяч.

«Нет, пожалуй, не шляпы», — с опозданием понял я.

Глава 21

БЕРЛИНСКАЯ СТЕНА

Я вернулся в усадьбу затемно, когда через решетки чугунной ограды, сквозь черные кроны обледенелых деревьев можно было увидеть узкие и длинные окна хозяйского дома, из которых струился теплый оранжевый свет, и его блики битыми осколками осыпали мокрые дорожки и аллеи.

Недалеко от главных ворот, на автобусной остановке, стояла Татьяна. Я подъехал к ней, не выключая свет фар, и вышел из машины. Она не узнавала меня, щурилась, прикрывала глаза ладонью. Это был интересный момент. Я чувствовал себя невидимкой и мог узнать, чего Татьяна подсознательно боится, кого опасается встретить поздним вечером на темной и безлюдной улице.

Но она не проявила признаков страха, продолжала невидящими глазами смотреть на меня, словно актер на сцене, залитый светом софитов, а когда я подошел к ней почти вплотную, спросила громко и раздраженно:

— Кто это еще?.. Стас, ты, что ли? Ходишь, как Фантомас.

— Почему так поздно? — спросил я, вынимая из кармана мандарин и протягивая его девушке.

— Сумасшедший день, — ответила она неохотно. — Орлов меня просто пожалел, а там еще остались посетители.

— Тебя подбросить до дома?

— Не надо, — сразу отказалась Татьяна. — Я не домой, а на почту... А где ты катался? Я хотела с тобой кофе попить. Пришлось с Палычем лясы точить. Он, кстати, просил тебя к нему зайти. У него щенки от неплановой вязки появились.

— И что я должен буду делать? Топить их?

— Знакомым предлагать! Я пообещала, что пару щенков ты обязательно возьмешь.

— Что?! Пару?! Да куда я их дену?

— Не знаю, — пожала плечами Татьяна и виновато спрятала губы в кудрявый воротник. — Я думала, ты любишь собак, и у тебя полно друзей.

— Я еще детей люблю! — огрызнулся я. — Ты в детдоме случайно десяточек для меня не заказала?

Лязгая, фыркая, дребезжа стеклами, из темных переулков выполз автобус.

— Какой десяточек? — уже думая об автобусе, переспросила Татьяна и попыталась обойти меня. — Послушай, когда к Палычу пойдешь, возьми с собой нашего конюха, ладно? Ему тоже щенки были нужны. Обещаешь?.. Ну, пока!

Я преградил девушке дорогу, не считая наш собачий разговор оконченным.

— Да не липни же ты ко мне, как скотч! — процедила Татьяна, оттолкнула меня и побежала к автобусу, разболтанная дверь которого уже гостеприимно сложилась гармошкой.

Я зашел на территорию. Охранники, словно готовясь к разгону митинга, пружинисто ходили вдоль ворот, гнули в руках дубинки и торопливо курили. Они были свидетелями моего разговора с Татьяной и прощального жеста девушки и, похоже, уже успели перемыть мне кости. Чтобы как-то отвлечь их от суетных мыслей, я спросил о посетителях, которые все еще дурели в очереди к князю, потом о выжлятнике Палыче — спрашивал ли он меня и как давно.

— Спрашивал, — подтвердил охранник, прикуривая от окурка новую сигарету. — Сходи, он, должно быть, у себя.

— А куда ж ты Танюху отправил? — спросил второй, шлепая дубинкой по короткому голенищу своего ботинка. — Хозяин ее на территории поселил. В доме управляющего она теперь будет жить, в светелке... А ты никак глаз на нее положил?

— Тебе показалось.

— А на нее что клади, что не клади — все без толку, — начал философствовать третий. — Эта подруга скоро всех нас за пояс заткнет.

— Стаса не заткнет. Да, Стас? — проявил солидарность со мной первый охранник.

— Да, — ответил я рассеянно. — И что, там протоплено, можно жить?

Этот вопрос вызвал взрыв хохота.

— Конечно, можно! — ободряюще ответил один из охранников. — Да ты не робей! Дуй прямо через горбатый мост в светелку и прикинься подушкой.

Я свернул к хозяйскому дому и уже через минуту пожалел об этом. Навстречу мне неторопливо, в расстегнутой дубленке и небрежно повязанном на шее шарфе шел Игорь Петрович. Он с аппетитом курил, поднося сигарету ко рту по широкой щедрой дуге, будто намеревался обнять женщину, долго затягивался и выпускал дым вертикально вверх, при этом высоко закидывая голову. Увидев меня, он загодя остановился, расставив ноги, и совсем по-родственному сказал:

— Ну и вредный же мужик этот ваш Орлов! Я пять часов его уламывал!

— И как? Уломали? — спросил я.

— Да что вы! — махнул рукой Игорь Петрович. — Вы мне скажите, когда старик в духе? Когда лучше к нему подойти? Если я к нему в выходной нагряну, когда он еще в постели? А?

— Ни в какой другой день он вас не примет.

Игорь Петрович стал двигать плечами, шеей, словно его нестерпимо кусали вши.

— Так о чем речь! — тише произнес он. — Подсуетитесь, чтобы он меня принял, а я в долгу перед вами не останусь.

— К сожалению, я вряд ли смогу вам помочь.

— Да подождите вы! — с досадой произнес Игорь Петрович и метнул окурок в кусты, словно дротик. — Вам турецкая оплетка на руль нужна? Или французские термобигуди? А про местную целительницу госпожу Жанну слышали? Любые проблемы с импотенцией, ручаюсь вам!

— Игорь Петрович, — устало сказал я. — Слово князя Орлова надежнее, чем статья Конституции. Если он сказал, что будет разговаривать с вами только в приемные дни, то это есть абсолютная истина.

— Да он вообще не хочет больше со мной встречаться, — ответил Игорь Петрович, глядя на звезды, и цыкнул языком. — Осколок Берлинской стены взять отказался. И чем он ему не понравился?..

Он минуту подумал, мысленно взвесил все «за» и «против» и наконец решился:

— А давайте-ка я вручу его вам!

— Спасибо, спасибо, — проникновенно ответил я, прижимая ладонь к груди и отступая на шаг. — Я не могу принять столь ценный подарок.

Но Игорь Петрович уже вынул тяжелый сверток из кейса и протянул его мне. Сил его хватило ненадолго, рука опустилась.

— Что ж мне, по-вашему, выкинуть его? — со слабым возмущением произнес Игорь Петрович.

— Конечно. Где подобрали, туда и выбросите.

Игорь Петрович не стал со мной спорить, махнул рукой и опустил реликвию в мусорную урну.

— Если бы вы помогли мне... — пробормотал он, вытирая руки влажной салфеткой.

Он вынул из кармана зажигалку, стал щелкать ею и задувать огонь. Щелкнет — задует. Щелкнет — задует.

— Ваше положение безнадежно, — вынес я вердикт. — Пока князь жив, здесь никогда не будет ни автостоянок, ни оптовых складов. Это я вам гарантирую.

— Вот как? — недоброжелательным тоном произнес он. — Вы хорошо подумали, господин Дарохтин?

— Можете не сомневаться, — заверил я.

Игорь Петрович выдержал паузу, шаркая туфлей под собой, затем глубоко вздохнул и стал застегивать дубленку.

— А жаль, а жаль, — бормотал он.

Князя я застал в библиотеке, под потолком. Он сидел на стремянке, на ее верхней ступеньке, и листал тяжелую книгу.

— Люди сошли с ума, — сказал он мне так, словно вычитал эту фразу в книге, затем поставил том на полку и стал спускаться. — Слишком любят сказки про щуку и скатерть-самобранку. Никто не хочет работать, все только просят денег! Стыдно! Изнитили в себе навыки, совесть урезвили. Конечно, конь не свой, погоняй, не стой... Подай руку, торчишь как рожон!

Он спустился с моей помощью, сел за стол и водрузил на него знакомый мне графинчик из синего стекла.

— Завтра едем на охоту, — сказал он тоном приказа. — Душно мне здесь что-то стало.

147

Я попытался вежливо отказаться:

— Какой из меня охотник, Святослав Николаевич?

— Не варнакай! — осадил он меня. — Гончие обучены, сами зверя на засаду выведут. Место тебе определю. Твое дело сидеть тихо и вовремя пальнуть. Усвоил?

— Вовремя — это нетрудно, — ответил я. — Главное, с целью не ошибиться.

— Но-но! — погрозил мне пальцем Орлов и наполнил две серебряные стопки. — И еще, — добавил он, прежде чем выпить. — Приходил участковый. Они письмо из Непала получили.

— Наконец-то! — воскликнул я.

— Тебе надо будет прийти в отделение и дать показания инспектору Мухину, — продолжал князь. — Расскажешь всю легенду, но под протоколом не подписывайся. Скажешь, что сам еще точно не определился: наяву это видел или же тебе бредилось.

— Я понял, Святослав Николаевич.

— Ну, коль понял, — произнес князь, наполняя стопки по второму разу, — тогда рассказывай, с чем пришел? Не на гуляшки же, так ведь?

— «Монументу», который поставляет нам строительные материалы, больше верить нельзя, — ответил я, моля в уме бога, чтобы князь не стал проявлять дотошность.

— Это почему еще?

— У них очень высокие цены, — уклончиво ответил я.

— А кому тогда верить?

Я понял по интонации, что Орлов спрашивал у меня совета. Умудренного жизнью человека приходилось учить элементарным правилам поведения в стране мошенников.

— Я принесу вам рекламную газету со списком оптовых магазинов и строительных фирм. Выберите любую, напишите туда письмо с перечнем необходимых материалов. Обязательно укажите, что вам известны их розничные цены, и потребуйте серьезные скидки за то, что берете крупную оптовую партию и намерены рассчитаться наличными. Никакого обратного адреса не указывайте. Просите подготовить счет и ждать приезда курьера по имени Стас. И отправьте это письмо нарочным. Только не через Татьяну.

Князь поднялся с кресла, заложил руки за спину и принялся ходить вдоль книжных полок. Он запросто, не пригибая головы, проходил под стремянкой, как через высокие ворота.

— А через пару дней, — продолжал я, — проделайте все заново. Только обычным путем: пусть Татьяна отпечатает письмо на принтере, вы его подпишете, затем она отнесет его на почту. Через неделю в вашем абонементном ящике появится ответное письмо. Когда Татьяна принесет вам его, сравните с тем счетом, который принесу я. Разница в указанных суммах — это и есть тот гонорар, который намерен получить мошенник.

Князь долго молчал, прохаживаясь по кабинету и глядя под ноги, словно с интересом рассматривал паркетный узор.

— Барте, — наконец согласился он. — Я сделаю так, как ты сказал.

Я чувствовал, как из-под лохматых седых бровей старика пробивается пытливый умный взгляд, но делал вид, что рассматриваю корешки книг.

— Я могу идти, Святослав Николаевич?

— Добрый пес на ветер не лает, — произнес князь, останавливаясь у стола и поднимая стопку. — Но сдается мне, что ты занимаешься не своим делом... Да топай уж, что с тебя взять!

Я уже подошел к двери и взялся за тяжелую бронзовую ручку, как князь сказал мне в спину:

— Курьера за счетом я назначу сам. Так что забудь об этом.

По-моему, чем сильнее я катил бочку на Татьяну, тем меньше он мне доверял.

Глава 22

ПОД КОПЫТАМИ

Рюмка водки разморила меня вконец, и, когда я очутился на улице, веки налились свинцовой тяжестью, а ноги стали казаться тяжелыми и непослушными, словно я шел по пояс в бурной полноводной реке. Я вышел на аллею, необыкновенно темную в это время суток, и побрел к себе.

Погода менялась. С юга шел теплый фронт, и порывистый ветер буйствовал в кронах деревьев. Они отряхивались, брызгаясь дождевой водой, и моя одежда быстро отсырела, несмотря на то, что я поднял воротник куртки и нахохлился, как голубь на вентиляционной решетке.

Я миновал полянку, на краю которой стоял грот, и уже был готов сойти с гаревой дорожки к своему дому, как вдруг решил все-таки заглянуть к Палычу и потрепаться с ним о предстоящей охоте. Желание переодеться в сухое и лечь в постель побороть было нетрудно, и я свернул к пруду, через который был перекинут горбатый мост.

Палыч был профессиональным кинологом из местного клуба собаководов, которого Орлов взял к себе на службу в числе первых. Приятный в общении мужик, ненавязчиво демонстрирующий свою житейскую мудрость, был высоким, худощавым и не по годам подвижным. Молочно-седые усы и такая же редкая прядь на лбу делали его лицо светлым и открытым. О собаках он мог рассказывать часами, причем рассказы эти никогда не были однообразны и скучны. Несмотря на искреннее желание увидеть этого человека, визит к нему был всего лишь поводом. А истинная цель поздней прогулки была другой. Я хотел попутно заглянуть в дом управляющего и убедиться, что Татьяна действительно переселилась в светелку, и, если повезет, узнать о ней что-нибудь новенькое.

Я пошел по скользким, потемневшим от сырости доскам моста, придерживаясь за белые пластиковые перила, которые строители накатали здесь несколько дней назад. Грязный, потемневший, уже утративший свою звонкую крепость лед из последних сил собирал и рассеивал вокруг себя слабый свет, и с середины моста я в деталях видел покатый берег, как бы прибитый ко льду пруда тонкими и стремительными вербовыми стволами.

Это было одно из красивейших мест в усадьбе, которое даже ранней весной, уродующей и пачкающей всякий среднерусский пейзаж, выглядело чарующе. Я, способный видеть и ценить красоту природы, увлекся нахлынувшими на меня сентиментальными чувствами и едва не прожег тлеющим окурком перчатку.

В глазах сразу будто потемнело. Остановившись как вкопанный, я смотрел на перила, за которые только что держался. Истлевшая почти на нуль сигарета лежала поверх бруса перил, распространяя вокруг едкий химический запах. Уголек по мере своего продвижения к фильтру проделал в пластике желтую оплавленную бороздку. Я щелчком сбил окурок на лед и посмотрел вокруг. Темный строй деревьев уже казался мне зловещим, а шум ветра в кронах — предвестником недоброго. Сам по себе окурок был малозначащим явлением. Если бы он валялся под ногами на дорожке, то его, закрыв глаза, можно было бы адресовать конюху, задержавшемуся в конюшнях накануне охоты дольше обычного. («Закрыв глаза» — потому, что конюх не курил, а во-вторых, никто из работников усадьбы не стал бы кидать мусор себе под ноги.) Но сигарета, прикуренная вовсе не для курения, а положенная на перила для тления, содержала в себе какой-то смысл, который, по всей видимости, предназначался мне.

Я сошел на берег, воспринимая окружающий меня мир уже иначе. Я внушил себе, что за мной следят, и стал верить в это. Чем ближе тропа подводила меня к дому Татьяны, тем большее любопытство вызывала во мне моя вечерняя прогулка. Уподобляясь герою компьютерной «бродилки», которому надо разгадать смысл всякой всячины, встречающийся на его пути, я пристально всматривался в темный бастион деревьев.

Деревья остались позади, и я вышел на поляну, центр которой занимал сырой фундамент и стропила строящейся ветряной мельницы. Левее ее углами тянулась ограда из струганого бруса, очерчивая территорию конюшен. Между ними и забором стоял бревенчатый дом управляющего, вакансия которого была свободна, и хозяйкой дома временно была Татьяна. Палыч жил много правее, на краю березовой рощи. Несмотря на кажущуюся мрачность этой части парка, я чувствовал себя спокойно. Всего в трехстах метрах находились задние ворота, где дежурили охранники.

Никаких новых сюрпризов я больше не обнаружил и в связи с этим испытал разочарование. Однако, как оказалось, это чувство было преждевременным. Когда я снова стал ощущать свою мокрую одежду и назойливый ветер в лицо, мое внимание привлекло прерывистое слабое свечение. На круглом, пахнущем лошадьми выгоне, у самых ворот конюшни, где спрессованный копытами снег сохранился дольше, чем в других местах, я увидел крохотное пламя. Танцуя, извиваясь на снегу, оно отчаянно сопротивлялось ветру и неминуемо проиграло бы поединок, если бы его не прикрывала конюшня.

Я остановился, нервно радуясь продолжению игры, облокотился на ограду и стал смотреть на огонек. Это скорее всего была свеча, воткнутая в снег. Оранжевое световое пятно под ней тряслось и суетилось, словно хотело улизнуть под землю, да не было подходящей норы. Из-за ворот конюшни доносился прерывистый храп и копытный стук. Я ждал неизвестно чего. «Ну, что дальше?» — мысленно задал я вопрос затейнику игры с огнем, не замечая в себе неуверенности или страха. Вряд ли изобретатель «бродилки» намеревался доставить мне неприятности — их удобнее было бы доставить на горбатом мосту, где было намного темнее и равнозначно далеко от двух постов охраны. А коль огонек нес с собой не дурные намерения, то я, перемахнув через ограду, бесстрашно пошел к нему, как к юбилейной свече, воткнутой в торт.

О том, что произошло несколькими мгновениями позже, я вспоминал с мистическим ужасом и холодел по ночам, когда это зрелище прокручивалось в моих снах. Я приблизился к огоньку, опустился на корточки и осторожно извлек из снежной ямки газовую зажигалку. Она была горячей, как гильза, выпавшая из автомата, кнопка клапана была вдавлена и обмотана ниткой — газ шел беспрерывно. Я задул пламя, посмотрел по сторонам со слабой надеждой увидеть Прометея, принесшего сюда этот вечный огонь, как вдруг за конюшней что-то зашуршало и стало разрастаться зарево, словно среди ночи надумало взойти солнце, по снегу поползли красные блики, из-за крыши прямо вверх, на косматые ветви, брызнули искры, под ними заклубился дым, а вслед за этим показалась рыжая грива пожара.

Огонь вспыхнул и стал пожирать противоположную сторону конюшни намного быстрее, чем я рассказал, и я даже не успел сообразить, что произошло и что неминуемо должно случиться, как по ушам ударили истошный визг и ржанье лошадей; мне показалось, что под моими ногами задрожала земля, что между глубинных корней буков промчался поезд метро, и инстинкт, опережая мысль, уже толкнул меня в грудь, принуждая кинуться прочь от содрогающихся ворот конюшни, но я безнадежно уступил лошадям в своем стремлении спастись. Ворота с треском распахнулись, с гвоздями выдирая петли, и страшные зубастые морды хлынули на меня. Я успел увидеть десятки широко раскрытых ноздрей, полные ужаса раскосые глаза, развевающиеся гривы, мощные груди с набухшими мышцами и клочья пены, разлетающиеся в разные стороны из оскаленных пастей. Я машинально обхватил голову руками, и тотчас меня накрыла жуткая, пахнущая навозом и потом волна, и вокруг все захрипело, задышало, загрохотало. Тупая сила сбила меня с ног, я упал лицом в снег, и, пока падал, в спину догнал еще один жестокий удар...

Сознание уходило обрывками; я еще слышал топот и ржание, но ни конюшни, ни лошадей уже не видел; с горы сходила лавина, и мокрый снег, перемешанный с булыжниками, заживо хоронил меня.

Темнота и беспамятство были недолгими, тонкими, как шелковая нить. Их вытеснил грохот падающих камней и крики; я различал эти звуки отчетливо, но никак не мог определить в них себя и пытался позвать на помощь — Бадура или Креспи, но портер меня бросил, я знал это, и слезы, скопившиеся где-то во лбу, истязали меня и все никак не могли выплеснуться. Потом я почувствовал тепло на лице, жар. От теней тянуло холодом, они садились на мое лицо, как мухи.

— Врача вызвали? — услышал я голос князя.

Я приоткрыл глаза. Это было больно. Напротив меня стояла пожарная машина, кажущаяся черной и плоской на фоне полыхающей конюшни. Пожарные носились перед огнем со шлангами. Пламя не реагировало на воду, словно его поливали бензином. Орлов в каракулевой папахе сидел верхом на коне, без седла и уздечки, возвышаясь над миром как памятник Петру Первому. Конь волновался, крутил головой, фыркал и топтался на месте. Его копыта мяли мокрый газон совсем близко от моей головы, и я подумал, что князь, не заметив, обязательно проедет по моему лицу.

Я широко раскрыл рот, растянул губы, пошевелил языком, после чего произнес:

— Я вашему коню ногу случайно не отдавил, Святослав Николаевич?

Князь, приструнив коня ударом хромовых сапог по раздутым бокам, посмотрел на меня и вскинул вверх бровь. Его бронзовое лицо освещалось пожаром, как сполохами. Субординация не позволяла мне разговаривать с хозяином лежа, и я привстал с земли, точнее, с брезентовой подстилки, на которую кто-то заботливо перетащил меня с выгона. Сделать это мне было не трудно, тупая боль в спине не причиняла больших страданий.

— Выгрезился? — холодно спросил он. — Соображать способен?

— Еще не знаю, — ответил я, ощупывая голову.

— Воду принесла? — спросил князь, по-прежнему глядя в мою сторону, но вопрос был адресован не мне. Я обернулся и только сейчас увидел, что рядом со мной стоит Татьяна. Она протянула мне пластиковую бутылку с водой, но я отрицательно покачал головой.

— Почему это оказалось в твоей руке? — спросил меня князь, раскрывая ладонь и показывая мне зажигалку. Когда-то очень давно папа нашел в моем кармане пачку сигарет и задал очень похожий по интонации вопрос.

Я даже рта раскрывать не стал, потому как самый правдивый ответ все равно прозвучал бы как вранье, и покосился на Татьяну. Девушка с интересом наблюдала за работой пожарных и перебирала пальцами цепочку от ключей. Почувствовав мой взгляд, она повернула лицо в мою сторону. Не ручаюсь точно, какое выражение она встретила, но реакция ее была конкретной и очень понятной:

— Не напрягайся. Ничего умного ты сейчас не скажешь.

Разговора не получилось. Морщась от боли, я снял с себя куртку и пучком сухой травы попытался стереть след копыта. Прижимая крохотного и беспомощного щенка к груди, неподалеку стоял Палыч. Его седина была зловеще красной от огненных бликов. Заметив, что я поглядываю в его сторону, он подошел ко мне, припал на корточки и закашлялся.

— Ну? — неопределенно спросил он, кидая тревожные взгляды на пожар, на Татьяну и князя. — А я тебе щенков показать хотел... Кони-то, кони не угорели, а?

Кутенок, попискивая, слепо тыкался мышиной мордочкой Палычу в грудь, скреб дрожащими лапками по грубой ткани армейской куртки, принюхивался к ладоням, пахнущим не материнским выменем, а табаком, подтягивал нежное брюшко, сводил слабые ребрышки и плакал от голода и страха.

— Вот что, парень, — проговорил Палыч вполголоса, нервно поглаживая щенка. — Я тебе кое-что скажу, а выводы ты сам делай...

Он замолчал, потому как в этот момент встретился взглядом с Татьяной. Не было бы на его руках щенка, девушка наверняка отвернулась бы сразу. Лицо ее мгновенно отразило то нежное чувство, которое часто переполняет сердце девицы, еще не познавшей материнства, при виде милых и нежных зверей.

— Потом, — отрывисто шепнул Палыч, едва шевеля губами.

— А это кто такой?! — пискнула Татьяна, от умиления прижимая руки к груди. — Господи, крошечный какой! Несчастненький какой!

Щенок покорил ее. Татьяна приблизилась к Палычу и, не спрашивая разрешения, бережно взяла из его рук кутенка. Тот растопырил лапки, задрожал и пронзительно запищал.

— Если понравился — забирай, — бормотал Палыч. — Дай только немного подрасти. Как от мамкиной титьки оторвется, можешь забирать...

Конь под князем хрипел, скалил желтые зубы, испуганно водил глазами и нетерпеливо стучал копытами.

— Собери коней в табун и отведи на ухожу, — приказал Орлов, обращаясь то ли к Палычу, то ли к Татьяне, но девушка безошибочно приняла просьбу на себя, без ворчанья, что на конюха не училась, отдала Палычу кутенка и тотчас отошла в сырую темень.

— Рассказывай, — сказал Орлов мне, наблюдая за пожаром и недовольно качая головой: ему не нравилось, что пожарные работают слишком медленно и неловко. — Что ты здесь делал?

Я объяснил, что сначала нашел окурок на горбатом мосту, затем пошел дальше и нашел перед воротами конюшни зажигалку и чем это все для меня обернулось. Когда замолчал, то ужаснулся тому, как глупо выглядел мой рассказ. Орлов высказался так, как я и ожидал:

— Ты что ж, ночью по всей усадьбе окурки собирал? Ошелоумел, братец?

— Неужели вы не понимаете: кто-то очень хотел, чтобы я умер от печали под копытами лошадей! — ответил я, давая понять князю, что его тон несправедлив.

— Кто же это?

— Если бы я знал! Меня просто заманили в ловушку, которую заранее подготовили. Стойла ведь были открыты! И ворота конюшни были открыты. Лошади едва почуяли огонь, так сразу кинулись наружу.

— Тебе очень надо было на выгон лезть?

— Я увидел зажигалку. Она горела, как свеча, у самых ворот...

— Ладно, потом объяснишь, — перебил меня князь и хлопнул коня по шее. — Пошел!

Еще час я не знал, чем себя занять, ходил кругами вокруг пепелища, смотрел, как Татьяна вместе с князем управляются с лошадьми, потом разговаривал с охранниками, дежурившими у ворот как раз в те минуты, когда за конюшней вспыхнули овсяные снопы, сложенные у торцевой стенки. Никто ничего подозрительного не заметил, никто через ворота не выходил.

Когда с пожаром было покончено и пожарные, смотав шланги, уехали в свою часть, на пепелище появился бородатый конюх в нелепом горнолыжном комбинезоне, из-за большого количества заплаток напоминающем маскировочный костюм. Конюх был запоздало суетлив и испуган. Я не слышал, о чем говорил с ним князь, но конюх, отвечая на вопросы, все время крестился и показывал рукой куда-то в сторону.

Я вернулся к себе, разделся перед зеркалом и с отвращением рассмотрел огромный синяк между лопатками. Испуганные лошади виртуозностью не отличались, и я не превратился в отбивную лишь по счастливой случайности.

«Интересно, а кто вытащил меня с выгона?» — подумал я и тотчас вспомнил, как Татьяна садилась в автобус, чтобы уехать на почту. Странно, что спустя каких-нибудь полчаса она оказалась на пожаре.

Глава 23

ДРЯНЬ

Как утомительно рассказывать об одном и том же в десятый раз! Я надеялся, что мой визит в отделение милиции займет несколько минут, но был удостоен внимания следователя из областной прокуратуры, которого прислали к нам по непальскому письму. Это был подвижный, худой и очень нервный тип по фамилии Мухин, который прикрывал свою преждевременную лысину длинной прядью, выращенной над ухом и зачесанной на манер ободка для наушников.

— Давай! Короче! — приветствовал он меня, протянув узкую ладонь, в которой прощупывались все подвижные косточки, придвинул мне стул, но сам не сел, встал спиной к окну и принялся там подергиваться, пританцовывать и делать еще массу всяких бессмысленных движений.

Я сделал пару глубоких вздохов, как стайер перед марафонской дистанцией, и по порядку обрисовал ему картину высотного лагеря, которая открылась мне, перечислил находки, не забыл упомянуть о появлении в лагере Татьяны, которую в качестве письмоводителя взял на работу князь, и завершил рассказ своей фантастической версией о пластической операции.

Мухин перебивал меня буквально после каждого предложения.

— Так что? — срывающимся высоким голосом кричал он. — Нет, ты скажи: ты считаешь, что Столешко хочет изменить внешность под Родиона? Так, да? Или нет? Чего ты юлишь? Ты мне прямо говори, чтобы все было чики-чики!

Он требовал прямоты, а сам извивался у окна, как стриптизерша на шесте, и беспрестанно приглаживал тонкую прядь, наклеивая ее на вспотевшую лысину.

— Я так думаю, — пытался вставить я слово. — Не уверен, но полагаю, что это так.

— Нет, подожди! Давай все сначала! Ты заявляешь, что Столешко убил Родиона и взял себе его внешность? Так, да?.. Ты что коллекционируешь? Счастливые автобусные билетики или конфетные фантики?

Я изумленно изгибал брови, раскрывал рот, чтобы высказать свой полный отпад от вопроса следователя, но он

157

снова перебивал меня, загоняя психологическим прессингом в угол:

— Значит, веских доказательств нет, одни галлюцинаторные фрагменты? Так, да? Нет, ты скажи прямо: так или не так?

Он вымотал мне душу в первые пятнадцать минут разговора, после чего я замолчал, и следователь, постучав по столу обломком линейки, потребовал у дежурного принести мне воды. Тогда я понял, что значит расколоться на допросе. К этому расколу я был очень близок.

Потенциальный клиент психдиспансера, убедившись, что я в достаточной мере жадно хлебаю воду, изменил тактику, сел на подоконник, скрестил руки на груди и закинул ногу за ногу, чтобы конечности непроизвольно не двигались.

— Я могу с чистой совестью сдать письмо из Непала и твои показания в архив, — сказал он, ни на мгновение не упуская меня из поля своего зрения. — Никакого криминала я здесь не выслеживаю. Ты, конечно, можешь написать заявление и настоять на расследовании, но это будет многолетний «висяк», на который сотрудники уголовного розыска будут тратить свое драгоценное время. Понял меня, да? Или нет?

— Понял, — кивнул я, но, как выяснилось, поспешно.

— Ничего ты не понял, — начал объяснять Мухин. Он «развязался» и снова стал дергаться и танцевать у окна. — Ты берешь пять чистых листков бумаги — пять, понял? — и в течение трех дней пишешь все, что считаешь нужным: по пунктам, одни голые факты — видел, сделал, нашел, подобрал. Я читаю и решаю: отправлять запрос в бангкокский медицинский центр репродукции человека или нет. Я предсказываю — понял, да? — ордена нам получать или подзатыльники. Не я, не я буду расследовать это дело, а ты, и все будет чики-чики... Что смотришь? Ты! Как говорится, если хочешь лечиться, придумывай болезнь. Я всего лишь упаковщик номер один, понял? Все, что ты сделаешь, я упакую и отправлю куда надо. Давай, пока! Времени нет, прости!

И он пулей вылетел из кабинета, с треском распахнув перед собой дверь.

«А в общем-то неглупый парень», — подумал я, невольно сравнивая следователя и себя с бешеным зайцем и престарелой черепахой. Мне надо было, чтобы он всего-то пару раз появился в усадьбе и огромной лупой навел бы там шороху. Фактов, конечно, не было и быть не могло. Но не заполнять же пять листов чистой бумаги подробным изложением того, что случилось на охоте!

Собственно, охоты, как таковой, не было. Орлов, единственный из всех, кто разбирался в тактике травли лесного зверя, вольно ругался и пытался навести одному ему известный порядок. Мне вместе с Филей Гонзой выпало счастье сидеть в засаде на склоне оврага, по дну которого борзые должны были гнать не то кабана, не то зайцев, не то ежиков. Выжлятником, то есть напускающим собак, князь определил Палыча, а ему в помощники назначил местного лесничего. Сам князь вместе с Татьяной, оба верхом, заняли позицию у опушки, где овраг сходил на нет, чтобы преследовать дичь на тот случай, если мы с Филей либо промахнемся, либо подраним зверя. Садовница подвизалась помощницей кухарки и вместе с ней на живописной полянке сервировала охотничий стол.

Как и следовало ожидать, началась неразбериха. Мы с Гонзой, вымазавшись в перегное и едва не угодив в болото, вышли совсем не на тот овраг, какой был нужен, и, добросовестно просидев в засаде не меньше часа, от скуки открыли беспорядочную пальбу по воронам, недвусмысленно кружившим над нами. На эту стрельбу вскоре явился злой лесничий, который сначала принял нас за чужих и начал требовать лицензии, а потом присоединился к нашему занятию.

Князь, уже изрядно принявший из серебряной фляжки, разнес нас в пух и прах и велел начать травлю сначала. Мы с Филей еще час валялись в прелых листьях другого оврага, пока наконец не услышали отдаленный лай своры. По мере ее приближения мы все более добросовестно определялись в секторах стрельбы и целились, отчего у нас в глазах вскоре стало двоиться. Головастый, оголодавший за зиму, закамуфлированный в черные пятна кабан резво проскакал по дну оврага. Только когда нашим глазам представились его щетинистые окорока с крученым хвостиком посредине, мы пальнули одновременно из двух стволов.

Секач, вместо того чтобы рухнуть замертво или с визгом помчаться на заслон князя, вдруг круто развернулся на сто восемьдесят и, водя дурными глазами, стремглав кинулся на нас. Мы с кассиром издали единый вопль и ломанулись в густые заросли. Я пытался на ходу перезарядить помповую гладкостволку, но, как это часто бывает, в нужный момент ружье отказалось работать. Потеряв из виду своего напарника, я комбайном разреживал лес, оставляя за собой дрова и хворост, пока моя нога не угодила в воронку и я не рухнул на ее дно, устланное заледеневшим старым снегом.

Некоторое время я неподвижно лежал в своем убежище, прислушиваясь к лаю собак, топоту конских копыт и беспорядочной стрельбе. Когда все стихло, я позволил себе высунуть голову и оглядеться.

Ничего подвижного вокруг себя, кроме пара из собственного рта, я не увидел. Лес казался безжизненным. Ни один звук не блуждал среди гладких, как трубы, стволов. Я выпрямился во весь рост, но Филю не увидел. Это показалось мне странным, и я даже взглянул вверх, не исключая того, что кассир мог ретироваться от секача на ветку какого-нибудь дерева. Держа ружье на изготовку, я медленно побрел по лесу вдоль оврага, отыскивая следы своего напарника.

Дойдя до гнутой полосы обмелевших старых окопов, оставшихся, должно быть, с времен войны, я увидел Филю лежащим ничком на куче прелых листьев. Подбородок его упирался в мшаный бруствер, правая рука крепко сжимала цевье оружия, словно кассир выслеживал зверя и зверь этот был настолько опасен, что кассир при моем появлении молча взглянул на меня дикими глазами да повалил рядом, цепко схватив меня за руку.

Я уже был готов увидеть лешего, оборотня или йети и, не выпуская из рук ружья, медленно приподнял голову, заглядывая за бруствер на дно оврага. Зрелище оказалось столь обычным, что я еще не меньше минуты полоскал его взглядом, стараясь понять, что же так потрясло Филю.

На дне оврага, по-прежнему верхом, поставив лошадей боками друг к другу, стояли князь и Татьяна. Орлов, держа ружье на изломе, вытаскивал из стволов пустые, обуглившиеся гильзы, кидал их под ноги коню и короткими ударами ладони забивал новые. Татьяна, уверенно сидящая в мужском седле, поправляла на голове хулиганский берет, под которым прятала свои роскошные волосы, и оглядывала поверх головы князя склоны оврага.

Я уже был готов подняться на ноги и приветствовать неудачников, которые, по всей видимости, тоже проворонили секача, как Филя вдруг скомкал куртку на моем плече и поднес палец к губам. Я не мог понять, зачем он следит за хозяином и Татьяной, мне ни к чему и стыдно было заниматься столь неблаговидным делом, но время, когда еще можно было раскрыться и остаться вне подозрения, уже ушло, и теперь приходилось таиться до конца.

— К чему мне ваша похвала, Святослав Николаевич? — со вздохом произнесла Татьяна. — Кому это надо? Только мне одной?

— Каждый человек, камочка, должен уметь и знать многое, — ответил князь. — Что-то не видать наших рохледей...

— А смысл этого? — сказала Татьяна, прижимаясь к гриве коня и поглаживая его шею рукой в кожаной перчатке. — Мне самой разве это надо? Вы же сами говорили — дарить людям радость общения с собой.

— Правильно, — ответил князь, с щелчком замыкая ствол. — С чего, ты думаешь, я тебя до сих пор терплю?

— Вы терпите меня как секретаршу. А ведь я еще молода, я могу быть верной женой, но чувствую себя старой вдовой. Это ужасно, Святослав Николаевич! Это пытка!

— Счастье пытать — лишь деньги терять. Смотри наверх, золотце, как туман небо шлифует — так денечки наводят блеск на твоей молодости.

— Вы все шутите, а мне не до шуток... — глухим голосом произнесла Татьяна и вдруг порывисто взяла белую, в набухших венах руку князя и стала ее целовать. — Ах, Святослав Николаевич, родненький! Если бы я стала вашей женой! Я об вас беспокоилась и заботилась бы, как о собственном ребенке!

— Срамословишь, камочка! — без гнева ответил князь, убрав ладонь от губ девушки, и несильно толкнул ее в лоб. — Стыдом умываешься! Я тебе в дедушки гожусь.

— Ну и что! Ну и что! — торопливо заговорила Татьяна. — Сколько богом отпущено, столько любить вас буду...

— Я подумаю! — перебил ее князь, натягивая поводья, чтобы удержать коня на месте. — Обгодим, посмотрим, что ты за птица.

Он пришпорил коня. Гнедой с места пошел галопом, шурша листьями. Некоторое время Татьяна неподвижно смотрела Орлову вслед, затем подняла над головой длинный арапник с шелковым навоем и жестоко стегнула коня по бокам. Конь, встав на дыбы, неистово заржал и понесся по дну оврага, гулко стуча копытами.

Некоторое время мы с Филей продолжали пялиться на скомканное одеяло из прелых листьев, словно ожидали развития действа. Кассир первый поднялся с земли и стал отряхиваться. Я увидел его глаза. Они смотрели внутрь черепа.

— Палка, палка, огурец, вот и вышел человец, — пробормотал он. — Что-то я ничего не понял...

— А что тут понимать? — возразил я. — Девочка цепляется за княжеское состояние любыми доступными способами. Раз не получилось выйти замуж за Родиона, можно попытаться выйти за Святослава Николаевича.

— Но разве... разве старик не видит, что пригрел у себя на груди змею! — с трудом произнес Филя, скрипя зубами. — Мерзавка! Проститутка! Дрянь!

— Мне кажется... — начал было я, но Филя, перехватив мой взгляд, перебил:

— Я знаю, что тебе кажется! Я знаю, что ты думаешь обо мне! Не только наследство, дружище, не только! — Он тряс кулаком перед моим лицом и брызгал слюной. — Я не выношу гадюк вроде Татьяны! Не выношу их змеиной гибкости, понял?

Его скулы обострились. Дыхание становилось все более частым и глубоким, отчего ноздри стали широко раскрываться, как у взмыленного коня. Вскинув ружье, он принялся палить по веткам, которые паутиной нависали над нами. Тучи ворон взмыли в воздух. Небо пришло в движение.

— Ненавижу! — кричал Филя, продолжая палить вверх. — Ненавижу этих тварей!

Глава 24

ГОРОД СОШЕЛ С УМА

Стол, сколоченный из сосновых досок, уже был на две трети заставлен снедью, и места на нем оставалось в аккурат для длинных, будто нанизанных на луковые стрелы шашлыков и щуки, запеченной в тесте в костровых углях. Не успела

Татьяна водрузить на свободное место овальное блюдо, как князь шлепком припечатал к столу свежий номер местной газеты «Двинская заря» и сказал:

— Полюбуйтесь! Вольно псу и на владыку брехать. Им в охотку не только чистую бумагу бандать. Позор!

Он отошел от стола, снял папаху и пристроил на ней рябое зимняковое перо. Я стоял к столу ближе всех и взял газету в руки. На первой полосе, как обычно, размещались криминальная хроника и реклама. А вот разворот был посвящен родословной князя и озаглавлен «Генеалогичекое дерево Орлова С.Н.». «Дерево» было путаным, сложным, состоящим из множества квадратиков и полосок.

— Мать Ольга родилась от Елены и Ивана, — вслух расшифровывала схему Татьяна, глядя на газеты через мое плечо.

— Мать Ольга — это моя мать, — пояснил князь, отламывая от курицы прожаренное до сухого хруста крылышко.

— А Елену, в свою очередь, родили Агафья и Николай, — продолжала Татьяна. — Николай — от Ульяны и Федота. У Федота три брата. Один из них, Касьян, с Пелагеей родили Зою, которая в браке с Никоном родила двух сыновей и дочь: Макара, Карпа и Раису. А те родили... Ой-е-ей! Тут столько фамилий и имен!

— Это все мои родственники! — обратил внимание присутствующих князь, надкусывая крылышко.

— Про меня, наверное, там не написали, — с деланным безразличием сказал Филя, наматывая круги по поляне вокруг стола.

— Про тебя... — произнесла Татьяна и опустила взгляд ниже. — Почему же! Вот твое имя — в жирной рамке.

— Как в некрологе, — усмехнулся Филя.

— Значит, мать Святослава Николаевича — Ольга, — бормотала Татьяна. — Ее сестра Ксения с Михаилом Гонзой родили Матвея, который с Марией родили сына Филиппа.

— Ну, утешила, — с заметным облегчением произнес Филипп и взял со стола бутылку вина.

— Ты аж побледнел, братец! — усмехнулся князь.

— А чего мне бледнеть, Святослав Николаевич? — пожал плечами Филя и отхлебнул из горла. — Я к вам в родственники не записывался, как некоторые. Не моя вина, что вы мне двоюродный дядька. Так судьбой определено. Хотите — гоните в шею, не обижусь.

— Видал? — подмигнул мне князь. — Жалость вызывает.

Татьяна в черных кожаных джинсах и полушубке — изящная, пружинистая, сильная, как пантера, с нежной настойчивостью взяла из моих рук газету. Некоторое время она с интересом рассматривала схему, особенно ее нижнюю часть, куда дождем стекли все ныне живущие родственники князя, человек пятьдесят-семьдесят, потом подняла глаза на Орлова и спросила:

— И как вы думаете поступить со всей этой толпой страждущих?

— Кнутом! — весело ответил князь. — В поле всех погоню хлеб выращивать!

— Так жестоко?

— Правильно, Николаич! — поддержал Гонза, забивая рот толстым пучком зелени.

— Вас ждали здесь как мессию, — мягко возразила Татьяна, возвращая газету мне. — Народ уже ни в кого не верит — ни в правительство, ни в бога, ни в историю. И вдруг — вы! Богатый, родной, русский до мозга костей!

— И что прикажешь мне теперь делать, камочка? — насторожился князь.

— Не знаю, — ответила Татьяна, наливая себе в бокал немного белого вина. — Вы сделали уже очень много. Новая церковь, новая школа, новая больница, о какой здесь даже мечтать не могли. Это все прекрасно, но... Вы видели, как бабки целуют ограду усадьбы? Не убивайте последнюю надежду у людей. Оставайтесь для них богом.

— О какой надежде ты голчишь? — нахмурился Орлов. — Надежде на то, что в один прекрасный день я преставлюсь, потом нотариус вскроет завещание и выяснится, что всем этим безделюям (он кивнул на газету) я оставил свое состояние? Этой вот надеждой я должен поддерживать любовь народа к себе?

— Мы, Николаич, вас и без состояния любим! — вставил Филя, пальцами снимая с шампура жирный кусок свинины. — Лично мне, господа, этот разговор неприятен.

— Вы не поняли меня, — сказала Татьяна князю, скармливая шашлык кучерявой борзой. — Главное все же для

164

людей — именно это дерево, этот могучий ствол. Осознание того, что в нашем жалком городишке наконец появилась ось, вокруг которой все вертится. Ваша усадьба, ваша семья, ваши потомки... Понимаете меня? Все смотрят на вас — хозяин вернулся! Сильный, справедливый, богатый. И поселился не в муниципальной квартире, а в усадьбе. Это значит — надолго, на века! И ваши богатство, сила и щедрость должны быть вечными, чтобы люди верили вам вечно, как раньше в монархию или в партию. И тогда на душе у людей будет покойно и счастливо, они будут знать, что защищены вашей добродетелью.

— Вечно не получится, — возразил князь. — Мне восемьдесят четыре года, камочка.

— Потому вам нужны сыновья, внуки, правнуки...

— Вот же, черт, как живот сводит! — вдруг перебил Татьяну Филя и, морщась, стал расстегивать «молнию» куртки. — Да что ты к человеку привязалась! Свою личную жизнь обустроила, так не лезь с глупыми советами!

— Что ты имеешь в виду? — спокойно спросила Татьяна.

— А что сказал, то и имею! Святослав Николаевич сам разберется, что ему нужно.

— Это ты верно подметил, — кивнул Орлов, вытирая губы тканевой салфеткой с вензелем «СО». — Сам разберусь, хотя, собственно, и разбираться не в чем. Потребности у меня уже небольшие. Хочется, чтобы вокруг меня были люди честные, великодушные, с чистыми помыслами. Чтобы все в городе стали вежливыми, боялись бога и почитали старших. Чтоб никто не унижался, не попрошайничал, не воровал, не завидовал. Чтобы девицы знали, что такое стыд...

— Вот за это и предлагаю выпить! — подхватил Филя и покосился на Татьяну.

— И чтоб ты себе язык подрезал! — Князь метнул сердитый взгляд на Филю.

— Слушаюсь, ваша светлость!

— А почему в «дереве» не указана ваша жена? — спросила Татьяна, окуная кусочек мяса в томатный соус.

— А кто здесь о ней знает? — отмахнулся Орлов. — Она умерла в Нью-Джерси, где мы жили последние пятнадцать лет.

— Давно?

— Давно, — качнул головой Орлов. — Как девочка на серфинге по волнам летала, пока ее волной не накрыло... Доску к берегу прибило, а ее нет... Даже могилы не осталось от человека, так-то. Ходил каждый год на тот берег, цветы в воду кидал...

Он замолчал и взялся за бокал.

Прискакал конюх — темнолицый от жизни преимущественно на свежем воздухе, бородатый, космотый, но в очках с толстыми линзами, отчего почему-то напоминал мудрого индуса, проповедующего здоровый и праведный образ жизни.

— Нет зайца, — сказал он безрадостно, будто это было для него настоящим горем и позором, и одним махом выпил стопку, которую поднесла ему Татьяна.

Я строил на ломте черного хлеба пирамиду из сала, горчицы, листа салата и колечка лука и поглядывал по сторонам. Татьяна стояла у стола крепко и голода не стеснялась. Садовница хоть и была старше лет на пять, в сравнении с Татьяной казалась ребенком, пережившим войну, — кожа белая, движения замедленные, аппетит нетренированный. Я смотрел на ее правильное лицо, ровный нос, изумительные губы и удивлялся, до чего же наши женщины умеют себя уродовать. Кухарка — ладно, она уже не молода, да и в молодости не была красивой. Но садовнице ведь еще нет тридцати, и у нее удивительное, породистое лицо! Зачем ей этот платок, закрывающий лоб и волосы? Зачем телогрейка и резиновые сапоги сорок второго размера? Да этой женщине, чтоб показать свою красоту, не надо платья от Кардена и косметики от Версаче. Ей вообще одежда не нужна Ее раздеть надо и поставить у березы. И все. Отпад. Весь мир будет у ее ног.

— Я недавно в газете одну забавную историю вычитал, — сказал Филя. Он сидел на подстилке из прошлогодней травы, опираясь на влажный березовый ствол, и попивал вино. — Один «новый русский» заказал себе на дом проститутку. Девочка оказалась — просто чудо! И ужин сама приготовила, и на фортепиано ему Шопена сыграла, и «Аве Марию» спела. В постели мужик окончательно растаял. Утром просыпается — нет ни девочки, ни его паспорта. Паспорт потом по почте пришел, а девочка через девять месяцев к нему домой с ребенком на руках заявилась. Жена «нового русского» в обморок — хлоп! И на развод. А чего разводиться, если мошенница каким-то образом давно их развела и мужика на себе женила... Короче, та проститутка потом его из собственной квартиры выселила. В одном костюмчике мужик остался. И без работы. Пишут, что сейчас он на каком-то вокзале бомжует.

Я поглядывал на Татьяну. Девушка, слизывая крем с пирожного, с трудом сдерживала смех, будто Филя рассказал весьма забавный анекдот. Князь, кажется, был погружен в свои мысли и не слишком вслушивался в бормотание кассира.

— А потом она продала квартиру и уехала в Швейцарию, — стал развивать я нравоучительную фантазию Фили. — И еще подала на алименты. И теперь бомж собирает в мусорных баках бутылки, сдает их и четверть выручки переводит на ее счет в заграничном банке.

Татьяна смеялась. Филя молча пожал плечами и надолго присосался к горлышку бутылки.

— Рад дурак, что глупее себя нашел, — проворчал Орлов, сердито взглянув на меня.

Обед заканчивался. Кухарка собирала со стола использованную посуду, пустые бутылки и складывала в большой черный короб, обитый по углам сталью.

Не успел я смастерить второй бутерброд, основу которого составляли хлеб, масло и кусочек исландской сельди в горчичном соусе, как Татьяна незаметно отчалила от стола. Я упустил ее всего на несколько секунд и сразу потерял из виду. Тут некстати князь предложил мне выпить с ним водки, «чтобы дичь не с языка слетала, а под ногами лежала», а потом стал рассказывать старинную притчу об охотнике на медведя, и я не мог отказать ему во внимании, хотя краем глаза видел, как Филя медленно поднимается на ноги. Кассир намеревался исчезнуть с поляны так же незаметно, как и Татьяна.

Я уже не понимал, о чем говорит Орлов, думая только о том, чтобы Филя споткнулся и поломал себе ногу. На удачу, притча оказалась короткой, князь замолчал и приподнял стопку.

— Прекрасно! — сказал я. — По этому случаю прошу ала-верды!

И позвал Филиппа. Кассиру ничего не оставалось, как подойти к нам. Я налил ему, обнял его за плечо и сказал:

— Расскажи Святославу Николаевичу, как мы с тобой удирали от секача!

— Что? — не поверил Орлов. — Почему не доложили о таком позоре?

Я оставил родственников наедине и, убыстряя шаги, пошел по поляне, глядя по сторонам. На южном склоне, упирающемся в ручей, где снег сошел недели две назад, Татьяна собирала подснежники. Она медленно шла между деревьев, глядя под ноги. Влажная, упругая земля позволяла мне двигаться бесшумно, и Татьяна вздрогнула от неожиданности, когда я нагнал ее со спины и закрыл ей глаза ладонями.

— Не смешно, — сказала она, не пытаясь освободить лицо от моих ладоней. — Хватит, надоело.

— Кто? — спросил я.

— Конь в пальто.

— Отгадала, — сказал я и повернул девушку лицом к себе. Мне было приятно смотреть в ее красивые глаза и улыбаться.

— Дальше что? — спросила Татьяна.

Я без усилий подтолкнул ее к стволу березы. Не сводя с меня глаз, Татьяна поднесла к своему лицу тощий букетик.

— Я в восторге от твоей хватки, — сказал я, не убирая рук с плеч девушки. — Но у меня не хватает фантазии предположить, что будет, если вдруг Родион объявится? Кто ты будешь ему тогда? Мамочка, да? А он тебе вроде как сыночек? И что этот сыночек с тобой сделает, когда узнает...

Я не договорил. Произошло что-то необъяснимое. Татьяна вдруг каким-то ловким движением сбросила мои руки со своих плеч и тыльной стороной ладони врезала мне в челюсть. Не желая верить очевидному, я отшатнулся и попытался опять схватить девушку за плечи, чтобы тряхнуть ее, как яблоню, но Татьяна подпрыгнула и, развернувшись в воздухе, хлестко взмахнула ногой...

Мне пришлось очень постараться, чтобы избежать удара. Я едва успел пригнуть голову и выставить вперед руку, со-

168

гнутую в локте. Полет девушки был резко прерван на самом красивом месте, но и я не удержался на ногах. Мы оба повалились навзничь. Земля беззвучно спружинила слоем листьев. Татьяна замерла, раскинув руки и глядя в небо. Между нами торопился жить тщедушный подснежник. Я сорвал его, перевернулся и оказался над девушкой.

— Ты не ушиблась? — спросил я.

Она отрицательно покачала головой. Я лежал над ней и рассматривал ее лицо вблизи. Женское лицо вообще лучше всего рассматривать сверху. Сильный изгиб губ, влажный блеск ровных и чистых зубов, пепельные брови, миндалевидные цвета баргузинки глаза...

— Вчера лошадь в спину, — произнес я, проводя пальцем по ее гладкой прохладной щеке. — Сегодня девушка в челюсть. По-моему, мы недавно заключили мирный договор.

— Надеюсь, тебе не было больно? — спросила она. — Тогда целуй меня.

Я мысленно повторил ее слова, убеждая себя в том, что правильно понял их смысл. Просьба Татьяны была, мягко говоря, странной, в то же время я не мог найти в ней ничего отталкивающего или невыполнимого. Ее глаза были чисты от лукавства или злости. «Я совсем не знаю женщин», — подумал я, ниже склоняя голову и касаясь губами ее влажного рта. Девушка слабела подо мной, глаза ее закрывались, я почувствовал ее язык, ее оживающие, ищущие губы и полированный ряд зубов...

Она вдруг укусила меня за губу — не слишком сильно, чтобы умереть, но вполне ощутимо, чтобы я отпрянул и прижал ладонь ко рту.

— Может быть, ты позволишь мне встать? — неожиданно сердито произнесла Татьяна. — У меня уже куртка на спине промокает.

Я поднялся на ноги и подал девушке руку. «Орлов глупее, чем мне казалось, — подумал я, всматриваясь в глаза Татьяны. Она пыталась спрятать от меня взгляд. Не получилось, блеснула глазами в мою сторону и улыбнулась. — Он уже ничего не замечает. Мы упустили инициативу. В наших сетях рыба уже тухнет».

Я бродил между деревьев, пинал ногами листья и рвал

подснежники. Филипп, стоя у кухонной повозки, наблюдал за мной и курил.

— У тебя из губы идет кровь, — сказала Татьяна, когда я взялся за короб с посудой, водружая его на прицеп, и протянула мне платок. Я прижал его ко рту, потом вспомнил про подснежники и полез в карман.

— Это тебе. Извини, немного помяты.

— Знаешь что, — подумав, произнесла Татьяна, — я хочу тебе сказать, чтобы ты больше не искал у себя портмоне Родиона. Оказывается, я подкинула его совсем другому человеку.

Я внимательно смотрел в глаза девушке.

— Кто-то из нас сошел с ума, Танюха?

— Если бы кто-то из нас! Весь город сошел с ума.

Глава 25

НЕ СОВСЕМ ЛЮБОВЬ

Меня не пропускали, сколько бы я ни сигналил, а когда, плюнув, дал задний ход, то и путь назад уже был отрезан. Вдобавок какая-то разъяренная старушка зачерпнула ведром дорожной грязи и выплеснула ее на ветровое стекло. Пришлось выйти из машины, но здесь меня никто не боялся. Весь круг перед воротами усадьбы был запружен пожилыми женщинами и мужиками. В глазах рябило от платков, кепок и самодельных транспарантов. Над митингующими разносился визгливый голос:

— Нас разделили как скотов! Теперь появилась привилегированная каста родственников. Все остальные — это быдло, чернь! Редактор газеты считает, что ему дано единоличное право определять, кто удостоен чести считаться родственником Орлова, а кто нет. Надо спросить этого писаку, какими архивами и документами он пользовался, когда рисовал свое лживое дерево! Орлов — это достояние и богатство всего города, а не части его!..

Вокруг митингующих скучали милиционеры, и гневная речь их не пронимала, словно они уже давно были зачислены в родственники единым одномандатным списком. Остальные же, не попавшие в генеалогическое дерево, были

весьма эмоциональны. Когда я вежливо попросил разгоря-
ченных женщин чуть-чуть подвинуться и уступить дорогу
машине, чтобы проехать к воротам, мне на голову тотчас надели транспарант с надписью: «И МЫ ХОЧЕМ ЖИТЬ КРА-
СИВО!!!», а потом стали махать на меня руками, как на
козла, зашедшего в чужой огород.

— Еще один выискался! — подбоченив руки, загорланила
тучная женщина. — Устроился в тепленьком местечке, выжидает!

— Трутень! Паразит! — слабым голосом вторила ей вторая — немощная, завернутая в белый платочек.

— Мордоворот! — однозначно заклеймила третья.

— Наши деньги прикарманить хочет! — предположила
четвертая — без платка, без лица и глаз. — Пропиську пусть
покажет! Пропиську!

— Уважаемые граждане! — усталым голосом говорил в
мегафон охранник из-за ворот. — Князь Орлов принимает
население по личным вопросам каждый четверг с пятнадцати часов. Просьба разойтись по домам и не мешать движе-
нию автотранспорта...

Я сумел пробиться на территорию усадьбы, правда, без
машины и осыпанный обрывками транспарантов, но все же
без следов побоев.

Орлов был взбешен. Он ходил по кабинету и гремел стульями.

— Я не понимаю их! — кричал он, размахивая руками. —
Я всю жизнь стремился сюда, выдавливал из себя все чужое,
пошлое, американское, чтобы не опозориться здесь, среди
своих! Я думал, что они страдают от ностальгии по прошло-
му, по духовности, которую у них отняли! Я готов вернуть
им этот утраченный мир. Но они почему-то хотят только
моей смерти и денег!

— Вы сами виноваты, — сказал я. — Не надо было афи-
шировать, что вы отсюда родом. Приехали бы как рядовой
меценат. Разве мало Орловых на свете?

— Меценат! — передразнил меня Орлов. — Да в моей
картинной галерее двести полотен изображают пейзажи Арапова Поля, половина из которых написана отцом еще до революции. И все они легко узнаваемы! А портреты моей мате-

ри, моего отца, тетки, ее мужа — Филькиного деда? Под картинами комментарии! Дурачок догадается!

— Вы меня извините, Святослав Николаевич, но в вашу картинную галерею никто не ходит.

— Почему не ходит?

— Люди о деньгах думают, а не о картинах. Им еду не на что купить.

— Неужели только и делают, что о деньгах думают? — с сомнением произнес Орлов. — А про мост через реку, который вот-вот обрушится, они не хотят подумать? А про яму перед рынком, в которую и телеги, и машины уже год проваливаются? А свои замшелые и гнилые заборы подправить не могут, чтобы хаты на свинарники не смахивали? Чтобы дети не привыкали к навозу под ногами, к склизкому ганку и пьяному отцу как к норме, как к единственно возможному образу жизни! Чтобы у малолеток в сознании закрепилась планка чистоты и порядка, ниже которой опуститься — смертный грех! И, может быть, только дети этих детей начнут жить уже в ином культурном измерении. Но чтобы это произошло, мужики уже сегодня должны протрезветь, посмотреть вокруг себя и задать вопрос: «Как мы живем?!»

— Да хорошие у нас мужики, Святослав Николаевич! — заступился я за мужиков. — Только за яму, за мост и забор никто им не заплатит!

— А отремонтировать просто так, бесплатно, не могут? Свое же дерьмо я предлагаю разгребать! Свое, братец! Чтобы не по-скотски, а по-человечески жить!

Я пожал плечами и, наверное, неубедительно сказал:

— Они, Святослав Николаевич, уже не видят смысла в жизни — ни в человеческой, ни в скотской.

— А вот для того, чтобы увидели смысл, и нужны картинные галереи, и хорошие школы, и церкви, и культурные центры! — постукивая пальцем по столу, сказал князь. — Я не понимаю, как так получается: еду купить не на что, а с утра все мужики уже пьяные, у всех уже праздник! Сидят на завалинке, животы чешут, самосадом пыхтят! Да всякая неразумная живность, отойдя от спячки, первым делом идет на поиски добычи. Потом гнездо или нору строит. Потом потомство плодит. Животным плевать на наше правительство и на кризисы. Земля есть, вода есть, солнце есть — этого достаточно, братец, чтобы прокормиться, да еще время останется на то, чтобы вылепить из себя человека с чистой душой и светлыми помыслами... О еде они думают! Да сколько о ней ни думай, не появится она сама по себе, ее добывать надо — руками или головушкой, кто как умеет.

Волнуясь, он снова стал ходить по кабинету.

— Весь город я все равно накормить не смогу, — негромко произнес он. — И не для того я сюда приехал, чтобы бесплатную похлебку раздавать. Если люди в самом деле уже не способны на своей земле прокормиться, пусть ими армия спасения занимается. А я приехал строить школы, церкви, открывать музеи, учить культуре и духовности! Учить тому, чему меня здесь должны были научить, черт подери!

— О чем вы говорите? На площади идет драка за ваше наследство, — мрачным голосом сказал я.

Князь сник. Он почесал седой затылок, крякнул и сказал:

— А может, плюнуть на все, и пусть государство с моим наследством само разбирается?

Я поморщился и отрицательно покачал головой.

— Да уж, наше государство разберется! Лучше сразу в колодец.

— Колодец я доверху засыпать деньгами смогу, — задумчиво ответил Орлов. — Испорчу навсегда. Воду жаль.

— Жаль, — согласился я.

— Что ж делать?

— Что задумали, то и делать. Отстраиваться.

— А вдруг разворуют, как помру? Из школ магазины сделают. Из галереи — склад. Загадят, опаскудят...

— Пока вы... — произнес я, чувствуя, как ком подкатывает к горлу. — Пока я...

— Ладно, ладно, братец, — махнул рукой Орлов и в чувствах прижал меня к своей костлявой узкой груди. — Спасибо за клятву в верности.

— Клятва делами проверяется, — сказал я. — Начать надо с чистки. Я прошу вас немедленно уволить Татьяну.

— Татьяну? — переспросил князь и, не поднимая глаз, подошел к столу, передвинул с места на место папку с бумагами, чернильный прибор. — Опять ты за свое! Чем же она тебе не нравится?

— Вы знаете, чем... Я не могу сказать... Она — гадюка, которую вы пригрели...

Князь хлопнул рукой по столу.

— Татьяна останется, — жестко сказал он.

— Но...

— Никаких «но»! Как сказал, так будет!

«Уже ничего не соображает», — подумал я.

Князь молчал. Но завершать разговор в ультимативном тоне ему не хотелось, потому как я его не заслужил. Лицо старика подобрело. Он хитро взглянул на меня из-под белесых бровей и задал совершенно неожиданный вопрос:

— Кажется мне, что ты, братец, свою выгоду здесь присматриваешь.

— В каком смысле? — не понял я.

— Не притворяйся, а отвечай прямо: надумал жениться на ней или нет?

— На ком?! На Таньке?! — опешил я. — Так разве...

— Ты, братец, не юли! — погрозил князь пальцем. — Нежто я не вижу, как ты за ней увиваешься? Девица симпатичная, фигуристая, все в ней есть — и ум, и расторопность. Созрела так, что уж на губах мед, а на груди кофточка не сходится — брать надо двумя руками, а ты все в носу ковыряешься.

«Ну, все! — подумал я. — Это умственная агония!»

— Так она вроде бы за Родиона... — осторожно начал я, но князь меня тотчас осадил:

— Кто сказал?

— Слухи, — пробормотал я.

— Ты, братец, часом не прибит на цвету? Уже, как Филька, слухами кормиться начал. Ты у меня сперва спроси, собираюсь я женить сына на Таньке или не собираюсь. Понял?

— Это я понял, но... странная она какая-то. Вы не находите?

— Что значит «странная»? Выражайся ясно!

Что я мог сказать князю? Что Танюха бредит про портмоне Родиона, которое якобы подкидывает кому попало? Что сначала вешается князю на шею, потом целуется со мной, а потом кусает мне губы? Что решает за меня про каких-то щенят, вынюхивает, в каком магазине я покупал репшнур, и

174

закручивает мне мозги своими выводами про «ноутбук» Родиона?

Я молча пожал плечами. Князь удовлетворенно кивнул:

— Я, братец, воробей старый и все вижу. Она же любит тебя! Ты ж ее сушишь, как летний зной голодную степь!

Полюбовавшись на мое лицо, отображающее полный обвал эмоций, князь приказным тоном завершил:

— Чтоб женился, гуляка! А на деньги я не поскуплюсь.

Я судорожно сглотнул, отвесил благодарный поклон и вышел из кабинета. Надо же, что придумал — Танька меня любит! Это уже выходило за границы здравого разума. Я понимаю, что князь на закате жизни затеял грандиозную перестройку. Он пытается повернуть время вспять, возродить на небольшом пятачке земли тот безнадежно ушедший в историю мир, в котором народ, его традиции, его правители, царь и бог жили в единой гармонии. Орлов настолько заигрался, что подчас перестал ориентироваться во времени, и мне хотелось вежливо напомнить ему, что грядет третье тысячелетие, я — не крепостной и власть князя надо мной не безгранична.

Когда я дошел до клумбы, то увидел, как по кипарисовой аллее в мою сторону идут Татьяна с Филей. Высокому кассиру, чтобы нормально разговаривать с девушкой, приходилось сутулиться и заглядывать ей в глаза, чтобы поймать ее внимание. Из-за этого его ноги складывались буквой Х и заплетались, на что князь сказал бы: «У него ноги хером»; кассиру приходилось двигаться то бочком с приставным шагом, то спиной вперед. Татьяна не желала замечать, какие неудобства причиняет собеседнику, и даже на чуть-чуть не поворачивала головы в его сторону, не замедляла шаг, продолжая жизнерадостно наступать ему на ноги. Увидев меня, Филя замолчал, выпрямил спину и развернул плечи. Огромные усилия понадобились ему, чтобы управиться со своим лицом и вылепить на нем радостное выражение. Пара двигалась на меня молча, в ногу.

— Кого я вижу! — разродился на приветствие Филя.

Я избавил его от необходимости терпеть мой взгляд, изображать на лице что-то гуманное и уставился на девушку. Татьяна держалась раскованно, так же, как и до встречи со мной, мягко улыбалась, слегка склонив голову набок, при этом не вынимала рук из карманов полушубка, словно хотела подчеркнуть свою независимость как от Фили, так и от меня.

Поравнявшись со мной, Филя принялся поспешно прощаться. Естественно, он вспомнил о каком-то неотложном деле, даже по лбу себя хлопнул, выразительно пообещал зайти к Татьяне позже, помахал ей рукой и зачем-то нелепо подмигнул мне.

Мы с Татьяной остались одни посреди огромного парка.

— Губа не болит? — спросила девушка.

— Нет.

— А чего такой грустный?

— Орлов приказал жениться на тебе.

Ее лицо просветлело, словно на него упал луч солнца.

— Да, я тебя понимаю... — произнесла она с веселой серьезностью. — Самое печальное заключается в том, что и мне он приказал выйти за тебя. Знаешь, как я переживала!

Это, конечно, была игра, но последние слова Татьяны меня почему-то задели.

— А почему это ты переживала? — недовольным голосом начал выяснять я. — Можно подумать, он приказал тебе выйти замуж за бомжа. Чем я тебе не нравлюсь?

— Разве я сказала, что ты мне не нравишься?

— А почему тогда переживала?

— Каждая честная девушка переживает, когда готовится смыть с себя девьи гульбы и прохладушки, — веско ответила Татьяна.

Я кинул на нее подозрительный взгляд.

— Надо же, как ловко выкрутилась! Голыми руками тебя не возьмешь!

— А ты сначала попробуй взять, а потом говори.

— Значит, я тебе нравлюсь?

— Я от тебя просто без ума! — воскликнула Татьяна и поцеловала воздух. — А ты?

— Я вообще о тебе день и ночь думаю, — признался я. — Один раз ты мне даже ночью приснилась, и я орал, как резаный.

— Зачем же ты скрывал свои чувства ко мне, родненький?

— Арапником меня за это! — раздосадованно воскликнул я и подергал себя за волосы. — Так побежали?

— Куда, родненький?

— Жениться!

— Побежали!

Мы очень музыкально дурачились. Взявшись за руки, мы понеслись по аллее в сторону моего дома. Садовница, с которой мы разминулись у зимнего сада, сошла с дорожки, провожая нас тихим взглядом. Задыхаясь, мы забежали в дом, поднялись, скрипя ступенями, наверх и вошли в мою комнату.

— Ты... бегаешь... как страус... — произнесла Татьяна, еще не в силах успокоить дыхание.

— Снимай куртку! И сапожки! — приказал я, взял с подоконника иконку, поставил ее на стул, а перед ней вместо свечи — керосиновую лампу. Зажег фитиль, задвинул шторы.

— Что это? — спросила Татьяна.

— Богоматерь.

— Зачем?

— Сейчас узнаешь. Становись на колени!

Девушка послушно опустилась напротив иконки на колени, сложила ладони и скороговоркой произнесла:

— Господи, еси жеси на небеси...

— Неправильно! — остановил я ее и встал на колени рядом. — Клянись в вечной любви ко мне!

— Клянусь в вечной любви к тебе! — выпалила Татьяна.

— До гроба! — ужесточил я условие.

— До гроба, до его крышки и его гвоздей! — согласилась Татьяна.

— Теперь целуемся, — умело управлял я церемонией.

— Целуемся?! — ахнула Татьяна. — Я сгораю от стыда! Я просто трепещу...

Пока она трепетала, я взял ее лицо в ладони и крепко поцеловал влажный рот. Дыхания не хватило, и я начал сопеть. Черт возьми, какие вкусные были у нее губы! Какие гладкие и скользкие зубы!

Я поднял ее на руки и перенес на диван. Не хотелось казаться торопливым, но тормоза отказали напрочь. Почему, когда с какой-то девушкой в первый раз, всегда торопишься? Чтобы не дать ей опомниться?

Я расстегнул кофточку, которая, по мнению князя, с трудом сходилась на груди. (Преувеличил, Святослав Николаевич!) Скользнул рукой по колготкам. Мозоли на моей ладони, кажется, оставили затяжки. Сдвинул как можно выше край юбки. Нет, раздевать девушку надо стоя, это удобнее и намного быстрее. Она закрыла глаза. Лицо ее было бледным. Я хоть и съел ее помаду, но губы оставались такими же желанными...

— Ну все, поиграли, и хватит!

Оттолкнув меня, Татьяна села и стала застегивать кофту. Я смотрел на нее дебилом. Татьяна встала с дивана, поправила юбку, обула сапожки, затянула «молнию».

— Подожди, — пробормотал я. — Что значит — поиграли, и хватит? Разве... Разве мы играли?

— А разве нет? — Татьяна вдруг рассмеялась, быстро подошла ко мне и поцеловала в лоб.

— Вообще-то я...

Что говорить дальше? Что я всерьез намеревался с ней переспать? Глупейшая ситуация!

— Все это игра, — тверже повторила Татьяна, накидывая на плечи куртку. — Большая игра. И ты знаешь это не хуже меня... Скоро первое апреля. Игра закончится. Мы все снимем маски и костюмы.

— И ты тоже?

— И я тоже.

— Но сейчас я без маски, — попытался я вызвать Татьяну на откровенность.

— Это тебе так кажется. Твоя маска уже вросла в кожу. Ее придется смывать кровью.

— Постой! — Я вскочил с дивана, подошел к девушке и взял ее за плечи. — Не уходи. Останься со мной. Я люблю тебя...

Она мягко улыбнулась и уперлась в меня ладонями.

— Успокойся. В тебе говорит всего лишь разбуженная похоть. Ты же не мальчик и должен понимать, что это не совсем любовь.

— Ты мне не веришь?

Татьяна вздохнула:

— Ну что ты от меня хочешь?

— Я не убивал Родиона! — выпалил я, полагая, что только этот нерешенный вопрос стоит между нами.

— Я знаю.

— Его вообще никто не убивал и не собирался убивать! — сгоряча добавил я и прикусил язык.

— А вот это еще надо проверить.

— Что ты мелешь, Танюша?! Ты же сама недавно убеждала меня в обратном!

Девушка выждала паузу, провела рукой по моему плечу и тихо сказала:

— Давай останемся при своих ролях. Так будет удобнее.

— Кому?

— Всем... Нет-нет, пожалуйста, не провожай меня.

«Она знает про Игру! — подумал я и почувствовал, как от этой мысли меня прошиб холодный пот. — Грех не беда, да молва не хороша. Сейчас растрезвонит по всей усадьбе...»

Глава 26

САДОВНИЦА

Я застегнул джинсы и надел рубашку, которую сам не помню как с себя скинул. Зажег торшер, включил телевизор на полную громкость, понимая, что все это уже когда-то было, но ни к чему хорошему не привело (т.е. сознательно наступил на те же грабли), и с курткой под мышкой спустился в прихожую. Прежде чем выйти в сумеречный парк, я долго всматривался в темные кусты через маленькое смотровое окошко в двери. Затем тихо надавил на ручку и отворил дверь.

И опять, как в ту ночь — буковый лес, горбатый мост через пруд, песчаный берег, выгон перед пепелищем и уцелевшими конюшнями... Я шел медленно, часто останавливался, прижимался к стволу дерева и озирался по сторонам. В домике Татьяны вспыхнул свет. Несколько минут я прятался за кустами, дожидаясь, когда сумерки станут плотнее. Потом вороватой трусцой, пригибаясь к земле, побежал через поляну к дому. У колонн, придерживающих террасу второго этажа, я остановился, перевел дух и приблизился к светящемуся окну.

Между полосатыми шторами я сначала разглядел хрустальную люстру, потом — стоящие в ряд черные серванты с посудой и книгами. Напротив них громоздился низкий и

179

широкий диван, обшитый той же, как и шторы, полосатой тканью. Посреди комнаты стоял круглый, из темного дерева стол. Филя сидел за ним и перебирал стопку журналов, а Татьяна наполняла кипятком из самовара чашки. У меня в душе что-то шевельнулось. Какое-то неприятное чувство стало распирать в груди. Я с ненавистью смотрел на Филю, на его тонкие губы, длинный нос и цепко следил за взглядами Татьяны, обращенными на кассира.

«Э-э, дружочек, — сказал я сам себе. — Ты ж ее ревнуешь! Ты же втюрился в нее, как пацан! Это уже лишнее. Это будет только мутить сознание и направлять все мысли в одну сторону — как бы этот пеликан не проткнул своим носом ее сердце».

Они разговаривали вполголоса, я видел их губы и отдельные фразы мог разобрать.

— Я думала об этом, — говорила Татьяна, придвигая чашку ближе к Филе. Положила ложку, налила в розочку варенья. — Но не в такой же степени он альтруист, чтобы...

— В такой, — перебил Филя. — Ты, конечно, можешь закрыть на все глаза и, как говорится, провести разведку боем. Но на это уйдет несколько лет, и в итоге ты останешься у разбитого корыта. Нищей вдовой.

— Но усадьба, земля? — спросила Татьяна. По интонации я понял, что она волнуется. Филя говорил неприятные для нее вещи.

— Земля взята в аренду без права наследования, — спокойным тоном уверенного в своей правоте человека ответил кассир и загнул палец на руке. — А про усадьбу уже давно всем известно, что это будет центр российской... как это?.. разговорности?.. тьфу! Словесности! И этот центр, к слову, уже передан в собственность Министерства культуры. Сына, который бы продолжал его дело, которому можно было бы оставить деньги, у него уже нет. Полная пустота вокруг, если не считать алчущих родственников в кавычках... Нет-нет, я тебя не пугаю: все это можно проверить, пожалуйста!

Несколько секунд они молчали. Филя без интереса листал журналы и ковырял ложечкой в розочке с вареньем.

— Неужели на его счету совсем не осталось денег? — спросила Татьяна, садясь за стол. Я прекрасно видел ее лицо. Странное чувство — только что я целовал ее губы, мы прижимались друг к другу, лежа на моем диване. Теперь она — как музейный экспонат — за стеклом, недосягаема, неприкосновенна.

— Почему не осталось? — возразил Филя, но больше для того, чтобы пощадить чувства девушки. — Кое-что еще осталось. Но он построит еще одну школу, и тогда уже точно ничего не останется. Я едва успеваю списывать деньги с его счета.

— А вдруг больше ничего не успеет построить? — быстро спросила Татьяна, не поднимая глаз, и как-то нехорошо улыбнулась.

Филя вскинул голову и откинулся на спинку стула.

— А-а-а! — протянул он, кивая. — Понятно. Понятно. Интересный вопрос, как говорят политики. Но и в этом случае, дорогая, ты останешься ни с чем. Потому что существует такая интересная штучка, как завещание. Ты читала его? Ты уверена, что твое имя будет в нем фигурировать?

— А ты читал?

Филя усмехнулся и снова принялся за варенье.

— Я слишком хорошо знаю Николаича, — ответил он. — Очень часто у подобных пращуров, повернутых на русской культуре, случается вывих мозга. Как, например, у Льва Толстого. Свою горячо любимую жену, между прочим, он не пожалел, все свои романы завещал государству. А жене — булочку с маком. Так и наш старик поступит — будь уверена! Сына он потерял, внуков в связи с этим не предвидится — зачем ему теперь деньги? Разве что в могилу с собой забрать. Вот он и торопится деньги в землю зарыть! Уже сам не знает, что еще в нашей деревне построить... Я тебя сильно огорчил?

Татьяна не ответила. Она наливала в чашку кипяток. Вода уже переливалась через край, над самоваром клубился пар, девушка этого не замечала.

— Пожалей свою молодость! — добивал ее Филя. — А народ у нас злой, не простит за то, что пыталась продать себя старику... Да вас все равно не распишут! По этим... как их?.. морально-этическим нормам! Ничего ты не выгадаешь. Ни-че-го!

— А я... (невозможно разобрать оставшиеся слова — Татьяна закрыла краник и повернулась к окну спиной).

Они оба рассмеялись. Я видел — Филе смех дается через силу. Он нервничал и дважды уронил ложку на пол.

— Выходи лучше за меня, — сказал он вроде как в шутку. Эти слова я разобрал безошибочно. — Может, мне что-нибудь обломится, тогда поделюсь с тобой.

— Надо подумать, — сказала Татьяна, опустила руку на голову кассира и потрепала его за волосы. — Но если мне одной обломится, то делиться... (Не разобрать остальные слова, спрятала губы в чашке!).

— С огнем играешь, девочка, — стараясь не скатываться с шутливого тона, произнес Филя, постукивая ложкой по столу. Он смотрел прямо перед собой, и мне казалось, что он видит меня. Но этого не могло быть — я находился в тени.

— Нет, не я, — покачала головой Татьяна. — Ты же знаешь, кто у нас играет с огнем.

Они сидели по разные стороны стола и пристально смотрели друг другу в глаза. Филя что-то спросил, не разжимая зубов, но разобрать слова было невозможно. У меня даже в ушах загудело от напряжения. Татьяна, выждав паузу, молча кивнула.

— Ты хорошо подумала? — с явной угрозой в голосе спросил Филя и, с грохотом отодвинув стул, вскочил на ноги. Одновременно с ним из-за стола поднялась Татьяна. Ее лицо стремительно розовело. Я встал на цыпочки и вытянул шею в ожидании финала, но девушка вдруг быстро подошла к окну и зашторила его.

Я мысленно выругался, пятясь, вернулся в тень колонн, там некоторое время безнадежным взглядом окидывал нависающую надо мной террасу, закрытые наглухо окна и двери.

Странная борьба происходила в моей душе. Чувства смешались, наслоились друг на друга, как ледяные торосы при весеннем паводке. Как я ни пытался, но никак не мог определиться в отношении Татьяны. Противоречия разрывали мое сердце. Девушка, которую я с таким наслаждением целовал у себя в комнате, не имела ничего общего с той молодой особой, которая топтала снег в ледовом лагере Креспи, и, в свою очередь, разительно отличалась от той Татьяны, которая целовала князю руку на охоте и предлагала себя в качестве жены. И все вместе они были полным антиподом той девушки, за которой я только что подсматривал через окно.

«Змея, — подумал я об одной из этих непохожих девушек, но сам не понял, о какой именно. — Утоплю в пруду!» Что я узнал? Ничего нового, слова Татьяны еще раз убедили в главной истине: она всерьез собирается выйти замуж за Орлова. Ну а Филя — тот для меня уже был как прочитанная книга. Тот думал только о том, чтобы после Орлова не осталось наследников.

Едва я сделал несколько шагов, как за моей спиной с глухим стуком распахнулась дверь. Было достаточно темно, и я незамеченным шагнул за могучий ствол сосны. Повязывая на ходу шарф и одновременно с этим пытаясь застегнуть пуговицы пальто, по дорожке быстро шел Гонза. Лучшему другу я бы так не обрадовался, как досрочному появлению на улице кассира. «Молодец, Танька!» — подумал я. Какой бы ни была причина, но мне очень приятно, что она выставила его вон.

Прихожая в хозяйском доме была открыта. Кабинет пустовал, хоть в нем и горел свет. Я взлетел по лестнице на второй этаж и врезался в запертую дверь мастерской.

— Святослав Николаевич! — громко звал я, барабаня в дверь кулаками. — Дело не терпит отлагательств! Святослав Николаевич!

Князь открыл не сразу. Он встал на пороге, пытаясь своим тщедушным телом загородить проем. Палитра, которую он держал в руке, была покрыта свежими пятнами красок и сильно пахла рыбьим жиром. Лицо князя было сердитым. Он хмуро смерил меня взглядом и произнес:

— Ну?

Я должен был убедиться, что в мастерской никого нет, и встал на цыпочки. И только тогда увидел сидящую на диване садовницу в своей извечной телогрейке «а-ля Колыма». Мне показалось, что женщина торопливо повязывает на голове платок. Но не это меня поразило. Я впервые увидел ее руки обнаженными, без садовых матерчатых перчаток, всегда выпачканных в черноземе.

— Что?! Еще одна конюшня сгорела?! — гневно спросил князь, и мне показалось, что сейчас он влепит липкую палитру мне в физиономию.

— Нет, — покачал я головой и на всякий случай сделал шаг назад. — Татьяна... Ей все известно про Игру. Она знает, что Родион жив.

— Она убеждена в этом или всего лишь проявляет девичью фантазию? — сердито уточнил князь. — Панику раньше времени наводишь!

— Это еще не все! — торопливо добавил я. — Только что я случайно подслушал ее разговор с Филей... Я очень не советую вам, Святослав Николаевич, находиться с ней рядом. Каждый час, который она проводит в усадьбе, может стать для вас последним...

— Иди женись! — протяжно и высоким тоном взвыл князь и захлопнул дверь перед моим носом.

«Седина в бороду — бес в ребро, — подумал я, чувствуя такое смятение в душе, что ноги невольно стали подкашиваться. — Как понимать реакцию князя? Он настолько доверяет Татьяне, что даже не хочет выслушать меня? Неужели эта белокурая пигалица так завладела его разумом и волей, что старик перестал различать, где друг, а где враг?»

Странное чувство охватило меня. Мне стало казаться, что про Игру уже всем давно известно, все тихо хихикают за моей спиной, как над дурачком, и в ответ готовят еще более жестокий и циничный розыгрыш. «Ну ладно! — подумал я, злясь в большей степени на себя самого, чем на кого-либо. — Я все равно буду продолжать Игру, даже если останусь в полном одиночестве. Посмотрим, чья возьмет».

Налегая на перила, я медленно сошел вниз. Зажег бра в прихожей и приблизился к зеркалу. Конечно! Запуганный, с осунувшимся лицом, молодой человек, похожий на опытного боксера, который проиграл бой с начинающим юниором. Под глазами синяки, на левой скуле — след помады Татьяны. Классический образ запутавшегося в жизни и любовных делах молодого человека, которому уготована роль спивающегося неудачника.

Я коснулся пальцами висков и принялся с ожесточением их массировать. Даже негромко застонал от удовольствия. С этими бабами мозги в баранку начинают закручиваться! Что за руки у садовницы — одинокой женщины, матери-одиночки из провинциального городка? Узкие ладони, длинные тонкие пальцы, великолепные ногти! Руки леди, а

184

не женщины, привыкшей к тяжелой физической работе! Князь писал ее портрет? Но почему он был так рассержен? Почему не хотел, чтобы я видел садовницу в его мастерской? Она его любовница?

Я даже рот прикрыл, чтобы не закашляться от волны эмоций. В это время сверху раздался тихий щелчок, а затем скрипнула дверь. Встав на цыпочки и затаив дыхание, я неслышно вышел из дома, перепрыгнул через живую ограду и затаился за кустами.

Через минуту на крыльцо вышел Орлов. Оттирая тряпкой руки, выпачканные в краске, он постоял, посмотрел по сторонам, затем обернулся и махнул рукой. Садовница, подняв короткий воротничок телогрейки, выскользнула наружу. На мгновение оба замерли в тени колонны, но я хорошо видел их через мелкую сетку веток.

— Бай, — тихо сказал князь. Садовница кивнула, склонила голову, чтобы сровняться в росте, и поцеловала Орлова в щеку. После чего торопливо пошла к главным воротам.

Князь тотчас зашел внутрь и запер дверь на ключ.

«Черт знает что!» — подумал я, понимая, что не усну сегодня, пока не узнаю, что связывает князя с садовницей.

Дождавшись, когда женщина выйдет через ворота, я покинул свою засаду и кинулся напрямик к забору. Чугунная ограда, увенчанная острыми пиками, едва не лишила меня куртки и не порвала джинсы, и все же я сумел благополучно приземлиться в кустах на внешней стороне. Не выпрямляясь, осторожно раздвигая ветки, я смотрел, как садовница, пройдя мимо остановки автобуса, направилась в темный узкий проулок. «Значит, живет недалеко», — подумал я.

Перебегая от дерева к дереву, я следовал за женщиной. Мне приходилось перешагивать через оградки газонов и по щиколотку погружаться в грязные лужи. Садовница, почти невидимая в темноте, шла быстро и уверенно. Оставив позади себя несколько домов с темными окнами, она вдруг остановилась и прислонилась спиной к стволу старого клена.

Я замер, как обледеневший. Нас разделяло не больше пятидесяти метров, но садовница была глухой и не могла услышать, как я несколько раз неосторожно прошелся по луже. Что же тогда ее испугало?

Мы продолжали стоять. Я — имитируя неработающий

фонарный стол, а женщина — под кленом на обочине дороги. Я видел, как она сняла с головы косынку и расстегнула верхнюю пуговицу телогрейки. «Может быть, ждет автобуса? — подумал я и тотчас сам себя опроверг: — Но там нет остановки!»

И тут я увидел, как плавно и почти беззвучно в проулок вырулила легковая машина. Марку я определить не смог, так как был ослеплен фарами. Оказывается, садовница ее и ждала. Шагнула на дорогу, повернулась к машине лицом. Я улучил момент и кинулся к ближайшему дереву.

Машина остановилась рядом с садовницей. Кто-то, пересекая лучи фар, метнулся к женщине и открыл перед ней заднюю дверцу. Раздался хлопок. Машина тронулась и, быстро набирая скорость, пронеслась мимо меня. Я провожал ее взглядом и чувствовал, как невольно отвисает нижняя челюсть. Это был черный «Мерседес» какой-то последней модели.

«Вот так! — мысленно говорил я с собой. — Наша садовница на «мерсе» разъезжает. Повар, наверное, на джипе «Паджеро». Конюх скорее всего на «Ягуаре». Только я, как дурак, на старой «шестерке».

Выскочив на дорогу, я во весь дух помчался к воротам усадьбы, рядом с которыми была припаркована моя машина. Князь запрещал въезжать автотранспорту на территорию усадьбы, и я хранил «шестерку» у ворот, под открытым небом.

Когда я сел за руль и завел мотор, «Мерседес» укатил от меня на астрономическое расстояние и у меня уже не осталось надежды, что я смогу увидеть хотя бы его красные габариты. Нещадно давя на газ, я снарядом проскочил мимо мебельной фабрики, слетел по крутому спуску вниз и, миновав мост, интуитивно вывернул к редакции газеты и кинотеатру. Мне была дана всего секунда, и я успел увидеть в конце улицы красные огни «мерса». Машина тотчас свернула куда-то и исчезла из поля моего зрения.

Я выжал из «шестерки» все, что мог, и едва не проскочил нужный поворот. Не сворачивая, я остановился и заглушил двигатель. «Мерседес» стоял в каких-нибудь тридцати метрах от меня, посреди узкой тупиковой улочки, напротив двухэтажного кирпичного особняка, обнесенного серьезным забором. Чугунную калитку освещали два фонаря с шаровидными плафонами.

Водитель снова вышел из машины и открыл заднюю дверь. Садовница из салона подала ему руку и вышла. К ее манерам подошли бы бальное платье и туфли на длиннющих каблуках-шпильках. Картина была просто абсурдная. Не успела женщина дойти до калитки, как дверь бесшумно раскрылась и навстречу шагнул рослый мужчина в пятнистой форме, в какую обычно рядятся частные охранники. Вытянувшись перед садовницей, он учтиво склонил перед ней голову. Женщина зашла внутрь.

Расслабившись, охранник вразвалку подошел к водителю «Мерседеса» и пожал ему руку. Вспыхнул огонек зажигалки. Мужчины закурили. Я услышал негромкие голоса.

«Вот и хорошо, — подумал я, готовясь принести жертву ради истины. — Нет такой тайны, которую нельзя было бы купить у прислуг».

Вытащив бумажник, я раскрыл его и вывалил на сиденье все деньги, которые были в наличии. Рубли и монеты я сгреб и затолкал обратно в бумажник. Доллары разровнял на колене и пересчитал. Пятьсот. Эта сумма, по моим понятиям, в Араповом Поле способна была развязать язык кому угодно, в том числе главе городской администрации.

Я не стал далеко прятать купюры — дурной тон лезть в карман при вооруженном человеке, зажал деньги между пальцами и вышел из машины. «Мерседес» давал задний ход и тяжело прошуршал гравием мимо меня. Охранник увидел меня в тот момент, когда уже взялся за ручку калитки. Я подошел к нему, но не настолько близко, чтобы он начал видеть во мне боксерскую грушу или мишень. Остановился, протянул веер денег. Фонари давали достаточно света, чтобы охранник без труда определил сумму.

— Что надо? — спросил он.

Я продолжал стоять с протянутой рукой. Охранник сделал шаг ко мне и кончиком дубинки коснулся моей руки, затем прошелестел ею по купюрам.

— Ну и? — поторопил он меня.

— Кто твоя хозяйка?

Охранник мельком оглянулся, посмотрел по сторонам,

кинул окурок под ноги, сплюнул и вдруг сильно сжал мое запястье.

— Оставь это лучше себе на лекарства, — посоветовал он, оттолкнул меня, повернулся и пошел к калитке.

«Сколько же она платит ему за молчание?» — дурея, подумал я.

Глава 27

ПОРТРЕТ МОЛОДОЙ ПРОСТИТУТКИ

Я зашел в дежурку — маленькую комнату с топчаном и телевизором, защищенную от внешнего мира бронированной дверью и пуленепробиваемым стеклом, какие бывают в пунктах обмена валюты, и взял телефонную трубку. Прошло не меньше пятнадцати минут с того момента, как сюда позвонил редактор газеты «Двинская заря» и попросил пригласить к аппарату меня. Охранник, принявший звонок, объяснил, что я нахожусь далеко и будет удобнее перезвонить минут через двадцать, на что редактор без колебаний ответил, что будет ждать на связи столько, сколько потребуется, хоть всю жизнь.

Этого человека я не знал и никогда с ним не встречался и потому даже предположить не мог, для чего понадобился ему.

— Здравствуйте, господин Ворохтин, — приветствовал он меня. — Извините, что оторвал вас от дел. Постараюсь не отнять у вас много времени. Дело, по которому я вам звоню, чрезвычайно важное, и я бы ни за что не осмелился...

Он так расшаркивался, так долго подходил к сути, что я быстро потерял терпение и поторопил его:

— Пожалуйста, давайте сразу о деле.

— Да, вы правы, правы! Я только что был в отделении милиции и там случайно узнал про вас. Боюсь ошибиться, но мне сказали, что вы как будто знаете... То есть, у вас весьма своеобразная точка зрения на то, как... Словом, вы не вполне согласны, я бы сказал, не разделяете оптимизма Святослава Николаевича...

Он рожал мысли столь мучительно, что я начал нервно покусывать губы. Нестерпимо хотелось постучать трубкой по столу, чтобы быстрее вытряхнуть из нее застрявшие слова редактора.

— Ну что вы так тянете! Да, я считаю, что Родион был убит. И это не просто точка зрения, это убеждение. Какие еще вопросы?

— Пожалуйста, не сердитесь на меня! — заискивающе произнес редактор. — Я очень волнуюсь... Господин следователь познакомил меня с вашей версией, и я был словно молнией поражен. Значит, вы уверены, что убийца собирается изменить свою внешность и завладеть наследством Святослава Николаевича?

— Уверен.

— О-о, господин Ворохтин! — с облегчением протянул редактор. — Вы просто находка для меня. Ради всех святых, помогите мне! Я не от хорошей жизни обращаюсь к вам за помощью. Вы, конечно же, видели, что творится с нашими горожанами? Это безумие, согласитесь!..

— Как вас зовут? — перебил я его.

— Константин Юрьевич, — с затаенным испугом ответил редактор.

— Константин Юрьевич, — вежливо сказал я. — У меня в самом деле мало времени. Говорите, пожалуйста, быстро и по существу.

— Да, да, да, — затараторил редактор. — По существу! Я, конечно, виноват. Не надо было публиковать это проклятое «генеалогическое древо». Теперь я оказался крайним, половина города меня ненавидит, требует опровержения и публикации других версий о наследниках Святослава Николаевича. Из администрации мне уже пригрозили увольнением. Но я не могу, не имею права лгать, поймите меня! И вот, к счастью, я нашел выход...

Он сделал короткую паузу, чтобы набрать в грудь воздуха. Я переложил трубку на другое ухо и сел на край стола.

— Наши люди болезненно справедливы и всегда уповают на бога. За каждое деяние человеку должно воздаться — вот единственный критерий справедливости, — продолжал редактор. — А коль всем стало жить плохо, значит, некий злыдень в этом повинен. Сейчас роль козла отпущения выпала вашему покорному слуге. Я вынужден скрываться, на улицу выхожу только ночью, жену и детей отправил в другой город

189

к сестре. Но если найти нового козла, на которого люди повесят все свои беды, тогда я смогу вернуться к нормальной жизни.

— А чем я могу быть вам полезен? Тем, что возьму у вас эстафету и стану этим самым новым козлом?

— Что вы, дорогой мой! Конечно же, нет! Тысячу раз нет! Я прошу вас всего лишь дать интервью моей газете, подробно рассказать о том человеке, которого вы подозреваете в убийстве Родиона, и о его коварном замысле присвоить себе наследство Святослава Николаевича. Если наши люди узнают, что некий злодей намеревается присвоить себе то, что по праву принадлежит им... Да я просто не завидую его участи! Наши немощные пенсионеры, наши безработные мужчины и героические матери соберут в кулак последнюю волю и скажут свое веское слово...

Редактор начал сваливаться на дешевый пафос. Мне пришлось снова его перебить.

— Хорошо, — согласился я, потому как предложение дать интервью газете было весьма кстати. — Хорошо, я подъеду. Где вас найти?

— Ох, дорогой вы мой! Не знаю даже, как вас благодарить. Обещаю гонорар по самой высшей ставке!..

— Короче!

— Короче быть не может. Назвать вам свой адрес не могу, потому что боюсь прослушивания линии — слышите, все время что-то щелкает в трубке? Подъезжайте в редакцию, там все узнаете. Договорились? Я могу положиться на вас?.. Господин Ворохтин! Вы даже не представляете, как я вам обязан...

Я положил трубку на аппарат, вытер пот со лба и вышел из дежурки. На ее ступеньках, словно для продажи, были выставлены три картины в тяжелых золоченых рамах. Охранники топтались рядом с ними и посмеивались. Я не придал значения их занятию и хотел уже выйти с территории усадьбы, как один из охранников обратился ко мне:

— Стас, сделай доброе дело, отнеси эту мазню хозяину, он тебя не тронет. А вот если из нас кто сунется — убьет на месте!

Я подошел и не сразу понял, что изображено на полотнах. Потом дошло: знакомые мне пейзажи и портрет, написанные отцом князя, были испорчены пятнами и полосами аэрозольной краски. Названия картин на медных пластинках были выправлены черным маркером. Охранников развеселил тупой юмор вандала. Вместо «Вечер на берегу Двины» значилось «Вечер на мусорной свалке», а подпись «Портрет молодой крестьянки» в редактуре негодяя выглядела как «Портрет молодой проститутки».

— Из картинной галереи привезли, — объяснил охранник. — Смотрительница там пожилая, почти слепая. Говорит, зашли подростки, с виду культурные, тихие, через пять минут вышли. А она только к закрытию пошла по залам порядок проверять.

— И что хозяин должен теперь делать? — спросил я, отчетливо представляя реакцию князя. То, что он будет взбешен, я не сомневался и не испытывал ни малейшего желания попасть ему под горячую руку.

— Может, отмоет каким-нибудь растворителем, — предположил охранник, опускаясь перед картинами на корточки. — Или подрисует... Не знаю.

— Другими заменит, — зевнув, сказал второй. — У хозяина этого добра навалом.

По пути в редакцию я сделал круг и проехал мимо того самого тупикового переулка с особняком, где вчера вечером накоротке пообщался с охранником садовницы. Притормозив на пересечении дорог, я опустил стекло и спросил первую попавшуюся старушку, не в этом ли красивом кирпичном особняке находится райсобес?

Бабушка посмотрела на меня как на полоумного, сплюнула и зло ответила:

— Гнездо тут бесовское, а не райсобес!

Получить более конкретный ответ мне не удалось ни у нее, ни у второго прохожего, ни у третьего.

«Ладно, — подумал я, разворачивая машину в сторону редакции. — С садовницей еще успею разобраться. Займемся главным виновником противостояния в Араповом Поле».

Редакция газеты «Двинская заря» находилась в одноэтажном доме с облупившейся штукатуркой, покосившимся крыльцом, отполированным штанами подростков и покрытым рельефными автографами. Кто-то мне рассказывал, что дом этот редакция делила с почтовым отделением, с которым уже несколько лет вела вялую судебную тяжбу, добиваясь, чтобы почта за свой счет отремонтировала крыльцо. Почта суда не боялась и крыльцо не ремонтировала. Редакция тоже проявляла принципиальность. В результате навес над крыльцом настолько прогнил, что оставалось лишь удивляться, на каком честном слове он еще держится. Обе стороны, похоже, ждали несчастного случая, который смог бы расшевелить суд.

Зайти в редакцию, не рискуя головой, мне помогла сердобольная старушка. Она подняла клюку, уперлась ею в прогнивший навес и поторопила меня:

— Иди, милый, не бойся, я держу!

Кабинет редактора был заперт. В соседней комнате, заваленной пыльными газетными подшивками, книгами, папками с рукописями, за канцелярским столом, отсутствующую ножку которого заменял допотопный магнитофон, сидела курящая рыжая корреспондентка и тыкала одним пальцем по клавишам пишущей машинки. У нее было универсально-возрастное лицо. Если по-старушечьи повязать ей на голову платочек и одеть в черное пальтишко, то можно будет смело приобщить к пенсионному возрасту. Но достаточно легкомысленных бантиков, цветастого сарафана и подколенников, чтобы уже усомниться в ее совершеннолетии.

— Редактора нет и не будет, — безапелляционно ответила она мне, продолжая печатать. Эту тему она как бы закрыла, закопала в землю и привалила бетонной плитой. Потом с треском выдернула из каретки лист, скомкала его и швырнула в угол комнаты, где из кучки таких же скомканных листков выглядывал край корзины.

— А вы по какому вопросу? — спросила она, заправляя чистый лист. — Если по родственным связям, то прием претензий мы уже закончили.

— Нет, я не по родственным связям, — поспешил я откреститься от «генеалогического дерева». — Ваш редактор собирался взять у меня интервью.

Приоткрыв рот, девушка смотрела на меня через сигаретный дым и копалась в памяти, как в дамской сумочке.

— Об убийстве Родиона Орлова, — подсказал я. — О трагедии в Гималаях...

— Ах, да! — вспомнила девушка и кивнула на табурет. — Ваша фамилия Ворохтин?.. Садитесь же!

На табурете спал такой же пыльный, как и подшивки, кот. Ни просыпаться, ни делиться местом он не собирался. Я продолжал разговор стоя.

— Редактор на даче, — полушепотом поделилась секретом корреспондентка. — Его уже замучили! Вы не видели, что здесь творилось?

Я отрицательно покачал головой.

— Да вы что! — многообещающе произнесла девушка, и ее глаза заблестели от профессионального удовольствия рассказывать сенсационную новость. — С утра до вечера — звонки, угрозы, у кабинета какие-то ненормальные бабки толкаются. Все с желтыми фотографиями, какими-то архивными бумажками, дерутся, кричат, в обморок падают, доказывают, что они настоящие родственники, а вовсе не те, которых мы в газете упомянули. А те, которых мы признали родственниками, у этого окна свой альтернативный митинг организовали. И вот они между собой два дня подряд здесь и разбирались. Не знаю, чем бы все это закончилось, если бы милиция нас не надоумила. Редактору посоветовали на недельку исчезнуть, как бы по болезни, а мне начать сбор заявлений и жалоб... Вот, полюбуйтесь — четырнадцать полных скоросшивателей!

Корреспондентка уже успела рассмотреть меня как следует. Кажется, я ей понравился, и она начала кокетничать.

— Может, кофейку?.. Я здесь такую оборону держала — мама родная! — продолжала она рассказ, отодвигаясь вместе со стулом от стола, чтобы я мог видеть ее ноги. — То у них ручка не пишет, то бумага порвалась, то подоконник кривой. Половина пенсионеров двух слов связать на бумаге не может. «Дочка, — говорят, — не знаем, как правильно, напиши своей рукой!» И я, как дура, весь день напролет писала за них заявления, потом вслух зачитывала, а по ходу шли поправки: «Ой, дочка, я забыла еще про Ивана, который в империалистическую погиб. Он был сыном той Лены, которая второй раз за Сергея замуж вышла. А Сергей — он двоюродный племянник мужа сестры жены брата...» Я чуть с ума не сошла. Никогда не думала, что наши люди так любят заявления писать... А вы, значит, альпинист? Не здешний?.. Ах, из самой Москвы? И не боитесь, что вас после этого интервью бабушки на части разорвут? Знаете, какие у нас отчаянные бабушки!

— Об этом можно судить по тому, какие энергичные и красивые в вашем городе девушки, — послал я прозрачный комплимент, но корреспондентка его почувствовала и принялась развивать эту тему:

— Правда? Вы это заметили? И какие же девушки вам нравятся?

— Я всего лишь обобщил, — начал я бить прямо в цель. — Посмотрел на вас и сделал вывод, что в Араповом Поле все девушки просто красавицы.

— Я тронута, — ответила корреспондентка и, полагая, что пора уже представить себя в окончательном, товарном виде, встала из-за стола, взяла банку с водой и принялась поливать горшки с увядающей желтой порослью. Чтобы дотянуться до горшков, стоящих на шкафу, ей пришлось встать на цыпочки. Я был бы неблагодарной свиньей, если бы отвернулся и не рассмотрел все, что не прикрыла ее короткая юбка.

— Ну, так как? — двусмысленно спросила девушка, возвращаясь на рабочее место и закуривая. — Вы не торопитесь? Брать у вас сейчас?.. Интервью, я имею в виду.

— А на какой стадии следующий номер?

Этим вопросом я немного озадачил журналистку. Некоторое время она думала, но не о графике выхода газеты, а о связи между этим графиком и развитием наших отношений.

— М-м-м... Уже сверстан, — ответила девушка. — Ушел в корректуру. В шесть вечера подписываю в свет.

— Прекрасно, — сказал я, опускаясь на табурет рядом с котом. — Тридцать строк можно воткнуть?

— Тридцать? — растерянно повторила девушка и тряхнула рыжей шевелюрой. — Постойте, что-то я не соображу!

Я уже взял чистый лист из стопки, свинтил колпачок с ручки и принялся писать.

— Без этой информации, — попутно объяснял я, — интервью со мной не сыграет своей роли... Нужно завести читателей... Ну, вот и все!

Я протянул лист девушке. Она положила его перед собой

и склонилась над ним. Пепел с сигареты упал как раз на заголовок. Девушка сдула его и прочитала вслух:

— «Слухи о гибели сына миллионера могут оказаться несколько преувеличенными...»

Она подняла на меня недоуменный взгляд.

— Читайте, читайте! — порекомендовал я.

— «На страницах электронного журнала «Word» в Интернете, — медленно и тихо, словно опасаясь нецензурных выражений, начала читать девушка, — появилась короткая информация, которая опровергает официальное сообщение непальской полиции об убийстве в горах русского альпиниста Родиона Орлова. Из надежных источников стало известно, что сын состоятельного художника жив и здоров и в ближайшее время вернется к отцу в родовое поместье близ города Арапово Поле».

Это была бомба, которую я намеревался сбросить на головы Татьяны и Фили. Информация о живом Родионе, по моему мнению, должна была связать им руки и заставить на время залечь на дно.

Еще один хрупкий столбик пепла упал на лист. Его девушка уже не сдувала.

— А что? — произнесла она, все еще не отрывая глаз от текста. — В самом деле в Интернете появилась такая информация?

— Не появилась, так появится, — легкомысленно ответил я. — Мы же ни адреса, ни сайта не указываем. Попробуй докажи, что такой информации нет.

— А журнал «Word»? — слабо сопротивлялась журналистка.

У меня пропало желание спорить с ней, как, собственно, и все остальные желания.

— Без этой информации я интервью вам не дам, — пообещал я.

— Ну, хорошо, хорошо, — легко сдалась девушка. — Я вас понимаю. Это как бы затравка. Потом в своем интервью вы будете это опровергать. Вам нужна дискуссия... Я вас правильно понимаю?

— Абсолютно правильно! Кафе «Садко» знаешь? — перешел я на «ты». — Жду тебя там в семь часов. С диктофоном и свежим номером в руках. Договорились?

Едва я выехал на набережную и свернул к сбербанку, как

тотчас увидел рослого человека в длинном черном пальто, который шел под зонтиком, аккуратно переступая через лужи. Филя! Первым моим желанием было надавить на педаль газа и проехать правым колесом по луже, чтобы брызги были качественные, хлесткие. Но тут мне в голову пришла другая мысль, и я резко затормозил, а затем дал задний ход. Филя увидел меня и приветливо махнул рукой. Я открыл дверку, приглашая в машину.

— В ногах правды нет! — сказал он, складывая зонтик, а затем и свое долговязое тело, чтобы уместиться на переднем сиденье.

От него пахло сыростью и табаком. Я пожал его руку и задал какой-то малозначащий вопрос. Кассир что-то ответил. «А ведь мы с ним стали союзниками, у нас появилась общая цель — оторвать Татьяну от князя», — подумал я, внимательно глядя в его темные глаза.

— Охоту вспоминаешь? — спросил я.

Филя понял, что я имею в виду, и неопределенно пожал плечами.

— Переживаешь?

Этот вопрос логически вытекал из первого, и Филя был к нему готов. Он тронул меня за руку и доверительно произнес:

— Дружище, давай объяснимся, чтобы впредь между нами не было неясностей.

Мы снова пожали друг другу руки.

— Меня иногда принимают за тупого, бесчувственного типа, который спит и видит Николаича в гробу, — сказал он и пытливо взглянул на меня, словно хотел догадаться: а я принимаю его за такого типа или нет? — Но мне не хочется бегать и всем доказывать, что я не такой, я нормальный, я желаю своему дядьке счастливой старости и долгих лет жизни — независимо от того, оставит он наследство мне или адресует его своей будущей жене, любимой женщине, любимой собаке или кошке.

Он хорошо говорил. Я слушал его внимательно.

— И все же! — Филя показал мне свой длинный, как и нос, указательный палец и начал заметно волноваться. — При всем при этом мне не нравится поведение Татьяны, и я не намерен терпеть ее наглость. Она дурачит старого человека. Она, не скрывая, хочет его обокрасть — другого слова я не могу подобрать.

Я коснулся его плеча, желая успокоить и показать, что разделяю его волнение.

— Не горячись. Женой князя она не станет.

— Я тоже надеюсь на его здравый разум.

— Лучше надейся на мое слово.

— Ты хочешь дать мне слово, — чувственно произнес Филя, — что не позволишь Николаичу взять в жены эту... эту...

— Да, — избавил я Филю от необходимости подыскивать для Татьяны обидный ярлык. — Этого я не допущу.

— Спасибо, — сердечно поблагодарил Филя и приложил ладонь к груди. — Мне очень не хватало надежного... друга.

Он тотчас понял, что про друга, конечно, перегнул — наши отношения только-только начинали оформляться, и поспешил выразиться более реально:

— В долгу я перед тобой не останусь. Если поможешь отогнать ее от Николаича, то в моей щедрости можешь не сомневаться.

Я немедля кивнул, словно крупье, объявляющий, что ставки закончены и давать задний ход уже поздно.

— Завтра утром купи свежий номер «Двинской зари». Там будет информация о Родионе: жив, здоров, возвращается к отцу. Покажешь ее Тане, да еще пошути, что обязательно расскажешь Родиону, как она на шею его папаши вешалась. Вот и все. Проблема исчерпана.

Я не мог не заметить, как вдруг помертвело лицо Фили. Он смотрел на меня, левая его щека мелко дергалась, и казалось, будто кассир подмигивает мне с каким-то порочным намеком.

— В каком смысле... жив и здоров? — глухим голосом произнес он. — Ты же сам говорил...

— Да газетная «утка» это! — поспешил я успокоить кассира. — Не знаешь, как это делается?

У несчастного отлегло от сердца. Он даже обмяк, ослабил галстук и с облегчением выдохнул из груди воздух.

— Ты хоть предупреждай, — с нежным укором произнес он. — Так же сердце посадить можно!

197

— А здорово ты сдрейфил, да? — не преминул заметить я. — Тебе же все равно, кому наследство отойдет, а?

— Ладно, хорош болтать! — нахмурился Филя. — Можно подумать, тебе бабки не нужны.

— Нужны, — согласился я.

Филя взялся за ручку и открыл дверь. Уже выставив ноги наружу, он обернулся и сказал:

— Я подумаю, как тебе помочь.

Глава 28

ВСЕ ПОНЯТНО ДАЖЕ ИДИОТУ

Палыч назначил мне встречу в девять вечера у креста. Рядом с мостом, на береговом холме, в десяти метрах от обрыва стоял замшелый гранитный крест в рост человека. Я все собирался расспросить князя о происхождении и смысле этого старинного изделия, но никак не мог найти удобного случая.

Загодя отключив фары, чтобы не ослепить кинолога, я медленно скатился с горки на набережную, не убирая ноги с педали тормоза. Я был немного во хмелю после ужина с журналисткой и потому не лихачил. В плотных сумерках большим белым пятном выделялся крест, а рядом с ним можно было распознать сутулую фигуру кинолога, сидящего на ступеньке фундамента. Казалось, он тащил крест на Голгофу, но устал и сел на обрыве передохнуть.

Я притормозил рядом, приоткрыл дверь, но Палыч поманил меня, предпочитая разговаривать на воздухе. Пожав мне руку, он предложил отхлебнуть пива из своей бутылки, затем положил руку мне на плечо, подвел к обрыву, где, по его мнению, можно было исключить всякое подслушивание, и без лишних пауз начал рассказывать о пожаре, точнее, о том, что ему предшествовало:

— Я тебя просто хочу предупредить. На всякий случай. На мой взгляд, ты парень доверчивый, а Танька себе на уме, и как бы из этого не вышло какой-нибудь ерунды.

По реке прошелся ветер, зашумел в голых ветвях. На противоположной стороне, в избе, напоминающей бобровую плотинку, вспыхнуло желтое оконце и отразилось в реке. Через дрожащее отражение, как нож через масло, бесшумно проплыла коряга.

— Пять, по-моему, уже было... Сейчас точно не припомню — да не в этом суть. Я с ветеринарки возвращался. Еще было светло, солнце где-то в кронах. Иду по полянке, по ухоже, наискосок в псарню — ты знаешь эту тропку, снега там еще полно было. По левую руку от меня конюшни, выгон, и вот вижу я нашего конюха. Он, значит, вилами работает, в бороде сено, увлечен, меня не видит. А я думаю: вот и хорошо, сейчас я у него про щенков спрошу.

— А что он с сеном делал? — спросил я, воспользовавшись паузой, пока Палыч прикуривал. — В конюшню закидывал?

— Нет, не в конюшню, — покрутил головой кинолог и глубоко затянулся. — Конюшня закрыта была, и он вязки переносил из-под навеса, с которого уже текло, к торцу конюшни — там и солнца побольше, и посуше. Подхожу, на ограду опираюсь, слово за слово. Треплемся, в общем. И тут я краем глаза замечаю, что на крыше приподнимается световое окошко, стекло вместе с рамой. Говорю конюху: «А это кто у тебя там?» Он голову задрал, ко мне спиной пятится и бормочет: «Не понял, не понял». А рама, значит, откидывается, и показывается белобрысая голова.

— Танька? — догадался я.

— Танька. Выползла на крышу, и напугана, и смущена, ей то ли стыдно, то ли страшно. Конюх руку ей подал, она на снопы съехала, стоит перед нами, отряхивается, заикается: «Я на лошадок посмотреть хотела. В дверь зашла, а она за мной захлопнулась». Я на конюха смотрю — он тоже ни хрена не понимает, какого лешего баба в конюшне делала. Сам знаешь, он хозяин крутой, порядок у него — не придерешься, посторонних у себя не любит. Стоит он и не знает, сердиться ему или шутить. «А чего сама пошла? Спросила бы, я бы верхом дал покататься!» В общем, как-то замяли неловкую ситуацию.

— А конюх тут же не заглянул внутрь?

— Нет. Мы разговором увлеклись.

— Странно, что она полезла через крышу, — сказал я. — По-моему, проще было покричать, постучать в дверь. Вы бы услышали, если бы она стучала?

— Какой разговор! Мы слышали, даже как лошади фыркают и с ноги на ногу переступают... Значит, стоим втроем, о щенках говорим. Я у Татьяны про тебя спрашиваю, прошу, чтобы вечером ко мне направила, если встретитесь. Конюх тоже пообещал, что зайдет после работы. Забыл он или передумал — не знаю, но ко мне так и не зашел, домой поехал. И вот в часов девять как вспыхнет! У меня во дворе светло, как днем, стало. Я почему-то сразу про конюшню подумал. И, в чем был, с щенком на руках — туда! Пока добежал, половина коней уже через ограду выгона перескочила — и на ухожу. Я еще подумал: молодец конюх, успел стойла открыть и ворота. А конюх, оказывается, уже два часа как домой уехал. Только ты один на снегу валялся.

— А Татьяна?

— Татьяна минут через пять объявилась. Бежит с ведром в руке, на ходу куртку надевает. Как-то неестественно она это делала... Чувствую, а сказать не могу.

— Это ты меня из выгона вынес?

— А кто ж еще? Я думал, тебе каюк. А как на руки поднял, так услышал, что дышишь. Копытом тебя лошадка в спину припечатала, хорошо что не по балде.

— И я действительно держал в руке зажигалку?

Палыч ответил не сразу — то ли сигарета у него затухла, и он принялся ее раскуривать, то ли думал, как ответить лучше.

— Знаешь, честно говоря, я этого не видел. Когда ты уже у кустов лежал и в себя приходить начал, Танька эту зажигалку у тебя в руке нашла.

— Это она так сказала?

— Да, хозяину так и сказала: в руке у Стаса.

— А конюх доложил князю, что Татьяна в конюшню лазила?

— Да он вообще двух слов связать не мог! Испугался здорово. Примчался ночью с какой-то пьянки, весь дрожит, крестится. Николаич его и слушать не стал, отправил отсыпаться.

Он замолчал, поплевал на окурок и кинул его в реку. Надо было закончить сказанное каким-нибудь выводом, а вот его как раз Палыч делать не хотел.

— Так что думай сам, — сказал он округло. — И голову не теряй.

— Получается, что стойла Татьяна открыла, — произнес я. — Значит, заранее знала о пожаре, лошадей пожалела. А кто еще, как не поджигатель, может о пожаре знать заранее?

Я хотел, чтобы Палыч подтвердил: да, это так, по-другому объяснить происшедшее невозможно. Но кинолог свои слова держал в крепкой узде.

— Ну, это тебе выводы делать. А мое дело рассказать тебе, как все было.

Спал я плохо, несколько раз за ночь вскакивал и смотрел на часы. Утром, чувствуя себя совершенно разбитым, на одной воле пробежал вокруг пруда, с головой окунулся в полынью, и только когда все тело запылало огнем, вновь почувствовал себя сильным и уверенным в себе.

Гладко выбритый, пахнущий горьким одеколоном, я стремительно вошел в приемную как неукротимый и могущественный Кинг-Конг, как Годзилла или Бэтмен. С Татьяной я не поздоровался, лишь кинул на нее презрительный взгляд.

— Что это ты с утра в рот воды набрал? — равнодушно спросила она, перебирая письма, телеграммы и квитанции. — Конфетку хочешь?

— Князь у себя?

— У себя, но до двенадцати никого не принимает.

— Даже меня?

— Даже тебя, — ответила Татьяна, приподняла крышку коробки с конфетами и положила на язык шоколадную улитку. — Ни-ко-го! Ферштеен?

«Можно вломиться к нему без разрешения, — думал я. — Но хозяин таких вещей не любит, наверняка выставит вон. И у Татьяны появится повод посмеяться надо мной».

Я нервно ходил вокруг стола.

— Ты сегодня какой-то озабоченный, — заметила Татьяна. — Нет желания прокатиться на выходной в первопрестольную? Говорят, в Малом идет какой-то совершенно безумный спектакль.

— Из МВД телеграмм не было? — едва разжимая зубы, спросил я. — Из Непала?

— Увы, увы, — пропела Татьяна, растопыривая ладони и оглядывая разложенные на столе документы, как карты в пасьянсе. — Вот только из милиции...

Я сгреб и смял в кулаке несколько писем и стал бегло просматривать их, швыряя затем на стол. Из районного отделения милиции: *«Уважаемый Святослав Николаевич! В связи с участившимися фактами правонарушений в непосредственной близости от занимаемой Вами усадьбы убедительно прошу Вас оплатить услуги народных дружинников в сумме...»* Из администрации города: *«Орлову С.Н. По решению жилищного отдела с марта месяца вам будет начислена квартплата 29 000 рублей в месяц (или в СКВ по курсу), согласно общей площади всех капитальных строений усадьбы, которая составляет 12 тыс. кв. метров. Для решения этого вопроса просьба явиться в каб. № 14...»* Из пожарного надзора: *«За дополнительные услуги пожарных, которые ликвидировали последствия Вашей небрежности, с Вас причитается 18 266 рублей. В случае неуплаты деньги будут востребованы через суд...»* Из районной больницы: *«Многоуважаемый Святослав Николаевич! Не могли бы вы оказать материальную помощь персоналу нашей больницы, которые уже несколько месяцев не получают зарплату...»*

«Боже всемогущий! — подумал я. — Зачем он приехал?! Отправь его обратно в Америку!»

— Я не успеваю их регистрировать, — сказала Татьяна, разглаживая мятые письма. — Все несут и несут.

— А сочинять и распечатывать эти письма успеваешь? — спросил я, в лепешку раздавливая пальцем конфету.

— Что? — не поняла Татьяна.

«Все! Довольно! — подумал я, выбегая на улицу. — Если бы молодость знала, если бы старость могла... А я все знаю и все могу. Идиоту уже должно быть понятно, что Татьяна обнаглела вконец и ловко вытягивает из князя огромные деньги».

Уже издали я заметил, что моя «шестерка», припаркованная у ворот, как-то странно осела на левый бок. Подойдя ближе, я увидел, что оба левые колеса спущены, а на ветровом стекле красной краской аляповато выведено: «Прихвостень!»

Я сплюнул и подумал: «Если сегодня я не взорвусь от

злости, то проживу долгую и счастливую жизнь», и начал махать рукой, останавливая все легковушки подряд.

В кабинет нотариуса стояла небольшая очередь. Дверь соседнего кабинета была открыта настежь, желающих зайти туда не было. Полненькая дурнушка, явно засидевшаяся в девках, заправляла стопку бумаги в поддон копировального аппарата. Когда я зашел в кабинет и закрыл за собой дверь, она с нелюбовью взглянула на меня и, неимоверно растягивая гласные, произнесла:

— Сюда вход воспрещен, мужчина! Ну говорят же вам!

— Татьяна где? — без вступлений спросил я, заглядывая под стол, на котором стоял ксерокс.

— Какая еще Татьяна, господи?

— Прокина! — вовремя вспомнил я фамилию.

— Да не работает она здесь уже сто лет, господи!

Слово «господи» в ее произношении звучало как «госпти».

— Не может быть! — возразил я, импровизируя с ходу. — Она же сама мне телеграмму дала!

— Не знаю я, дала она вам или не дала! Не работает она уже тут, говорят же вам!

Эту молодую, но стремительно набирающую бюрократского опыта девицу разговорить оказалось нелегко. Я мобилизовал весь свой артистический талант, рухнул на стул, уронил голову на руки и задергал плечами.

— Я так спешил, — прошептал я. — Три ночи не спал. Ни крошки во рту...

— Да говорят же вам! — плаксивым голосом произнесла девушка. — Не работает она здесь, господи!

— Хотя бы домашний адрес, — не отрывая лица от ладоней, прошептал я и всхлипнул.

— Да не знаю я ее адреса, говорят вам! Она где-то на краю города квартиру снимает! Никто из наших у нее не был, господи!

Вообще-то девушка оказалась вполне разговорчивой, просто у нее манера была своеобразная — с обязательным использованием «говорят же вам» и «господи».

— Она разве не местная?

— Я же говорю вам — нет, конечно! Из Москвы она, гос-

поди! Всего неделю у нас поработала и сразу к этому миллионеру упорхнула.

— К Орлову, что ли?

— Ну не к вам же, мужчина! Вы что, тоже миллионер?
Господи, сколько же можно повторять?

— К Орлову меня не пропустят, — могильным голосом
сказал я и погладил вены на запястье, словно намеревался
их перегрызть. — Неужели нет больше никаких зацепок? Вы
позволите мне вот здесь, вот так взять и умереть?

— Господи, вы же все равно не умрете, даже если я очень
этого захочу! — Девушка закатила глаза и стукнула пальцем
по сенсорной кнопке. Аппарат ожил, сверкнул лампами,
внутри его что-то загудело и защелкало. — Каждый день по
сто раз приходится объяснять. Ничего не понимают. Вот вам
зацепка, у меня больше ничего нет, говорю же вам!

С этими словами она положила передо мной почтовый
конверт.

— Что это? — спросил я, придвигая конверт к себе.

— Неужели вы не видите, господи? Бестолковый какой-
то! Это письмо. Пришло на ее имя, когда она уже ушла к Орлову. С письмом вас могут пропустить, вот вам и зацепка.

«С этого бы и начала!» — подумал я, поднялся со стула и
прижал письмо к сердцу.

— Даже не знаю, как вас благодарить...

— Вот если вы сейчас уйдете, — принимая теплые копии,
заскулила девушка, — то это будет самой лучшей благодарностью, господи! Вам же говорят — вход сюда воспрещен.
Нервов просто не хватает...

Затолкав письмо в карман, я вышел из кабинета, просо-
чился через очередь и оказался на улице. Водитель «Москви-
ча», которому я пообещал сумасшедшую сумму, доверчиво
ждал в машине, и стекла от его дыхания запотели. Тут же, на
крыльце конторы, я вынул письмо из кармана и внимательно осмотрел конверт.

«Улица Советская, дом тринадцать. Нотариальная кон-
тора. Татьяне Прокиной» — это адрес получателя. Про от-
правителя ни слова. На обратной стороне московский штамп,
сто сорок пятое отделение связи. Не церемонясь с конвер-
том и не задумываясь о морали, я быстро надорвал его край
и вытащил открытку с изображением букета подснежников

и оплетающей его золотой цифры 8. На обратной стороне было написано: «*Дорогая доченька! Поздравляю тебя с праздником 8 Марта! Желаю вечной молодости, красоты, большой-большой любви! Мама*».

При виде такой подписи у меня даже сердце в груди притихло от стыда и щемящего чувства жалости к Татьяне. Подписался бы какой-нибудь мужик — так бы не проняло. А когда вдруг узнаешь, что у твоего главного врага есть мама и она такие теплые слова пишет своему ребенку, — сразу весь мир становится нежным и солнечным, и никаких-никаких врагов...

Я затолкал открытку и конверт в карман и запрыгнул в машину.

— Куда? — спросил водитель.

— В Москву.

Глава 29

В «ЭСКОРТЕ» СЕКСА НЕТ

Старенький мотор надрывался, рычал и захлебывался, когда дорога пошла круто вверх. На повороте, нависая живописной скалой, высились круговые стены новой школы, которую строил Орлов. Я успел заметить, что все окна первого этажа выбиты, а белоснежные стены, стилизованные под контрфорс монастырской башни, были расписаны малопонятными словами и рисунками в виде кулака с оттопыренным вверх средним пальцем.

— Варвары, — проворчал водитель и покачал головой. — Я, конечно, тоже их на дух не выношу, но крушить красивый дом — не дело.

— Кого, простите, не выносите на дух? — уточнил я.

Водитель усмехнулся, не поверив, что я его не понял.

— Известно кого. Для кого эта школа строится, знаешь? Для сынков городской администрации и богатеев.

— А с чего вы взяли, что для сынков? — спросил я и подумал, что князь не только на девушках помешался. Он не общается с народом, не слушает, о чем люди говорят, и потому не знает жизни. Живет в придуманном самим же лубочном мире.

— С чего взял! — снова усмехнулся водитель. — Все ж об этом говорят. Да ты сам подумай: такую вот роскошную школу простым детям отдадут?

— Нет, не простым, — возразил я. — Орлов строит спортивную школу-интернат для сирот и трудных подростков.

— Да ладно тебе сказки рассказывать! — махнул рукой водитель. — Сначала, может быть, это будет школа-интернат. А через месяц посмотришь, какие сироты здесь учиться будут.

Он был убежден в своей правоте настолько, что спорить с ним не было смысла. Я замолчал и уставился в окно, за которым мелькали черные поля, обрамленные черными полосками леса.

— Нельзя наш народ сортировать, — говорил водитель — то ли для меня, то ли просто думал вслух. — Мы одно целое, один организм. И если, скажем, рука болит — весь организм чувствовать и страдать должен. А нет — так отомрет эта рука, и останется народ инвалидом, калекой... Война, голод, какое-нибудь массовое бедствие скорее сделают нас счастливыми, чем медленное, а главное неравномерное обогащение...

По рижской автомагистрали мы долетели до Москвы за час. Сто сорок пятое почтовое отделение оказалось в районе новостроек, где в воздухе витал стойкий запах краски и извести, теснились ряды магазинов, торгующих исключительно водкой и строительными материалами, высились в плотном лесном порядке жилые башни, и тени от них валились друг на друга, как ели в зоне падения тунгусского метеорита.

Остановившись рядом с почтой, водитель вопросительно посмотрел на меня, а я — на него. Во время пути я думал преимущественно про нежные губы и стройные ножки Татьяны, которыми природа так несправедливо наградила мошенницу, а не о том, что намерен здесь делать, и потому в некоторой растерянности оглядывал дома и заваленные строительным мусором дворы..

«Ее мама необязательно должна носить фамилию Прокина, — думал я, снова рассматривая уже изрядно помятый конверт. — Допустим, она развелась с отцом Татьяны и вернула себе девичью фамилию. В таком случае искать ее бесполезно».

Мне ничего не оставалось делать, как уповать на власть денег. Сотрудница домоуправления за пятьдесят баксов осчастливила меня выпиской из домовой книги, в которой значилось, что на улице Пронской в доме номер тридцать два, в квартире двенадцать проживает Прокина Ирина Анатольевна вместе с дочерью Прокиной Татьяной Александровной.

Я стоял на ступенях, посетители домоуправления толкали меня со всех сторон, а я все не мог налюбоваться выпиской, словно Буратино золотым ключиком.

— Ищем Пронскую, дом тридцать два, — сказал я водителю, вернувшись в машину.

Мы подрулили к первому подъезду четырнадцатиэтажки. Дом, кажется, недавно сдали в эксплуатацию, стальная дверь с домофоном еще не была установлена, и я беспрепятственно зашел в подъезд и поднялся на третий этаж. Дурная привычка — полагаться на импровизацию. Я уже подходил к двери, обитой по моде пухлым коричневым ледерином, но еще не придумал, что скажу матери Татьяны. С первого мгновения надо было втереться к ней в доверие... Представиться женихом? Сотрудником? Начальником?..

Предчувствие меня обмануло, дверь никто не открыл, зато проявил любопытство сосед — улыбчивый и очень приветливый седой джентльмен, который без каких-либо усилий с моей стороны рассказал, что Ирина Анатольевна бывает здесь редко, так как предпочитает жить на даче, появляется раз в неделю, чтобы забрать почту да цветы полить. А вот ее дочь Татьяна, бывает, месяцами не выходит из геологических экспедиций.

«Так она у нас геолог!» — подумал я, доверительно кивая головой. К вполне обоснованной конспирации молодой мошенницы я отнесся с пониманием, сказал джентльмену, что я тоже геолог и сам только что вернулся с Северного Ямала, поблагодарил его и спустился вниз.

«Я тебя выведу на чистую воду! — думал я, без труда вскрывая крышку свежевыкрашенного почтового ящика. — Только бы ухватить тебя за хвост!» Почтовая ниша была плотно забита всевозможными рекламными изданиями, и я принялся добросовестно перетряхивать стопку газет. «Не было ни гроша, да вдруг алтын», — подумал я, поднимая упавшие мне под ноги письмо в стильном узком конверте и счет за телефонные переговоры.

Письмо на имя Татьяны я оставил на сладкое и рассмотрел счет. Около двадцати рублей натикало за два междугородных переговора. Я узнал телефонный код Арапова Поля. По какому именно номеру звонила Ирина Анатольевна, указано не было, но об этом нетрудно было догадаться — наверняка в дежурку охранников, чтобы через них связаться с доченькой. Первый звонок был сделан двадцатого марта, когда мы с Танюхой прилетели из Катманду и приехали в усадьбу Орлова, второй — двумя днями позже. Все логично и объяснимо — мама и дочь постоянно поддерживают между собой связь. Интересно одно: знает ли мама, чем дочь занимается на самом деле?

Конверт я вскрыл с легкостью замшелого циника, сам себе напоминая тяжелый танк, пробивающий броней неприступные стены. Внутри оказался плотный лист, слишком большой для короткого текста: *На имя Мальцева Д.Ф. зарегистрировано охотничье ружье МЦ-21 (одноствольное магазинное самозарядное), учетный номер 1328442, дата приобретения 22.10.94 г.*. Оглавлял документ витиеватый логотип в виде рыцарской кольчуги, а снизу к нему прилепились аббревиатура и слово: «ОА «ЭСКОРТ». Не «АО» — акционерное общество, а именно «ОА». И ничего больше — ни адреса, ни телефона, ни фамилии автора письма. Ничего!

Это показалось мне весьма сиротливым открытием для столь больших финансовых и физических затрат, тем более что фамилия Мальцева Д.Ф. мне ни о чем не говорила, и я решил идти по этой тонкой почтовой ниточке до конца, пока не упрусь головой в какой-нибудь бетонный забор.

Адрес фирмы «Эскорт» я нашел по телефонному справочнику, который купил на почте, и погнал водителя на противоположный конец города. Водитель заметно устал крутить баранку, его не обрадовала даже приличная сумма, которую я пообещал в качестве премиальных за усердие, и он все время молчал, сохраняя на лице кислое выражение. Зато не отвлекал меня разговорами о политике, и я, размышляя о письме из «Эскорта», пришел к выводу, что Татьяна связана с каким-то охотничьим клубом или спортивно-стрелковым обществом.

Но когда мы подъехали к крыльцу фирмы, я испытал и горечь ошибки, и легкий шок. Сверкающая полированной медью вывеска гласила: «ЧАСТНОЕ ОХРАННОЕ АГЕНТСТВО «ЭСКОРТ». И ниже: «РАБОТАЕТ КРУГЛОСУТОЧНО И БЕЗ ПЕРЕРЫВОВ».

— Что-то не то? — спросил водитель, заметив разительную перемену на моем лице.

Я не знал, как ему объяснить свои чувства. У меня не было сомнений в том, что я максимально близко подошел к конечной цели, что за дверьми этого агентства хранится тайна Татьяны, которая попортила мне столько кровушки и нервов! Над армией оставшихся без ответов крючковатых вопросов повисло светлое облачко ответа, которое постепенно принимало конкретные формы, но я не стал тянуть время и понапрасну напрягать воображение, коль ответ в чистом виде ждал меня за бронированной дверью с «глазком».

Вооружившись авторучкой, я положил на колени атлас автодорог и на личном бланке князя Орлова, похищенном со стола Татьяны, сочинил письмо следующего содержания: *«Директору ОА «Эскорт». Прошу Вас предоставить мне полную информацию о моем письмоводителе госпоже Прокиной Т.А., которая, по нашим данным, имеет непосредственное отношение к вашему охранному агентству. Господин Ворохтин С.М. действует по моему поручению и от моего имени. Князь Орлов С.Н.».*

Изобразив под письмом автограф князя, я зашел в приемную агентства, представляющую собой белую мягкую комнату, на стенах которой висели щиты с информацией для клиентов и многочисленные зеркала. За столом, заставленным оргтехникой, сидела девушка, не слишком красивая, но с мужественным лицом, за ее спиной беспрестанно хлопала дверь, через которую входили и выходили потные атлеты. Там кто-то по-звериному кричал, раздавались глухие звуки ударов и стук падающих тел. Обстановка внушала уверенность в надежной защите.

— Здравствуйте! — голосом спортивного комментатора произнесла девушка. — Чем я могу вам помочь?

Я представился начальником службы безопасности князя Орлова. Девушка обрадованно кивнула, полагая, что я намерен заключить договор на дюжину телохранителей, но мне пришлось испортить ей настроение. Она приняла письмо за жалобу.

— Можно конкретнее? — произнесла она, шлифуя взглядом письмо. — Какие у вас претензии к Прокиной?

У меня отлегло от сердца. Я понял, что Танюха действительно работает здесь.

— Разве там сказано о претензиях? — возразил я.

— Тогда что вы от нас хотите?

— Мне, как начальнику службы безопасности, необходима исчерпывающая информация об этой гражданке. Например, мне не совсем понятно, кто и в каком качестве прислал ее к нам? — ответил я, провожая взглядом тяжеловеса с голым блестящим торсом.

— Что значит — в каком качестве? — нахмурилась секретарша. Она стала напоминать продавщицу, которой я намеревался вернуть тухлую колбасу. В глазах — боксерская воля стоять на своем до конца и готовность, если понадобится, сожрать тухлятину. — Мы предлагаем своим клиентам только высокопрофессиональных телохранителей и детективов. Никаких других услуг. Интим, криминал и прочие противозаконные действия строжайше запрещены. Наши сотрудники получают на этот счет жесткие указания...

«Мать честная! — подумал я. — Выходит, Танька подрядилась к нам в качестве детектива?»

— Да я не о том! — покрутил я головой, по реакции девушки подбирая и уточняя свои вопросы. — Кто сделал на нее запрос? Кто ее заказал?

— Типун вам на язык! — ответила секретарша и суеверно постучала костяшками пальцев по столу. — Не «заказал», а востребовал. У нас так не выражаются... Секундочку! — Она принялась вытаскивать информацию из компьютера. — Так... Договор заключен с первого марта по третье апреля. Вид услуг: криминальный сыск, слежка. Особые условия: огнестрельное оружие, выезд в Непал, альпинистские навыки. Заказ оплачен в полном объеме через СБ России... Вот, собственно, и все, что я могу вам сказать.

— А кто клиент? Кем оплачены услуги? — без пауз наступал я, чтобы не дать секретарше опомниться.

— К сожалению, я не имею право сообщить вам эту информацию.

Особенно наглеть среди живых бульдозеров было нельзя, и я стал балансировать на грани просьбы и требования, делая заезд по дальней околице:

— Я все же никак не могу понять ваших клиентов. Зачем они платят деньги за частный сыск? Разве не проще обратиться в милицию?

— Было бы проще, к нам бы не обращались, — ответила секретарша. Она помолчала и, решив, что наша беседа начинает принимать рекламный характер, добавила: — К сожалению, очень часто милиция не может помочь. Обидит, например, вас кто-нибудь... Отберет деньги или еще что — не дай бог, конечно. Вы пойдете в милицию. А там вам скажут: извините, но криминал в вашем деле отсутствует. Или еще проще: мы в бандитизме и убийствах зарылись по горло, а вы к нам с какой-то чепухой пришли... И тогда вы прямым ходом пойдете к нам.

— Вот оно что! — протянул я. — И все-таки мне не совсем понятно: неужели двадцатипятилетняя девушка — я имею в виду Прокину — быстрее и качественнее разберется с преступлением, чем опытные работники прокуратуры?

— Видите ли... — замялась секретарша. Ей очень хотелось убедить меня, что это так, но опасалась, что ответ получится некорректным. — Видите ли, работники прокуратуры и милиции связаны уголовно-процессуальным кодексом, законами, а наши сотрудники... как бы это полегче сказать...

— На законы плюют, — помог я.

— Может, не совсем и так, — натянуто улыбнулась секретарша, но я понял, что это именно так. — Просто они в большей степени раскрепощены, изобретательны и обладают прекрасными актерскими данными.

— Понятно! — оживился я и снова пошел в наступление. — Актерские данные у Прокиной великолепны! Именно потому мой шеф никак не может разобраться, кого вы к нам прислали. Князь Орлов на дух не выносит каких-либо темных лошадок рядом с собой! Вы же не хотите, чтобы ваша сотрудница со скандалом была выдворена из усадьбы, где ее великодушно приютили?

— Князь Орлов? — переспросила секретарша и кинула взгляд на экран монитора. — Странно...

— Что странно?

Я прочел в ее глазах недоверие и насмешку.

— Значит, вы действуете от имени Святослава Орлова? — уточнила она.

— Совершенно верно.

— Но я должна удостовериться, что это правда.

— Разве этого не достаточно? — сказал я, ткнув пальцем в письмо.

— А почему Святослав Орлов не прислал по факсу заверенной копии своего паспорта и поручительство?

— У него нет факса. У него даже телефона нет. И пишет он гусиным пером.

Секретарша усмехнулась. Она смотрела на меня хоть и мужественными, но лукавыми глазами.

— Как же он живет без телефона?

— Лучше нас с вами, — заверил я.

Девушка еще раз взглянула на письмо.

— Что-то не похоже на гусиное перо, — произнесла она тем тоном, когда человек уже шутит, но еще хочет, чтобы его слова были восприняты всерьез.

— Так гуси-то импортные! — в том же тоне ответил я. — Ему раз в неделю живого гусака из Нидерландов присылают! Перья такие, что даже «Паркеру» не снились!

Мы уже открыто шутили, и наш разговор напоминал ровное скольжение парусников по зеркально-штильному морю.

— Из Нидерландов, говорите?.. Что ж, ладно, — сдалась секретарша и, не сводя с меня глаз, добавила: — Напомните вашему шефу, Святославу Николаевичу Орлову, что Прокина определена детективом и личным телохранителем его сына Родиона Орлова. А заказ сделал и оплатил сам Святослав Николаевич.

Я сразу утратил к секретарше всякий интерес, хотя она продолжала ворковать мягким голосом про заслуги Прокиной, о том, как несколько лет назад она выполнила норматив мастера спорта по биатлону, а в прошлом году стала призером первенства МВД по стендовой стрельбе... Кажется, я даже не попрощался и молча вышел на улицу.

«Вот это поворот! — подумал я, садясь в машину. — Выходит, Танька — частный детектив? Ищейка? И работает по заданию князя?.. М-да, и про задание теперь уже нетрудно догадаться. Конечно же, князь натравил ее на меня, чтобы

212

она контролировала мои действия в Непале и в усадьбе... Какой стыд! Я как дурак подозревал ее в мошенничестве и лишь смешил обоих. Издевался старик надо мной! Клоуна завел себе! Обидел он меня, обидел! Теперь понятно, почему он все время подталкивает меня к Таньке: «Женись!.. Она тебя любит!» Он хотел ее глазами следить за мной, ее руками копаться в моей жизни, читать мои мысли... Все, конец. Я выхожу из Игры. Пусть первое апреля он отмечает в ее обществе. Все, что должен был, я сделал честно и до конца. Совесть моя чиста. Гуд бай!»

— Ну что, командир? — могильным голосом спросил водитель. — Поедем или тут умирать будем?

— Поедем домой, — ответил я. — Поставим машину в гараж, наберем водки и как следует повеселимся, ага?

Водитель внимательно посмотрел мне в глаза и отрицательно покачал головой.

— Нет, командир, не обманешь. Ты не веселиться хочешь, тебе надо свои проблемы водкой залить... Ты меня прости, конечно, но у меня и без чужих проблем голова пухнет.

Глава 30

ДУРАК ТЫ, ВОРОХТИН!

Несмотря на отсутствие всякого желания видеть князя и общаться с ним, усадьба, с ее тихими парковыми дорожками, черными деревьями, медленно пробуждающимися после зимней спячки, с темноводным прудом и белым горбатым мостом, напоминающим серебряный кокошник на голове цыганки, после шумной и суетной Москвы показалась мне островком рая, родным домом, и я с горечью подумал, что незаметно привык к этой земле и полюбил ее. Расставаться с усадьбой было невыносимо. Я едва сдерживал слезы, когда подходил к главным воротам.

— Хозяин уже два часа тебя разыскивает, — сказал мне охранник. — Срочно зайди к нему.

Еще можно было остановиться, дать задний ход, можно было высказать князю все свои претензии, объяснить, что недоверие и слежка за мной — все равно что плевок в душу, но я был упрямым человеком и любил хлопать за собой дверью.

— Дай-ка мне лист бумаги и ручку, — попросил я и сел за стол.

Охранник, сопя, из-за плеча следил за моей рукой. Я писал быстро и размашисто, чтобы передать не только суть просьбы, но и настроение.

— Что это? — не поверил своим глазам охранник, когда я протянул ему лист и попросил передать его Орлову. — «Заявление. Прошу уволить в связи с отсутствием доверия с Вашей стороны...» Ты что, парень, с ума сошел?

У охранника были все основания удивляться моему поступку, и я не стал что-либо ему объяснять. Пожал плечами, мол, наверное, ты где-то прав, и вышел из дежурки.

— Может, передумаешь? — несся мне вдогон сочувствующий голос. — У нас уже четыреста заявок от желающих работать в усадьбе. Пять человек с высшим образованием в уборщики просятся...

«Не передумаю», — мстительно подумал я.

Сборы заняли у меня всего несколько минут. Поднявшись к себе, я убрал с дивана постель, расставил по углам стулья и сложил в мусорное ведро пустые бутылки. Закинув свои вещи в большую спортивную сумку, я мысленно поблагодарил комнату за уют и те счастливые мгновения, когда я был здесь с Татьяной, и вышел.

В обратную сторону я шел со скоростью похоронной процессии, придумывая всевозможные поводы, чтобы остановиться, поглазеть на небо или верхушки деревьев. В последние минуты моего самоизгнания из усадьбы душа страдала особенно сильно. Волной накатила беспросветная тоска. Я смотрел на кипарисовую аллею, на грот, на желтые огни хозяйского дома свежим взглядом, открывая для себя нечто новое, словно привычную для глаз картину в мое отсутствие подправил художник, усилив краски и четче выписав детали. Еще не покинув пределы усадьбы, я уже страдал от ностальгии по ней.

Дойдя до клумбы, к которой сходились четыре дорожки, я остановился, кинул сумку под ноги и стал вспоминать, не забыл ли я чего-либо в своей комнате. Чтобы скорее ответить на этот вопрос утвердительно, я раскрыл сумку и стал перебирать вещи. Бритвенный станок, баллончик с пеной, полотенце, кроссовки, спортивный костюм...

В тот момент, когда я пересчитывал носки, рядом со мной вдруг появилась Татьяна, словно материализовавшись из темноты. Она была в том же голубом спортивном костюме, в котором я видел ее на пожаре. Волосы придерживала тугая горнолыжная повязка. Руки в карманах, плечи приподняты — сыро, а потому зябко.

— Привет! — сказала она. — А я тебя еще с моста заметила, но не сразу узнала. Что это ты едва ноги передвигаешь?

«Вот о чем действительно надо жалеть, — подумал я, снова склоняясь над сумкой, чтобы в сумерках спрятать восторженную физиономию, — так это о том, что мы не познакомились раньше и в другом месте».

— А я тебя по всей усадьбе разыскивала. Князь приказал найти и доставить. Сенсационное известие. Ты не поверишь!

Я принялся вытаскивать из карманов поздравительную открытку от мамы и письмо из «Эскорта».

— Почему ты молчишь? — насторожилась Татьяна. — Что-нибудь случилось?

— Прости меня, — невпопад ответил я, протягивая ей два измочаленных конверта. — Я нечаянно прочитал эти письма, а только потом узнал, что они адресованы тебе.

«Сейчас она придет в ярость, ударит или пошлет меня подальше, и тогда расстаться будет легче», — подумал я.

— Какие письма? — не поняла Татьяна. Было слишком темно, чтобы различить текст на конвертах, и она повернулась боком к хозяйскому дому, из окон которого струился слабый свет. В той же последовательности, что и я, она сначала прочитала открытку от мамы, потом ответ из «Эскорта».

— Я был не прав, — продолжал я каяться, заполняя затянувшееся молчание, и закинул сумку на плечо. — Ты оказалась лучше, чем я о тебе думал. И мама тебя любит, и на работе тебя ценят. Первенство МВД по стендовой стрельбе... мастер спорта....

Татьяна взглянула на меня. В ее глазах отражался далекий свет, идущий из кабинета князя, где сияли десятками огней электрические светильники, стилизованные под канделябры со свечами.

— Это была не моя тайна, — произнесла она.

— Я понимаю.

— Что ты понимаешь? — изменившимся тоном спросила Татьяна. Это был не столько вопрос, сколько утверждение, что я ничего не понимаю. — Профессиональный долг. Договорные обязательства.

Я кивал, соглашаясь. Как можно было подвергать сомнению столь высокие понятия, как долг и обязательства?

— Желаю успеха, — сказал я.

— Пойдем вместе, я тоже к нему.

Я отрицательно покачал головой.

— Нет, Таня, я не иду к князю. Я ухожу совсем. Увольняюсь по собственному желанию.

Повернувшись, я решительно зашагал к выходу. Пораженная моим поступком, Татьяна несколько мгновений ничем не выдавала себя. Я успел сосчитать до десяти, пока она пришла в себя:

— Стас! Подожди!

Она подошла, комкая в ладонях письма.

— Я собиралась сегодня рассказать тебе об этом, — произнесла она. Свет, отражающийся в ее глазах, дробился и деформировался. Казалось, качни она головой, и капля света скатится по щеке. — И не только об этом... Я очень хотела поговорить с тобой... Завтра из Дели прилетает Родион.

— Прекрасно, — усмехнулся я. — Ты говоришь об этом, ничуть не удивляясь. Значит, я был прав — тебе все известно про Игру... Поздравляю, тебе удалось облапошить меня.

— Нет, Стас, не надо обижаться! — попросила Татьяна и подошла ко мне еще на шаг. — Дело не столько в Родионе, а в его окружении. Я по-прежнему отвечаю не только за жизнь князя, но и за твою. Все очень сложно, понимаешь? Мне надо было время, чтобы во всем разобраться. И в тебе, и в себе самой...

— Получилось? — серьезно спросил я.

— Получилось, — тише ответила девушка. — Не уходи. Не надо, пожалуйста! Я люблю тебя...

— С ума сойти можно! — покачал я головой. — Чего только не придумаешь ради профессионального долга и договорных обязательств! Правильно мне сказали в «Эскорте»: ты обладаешь прекрасными актерскими данными. Жаль только, что тебе интим строжайше запрещен, правда?

— Дурак ты, Ворохтин, — решила Татьяна и отвернулась от меня.

«Очень может быть», — подумал я и с удвоенной решительностью зашагал к воротам.

Глава 31

ГОСТИНИЦА НА БЕРЕГУ ТУМАНА

Какое счастье, что какая-то злобная митингантка продырявила мне оба колеса — иначе сел бы за руль и уехал в Москву. И чем дальше я удалялся от усадьбы, тем безбожней обманывал себя. Можно было дождаться автобуса, идущего в центр, где находилась единственная гостиница «Северная», но я пошел пешком, убеждая себя в том, что мне некуда спешить и просто хочется прогуляться по ночному Арапову Полю. На самом же деле я втайне надеялся, что по моим следам, словно пограничная овчарка, кинется хозяйский «Понтиак» или же толпа охранников, которые меня остановят, свяжут (вот это было бы совсем хорошо!) и силой отведут назад.

Я продолжал заниматься самообманом, когда заполнял карту гостя, стоя у окошка заспанной администраторши. «Пока сниму колеса, пока найду транспорт и отвезу в автосервис, пока там отремонтируют, — думал я, — два дня уйдет точно». Но, прежде чем оформить проживание на двое суток, я не преминул уточнить, возможно ли по истечении этих двух дней пожить еще.

— Возможно, — успокоила администраторша.

И последняя ложь: «Ноги моей в усадьбе больше не будет!» — подумал я, накрываясь одеялом и засыпая.

Сон был беспокойный и поверхностный, как у часового на посту. Около семи, когда уже рассвело и за окном пронзительно зачирикали воробьи, я начал новую жизнь. Энергично откинул одеяло, оделся во все спортивное и побежал наматывать километры. Уже через десяток метров трасса показалась мне разбитой и грязной донельзя, и я развернулся в сторону усадьбы. «Имею право, между прочим, бегать где захочется», — убеждал я себя в том, что направление выбрал случайно.

Едва я миновал перекресток и мост, как увидел, что

сверху, навстречу мне, мелькая белыми кроссовками, бежит Татьяна. Мы оба сразу покрылись пунцовыми пятнами, а наши лица стали напоминать мраморные изваяния античных философов. Поприветствовав друг друга искривленными ухмылками, мы разминулись. Я увеличил скорость, хотя дорога пошла круто вверх, и в конце подъема совсем выбился из сил. Некоторое время я быстро шел, успокаивая дыхание, и мне казалось, что спина горит огнем от желания обернуться.

«А куда, интересно, она побежала?» — задал я себе безобидный вопрос и воровато оглянулся. Ни на мосту, ни за ним девушки не было. Я остановился, уже твердо зная, что сейчас сделаю, хотя очень не хотелось, чтобы Татьяна увидела мое безволие из-за какого-нибудь дерева и при этом злорадно смеялась. «В конце концов, — нашел я себе оправдание, — я уже вдоволь набегался и пора возвращаться. И нет мне никакого дела до того, что она подумает».

С облегчением я побежал вниз, миновал мост, перекресток и у сквера едва не столкнулся лоб в лоб с Татьяной, которая бежала мне навстречу.

— Да что ты под ногами все время путаешься! — крикнул я, отскочив в сторону и угодив в лужу.

— Это ты у меня путаешься, — возразила она, тоже останавливаясь. — Следишь, что ли?

— Это я слежу?!

В общем, мы выясняли отношения, как дети.

— В этом месте я каждое утро купаюсь в реке, — к месту придумала Татьяна. — Так что можешь не обольщаться — я и не думала за тобой следить.

— Каждое утро?! — воскликнул я. — Скажите пожалуйста! Что ж ты раньше не сказала? Я бы приходил смотреть, как ты пробиваешь головой льды!

Я выжидающе смотрел на девушку. Никто не тянул ее за язык врать про купание, она сама загнала себя в тупик. «Пойдет или не пойдет? — гадал я. — Если не сумасшедшая, то найдет причину, чтобы отказаться».

Но Татьяна оказалась сумасшедшей.

— Иди, смотри, — сказала она и решительно направилась через сквер к реке. Я последовал за ней, уверенный, что смогу ее вовремя остановить. Мы миновали детский городок с резными богатырями и драконами и вышли на узкий пляж. Темноводная и быстрая река, поверхность которой покрывали круги водоворотов, беззвучно скользила по витиеватому руслу, напоминая гигантского черного питона. Я первым подошел к воде и окунул ладонь. Может быть, в середине июля пара отважных мальчишек и осмелятся окунуться здесь, но сейчас река была пригодна разве что для быстрого охлаждения водки.

Я услышал за спиной шелест одежды и, обернувшись, увидел, что Татьяна раздевается быстро, на ходу, и сняла с себя уже слишком много, чтобы передумать и начать одеваться — как самолет, который при разбеге превысил скорость принятия решения и может уже только взлетать. Ступив одной ногой в воду, она скинула с себя последнюю деталь, начисто обнажив белое тренированное тело, и в тот момент, когда я крикнул «Не дури!», с головой ушла под воду.

Все пути к отступлению у меня уже были отрезаны. Мне ничего не оставалось, как кинуться на помощь девушке. Как назло, она не думала тонуть и спокойно рассекала воду, приближаясь к середине реки. Течением ее снесло в сторону, и мне пришлось пробежаться по пляжу и, набрав спринтерскую скорость, с воплем «Бляха муха!» кинуться в воду. Ледяное чудовище связало мне ноги, я и рухнул с головой в пучину, подняв тучу брызг. Вода была столь холодной, что у меня остановилось сердце; я явственно ощущал тишину в груди, как каменеют напряженные мышцы, как дыхание застряло где-то между глоткой и легкими. Вынырнув на поверхность, я с усилием выдохнул пар и стал бешено бить руками по воде. Не знаю, как Татьяне удалось так быстро оказаться рядом. Отворачивая лицо от фонтана, который я производил, она крикнула:

— Ты тонешь?!

— Это ты... тонешь! — с трудом прохрипел я. — Давай... к берегу... Русалка бесхвостая!..

Она была умной девушкой и поняла, что я скорее умру, чем позволю себе выйти из реки раньше ее. Не споря, Татьяна поплыла к берегу, вышла на песок — огненно-розовая, словно окуналась в краску, и натянула на мокрое тело длинную, почти до колен, майку.

Хорошо, что я был в трусах — и теплее, и не надо было прикрываться. Утренний мартовский туман показался мне африканским фёном, и от ощущения удивительной эйфории, легкости и чистоты во всем теле я стал носиться по пляжу, прыгать и размахивать руками. Сидя на скамейке, Татьяна отряхивала от песка ноги и натягивала белые носки.

— Тебе надо выпить горячего чая и растереться водкой.

— Мне надо выпить водки, — кричал я, — и растереться горячим чаем! А хорошо-то как!

— Оденься, пожалуйста, — попросила Татьяна. — Я вовсе не нуждаюсь в твоем героизме.

Я подошел к ней. Опустив голову, Татьяна пыталась отжать волосы.

— У тебя полотенце есть? — спросил я.

— Нет.

— Что ж ты пришла купаться без полотенца?

— Да пошутила я! — призналась девушка. — Не собиралась я купаться.

— Возьми тогда мою майку.

— А ты как?

Администраторша, должно быть, многое повидала на своем веку, но чтобы женщин приводили в семь утра, причем с мужской майкой, повязанной на голове, — ни разу. Взглянув на часы, она предупредила:

— Имейте в виду, только до одиннадцати вечера!

— Успеем, — пообещал я.

Пока Татьяна отогревалась под душем, я взял у дежурной по этажу кипятильник, заварку и сахар. Потом мы сидели, завернувшись в одеяла и прихлебывая крепкий чай. Татьяна молчала, глядя в окно. Я не задавал никаких вопросов. В наших отношениях снова наступала весна — вторая за эту зиму, еще робкая и холодная, но тепло, идущее откуда-то изнутри, уже потихоньку прогревало душу. Честно говоря, никаких подтверждений этому у меня не было, только интуиция. Может быть, всего лишь желание ощущать это тепло.

— Ты согрелась? — спросил я и опустил свою ладонь поверх ее ладони.

— Да, — ответила она, глянув на меня с благодарностью. Ее ладонь ожила, наши пальцы сплелись между собой. — Не волнуйся.

— Если бы я знал, что ты такая упрямая, то не позволил бы тебе прыгнуть в реку... Что ты хотела мне доказать? У тебя же в глазах было написано, что ты меня искала.

— Я боялась, что ты уехал в Москву электричкой. А у меня ни телефона твоего, ни адреса.

— Сделала бы еще один запрос в «Эскорт»: «Прошу выдать мне домашний адрес человека, которого я очень хочу видеть и которого я...»

Татьяна прижала к моим губам ладонь.

— Запросами личного характера «Эскорт» не занимается.

— Значит, проблема только в «Эскорте», а не в тексте запроса? — уточнил я, целуя ее пальцы. — Текст, значит, нормальный? «Прошу выдать... адрес человека... которого я очень люблю...»

— Подожди, — шепнула она, не в силах закрыть мне рот. — Подожди немножко...

Она пристально рассматривала мое лицо. Ее глаза были обворожительно подвижны, что так взволновало меня во время нашей первой встречи в ледовом лагере Креспи.

— А ответ придет такой... — бормотал я, все больше завладевая ее рукой, целуя запястье, ложбинку на сгибе. — «На ваш запрос отвечаем, что Стас Ворохтин безумно вас любит... и ревнует вас к тому делу, в которое вы ушли с головой.. Он все время думает о вас, обожает вас, ищет встречи с вами, но натыкается лишь на холодное чувство профессионального долга, и сердце его разбивается об эту стену, и его губам так тесно в той пустоте, что разделяет вас с ним...»

Одеяло упало с ее плеч. Мои губы согревали ее плечо, шею. Она обнимала меня — еще слабо, осторожно, словно боялась меня, как парашютист высоты перед первым прыжком, но желание испытать острый восторг становилось все сильнее, непреодолимо подталкивая к последнему шагу, чтобы затем бездумно, в чувственном порыве кинуться в пропасть. Наши губы нашли друг друга; она стала кусать меня, неистово, до боли, острые ногти впились мне в плечи. Я не заметил, как мы оказались на одеяле, упавшем на пол.

Глава 32

ЕСЛИ ОЧЕНЬ ХОЧЕТСЯ, ТО МОЖНО

Я спал, уткнувшись носом ей в шею. Наверное, недолго, так как пробуждение было легким и быстрым, и меня тотчас охватил стыд — я был мужиком, уснувшим в объятиях женщины, тем самым хрестоматийным эгоистом, которых так упрекают теоретики любви. Но Татьяна, почувствовав мое желание показать себя бодрым и, главное, «благодарным», обняла меня за плечи и крепче прижала к себе.

— Нет-нет, — прошептала она. — Не надо. Так и лежи, пожалуйста. Мне очень хорошо.

Ей нравилось, что я заснул быстро и глубоко, крепко и неудобно прижавшись к ее телу, — не все женщины, оказывается, воспринимают это как неуважение к себе. И все то время, пока я дремал, она лежала тихо, не шевелясь, боясь разбудить меня, оберегая мое естественное животное доверие к ней. И я снова замер, притворяясь спящим. Но новая попытка остановить время уже была искусственной, и Татьяна это поняла. К тому же она не могла позволить себе надолго забыть о том мире, который за окном омывался в сыром рассвете. Провела ладонью по моей щеке, зажала пальцами нос, пощекотала ресницы. Я не реагировал, терпел. Татьяна стала целовать меня, точнее, медленно водить губами по моему лицу, как делают матери, отыскивая невидимую занозу в ладошке ребенка.

— Мне пора, — шепнула она.

Я едва приоткрыл глаза.

— Пусть у тебя будет сегодня выходной.

— Нет, милый, только не сегодня. Я опоздаю в Шереметьево.

— Ну его в баню, это Шеремстьево!

Она осторожно убрала руку из-под моей головы. Я продолжал лежать, глядя из-под полуприкрытых век на то, как девушка, сидя ко мне спиной, сплетает волосы в тугой клубок и скрепляет его шпильками. Казалось, что наше утреннее купание в реке было давно-давно и с него началась счастливая, наполненная любовью жизнь, и я не мог понять, почему теперь все будет по-другому, почему я лежу в холодной опустевшей постели с терпким запахом дорогих духов на подушке.

Я коснулся ее плеча.

— Еще нет девяти.

— В самом деле, — ответила Татьяна, взглянув на часы. Она искала любой повод, чтобы задержаться. — Еще несколько минут можно побыть вдвоем.

— Так что же ты...

Я притянул ее к себе. Она выдернула шпильку и тряхнула

головой, рассыпая волосы по плечам. Они, словно шатер, отгородили меня от серого окна, когда Татьяна склонилась надо мной, и весь мир опять сузился до нас двоих. И время, казалось, остановилось...

— Десятый час! — вскрикнула Татьяна несколько минут спустя и вскочила с постели. — Водитель уже ждет!

Я не мог понять ее озабоченности. Мне было ровным счетом наплевать на то, какой сейчас час. Никогда я не чувствовал себя в такой степени свободным от времени.

— Танюша, — спросил я, когда девушка выскочила из душевой и начала торопливо одеваться, — а ты не можешь послать водителя вместе с его «Понтиаком» к чертовой матери и остаться со мной?

— Милый, умоляю! — жалобно произнесла девушка. — Если ты скажешь, чтобы я осталась, то я останусь. Но мы с тобой подведем Орлова. Как потом смотреть ему в глаза?

Она вроде бы отдала мне всю власть над собой. Но с такими оговорками, что я понял: власти, собственно говоря, никакой нет. На словах Татьяна была готова остаться со мной, но на самом деле ее ничто не могло остановить.

— Ты забыла надеть трусики, — заметил я.

— Что?! — ахнула девушка и принялась развязывать шнурки на кроссовках. — Если этот день так начался, то могу представить, как он закончится.

Наконец она привела себя в порядок, склонилась надо мной и поцеловала в лоб.

— Захватите меня по пути. Я поеду с вами, — сказал я перед тем, как Татьяна пулей вылетела из номера.

И почему женщины так всегда суетятся, когда чувствуют дефицит времени? Они делают тысячи совершенно бесполезных движений, вместо того чтобы идти к своей цели напрямик. Татьяна, например, перед тем как скрыться за дверью, подбежала к зеркалу раз семь. Казалось бы, подойди один раз, рассмотри себя как следует со всех сторон и спокойно выходи на подиум — грязные улочки Арапова Поля. До того, как хозяйский «Понтиак» остановился у входа в гостиницу, я успел спокойно принять душ, побриться, одеться, да еще в буфете выпил кофе с мясным пирожком и купил свежий номер «Двинской зари» с моим интервью на весь разворот.

— Так кого встречаем? — спросил водитель, когда я сел в салон машины и пожал ему руку.

Оказывается, он еще ничего не знал о прилете Родиона. «Вот морда у него вытянется», — подумал я, садясь рядом с Татьяной и протягивая ей газету. Моя девушка успела переодеться. Зеленая юбка-гофре и желтая блузка, открывающая плечи, были ей к лицу. Она постаралась одеться торжественно, соответственно значимости события и своей роли — невесты Родиона. Я лепил из себя воинствующего скептика, человека, который должен был опровергнуть очевидное.

— А черт знает кого! — проворчал я.

— Родиона едем встречать! — весело крикнула Татьяна и, демонстрируя нетерпение, ударила по спинке сиденья. — Жениха моего!

— А? — издал водитель и взглянул на меня сумасшедшими глазами в поисках комментариев. Я лишь молча пожал плечами, словно хотел сказать: «Больная, что с нее взять?»

Мы поехали. Татьяна раскрыла газету и принялась читать интервью. Я следил, как меняется выражение ее лица, как она усмехается или хмурится, возвращается по строчкам назад, перечитывая абзац. Собственно, ничего нового для нее там не было, коль она была посвящена в детали Игры. Ее, видимо, заинтересовало то, как я излагаю мысли и строю доказательства в пользу своей абсурдной версии.

Я сидел с ней рядом, изнывал от скуки и желания обнять ее, но вынужден был соблюдать дистанцию, которая была определена нормами морали. Я — друг Родиона, она — его невеста, и между нами не могло быть никаких взаимных симпатий. Это меня и угнетало. Погода стояла солнечная, асфальт блестел как зеркало, и водитель почти прижался к ветровому стеклу лбом, чтобы лучше видеть дорогу. Его глаза надолго исчезли из зеркала заднего вида, и я опустил ладонь Татьяне на колено. Девушка кинула настороженный взгляд на водителя, стряхнула мою руку, как репейник, и выразительно показала мне кулак.

Я попытался подремать, но из этой затеи ничего не вышло. Едва я закрывал глаза, как тотчас всплывал образ Татьяны. Словно наяву я видел ее в своих объятиях, пульс начинал стучать, как пулемет, дыхание становилось частым и поверхностным — какой тут сон! Тогда я опять попытался оказать своей девушке знаки внимания, но на этот раз она схватила мою руку и принялась заламывать и царапать ее.

— Сядь напротив! — едва шевеля губами, произнесла она, делая страшные глаза.

Я подчинился. Теперь мы вполне могли разговаривать, не опасаясь, что водитель нас услышит — длина «Понтиака» и гул двигателя это гарантировали. Огромное количество вопросов висели на мне, как летучие мыши на сводах пещеры. До встречи с Родионом надо было снять их, и сделать это могла только Татьяна, но я никак не мог заставить себя говорить о всей этой дряни — о выстреле в Родиона, о поджоге конюшни, об исчезнувшем портмоне и прочих темных и страшных вещах. Будь на месте Татьяны нервный следователь Мухин — не было бы никаких коммуникационных проблем. Сейчас же все мои мысли залипли в любви, как пчела в меду. Я смотрел на губы девушки, на ее глаза, ровные пепельные брови, сжимал и целовал ее руки, и мне было очень трудно понимать, о чем она говорит.

— Князь подозревал тебя не больше и не меньше, чем всех остальных, — тихо говорила Татьяна, наклонившись ко мне, отчего ее челка щекотала мне лоб. — Но так было только в первые дни после выстрела. Я ему очень убедительно объяснила, кто стрелял в Родиона и кто этот выстрел заказал... Алло, дружок, ты меня слышишь?

— Ты как насчет горных лыж? — спросил я. — В Приэльбрусье сейчас самый сезон.

— Я тебя сейчас стукну по носу! — пригрозила Татьяна. — Ты хоть чуть-чуть въезжаешь в то, о чем я тебе толкую?

— С трудом, но въезжаю. Ты знаешь, кто стрелял в Родиона и кто этот выстрел заказал.

— А ты знаешь?

— Чувствую на уровне интуиции, — признался я. — Стрелял Филя. Не могу объяснить, почему я так решил... Просто не нравится мне этот тип.

Татьяна откинулась на спинку и махнула на меня рукой, как учитель на бестолочь.

— Филипп не исполнитель. Он — заказчик! — с убежденностью растолковывала она. — Я уверена в этом, хотя доказать это будет очень трудно. А стрелял...

Я будто кроссворд разгадывал, лежа с Танюшей на горячей гальке сочинского пляжа.

— Владелец охотничьего ружья Мальцев Д.Ф.! — выпалил я.

— Наконец-то, — с облегчением ответила Татьяна. — Одна извилина уже зашевелилась.

— Ты его знаешь?

— И ты тоже, — кивнула Татьяна. — Это наш конюх.

Только теперь во мне стал просыпаться интерес к разговору.

— Конюх? — излишне громко повторил я, и Татьяна с опозданием прикрыла мне рот ладонью. — Разве он «Мальцев Д.Ф.»? Его ж вроде Митькой зовут.

— Митька, Дмитрий — какая разница?

— Понятно! Ты сделала запрос в свою контору по поводу оружия...

— Да, сделала запрос. Ответ ты читал.

— Ну и что? Мало ли за кем «МЦ-двадцать один» числится? С чего ты решила, что стрелял он?

Татьяна расставалась с тайнами с тем легким усилием, с каким сегодня утром подчинила себя моей власти. Некоторое время она молчала.

— Ты должен дать мне слово, что не будешь вмешиваться в мою работу и виду не подашь, что знаешь обо мне все, — предупредила она. Но этот ультимативный тон ей самой не понравился, и она добавила: — Пойми, князь определил каждому свое место в Игре. Родион — приманка. Я — темная лошадка, как бы невеста, как бы мошенница. Ты — скептик, провокатор...

— Как бы, — по ходу поправил я.

— Я не имела права раскрываться перед тобой...

— А получилось, что не только раскрылась, но и разделась, — вздохнул я. — Так как ты конюха вычислила?

Водитель остановил машину на светофоре. В салоне стало тихо. Увлекшись, мы забыли о том, что в машине не одни. Татьяна, опомнившись, знаком показала мне, чтобы я молчал, и некоторое время со скучающим видом смотрела в окно.

— Когда я первый раз приехала в усадьбу, — шепотом заговорила Татьяна, как только «Понтиак» тронулся с места, — начальник охраны показал мне гильзу от охотничьего ружья «МЦ-двадцать один» и контур отпечатка обуви, оставленного преступником на газоне. Я спрашиваю: «Выяснили, кому из сотрудников принадлежит?» Он отвечает: «И размер, и рисунок подошвы совпадают с ботинками, которые в тот вечер были на ногах у Ворохтина».

— И ты, конечно, сразу начала подозревать меня?

— Конечно, — без затруднений ответила Татьяна. — А почему бы и нет? В то же время ты показался мне достаточно умным, чтобы не подумать про свежевыпавший снег, на котором прекрасно отпечатаются твои следы. Но главное не это: ширина шага преступника не соответствовала размеру обуви. И тогда я предположила, что преступник либо воспользовался твоей обувью, либо купил очень похожие туфли.

— А с чего ты взяла, что ширина шага не соответствовала размеру обуви?

— При ширине шага в один метр пятнадцать сантиметров человек не может носить обувь сорок второго размера — сорок четвертый как минимум. Правда, начальник охраны был уверен, что после выстрела преступник побежал, потому и шаги были широкие. Но только мне не надо объяснять, чем различаются следы бегущего и идущего человека.

— Танюша! — изумился я. — А тебя здорово поднатаскали в «Эскорте»!

— Скорее всего ботинки были тесны преступнику, — не обратив внимание на комплимент, продолжала Татьяна. — Я думаю, что он надел их, как шлепанцы, — сминая задники. Может быть, подвязал веревками, чтобы не спадали. Я стала выяснять, кто в тот вечер находился в усадьбе. Кроме тебя, был конюх, садовница, кинолог и двое рабочих. У Палыча и рабочих алиби: в момент выстрела охранники видели их у проходной.

— А Филипп?

— Филипп был в поликлинике у стоматолога. Это подтвердил сам врач.

— Значит, оставались я, конюх и садовница?

— О садовнице отдельный разговор, — совсем тихо произнесла Татьяна. — Пока будем говорить о тебе и конюхе. Ни у кого из вас двоих я не могла найти мотива: смерть Родиона никому не давала выгоды. Найти преступника и доказать его вину надо было каким-нибудь необычным способом. И тогда я придумала Игру. Князь согласился, но предупредил: «Только ты не высовывайся, оставайся в тени, все организуют Родион и Стас».

— Ах, вот оно что! — протянул я. — Оказывается, ты еще и автор этой идеи... М-да, фантазией бог тебя не обделил... Ну, хорошо, убийца использовал ботинки того же размера и фасона, какие носил я. Но почему ты решила, что это конюх?

— Я нашла улику, — волнуясь и торопясь, произнесла Татьяна. — Это было в тот день, когда сгорела конюшня. Несколькими часами раньше я была там, осмотрела стойла, потом полежала на сене и нашла.

— Что?

— Ботинки. Копия твоих — того же размера и с тем же протектором. Со смятыми задниками.

— Ну, молодец! — восхитился я. — Надеюсь, ты их спрятала?

Татьяна отрицательно покачала головой.

— Конюх заметил меня. Тихонько закрыл дверь на засов и стал закладывать вход сеном. Я стала стучать в дверь — он не реагирует, только и слышу, как сено шуршит. Не думаю, что у него на уме было что-то гуманное. В тот момент ему ничего не стоило сжечь меня живьем, а потом сказать, что я сама виновата, в конюшне с огнем игралась. Пришлось разбирать крышу, чтобы через вентиляционное окошко вылезти.

— Сходится, — кивнул я. — Палыч мне об этом рассказывал.

— Он с конюхом о чем-то трепался, когда я на волю выбиралась, — ответила Татьяна. — Спустилась, отряхнулась, объяснила, что хотела на жеребенка посмотреть. Палыч перевел разговор на щенков. Конюх глазками из стороны в сторону водит, прислушивается. А Палыч: «Если Стаса увидишь — пусть ко мне вечерком зайдет...» Потом, как конюшня вспыхнула, у меня сразу все вопросы отпали.

— У меня еще пока нет, — признался я.

— Это конюх заманил тебя на выгон и поджег конюшню, уверенный, что обезумевшие кони тебя растопчут.

— Но зачем? — пожал я плечами. — Зачем конюху была моя жизнь?

— Да не ему, а Филе! Думаешь, я не замечала, как ты бульдозером вокруг кассира ямы рыл. Что-то накопал? Компромат нашел? Наступил ему на хвост?

«Еще как наступил!» — вспомнил я свою хулиганскую выходку на складе стройматериалов.

— И Филя натравил конюха на тебя, — продолжала Татьяна. — Не думаю, что Дмитрий Федорович слишком много просил за эту работу. Повторять неудачный опыт с ружьем он не стал, решил действовать хитрее, аккуратнее, чтобы не оставить следов и кинуть подозрение на другого.

— На тебя?

— Умница! Ты уже начинаешь довольно сносно соображать! — похвалила меня Татьяна. — Я очень кстати попалась на глаза Палычу, когда ползала по крыше конюшни. Конюх смекнул, что такой экстравагантный эпизод кинолог вряд ли забудет и при необходимости подтвердит, что видел меня в конюшне незадолго до пожара. Кто потом поверит в мои бредни про стоптанные ботинки, когда все улики против конюха сгорят? И твою смерть спишут на несчастный случай, который произошел по моей вине.

— Ловкачи! — оценил я. — Что конюх, что кассир... Смотри, кажется, мы уже на Ленинградское шоссе выскочили! Давай-ка теперь по-быстрому: что за ерунда случилась с портмоне? Зачем ты так нехорошо со мной пошутила?

Татьяна рассмеялась, обхватила меня за шею, и мы стукнулись лбами.

— Ты меня прости, дружок, это такие нетрадиционные методы работы я использую. Взять «на пушку» называется... Князь мне как-то говорит: «Кто-то из наших подворовывает по мелочам. Из комнаты Родиона пропало портмоне с валютой». Я подумала и решила, что воришка это портмоне, как серьезную улику, либо утопил в пруду, либо сжег в костре или закопал в парке, словом, избавился от него надежным способом. Значит, только воришка был уверен в том, что никому в руки это портмоне попасть уже не может.

— Логично, — согласился я. — И ты начала с меня.

— Потому что ты был ближе всех, — объяснила Татьяна.

Бедняжка чувствовала себя так неловко, что невольно заламывала руки и покусывала губы.

— И кто же на твою удочку попался? Филя, конечно?

— Конечно. Я стала обрабатывать его по той же схеме, что и тебя, — намекнула, что в его личные вещи подкинула портмоне Родиона. Так он, глазом не моргнув, усмехнулся и сказал, что я лгунья и портмоне Родиона у меня никогда не было и быть не может — по той простой причине, что оно уже неделю находится у него. Дескать, случайно нашел его на аллее, естественно, без денег, и все это время пытался выяснить, кому оно принадлежит.

Меня так и подмывало рассказать Татьяне о своем открытии, и я не сдержался:

— Я тебе скажу больше. Филя не только мелочь из кошельков таскает, он ловко старика за нос водит. Все очень просто: князь выдает ему доверенность на оплату счетов, которые сам же Филя предварительно подделывает, указывая завышенные цены. Затем снимает деньги и покупает стройматериалы по реальным ценам. Разницу кладет себе в карман. Я прикинул: на каждой сделке он имеет пять-семь тысяч баксов прибыли. Неплохо?

— Ты князю сказал об этом?

— Сказал.

— И что?

— Ничего! Филя, насколько тебе известно, по-прежнему работает у него финансистом. Но черт с ними, со странностями князя. Я не могу понять другого: чего Филя добивается? Зачем пытался убить Родиона? Ни по закону, ни по завещанию Филе не видать наследства как своих ушей — слишком одиозная он личность, и князь его не любит.

Татьяна показала мне указательный палец с тонким серебряным колечком и отрицательно покачала головой.

— Нет. Не то, — произнесла она. — Я тебе говорила: Филя очень осторожен и хитер, голыми руками его не возьмешь. Он все рассчитал. Он знает, что делает. Сначала — ликвидировать наследников первой очереди. А потом уже вытряхнуть из князя наследство силой или обманом. Как он это сделает — вот в чем вопрос.

— Что значит «ликвидировать наследников»? Кого, кроме Родиона, ты имеешь в виду?

— Ну-у... жену князя. Точнее, кандидатку в жены. Меня, значит.

Тут меня осенило, и я хлопнул себя ладонью по лбу.

— Что ж ты, милая... — пробормотал я, хватаясь за голову. — А я никак понять не мог, что за фокус ты выкинула на охоте, когда предложила себя князю в качестве жены. Выходит, ты знала, что Филипп подслушивает?

— Да ваши уши из окопа за километр видны были! — ответила Татьяна. — И мы с князем разыграли маленькую сценку.

Забыв про водителя, я схватил ладони девушки и с жаром стал их целовать.

— Я понимаю: это называется вызвать огонь на себя. Но ты играешь в очень опасную игру, Танюша! Ты просто легла под поезд!

— Может быть, — согласилась Татьяна. — Но это единственная возможность спровоцировать кассира на новое преступление. Если я не поймаю его с поличным, у меня не будет ни одного доказательства его вины... Отпусти руки, не сходи с ума, — шепнула она.

— Сегодня же, — громко говорил я, потрясая кулаком, — сегодня же надо брать за жабры конюха и вытряхивать из него всю правду. Сдаст он Филю как миленький, если его пару раз припечатать лбом к дереву!

— Без тебя! — категорически потребовала Татьяна и строго взглянула на меня. — Только без тебя! Это сделает уголовный розыск. Пожалуйста, не лезь в это дело! Ты можешь спугнуть не только Филиппа, не только конюха, но еще более опасного человека. Пожалуй, самого опасного из всех...

Машина нырнула под мост, взлетела на подъем, и на нас надвинулась громада аэропорта Шереметьево. Мне очень хотелось узнать, кого Татьяна считает «самым опасным из всех», заодно расспросить про садовницу, но девушка отрицательно покачала головой и сделала знакомый мне жест — приложила палец к губам.

Мы опоздали минут на десять. Напротив стеклянных дверей, на краю тротуара, худой, темнолицый, обросший жесткой соломенной бородой, стоял Родион Орлов. Водитель, увидев его, перекрестился. Не знаю почему, но мне захотелось сделать то же.

Глава 33

СПЕКТАКЛЬ ДЛЯ ОДНОГО ЗРИТЕЛЯ

Пригибая голову и придерживаясь за спинки сидений, я подошел к водителю. «Понтиак» круто развернулся и прижался к тротуару. Толкнув дверь, я замер на подножке, глядя на изможденное лицо давно не бритого человека.

— Привет! — крикнул он мне, вскинув жилистую, со вспухшими венами руку.

Я не ответил на салют. Не замечая, нервно кусал губы. Рот наполнился соленой слюной. Я сплюнул и процедил:

— Так и думал... Фуфло!

— Родион!.. Мать честная! Живехонький! — забормотал водитель, и интонация его быстро взвинтилась до восторженного визга: — Глаз вырви — поверю!..

Я с силой толкнул дверь, и она, покатившись по пазам, плотно захлопнулась, отгородив салон машины от свиста и грохота самолетов.

— Поехали!! — закричал я. — Чего челюсть отвесил?! В прокуратуру! В ОМОН! На асфальт мордой вниз этого говнюка!

— Ты сумасшедший! — пытаясь казаться спокойной, сказала Татьяна. Она попыталась оттолкнуть меня и приблизиться к водителю. — Немедленно открой дверь!

Родион подошел к «Понтиаку» и с мягкой настойчивостью постучал в окно побелевшими костяшками пальцев. На его правой руке не хватало мизинца, точнее, части его, отчего казалось, что Родион демонстративно начал отсчет своему терпению и на счет «раз» согнул палец.

Водитель округленными глазами пялился то на Родиона, то на меня. Его темные волосы, давно не видевшие шампуня, лоснились и с черной кожаной курткой составляли как бы одно целое, отчего плешь на темени напоминала заплату или потертость. Вращая головой, он слишком явно демонстрировал этот дефект.

— Ты как с цепи... — бормотал он, напуганный моей убежденностью, и потому уже не просто смотрел на Родиона, а вглядывался в его лицо, но все же не замечал того, что так взрывно вывело меня из равновесия. — Да открой же ты дверь, впусти человека!

232

Родион, не видя из-за тонированных стекол происходящего в салоне, прислонился коричневым лбом к стеклу, отгородился ладонями от света и стал всматриваться. Татьяна по-женски отчаянно и некрасиво толкнула меня в плечо и ухватилась за ручку двери, но я защищал запорную кнопку замка, как родину.

— Еще раз повторяю! — произнес я, не в состоянии распрямить плечи и поднять голову из-за габаритов салона. — Этот человек не Родион.

— Придурок! — буркнул водитель, тщетно пытаясь разблокировать замок кнопкой на своей двери. Я чувствовал, как дергается электромагнит под моей ладонью, щекотит, как майский жук. — Слушай, я тебя сейчас ключом по затылку огрею! Хозяин приказал... Да открой же ты дверь!

— Я тебе исцарапаю лицо! — пригрозила Татьяна и показала мне ногти.

— Что хотите делайте, но этого самозванца я сюда не пущу! — поклялся я.

Водитель решил взять меня хитростью. Он сумел открыть свою дверь и выпрыгнул наружу. Мы с Татьяной смотрели, как он колобком обежал вокруг «Понтиака» и с лету кинулся в объятия Родиона. В росте они заметно разнились, отчего Родион обнял водителя за уши, а водитель Родиона за живот.

— Он здорово похудел, — сказала Татьяна.

— В Хэдлоке, наверное, кормили только рисом, — предположил я. — А Родион любит свинину и мясные салаты... Смотри, как водила перед ним танцует.

— Ему идет борода, — произнесла девушка, не отрываясь от тонированного стекла, словно от экрана телевизора, где шел какой-то невероятный фильм. — Он похож на Иисуса Христа. Ровный тонкий нос. Подвижные губы. Высокий чистый лоб... Икона!

Я скрипнул зубами и резко возразил:

— Нет, нисколько не похож! Ему до Иисуса, как мне до Алена Делона. У Родиона глаза светлые, почти водянистые. Волосы редкие. И вообще, борода делает его лицо невыразительным.

В горах Родион принципиально не отпускал бороду, что повально делали все высотники. Даже на стене, после холодных ночевок, он умудрялся бриться электрической «Сони», подсоединяя ее к аккумуляторам от радиостанции. А тут вдруг — борода. Если это «театральный макияж», то относиться к нему надо было соответственно, а не писаться от восторга.

— Ладно, открывай, — попросила Татьяна. — А то переиграем.

Я отпустил запорную кнопку и вернулся на заднее сиденье. Словно желая спрятаться в самом себе, руками и ногами начал плести кренделя. Поза моя в итоге стала выражать абсолютный нигилизм и скептицизм. Со злой усмешкой я косился на вошедшего в салон Родиона. Татьяна держала в согнутых руках, словно вязанку хвороста, большой букет роз и не знала, что с ним делать. Водитель суетился снаружи, затаскивая в салон рюкзак и сумки, и с тревогой поглядывал на меня. Он не позволял мне расслабиться ни на секунду.

— Здравствуйте... — пробормотала Татьяна и порозовела. — Это вам, Родион Святославович.

— Да убери ты свои лютики! — махнул рукой Родион, словно хотел сказать, что вся эта вычурная церемония ему не по душе, и отвел букет в сторону.

— Родион... — убедительно играя шок, произнесла Татьяна. — Вы... ты меня не узнаешь?

— Тебя? — переспросил Родион, будто речь могла идти о ком-то другом, и, взяв лицо Татьяны в свои широкие ладони, стал пристально рассматривать ее глаза. — Запамятовал, кто ты такая... Фельдшерица? Повариха? Горничная?

— Я Татьяна... Я твоя невеста, Родион, — пробормотала девушка.

— Ты обрати внимание! — громко крикнул я водителю. — Ты смотри внимательно, потом всем расскажешь!

Водитель искоса и со страхом смотрел на своего хозяина. Он был уже окончательно сбит с толку и не знал, чью же позицию ему занять.

— Невеста?! — обрадованно воскликнул Родион. — Что ж ты, милая, сразу не сказала!

И очень охотно, трижды расцеловал Татьяну. Низкий потолок помешал ему сделать это как положено, крест-накрест — голова упиралась в низкий потолок, и получился не совсем формальный поцелуй. Родион, похоже, принадлежал к числу тех актеров, которые, изображая под софитами любовную сцену, успевают не только сорвать аплодисменты, но и получить физическое удовольствие. Я, конечно, человек ревнивый и не всегда бываю объективным, но мне показалось, что Татьяна подставляла свои губы Родиону со скрытым удовольствием.

— Нет! — привлекал я внимание водителя. — Ты смотри, смотри, чтобы потом не говорил, что не видел! Он никого, кроме меня, не знает!

— Да, — нерешительно кивал головой водитель, переводя взгляд с меня на Родиона и обратно. — Дело нечисто... Тут что-то не то... Несостыковочка какая-то...

— Это еще какая несостыковочка? — загудел Родион, отрываясь от Татьяны и поворачиваясь к водителю. — Ты что ж это, холоп, хозяина своего не признаешь? Забыл, как на своем ржавом «запоре» колдобины утюжил? Служить у меня надоело?

Водитель страшно побледнел, заморгал глазами, изобразил на лице вымученную улыбку и, задыхаясь от подобострастия, стал торопливо оправдываться:

— Родион Святославович, дорогой! Бес попутал... Ночь не спал, все плывет перед глазами... А мы чего только не передумали... Елки-моталки! Это ж надо — живого человека чуть не похоронили... А я как чувствовал... Вот отцу радость-то!

— Это кто собирался меня хоронить? — вскинул брови Родион и обвел взглядом салон. Он был настроен благодушно, но, как положено барину, даже в хорошем настроении ласково грозил подчиненным поркой. — Это кто так любит меня, что уже мысленно отправил меня на небеса? Распустились, голубчики!

— Так, Родион Святославович, как же в стаде без паршивой овцы-то? — Водитель становился все более словоохотливым, заглаживая свой промах.

— Всех паршивых отправлю под нож, — как бы походя заметил Родион. Он играл убедительно, и давалось ему это легко, потому как играл самого себя — богатого и избалованного властью денег человека. — Батюшка мой, полагаю, распустил вас основательно. Предупреждаю, что грядут большие кадровые перемены.

— И то верно, Родион Святославович, — еще больше оживился водитель, услышав про кадровые перемены. — Кто не хочет работать — пусть уходит! Вот Татьяна не даст соврать — я никакой работы не боюсь и служить вам буду верой и правдой...

Он с остервенением схватился за руль, как Павка Корчагин за кирку. От волнения не сумел с первого раза тронуться с места — машина дернулась, и мотор заглох. Из зеркального прямоугольника, висевшего над его головой, на меня смотрели два больных от страха и напряжения глаза. Водитель таял от слабости, ожидая от меня поступка, который снова бы поставил его перед выбором. Вот Татьяна села, комкая пальцами целлофан, обнимающий букет. «Быстрее бы все кончилось!» — подумал я, глядя на ее атласные коленки, выглядывающие из-под края зеленой юбки.

— Прекрасно выглядишь, — словно соглашаясь с моими мыслями, сказал Родион Татьяне и повернулся ко мне. Самой заметной деталью его лица был крупный с горбинкой нос — лоснящийся, ярко-малинового цвета, будто вымазанный в губной помаде. Солнечные лучи успели глубоко проникнуть в кожу, пропитав ее лучистой энергией, и казалось, что нос Родиона горячий, как жало паяльника.

— Вы знаете, — торопливо заговорила Татьяна, будто продолжая тему о своей привлекательности. — Мы так изнервничались за эти недели... Все словно сошли с ума! Все мысли, все разговоры — только о тебе...

Она, путаясь в формах обращения, пыталась встать буфером между моей непредсказуемостью и Родионом. Водитель понял, что девушка тоже боится моей правды и спешно стелит Родиону соломку, и с тем же запалом, с каким таскал сумки, принялся помогать ей:

— Народ чокнулся, Родион Святославович! Одни верили, что вы живы, другие говорили, что вы — это не вы... Татьяна не даст соврать — бес поймет, что только людям в головы...

— Шампанское где? — перебил его Родион вопросом, адресованным мне. Он даже приподнялся.

Танюха выпрямила атласную ножку и слишком усердно вдавила острый каблучок мне в ногу, мол, хватит нагнетать обстановку, водила уже заглотил наживку, можно расслабиться. Мотор снова заглох, и стало тихо. Я понял, что эта тишина — для меня.

— Тюремную баланду я тебе привез, а не шампанское.

— Да что он встал, как корова на перекрестке! — выкрикнул водитель какому-то несуществующему коллеге, нарушившему правила, и ударил по кнопке сигнала.

— Не слушай его, Родион! — жестко сказала Татьяна, глядя на белые кроссовки Родиона, большие, соответствующие его росту. — Не надо портить настроение...

— Ты о чем, приятель? — усмехнулся Родион, протягивая мне руку.

Я не шелохнулся. «Понтиак» взревел бизоном и рванул с места.

— Он болеет, — объяснила Татьяна и отвернулась.

— Бывает, — ответил Родион. Он играл естественно, лучше меня, даже слишком хорошо, чем требовалось, и я подумал, что талантливая игра трех актеров для одного бестолкового и неблагодарного зрителя — слишком дорогое удовольствие.

— Рассказывай же, не томи! — взмолилась Татьяна. — Где ты был? Что с тобой?

— Как вы из лап смерти вырвались, Родион Святославович? — послал вдогон свой вопрос водитель и добавил некстати, но с дурацким оптимизмом: — Двум смертям не бывать, одной не миновать, точно?

— Как мой батюшка? — спросил Родион Татьяну, поглядывая на меня.

— Батюшка здоров. Он никому не верил. Даже когда пришло письмо из Непала о том, что тебя убили...

Родион наконец перестал возвышаться надо мной, сел сразу на два сиденья, вытянул в проходе ноги и посмотрел на меня.

— Ты что ж, приятель, меня признавать не хочешь? — спросил он с тем легким и приятным акцентом, который свойствен русским людям, долгое время жившим за границей. — Вот же он, я! Пощупай меня. Потрогай. Это я, Родион Орлов. Чуть не погиб на Ледяной Плахе, но выжил. Две недели сползал с горы, как червь, отморозил палец...

— Прекрати клоунаду, — посоветовал я.

— Он у нас уже давно чудит, — вставил водитель. — Танюха не даст соврать.

— Это не есть хорошо, — спокойно ответил Родион и двумя руками зачесал длинные, вьющиеся снизу белесые волосы.

— Твоя фамилия — Столешко. Ты самозванец и убийца, — упрямо произнес я, и тотчас мой герой показался мне идиотом, отчего я невольно поморщился и отвернулся к окну.

— Тьфу! — в сердцах сплюнул куда-то под ноги водитель. — Не слушайте вы его, Родион Святославович!

— Обидно, — вздохнул Родион.

Его взгляд упал на раскрытую газету «Двинская заря». Он потянулся к ней, зашуршав рукавами анорака, положил газету на колени и, читая, забормотал: — «Арапово Поле вскоре посетит Фантомас...» Очень любопытный прогноз!.. «Наш корреспондент взяла интервью у человека, который сделал сенсационное заявление об истинных причинах исчезновения Родиона — единственного сына князя Орлова...» — Родион поднял глаза и взглянул на меня. — Так ты, оказывается, у нас специалист по сенсационным заявлениям? Скажите, пожалуйста...

— Родион, пожалуйста, не читай этот бред, — попросила Татьяна и попыталась отнять у него газету. Родион отвел руку в сторону, будто игрался с кошкой, дразня ее бантиком.

— Нет-нет, почему же! Мне очень интересно узнать, каковы истинные причины моего исчезновения. Со слов лучшего друга, так сказать. Это есть очень любопытный момент!

Пока Родион читал, я ткнулся лбом в стекло и расслабился. Несколько минут спектакля вымотали меня так, словно я пробежал кросс. А это было только начало, легкая разминка на глазах у недалекого и легко внушаемого мужика. Я с ужасом думал о том, какие нагрузки на нервы и психику ждали меня впереди. Но самым ужасным мне представлялось то, что Родион сможет когда ему вздумается и совершенно безнаказанно целовать Татьяну, а я при этом обязан буду сохранять спокойствие. Ну, уж нет! Пусть этот самовлюбленный красавчик не думает, что Игра дает ему право наглеть безгранично.

Мне казалось, что мы, не сговариваясь, взяли тайм-аут и

оставшийся путь до Арапова Поля проведем в упоительном молчании, но ошибся. Родион намерен был размяться серьезно. Дочитав интервью, он кинул газету мне на колени, скорчил презрительную гримасу и подсел ближе к Татьяне. Я скрипнул зубами и попытался мысленно прочесть аутотренинговую молитву про то, как я спокоен и какое ровное у меня дыхание.

— Ты это читала? — высоким голосом, очень похожим на отцовский, спросил он и закинул ей руку на плечо.

Родион вошел в раж, красуясь перед Татьяной. Я не ожидал, что власть Мельпомены над Родионом будет столь безгранична, и, когда он с аппетитом прильнул к губам девушки, я несколько мгновений просто не мог понять, что творится в салоне этой идиотской машины.

И тут актер во мне сломался. Уже не играя, обуреваемый естественным порывом, я вскочил на ноги, схватив Родиона за ворот анорака, и послал ему в челюсть короткий прямой удар.

Потом, кажется, завизжали тормоза, или же это на высокой ноте крикнула Татьяна — не суть важно. Не замечая уже ничего вокруг, ослепленный яростью, я вцепился Родиону в горло. Мы рухнули на сумки. От столь вольной трактовки сценария Татьяна обалдела, тоже вскочила на ноги и крепко схватила нас обоих за волосы, пытаясь разнять. Мы рычали и душили друг друга, одежда на нас трещала, как ледниковые карнизы, обламываясь под собственной тяжестью.

За такую игру десяти «Оскаров» было бы мало. Даже Станиславский при всей своей менторской строгости не сказал бы: «Не верю!»

Глава 34

ХЛЕБ ДА СОЛЬ

До конца пути Танюша выполняла роль миротворца. Она сидела посреди салона, перекрыв своими ножками проход. Родион дремал рядом с водителем, показывая мне свой качающийся затылок. Я скучал на заднем сиденье, уставившись в окно. Поединок закончился вничью. Я изорвал Родиону в клочья ворот и рукав анорака и разбил нижнюю губу, а он оставил след своего кулака у меня под глазом. Танюша потом старательно маскировала следы конфликта своей косметикой. Мне напудрила глаз, а Родиону обрисовала контур губы помадой. В тот момент, когда она склонилась над его лицом, Родион с явным удовольствием рассматривал ее глаза и губы и бормотал, что теперь придется повременить с бритьем, так как усы хорошо скрывают дефект, хоть и мешают при поцелуях. По-моему, он так и не сделал выводов.

Я щелкал суставами пальцев и дышал на стекло. Арапово Поле виделось мне бесцветным и туманным.

Мы въехали в город со стороны кладбища и новой церкви, покатились под уклон к реке, но перед мостом водитель неожиданно резко затормозил, вполголоса выругался и заглушил мотор.

Перед мостом, перегородив проезжую часть, стоял грузовик. Его кузов был заполнен навозом, и сквозь щели просачивались коричневые струйки. Колеса грузовика стояли в зловонной жиже. Парень в военных бриджах и кирзачах, закрыв лоб кепкой, курил папиросу, сидя на подножке автомобиля, и ни на грош не любопытствовал в нашу сторону.

— Убирай свой говновоз! — крикнул наш водитель, высунув голову из окна.

Парень в кепке никак не отреагировал, кинул окурок под ноги и застыл в позе кучера.

— Сходи разберись! — со слабым нетерпением произнес Родион, не отрывая щеки от кулака, на котором дремал.

Водитель послушался и, на всякий случай прихватив монтировку, вышел из машины. Я последовал за ним — очень хотелось размять ноги.

— Чего встал? Дай проехать! — медленно приближаясь к грузовику, крикнул водитель, но уже не столь агрессивно — вне «Понтиака» он чувствовал себя беззащитным.

— Ремонт, — нехотя ответил парень и сплюнул под ноги.

— Где ж ремонт, если на мосту никого?

— Сказано тебе — ремонт, — повторил парень.

— Ты что ж, навозом мостить будешь? — уже почти миролюбиво, с долей шутки спросил водитель, совсем близко подойдя к грузовику.

Вопрос остался без ответа. Я прошел вдоль перил, посмотрел вычищенное свежим ветром голубое небо, на шумную реку, на противоположный берег, где без труда заметил укрывшуюся за кустами милицейскую машину и плавающие вокруг нее фуражки.

Я вернулся к «Понтиаку» и, не обращаясь ни к кому конкретно, сказал:

— Пошли пешком. Нас встречают...

— Хлеб да соль? — уверенно предположил Родион.

«Сейчас Мухин преподнесет тебе хлеб да соль», — подумал я, удивляясь самому себе: в моей голове начали путаться Родион и герой, которого он играл. В отношении кого, черт возьми, я злорадствовал?

Спокойным, но достаточно быстрым шагом я шел по мосту, демонстрируя свое искреннее нежелание идти рядом с Татьяной. «Могла бы вести себя более сдержанно, — думал я. — Глаз оторвать от него не может! Нашла Иисуса!»

Не знаю, кто станет моей женой, но то, что это будет не актриса, — знаю твердо.

Едва я сошел с моста и свернул к бывшей лодочной станции, как из кустов вышел милиционер и взмахнул полосатым жезлом, словно я был автомобилем.

— Секундочку, гражданин!

Я не стал задавать никаких вопросов и сразу направился к стоящей на обочине легковушке с синей «мигалкой» на крыше. Дверь открылась, и навстречу мне вышел Мухин — в длинном сером плаще с поднятым воротником и кожаной кепке, надежно прикрывающей недостаток растительности на голове. На рукавах аспидно поблескивали черные пуговицы с серебристым вензелем «Г».

— Встретил? — протягивая мне костлявую руку, спросил следователь об очевидном и, с жаждой глядя на мост, по которому шли Родион с Татьяной, начал нервно кидаться словами: — Я читал твое интервью. Погорячился. Я ж тебе говорил: не гони, напиши все обстоятельно... А девушка эта кто?.. Так, все по своим местам! — скомандовал он двум сержантам, которые бродили вокруг меня, и снова мне: — Не суетись, понял, да? Все будет чики-чики! Если у него рыльце в пушку, то здесь же, в реке, мы его и умоем! Иди куда-нибудь подальше!

Зная, что следователь вовсе не нуждается в моих ответах, я молча отошел от машины и встал под ветвями ивы — гибкими, влажными, уже готовыми от грядущего тепла выдавить из себя клейкие листья. Мухин топтался по влажному песку, будто не мог решить, пойти ли ему навстречу Родиону или дождаться, когда тот сам подойдет.

— Значит, настаиваешь на своем? — Пританцовывая, следователь снова приблизился ко мне. — Не отказываешься от своих слов, да? Если ошибся — шишки полетят в твою голову, понял?.. Сам-то как? Ты ж вблизи его рассматривал — похож, не похож?

— Не похож, — ответил я. — Это не Орлов.

— Ладно, разберемся. Все будет чики-чики... Кстати, а ты еще ничего не знаешь?

— А о чем я должен знать? — пожал я плечами.

— В усадьбе, значит, еще не был?.. Ага, ну узнаешь, узнаешь! Не совсем приятная штуковина... Не стой, сбегай за бутылкой, что ли...

Родион нес только маленький, «штурмовой», рюкзачок. Остальные вещи он оставил в «Понтиаке». Татьяна, одетая не для прогулки по улицам Арапова Поля, смотрела под ноги и старательно обходила лужи. Из засады на них выскочил милиционер и так же, жезлом, припарковал обоих к обочине. Мухин сунул руки в карманы плаща, и они ушли туда по локти. Он что-то пробормотал, откашлялся и не совсем уверенной походкой направился к Родиону.

Милиционер, козырнув, потребовал у Родиона и Татьяны документы. Пока Родион копался в рюкзаке, а Татьяна в сумочке, подошел Мухин. Следователь так пристально и неприкрыто изучал лицо Родиона, что тот начал комплексовать, невольно вытирая нос и приглаживая бороду. Наконец Мухин получил паспорта. Личность Татьяны его интересовала мало, следователь лишь взглянул на страничку, где было указано семейное положение девушки, и тотчас вернул документ. Паспорт Родиона он изучал долго и внимательно, словно его страницы были покрыты мелким и убористым текстом, причем на английском, и следователю приходилось его переводить.

Родион заскучал и стал набивать трубку табаком. Мухин уже совершенно откровенно сличал фото в паспорте с лицом Родиона, наклонял голову из стороны в сторону, меняя угол наблюдения, и было заметно, что ни к какому однозначному

242

выводу он прийти не может. Двухнедельная небритость делала Родиона непохожим на фото в паспорте, и все же резких различий не было, потому как их просто не могло быть.

Я зрительно мерил расстояние от милицейской машины до конца подъема, который заканчивался у мебельной фабрики. Эта часть дороги просматривалась достаточно отчетливо. Значит, вставить Родиону кулак между ребер, отблагодарить за стерильную чистоту в палатке высотного лагеря и в двух словах договориться о дальнейших действиях, не опасаясь, что нас заметят, я мог только на отрезке между фабрикой и конечной остановкой автобуса.

Родион, окутывая себя клубами дыма, терпеливо ждал, пока следователь удовлетворит свое любопытство. Из-за плеча Мухина на паспорт пялился сержант. Две пары глаз искали подвоха, какой-нибудь зацепки, но документ Родиона был безупречен.

— Что ж, — произнес Мухин, возвращая паспорт Родиону. — Поздравляю вас с благополучным возвращением.

Родион, кивая, выбил трубку о ствол дерева, взял паспорт и взвалил на себя рюкзак. Проходя мимо меня, он покачал головой и громко сказал:

— Ну, что пригорюнился? Ничего не получилось? А ведь я тебя предупреждал!

И он нахально закинул руку на плечо Татьяне. Мне ничего не оставалось, как последовать за ними, предвкушая, с каким удовольствием я всажу кулак под Родионовы ребра. Но сделать это, как и поговорить, мне не удалось. Едва мы начали подниматься по улице вверх, как с нами стали происходить странные вещи.

Сначала из калитки какая-то безликая, но энергичная хозяйка выплеснула ведро с помоями, и комбез Родиона ниже колен оказался выпачкан в чем-то буром. Машинально извинившись перед женщиной, Родион остановился и рассеянно посмотрел сначала на свои ноги, а потом на захлопнувшуюся дверь калитки.

— Чтоб ты сдох, шулер проклятый! — донесся до нас злой женский голос.

Родион, не ожидавший такого откровенного проявления чувств, мельком оглянулся, с укором взглянул на меня и покачал головой, словно хотел сказать: посмотри, что твое интервью сделало! Но я даже плечами пожать в свое оправдание не успел. Мы становились центром всеобщего внимания. Из-за заборов, калиток, живых оград одна за другой появлялись молчаливые головы старух, мужчин и молодых баб. Немые, неподвижные, они пристально смотрели на Родиона, сопровождая его тяжелыми взглядами.

— Здравствуйте! — не выдержал напряженного молчания Родион и стал кивать налево-направо.

На его приветствие ответил только высохший дед с желтым зубом, торчащим из мокрого розового рта, как окурок:

— Пошел бы ты на хрен, парень, вот чего мы тебе скажем!

Я сгорал со стыда, хотя не был удостоен такого обильного внимания, как Родион. Игра еще не вышла из-под нашего контроля, но уже выдала нежелательные побочные явления. Люди похоронили в своих горячих сердцах единственного сына князя Орлова. Те, кто претендовал на наследство, стали первыми в очереди на посмертную щедрость князя и сами готовились стоять насмерть. Те же, кто ни на что не претендовал, тоже были взвинчены моим интервью, как бойцы речью политрука перед атакой, и намеревались оставшимися зубами рвать всякого проходимца, который окажется хитрее и изворотливее их.

Честно признаться, я не представлял, как Родион вернется к нормальной жизни, когда спектакль закончится, как он сможет жить среди этих людей?

Трескучий мотоцикл, промчавшийся мимо нас, ловко плеснул струю воды из лужи в Родиона. Часть грязи досталась и мне. По мере того как мы приближались к воротам усадьбы, атмосфера накалялась все сильнее. Первый камень вылетел из-за забора, когда мы вышли на конечную остановку автобуса. Метатель, к счастью, снайпером не был, и снаряд просвистел в нескольких сантиметрах от головы Родиона. Прикрывая собой Татьяну со спины, я стал все чаще оборачиваться, надеясь вовремя заметить камень, вилы или бешеного быка, несущегося по нашим следам.

Несколько человек, стоящие на остановке, ждали вовсе не автобуса. Это стало понятно, когда одна из женщин в светлом пальто шагнула навстречу Родиону и, приняв воинственную позу, громко сказала:

— Совесть бы поимел, бандюга! Ты б еще в женскую одежду нарядился! Думаешь, раз бороду отпустил, так никто не узнает?

— Чего тебе, бабушка? — усталым голосом спросил Родион. — Денег хочешь?

— Да не нужны мне твои деньги проклятые! — взмахнула мясистой рукой женщина. — Бабушку нашел! Вот же сволочь жирная!

— Подлюка! Мы генеральному прокурору напишем! — подключился к солистке второй голос.

Затем дуэт заполнился волной многоголосья. Мы ускорили шаги. В спины нам неслись проклятия и ругательства. Когда до спасительных ворот оставалось не больше сотни шагов, путь Родиону преградили трое бритоголовых парней. Один из них, одетый в пиджак без рукавов на голое тело, с синими от расплывшихся татуировок руками, поднес себя почти вплотную к Родиону и, лузгая семечки, ежесекундно сплевывая под ноги, невнятно спросил:

— Кто такой? Почему не представился?

— Пошел вон, скотина, — вежливо ответил Родион.

Драки избежать было невозможно. Моля бога, чтобы Татьяна не вмешалась, я потеснил ее, плечом к плечу вставая рядом с Родионом.

— Ловко устроился, — не без зависти сказал парень. — Хочешь работать на чужой территории, а налоги платить кто будет?

Каким-то десятым чувством я понял, что Родион уже давит на кнопку пуска, и, опередив его, должно быть, на мгновение, апперкотом, снизу вверх, влепил свой кулак в челюсть наглецу. Удар был сильным, но не вполне точным. Я почувствовал острую боль в руке. Парень откинул голову, но устоял, и если бы Татьяна не заехала туфлей ему в пах, то я наверняка бы встретился с ответным ударом. Родион разгневанным лосем налетел на товарищей наглеца, сложенного болью пополам, и расчистил путь к воротам.

Нам пришлось обратиться в бегство, но это было не отступление, а маневр. Бритоголовые вовсе не думали преследовать нас, их поредевшие ряды уже уступали нам по численности, просто Родион уже слишком намозолил людям глаза, он был весьма сильным для них раздражителем — куда более сильным, чем редактор «Двинской зари», потому следовало пощадить нервы общественности и побыстрее исчезнуть с площади.

Я надеялся, что стрессы на сегодняшний день исчерпаны, что мы втроем вполне заслужили отдых и вечером где-нибудь в укромных недрах усадьбы накроем стол и без конспирации, без идиотских импровизаций обо всем поговорим. А главное — я объясню Родиону, какие чувства связывают меня с Татьяной, и очень убедительно попрошу его не целовать ее и не обнимать даже во имя Игры.

Но моим надеждам не суждено было сбыться. Едва мы зашли на территорию, едва Родион пожал руки охранникам, как один из них, избегая смотреть кому-либо в глаза, доложил:

— Митька умер.

— Какой Митька? — опешил я.

— Конюх наш, — пояснил охранник и добавил: — Водкой отравился сегодня днем.

Глава 35

НАД ПРОПАСТЬЮ

— Вот это работа! Вот это профессионализм! — кричал я, размахивая руками. Телевизор был включен на полную громкость, но все равно он мог заглушить мой голос. — И никаких тебе «Эскортов», никаких школ и курсов по подготовке суперменов!

— Не кричи, — спокойно сказала Татьяна и пригубила бокал с клюквенной настойкой.

Я круто развернулся на каблуках, подошел к девушке и склонился над ней, сидящей в кресле.

— Но я же предупреждал тебя, что конюха надо брать немедленно и вытряхивать из него признание! Говорил? А ты меня послушала? Если бы мы сделали это утром, то сейчас Филя сидел бы в сизо. Но по твоей милости он продолжает разгуливать на свободе, очень своевременно напоив отравленной водочкой осведомленного в его делишках дурака!

— Может быть, конюх сам хлебнул лишнего, — неуверенно возразила Татьяна.

Я даже спорить с ней не стал и махнул рукой. В том, что внезапная смерть конюха — хорошо спланированное и замаскированное убийство, я нисколько не сомневался.

— Ты говорила с начальником охраны?

— Говорила. Метиловый спирт в больших дозах. Но бутылки обыкновенные — такие в любой палатке купить можно.

— Никаких посторонних следов?

— Никаких. Один стакан, нож, кусок сала, луковица...

— Отпечатки пальцев?

Татьяна молча покрутила головой.

— Филя утром был в усадьбе?

— Как всегда. В восемь утра заходил к князю. Получил документы, отчитался за стройматериалы и к девяти поехал в банк.

— Может, кто-нибудь видел его у конюшен?

Татьяна снова отрицательно покачала головой. Я стонал и заламывал пальцы. От досады хотелось лезть на стены.

— Ушел! Из рук выскользнул!.. Я тебя очень люблю, милая моя девочка! Ты храбрая, ловкая, умная, но... Но это был тот самый случай, когда я не должен был слушать тебя. Я обязан был действовать так, как мне подсказывала интуиция.

— Никто не запрещает тебе действовать так впредь, — холодно произнесла Татьяна. — Я же не держу тебя за руку.

— Впредь! — язвительно повторил я. — Теперь Филя на долгое время затихнет, спрячет голову в песок, пока не разберется в новой ситуации. Для него появление Родиона — шок. Он будет ходить вокруг него кругами, присматриваясь, принюхиваясь, десятки раз выверяя каждый свой шаг. И если только он захватит приманку, поверит, что перед ним не Родион, а двойник, только тогда, может быть, у нас что-нибудь получится. На это может уйти месяц, два. А у тебя, если не ошибаюсь, договор заканчивается дней через пять? И мы с тобой помашем друг другу ручками...

— Мне кажется, ты этого ждешь с нетерпением, — усмехнулась Татьяна.

— Не надо ничего придумывать. Меньше надо думать про Родиона.

— Это все, чем ты можешь мне возразить?

— Я не хочу возражать тебе, потому что ты говоришь явную глупость.

— Я уже весь вечер слышу от тебя, что говорю глупости, что я дура, что занимаюсь не своим делом...

— Татьяна!

— Ну что? Что?

Я присел перед девушкой и взял ее холодные ладони в свои руки.

— Я не хочу задеть твои профессиональные чувства, — сказал я как можно ласковее. — У тебя прекрасные артистические данные. Ты ловкая, смелая, изобретательная. Но Игра, которую ты придумала, — неудачная затея. Это ошибочный путь.

— Тебе так кажется, — не согласилась Татьяна.

— Да ты посмотри, что творится в городе! Мы жестоко экспериментируем над живыми людьми! Дразним нищих виртуальным богатством! Я, конечно, не бог весть какой гуманист, но считаю, что это бесчеловечно!

— Не я, а редактор газеты придумал «генеалогическое древо», — ответила девушка. — С него все и начали завидовать друг другу.

— Но он бы его не придумал, если бы мы не распустили слух о гибели Родиона! — возразил я. — Ладно, оставим в покое горожан, они со своей завистью сами разберутся. Давай поговорим о нас с тобой. Я не хочу, чтобы Родион обнимал и целовал тебя. Невыносимо делать вид, что это в порядке вещей! Я ревнивый человек и могу не выдержать! Понятно?

— Понятно, — мягко усмехнулась Татьяна. — Можешь успокоиться — я не испытываю удовольствия, когда он меня целует. Но это работа, мы с тобой пошли на нее сознательно, дали слово князю...

— Но кто ж знал, что я полюблю тебя! — горячо произнес я. — Может, ради этой работы ты еще и спать с Родионом будешь? Прилюдно! Чтобы все поверили, что ты его невеста!

Татьяна побледнела и выдернула ладони из моих рук.

— Может быть, — ответила она неприязненно. — Если ты поверишь в это, я не стану тебя убеждать в обратном.

— Ну знаешь... — с возмущением произнес я и выпрямился. — Значит, тебя вполне устраивает, что я буду о тебе думать...

— Думай, что хочешь! — перебила Татьяна и тоже встала. — Но хочу сказать одно: я всегда считала, что любовь — это прежде всего доверие.

— Выходит, тебе легче любить меня, чем мне тебя, — процедил я, исподлобья глядя в лицо девушки. — Меня ведь никто не обязывает на твоих глазах ухаживать за другой женщиной.

Татьяна улыбнулась, но одними губами. Глаза оставались холодными и подвижными, как февральская метель.

— Извини, милый, что я подкинула твоим чувствам такую непосильную работу, — сказала она, сняла с вешалки и перекинула через плечо плащ. — Чао!

— Скатертью дорога! — попрощался я, очень недовольный и разговором, и Татьяной.

Она не стала хлопать дверью, прикрыла ее за собой тихо, плотно, и вслед за этим я услышал стук ее каблуков по лестнице. Мне захотелось что-нибудь разбить. «Пусть катится к чертовой бабушке!» — подумал я, падая в кресло, в котором минуту назад сидела девушка, схватил пульт и стал беспорядочно «листать» телевизионные программы, совершенно не понимая смысла того, что мелькало на экране. «Если в ее делах я стою на последнем месте, — убеждал я себя в том, что мое поведение естественно, — а главное для нее — профессиональные амбиции, то это не девушка. Это сотрудник, работник, должностное лицо, субъект, резидент — кто угодно, но только не тот ангел, за которого я ее поначалу принял. А в самом деле: с чего вдруг я втемяшил себе в голову, что она красива? Весьма посредственная курносая мордашка...»

Я отшвырнул от себя пульт, вскочил с кресла и подошел к окну, завешенному шторами. Таясь, осторожно сдвинул край шторы в сторону. Татьяна застегивала пуговицы на ходу, дырявила каблуками мягкое покрытие, оставляя за собой многоточие. Навстречу ей шли Родион с Палычем. Родион — на полкорпуса впереди, он сокращал расстояние между собой и девушкой широкими шагами, руки были подвижными, походка целеустремленной, его вьющимися волосами играл ветер. Палыч отставал, через каждые три-четыре шага переходил на бег, чтобы догнать и идти вровень.

Все остановились. Я не слышал голосов. Татьяна качала головой то утвердительно, то отрицательно. Она приподняла плечи, ей было зябко. Палыч, о чем-то рассказывая, размахивал руками, сближал ладони, словно сжимал между ними невидимый мячик — может быть, снова хвалился щенками, показывал, какие они еще маленькие.

Родион опустил руки девушке на плечи, затем поднял воротник ее плаща. Они прощались. Татьяна встала на цыпочки и поцеловала Родиона. Затем — быстро, почти неуловимо — оглянулась на мое окно.

Я поднял с пола стакан, из которого она пила, и швырнул его в стену. Стакан ударился о бетон тяжелым днищем, цокнул, пружинисто отскочил и упал на диван. Я снова поднял его, с удивлением рассматривая прозрачные грани, блеклый след губной помады. «Из чего же он сделан? — подумал я. — И кто этот мудрый производитель, который предвидел, что я захочу его разбить?»

Внизу хлопнула дверь. Я через голову стащил с себя рубашку, оголившись до пояса, зашвырнул ее под шкаф, разложил диван, пристроил у изголовья две подушки, лег и накрылся одеялом. Едва я успел принять расслабленную позу и покрыть лицо выражением сладостных воспоминаний, как от тяжелого удара широко распахнулась дверь.

На пороге стоял Родион.

— Сукин ты кот! — взревел он, извлекая из глубоких карманов длиннополого черного пальто две бутылки шампанского. — Ты почему кинулся на меня, как бешеный?

— Родион?! — с фальшивой неожиданностью воскликнул я. — Ах, зараза, я не ждал тебя! Только что Татьяну проводил... Извини, две минуты — и я в форме!

— Понимаю! — закивал Родион, с грохотом выставляя на стол бутылки. — Ты продолжаешь делать вид, что я всегда являюсь пред твоими очами неожиданно!.. Клюковку пьем? — обратил он внимание на ополовиненную бутылку настойки. — Недурственно, одобряю...

— Наконец-то мы с тобой спокойно поговорим, — бормотал я, отыскивая глазами рубашку, которую впопыхах спрятал слишком хорошо. — Отвернись, я...

— Да будет тебе! — махнул рукой Родион и принялся сдирать фольгу с горлышка шампанского. — Чего стеснять-

250

ся? Ты же в брюках и ботинках лежишь — это уже с порога заметно. Так теперь модно ложиться с девушкой в постель?

Дожил до тридцати, а краснеть не разучился! Я почувствовал, как у меня начинают полыхать огнем щеки и лоб. Пробормотав что-то насчет «слишком торопился», я вылез из-под одеяла, выудил из-под шкафа рубашку и стал надевать ее. Видя мой сконфуженный вид, Родион усмехнулся и выпустил пробку в потолок.

Мне на лицо упали брызги. Родион наполнил стаканы шипящей пеной. Стакан с губной помадой придвинул мне («Тебе сам бог велел из него пить»), качнул своим стаканом у своего лица и одним глотком проглотил шампанское. У меня перехватило в горле.

— Ну? — произнес Родион, вытирая жилистой ладонью губы. — Обнимемся, что ли?

Мы в одном порыве врезались друг в друга.

— Как мне все это надоело, Родион! — бормотал я, тиская мосластые плечи друга. — Я переступаю через себя... Я больше не могу лгать и лить на тебя помои...

— А ничего! — радостно ответил Родион, отталкивая меня и рассматривая в упор. — Помои, которые льет на голову верный друг, — чище родниковой воды. Не комплексуй, приятель! Старик мудрее нас обоих, а волю стариков надобно выполнять.

— Но ты видел, как тебя встретило Арапово Поле! Это же дурдом! Ладно Столешко — он уедет к себе на Украину, и никто о нем не вспомнит. Но ты как будешь жить здесь?

— Как карась в прозрачной воде, — задумчиво ответил Родион. — Всякая падаль будет уже хорошо заметна и не сможет маскироваться даже в иле... Ну, ты пей, пей!

— Как ты похож на отца! — в который раз удивился я. — Только ростом раза в полтора выше.

— Это в мать. Очень спортивная была женщина.

— У меня столько вопросов к тебе, Родион! В голове хаос, не знаю, с чего начать... Татьяна... Ты знал, что отец поручил ей расследовать тот выстрел?

— Знал, Стас... Одно плохо — мать очень хотела приехать в Россию, но так и не успела.

— Не уходи от ответа! Ты знал и молчал?

— Отцовская воля! — развел он руками. — Но сейчас, надеюсь, у вас с Танюшей все в порядке? Не всегда в джинсах ложишься с ней в постель?

— Я люблю ее... Это просто безумие! Я думаю о ней все время. И страшно ревную ее к тебе!

— Пустое, приятель! Я бы мог в мгновенье вылечить твою ревность...

Наш разговор напоминал коктейль — темы смешались, и их фрагменты выскакивали в неожиданных местах. Нам хотелось говорить обо всем сразу. Остановить наш сбивчивый разговор смогла только вторая бутылка шампанского. Пока Родион медленно, врастяжку осушал очередной стакан и в комнате воцарилась тишина, я взмолился, пытаясь вернуться к главной теме.

— Ты хоть в двух словах расскажи — как вы добрались? Где палец потерял? Столешко жив-здоров? А я вас недобрым словом вспоминал, когда в высотный лагерь поднялся. Ни провианта, ни кислорода...

Родион при этих словах нахмурился.

— Вот как?.. Значит, Никифору было очень худо, раз он выгреб из палатки все запасы. Бедный парень! Можно только догадываться, что ему пришлось пережить.

— Как это понять? Ты не знаешь, что с ним? Разве все это время вы не были вместе в Хэдлоке?

Родион начал рассказывать — очень подробно, в деталях, и я, не перебивая, слушал его почти сорок минут. Вкратце суть его рассказа сводилась к следующему.

Едва Родион и Столешко вышли из третьего высотного лагеря к седловине, как им пришлось внести серьезные коррективы в наш сценарий. Погода была жуткой: ураганный ледяной ветер, почти нулевая видимость. Они страховали друг друга попеременно. Родион, шедший в связке первым, ползком перевалил через седловину, острый заснеженный гребень, и начал спуск по ледовой стене. Никифор еще поднимался на седловину, потому Родион не мог его ни видеть, ни общаться с ним голосом. Когда веревка заканчивалась, Родион дважды дергал за нее. Этот сигнал означал: веревка выбрана до конца, я встал на самостраховку, можешь продолжать подъем. Затем таким же сигналом Никифор давал Родиону команду на продолжение спуска.

Первые минуты работа у гребня шла нормально. А потом

случилось нечто необъяснимое. Родион, висевший над пропастью, выбирал веревку на себя, страхуя подъем Никифора. Почувствовал два коротких рывка — значит, Никифор, закрепившись под гребнем, давал Родиону «добро» на спуск. Работая «кошками» и ледорубом, Родион шаг за шагом стал спускаться. На веревку он старался сильно не налегать, чтобы без особой нужды не утомлять Столешко. В какой-то момент веревка прекратила свободно скользить вниз. Полагая, что она зацепилась за камень, Родион осторожно дернул ее на себя. Это не дало никакого результата. «Я хотел загрузить ее всем своим весом, — рассказывал Родион, — повиснуть на ней, не цепляясь за лед «кошками», но словно ангел-хранитель подсказал мне, чтобы я предварительно завинтил в лед страховочный крюк».

Он не пожалел пяти минут на работу с ледовым крюком, зато спас себе жизнь. Пристегнувшись к крюку, Родион повис на веревке, оттолкнулся ногами от стены и вдруг почувствовал, что веревка вырвалась из плена, и он вместе с ней полетел в пропасть.

На это должен был немедленно отреагировать находящийся вверху Никифор — сжать веревку в руках, застопорить ее жумаром, намотать ее вокруг себя, словом, любой ценой остановить скольжение, но ничего подобного не произошло. Падение продолжалось, наверное, две-три секунды, но это время показалось Родиону вечностью. Динамический удар, резкая боль от ремней, впившихся в тело, и Родион повис на своем крюке, к которому заблаговременно пристегнулся.

Придя в себя, он стал тянуть веревку на себя. Она пошла подозрительно легко, будто на ее противоположном конце ничего не было. «Он сорвался!» — с ужасом подумал Родион. Конец веревки достиг карниза. Сворачиваясь в спираль, веревка пестрой змейкой полетела вниз. Родион почувствовал удар по голове, смягченный капюшоном пуховика, что-то звякнуло. Не веря своим глазам, Родион подтянул к себе карабин вместе с ледовым крюком, привязанные к концу веревки.

Он не мог понять, что это значит. Если бы веревка перетерлась о гребень, то Родион держал бы в руках ее рваный, лохматый конец. Если бы вдруг лопнула страховочная обвязка на груди Никифора, то Родион притянул бы обрывки обвязки к себе. Но карабин с крюком... Странная, необъяснимая гирлянда. Выходило, что Никифор зачем-то сам отстегнулся от веревки, подвергая свою жизнь смертельному риску, и закрепил ее конец на крюке. Который, кстати, не выдержал Родиона.

— Я был в шоке, — рассказывал Родион. — Не помню, сколько времени я висел над пропастью. Ветер, холод. Я голос сорвал, пока звал Столешко.

Спускаться по отвесной ледовой стене без помощи напарника — почти гарантированная смерть. Подняться на гребень вообще немыслимо. Понимая, что бездействие приведет к летальному исходу в ближайшие часы, Родион отстегнулся от спасительного крюка и, вбивая в стену ледоруб и зубья «кошек», медленно пошел вниз.

Стена была бесконечной. Темнело. Родион чувствовал, как мороз лишает чувствительности пальцы рук и ног, проникает под пуховик, как быстро иссякают силы и в баллоне заканчивается кислород. (Тогда он и отморозил мизинец, а позже началась гангрена. В Дели ему ампутировали одну фалангу.) И наступил такой момент, когда зубья «кошек» лишь оцарапали лед, и клюв ледоруба чиркнул по стене... Он упал спиной на пологий заснеженный склон, вывихнув руку. Рюкзак спас его позвоночник от перелома. Замерзая, он долго лежал на снегу как мертвый. Откуда взялись силы, чтобы вырыть берлогу размером с гроб, — он сам не знает.

Очнулся утром. Долго ковырял непослушными пальцами снег, чтобы выбраться на воздух. Газовая горелка осталась у Столешко, и Родиону пришлось есть всухомятку — жевать порошковый кофе, сосать сахарные кубики и грызть, словно леденцы, ледяные пластинки, которыми были покрыты облизанные ветрами сугробы. Локтевой сустав распух и очень сильно болел. Рюкзак с «железом» пришлось оставить. Родион взял с собой лишь остатки провианта и рассовал пакетики с концентратами по карманам пуховика.

Еще четверо суток он спускался к реке в ущелье Хэдлок, к одноименной деревне, еще не потеряв надежду встретить там Столешко. Он пытался разгадать, что произошло с ним. Какие обстоятельства могли заставить опытного альпиниста отстегнуться от страховки? Уронил в пропасть свой рюкзак и попытался спуститься за ним, торопливо закрепив веревку на крюке? Или вдруг ему стало плохо, прихватило сердце, и он испугался, что ему не хватит сил удержать Родиона, из последних сил отстегнулся, ввинтил крюк...

До Хэдлока Родион не дошел нескольких километров. Его нашли на пашне местные крестьяне. Монах из Хэдлока выходил его, отпаивая настоем из целебных трав и обкуривая ароматным дымом. Через пару дней Родион пришел в себя. Он стал расспрашивать об альпинисте из Украины по фамилии Столешко. Монах подтвердил, что неделю назад в деревню спустился альпинист европейской внешности. Он был очень слаб и взволнован, спрашивал, не появлялся ли здесь высокий светловолосый альпинист. Отрицательные ответы крестьян его очень огорчили. Он не остался в Хэдлоке, несмотря на уговоры, и в тот же день пошел куда-то по берегу реки. Больше его не видели.

Монах очень точно описал внешность этого альпиниста, и у Родиона не осталось сомнений: это был Столешко. Тяжелый камень свалился с его плеч. Никифор жив! Он ищет его!

Было желание немедленно пойти вдоль русла реки в надежде догнать Никифора, но Родион все-таки решил, что благоразумнее остаться в Хэдлоке, а не запутывать свои следы по многочисленным ущельям и деревушкам горного Непала. Прошло несколько дней, но Никифор в деревне не объявился, и Родион решил, что Столешко, не мудрствуя лукаво, прямиком устремился поближе к цивилизации, в Катманду, где спокойно дожидался своего выхода на сцену.

Мы разговаривали до хрипоты, насухо очистив бар, и расстались, когда было уже далеко за полночь.

Глава 36

ВАЛЬПУРГИЕВА НОЧЬ

В банкетном зале на втором этаже хозяйского дома, по соседству с мастерской, собрались человек двадцать пять, хотя Татьяна отправила как минимум сорок приглашений.

— Ждать никого не будем! — сказал князь, хлопнул в ладоши и первым сел во главе стола в большое старинное кресло из черного полированного дерева. Все остальные места были свободны, и каждый гость волен был сам определить свое место за столом. Но сдержанной суеты не было, публика оказалась воспитанной, никто не торопился сесть поближе к князю. Преодолевая некоторую заминку, Родион взял под руку Татьяну и вместе с ней устроился где-то посредине. Игорь Петрович Хрустальский, которого, насколько мне было известно, никто не приглашал, тотчас оказался рядом, склонившись, поцеловал Татьяне руку, вручил ей шоколадку и с реверансами принялся гладить стул, стоящий рядом с Родионом.

— Позволите, Роман Святославович, приземлиться возле вашего аэродрома?

Родион пожал плечами — Хрустальского он видел впервые. Член ассоциативного комитета экологического движения «Мэнкайнд энд гранд корпорейшн» был одет в яркожелтый пиджак в клеточку и серые брючки, из-за недостаточной длины которых можно было детально рассмотреть белые носки в фиолетовый горошек. Постукивая каблуками черных лаковых туфель, Хрустальский сел за стол, по-хозяйски осмотрел блюда и деловито произнес:

— Приступим!

Дотянувшись до салатницы с грибами, он принялся черпать их ложкой и выкладывать в тарелку Родиона. Татьяна сидела ровно, скованно, опустив руки под стол и глядя на шоколадку, лежащую на тарелке.

За ее спиной в нерешительности остановился Филя, одетый во все черное. Заметно было, что он досадует из-за своей нерасторопности, и теперь не знал, как получится ближе к Родиону — если сесть рядом с Татьяной или рядом с Хрустальским. Заметив меня, он приветственно вскинул руку, обнял меня за плечо и гнусаво, словно страдал от насморка, сказал:

— Очень рад, очень рад! Давай-ка сядем здесь, иначе потом вообще окажемся на задворках... Палка, палка, огурец...

Вежливо отстранив меня, забыв о моем существовании, он взялся за стул, стоящий рядом с Хрустальским.

Мне очень хотелось сесть поближе к Татьяне, но, пока я собирался это сделать, раздумывая, к каким последствиям это может привести, рядом с девушкой устроился водитель. «Хоть бы куртку снял!» — подумал я и пошел на другую сторону стола, поближе к «аграриям» — садовнице и дворникам.

Садовница, эта удивительная женщина, опять поразила меня своей метаморфозой. Она была одета в скромное, плотно облегающее тело платье (шелк или парча — не разбираюсь), но как оно ей шло, как подчеркивало ее красоту! Великолепные плечи, высокая грудь, открытая изящная шея. Прическу ее я увидел впервые — короткая, вольная рваная стрижка. Если бы я увидел эту женщину впервые, то ни за что бы не поверил, что она занимается обустройством клумб и альпинария, составляет цветочную гамму из багряного проломника, нежно-белой резухи или взрывной закатной астильбы и возится с жирным грунтом из калифорнийского червя. Я косился на нее и вспоминал черный «Мерседес», особняк за кирпичной стеной, и это напоминало мне сказку про Золушку.

Татьяна оказалась как раз напротив меня. Наши взгляды встретились. Мне показалось, что глаза девушки наполнены плохо скрытой тревогой.

— Ну что, руки помыл? — услышал я знакомый голос. Рядом пристраивался следователь Мухин. Он двигал стул вперед-назад, переставлял приборы, выравнивал относительно себя тарелку. Стол сразу ожил, наполнился праздничной суетой. Темный костюмчик висел на его худощавой фигуре, как на вешалке.

— Наша задача, — говорил он, — выпить во-он ту бутылку водки... Маслинки! Обожаю маслинки... Я разговаривал со Святославом Николаевичем, — добавил он тише, навалившись на меня плечом. — Понимаешь, что я хочу сказать? Кто-кто, а отец сразу бы заметил подмену... Наливай, и все будет чики-чики!

Он ерзал на стуле, полируя его брюками. Пиджак был расстегнут, без труда можно было заметить под мышкой сбрую с кобурой. Я стал наливать Мухину стопку.

— Я быстро хмелею, потому первую рюмку буду пить весь вечер. Так что ты на меня не смотри... Стоп, стоп! Куда ты столько?

На противоположной стороне стола так же заметно двигался только Хрустальский. На тарелке Родиона уже не было места, но Игорь Петрович, щелкая пальцами, продолжал заваливать тарелку едой.

— Я больше не хочу, — сказал Родион.

— И даже не просите, дорогой Роман Святославович! — кокетливо возразил Хрустальский, поднес тяжелое рыбное блюдо к тарелке и скинул щучью голову, украшенную морковными цветами, но промазал, и голова шлепнулась на скатерть. — Вам не приходилось очищать ауру у китайского целителя Синь Хи Джуна? Могу устроить...

Филя курил, не отрывая от губ пальцев, в которых была зажата сигарета, и не сводил внимательного взгляда с Родиона. Вообще на Родиона смотрели все, но не открыто, а как бы исподтишка. Кроме Хрустальского, Родиона знали все еще до его отъезда в Непал и теперь отыскивали в его бородатом похудевшем и смуглом лице отличия от прежнего облика.

Последним за стол, рядом с князем, сел начальник охраны, который по случаю торжественного события надел цивильный костюм. Раздача первой партии закусок уже завершилась, даже Игорь Петрович успокоился. Строители и свободные от дежурства охранники, сидящие особняком, успели без команды выпить по первой.

Князь дождался тишины и, поднявшись из-за стола, предложил тост за своего наследника.

— Браво! — возвестил Хрустальский, не выслушав тост до конца, и протянул свою рюмку Родиону.

— И что важнее всего, — продолжал князь, метнув на Хрустальского прозрачный взгляд. — Не хочу, чтобы вы впускали в душу всякие бредни о моем сыне, которые гультают по городу. Мне обидно, для меня они хуже пощечины. Но скургузить меня никому не удастся! И даю вам свое княжеское слово: это есть мой сын Родион, единственный и любимый, сердце знает, что говорит!

Хрустальский зааплодировал, к нему вяло присоединились строители и охранники. Филипп затушил сигарету в пепельнице и налил себе водки. Родион встал из-за стола, подошел к отцу и, согнувшись, обнял и поцеловал его. Зазвенели рюмки и бокалы.

— Замечательный тост! — захлебывался от восторга Игорь

Петрович. — Замечательный! Ну просто замечательный! Ваше здоровье, дорогой... Ах, я все время путаю ваше имя!

— Ну как? — толкнул меня локтем Мухин, вилкой подбирая с тарелки крошки, словно пылесосил ковер.

— Старик уже плохо соображает, — ответил я краем рта.

— М-м-м, — промычал следователь и отрицательно покачал головой. — Нет, эта холодная медвежатина с чесноком — язык проглотить можно! Не пробовал? Умеет же, да? А ты случайно пивные пробки не коллекционируешь?

Садовница, пребывая в своем вечном одиночестве из-за глухоты, заскучала и неожиданно проявила инициативу. Повернувшись ко мне, она подняла рюмку, предлагая составить ей компанию. Лицо ее стало еще красивее от легкой улыбки, умные темно-стальные глаза горели озорством. Я махнул до дна, она только пригубила и, поставив рюмку на стол, соорудила для меня канапе с соленым огурцом, пластинкой адыгейского сыра и крошкой из сельдерея.

— Наливай! — скомандовал Родион, все более оживляясь и все разительнее отличаясь от Татьяны, которая по-прежнему сидела, опустив руки под стол, перед тарелкой с шоколадкой.

— Можно мне?! — вскочил на ноги водитель с рюмкой в руке. Водка полилась по пальцам, волосатому запястью, синему от старой, сморщенной татуировки. Он крутил темной головой во все стороны, будто спрашивал разрешение на тост у присутствующих, но только начальник охраны принял эту просьбу на свой счет и великодушно кивнул.

— Родион Святославович! — с пафосом воскликнул он, наклоняясь над столом, чтобы смотреть в глаза Родиона как можно более прямо. — Хозяин вы мой пожизненный! Вот присутствующие не дадут соврать: сколько работаю с вами, все не могу нарадоваться... Ей-богу! От чистого сердца! У вас нет надежнее слуги, чем я! Одно ваше слово — на рыбалочку, как прошлой осенью, или еще куда — и нет проблем. Как мы с вами лещей прошлой осенью таскали, а?

— Еще бы! — кивнул Родион, поглядывая на Татьяну. — Надеюсь, не оскудели волжские воды?

— Волжские? — переспросил водитель, что-то хотел добавить, но слово как бы застряло у него где-то между зубами.

— А какие? — усмехнулся Родион, вооружаясь вилкой и ножом.

— Двинские, — неуверенно произнес водитель. — Но если прикажете, можно и на Волгу слетать...

— Заканчивай! — махнул рукой Хрустальский. — Желающих слишком много!

Я чувствовал на себе пристальный взгляд Филиппа. Садовница постучала по моему плечу пальчиком и придвинула салфетку, на которой было написано косметическим карандашом: «БУДЕТ ПАРТИЯ С ТАНЦЕМ?» Я несколько раз прочел написанное неровными печатными буквами и не мог понять, что она от меня хочет.

Князь был не в духе. Скрестив на груди руки, он восседал на своем деревянном троне в расшитой золотой ниткой косоворотке, глядя на гостей из-под облачных бровей. Начальник охраны, навалившись на стол грудью, почти что лежа на нем, о чем-то с жаром рассказывал хозяину, дергал руками, боксировал, изображал отрывание пальца, хватал себя за горло, душил и делал страшное лицо.

Окруженный пустыми стульями, между строителями и Филей сидел Палыч и без интереса смотрел на пестрые закуски. Встречаясь со мной взглядом, он вопросительно вскидывал голову, пытался что-то сказать, но очередной тост или взрыв смеха прерывали его, и кинолог снова начинал бродить взглядом по столу.

— ...Это все неспроста, — говорил начальник охраны очень длинный и путаный тост и неизвестно кому грозил пальцем. — Я вам так доложу... Нет, пусть тут не думают, что мы свой хлеб за так едим. Мы работаем! Работаем! И тот выстрел, Родион, значит, Святославович, еще горько отольется кое-кому — помяните мое слово...

— Какой выстрел, дорогой? — перебил его уже изрядно захмелевший Родион, кидая на стол пестреющую вышитыми княжескими вензелями салфетку. — Напомни-ка, а то запамятовал.

— Не думаю, что вы запамятовали, — набычился начальник охраны и выпил залпом.

Филя по-прежнему цедил водку и курил одну сигарету за другой. Он откинулся на спинку стула, навалился на подлокотник и укрепил подбородок кулаком. В подобной статичной позе пребывали за столом только он и князь.

— А ты, приятель? — обратился Родион ко мне. — Не желаешь сказать пару добрых слов о своем друге?

— Давай! — приободрил меня Мухин. — Скажи: «Мужская дружба — это свято...» и так далее.

Он налил мне. В зале притихли. Я стал центром всеобщего внимания. Мухин отдавил мне все ноги. Садовница уже подняла рюмку и уставилась на мои губы, чтобы прочесть по ним слова. Я взялся за рюмку, погрел ее в пальцах и поставил на прежнее место.

— Извини, — сказал я. — Не могу.

Кажется, все гости одновременно с облегчением выдохнули и застучали вилками по тарелкам. Мухин разочарованно махнул на меня рукой и взялся за стакан с минералкой.

— Эй! — щелкнул пальцами Родион, привлекая внимание Палыча. — Строитель! Тогда давай ты!

— Вперед! — начальственным тоном поторопил Палыча Хрустальский.

Я принялся гонять вилкой по тарелке маслину, искоса наблюдая за реакцией окружающих. Дворники, прикрыв рты ладонями, неслышно обменялись комментариями и уставились на князя. Водитель, вычищая палочкой для зубов гнутую расческу, невольно состроил гримасу удивления, но вовремя спохватился и навесил на лицо прежнюю маску. Начальник охраны, красный, потный, скручивал пучок зелени и тупо смотрел то на Палыча, то на Родиона, не понимая, что произошло и почему все притихли. На губах Татьяны блуждала усмешка. Она наконец развернула шоколад и стала ломать плитку на кусочки.

— А в связи с чем, я хотел бы знать, задержка? — нетерпеливо произнес Хрустальский.

— Да как же, Родион Святославович, — произнес Палыч, привставая и вымученно улыбаясь. — Не признали меня, что ли? Я пока в строители не записывался...

— Друзья! — вдруг свежо и звонко напомнил о себе Филя, с грохотом отодвигая стул и вставая. — Собственно, мы тут все строители, потому что строим великое и вечное. Родион Святославович неспроста назвал нашего кинолога строителем, как справедливо было бы назвать строителем и меня, и охрану, и поваров, и всех, всех, всех...

Пока он пафосничал, я повернулся к Мухину и спросил:

— Ну как? Вопросы есть?

— О ком он говорит?

— О нашем кинологе. Зовут его Владимир Павлович.

— Все будет чики-чики, — шепнул в ответ следователь и проверил, все ли на месте под мышкой. — Только не выступай.

— Правильно! — поддержал Филю водитель, яростно расчесывая плешь. — Правильно! Родион Святославович не даст соврать — минувшей осенью я собственными руками вдоль забора сорок рябинок посадил! Вот этими созидательными руками строителя!

Палыч, прикладывая руку к сердцу, пытался что-то сказать, но его уже никто не слушал, а начальник охраны морщился и махал на него, чтобы быстрее замолчал и сел. Охранники дружно поднялись со своих мест и пошли чокаться с Родионом за прекрасный тост.

Вдруг нарастающий шум веселья прорезал звон бьющегося стекла. Странно, но мне показалось, что сидящая рядом садовница вздрогнула от этого звука. Татьяна, моя милая Татьяна стояла навытяжку, глядя на осколки разбитого ею бокала.

— Вы с ума сошли, — произнесла она, не поднимая глаз, когда утихли разговоры и смех, и все уставились на нее. — Что вы все из себя дураков делаете? Вы разве не видите, что это не тот человек? Это не Родион!

Глава 37

НЕУДАЧНАЯ ШУТКА

От ее слов даже у меня мурашки по коже побежали.

— Сядь, не позорься, — едва разжимая губы, произнес Родион.

— Пусть говорит! — сказал, как отрезал, князь и кинул вилку на тарелку.

— Хотите водки? — шепнул я Мухину. Он даже не пошевелился, пожирая глазами Татьяну.

262

— Я хочу сказать, — тверже произнесла девушка, — что не узнаю в этом человеке своего жениха и возлюбленного Родиона Святославовича.

Тишина была недолгой. Кто-то невнятно сказал: «Напилась», кто-то предложил вывести ее на воздух. И тут Мухин наконец почувствовал себя в своей стихии.

— Извините, но как вас понять? — громко спросил он, барабаня пальцами по столу. — Вы перестали замечать знакомые и любимые вами черты?

— Да, — тотчас ответила Татьяна. — И у меня есть все основания заявлять об этом, потому что никто из вас... никто, даже князь, не знает Родиона так, как знаю я.

Хрустальский повернул голову к Филиппу и с кривой ухмылкой шепнул ему на ухо несколько слов. Филя дробно захихикал, раскраснелся и взялся за рюмку.

— А если конкретнее? — попросил Мухин.

— Я не могу говорить об этом при всех, — ответила Татьяна.

— Да она просто плохо себя чувствует, — воткнулся в разговор водитель. — Сначала один бред нес, теперь она. — И трусливо покосился в мою сторону.

— Господа! — Филя опять поднялся из-за стола. — Давайте не будем портить праздник из-за неудачной шутки Татьяны. Да, Родион сильно изменился в горах. Он похудел, отрастил бороду, даже палец потерял, завоевывая заоблачные вершины! Но разве это основание, чтобы говорить, что это не тот человек? Кто еще осмелится заявить, что не узнает нашего дорогого и горячо любимого Родиона Святославовича?

Мухин снова наступил мне на ногу, бессловесно умоляя сидеть и молчать.

— Позвольте мне задать Родиону Святославовичу один вопрос, чтобы убедить всех в абсурдности каких-либо обвинений, — предложил он.

— А вы что — ходячий вопросник? — язвительно поинтересовался Хрустальский.

— Нет, — улыбнулся Мухин и повел плечами, словно его ошибочно приняли за большую шишку, и ему стало стыдно. — Я не ходячий вопросник, я следователь из областной прокуратуры.

— О? — Хрустальский вмиг изменился в лице, ссутулился и закивал головой: — Тысячу извинений! Тысячу извинений! Никак не мог знать! Если б из районной, то без проблем, а область... Пардон, пардон...

Князь побледнел, резко отодвинул от себя тарелку и встал из-за стола. На его лице было такое выражение, словно он случайно проглотил лягушку, прыгнувшую в его тарелку. Мухин подождал, когда он выйдет, и только потом обратился к Родиону:

— Вы в самом деле не узнали своего работника?

— Кого? — переспросил Родион, делая вид, что не понимает, о ком речь.

— Вы назвали кинолога строителем.

— Вот его? — кивнул Родион. — Да узнал я его, узнал! Очень даже сразу узнал... Вам, может быть, еще раз свой паспорт показать?

— И вы можете назвать этого человека по имени?

— Владимир Павлович! Владимир Павлович его зовут! — почти в один голос крикнули водитель и Филя еще до того, как Родион раскрыл рот.

— Владимир Павлович, — повторил Родион, усмехаясь. — А что, у вас надолго задержали зарплату? Может, вам дать денег?

Зал взорвался от смеха. Мухин улыбнулся, кивнул, словно принял юмор, и сел.

— Филипп! — крикнула Татьяна. — Ты посмотри! Он же не знает здесь половины зала! Он даже тебя впервые видит!

— Ой, родненькая! — схватился за уши Филя. — Я все понимаю: весна, авитаминоз, не выспалась...

— Уведите ее! — приказал начальник охраны своим подчиненным.

— Это все оттого, друзья, — громко сказал Родион, — что я предложил этой очаровательной девушке составить брачный договор, в котором надо определиться с собственностью.

— Негодяй! — прошептала Татьяна. Мне показалось, что сейчас она схватит нож и всадит его Родиону в живот.

— Эй, Танюшка, полегче! — заступился за Родиона Хрустальский. — Давайте без оскорблений.

— Только попробуй сказать хоть слово, — процедил мне Мухин. Его ноги скакали под столом.

Палыч пытался перекричать улюлюканье дворников и охраны:

— Давайте же ее выслушаем! Нельзя же девчонку так...

— Хотелось бы вернуться к сказанному, — сунув руки в карманы и цокая лаковыми туфлями по паркету, проговорил с дурацким весельем Хрустальский. — Вы, уважаемая Танюшка, сказали, что это человек «не тот». Уточните, пожалуйста, он «не тот» только для вас или для нас всех? Дело в том, что для большинства из нас этот человек как раз даже очень «тот»...

— Дорогие мои! — перекрикивая голоса, поднял тост Родион. — Я очень люблю свою непутевую невесту! И всех вас очень люблю! Всех, кто мне верит! И в долгу я перед вами не останусь.

— За Родиона Святославовича! — возопил водитель.

Двое охранников, вытирая ладонями жирные губы, не скрывая своих намерений, медленно приближались к Татьяне. Палыч пытался их остановить, расставив руки в стороны:

— Мужики, вы что — ополоумели!? Не надо ее трогать!

— Палыч, — морщась, произнес охранник, сплевывая на пол то, что извлек изо рта зубочисткой, — не вмешивайся!

Хрустальский, как звонарь, часто стучал вилкой по бокалу, призывая гостей к порядку и тишине. Толстая, с высокой пышной прической дама — жена начальника охраны — безудержно, громко и до слез хохотала, грудь ее колыхалась над столом, прыгала по тарелкам, напоминающим палитру. Татьяна затравленно озиралась вокруг, не смея сесть, и комкала в руках салфетку. Я поймал короткий взгляд Родиона со смыслом, адресованным мне. Казалось, он еще пытается спасти окружающих его людей от предательства, еще верит, что они просто напились, просто невнимательны, излишне веселы или же, напротив, слишком умны и догадливы и не поверили в этот страшный розыгрыш.

Я намеревался вбить последний гвоздь в надежду Родиона. Наполнив бокал водкой, я поднялся из-за стола. Мухин сделал последнюю попытку удержать меня, но его слабая рука лишь скользнула по рукаву моей рубашки.

— Дружище! — произнес я, и зал сразу затих.

Дворники, охранники, водитель, Палыч, Хрустальский, Филя, Мухин и все остальные поняли, что наступает критический момент. Я, главный провокатор, человек, который родил и распустил по городу слух о лже-Родионе, мог поставить точку в споре, покаявшись и отказавшись от своих убеждений — чего жадно ждало от меня большинство, готовясь взять меня в долю и заключить в свои слюнявые объятия. Они уже не сомневались, что так и будет. Жена главного жандарма послала мне воздушный поцелуй. Хрустальский пробормотал: «Вот это правильно!» Филя безуспешно прятал за шторкой сигаретного дыма самодовольную ухмылку.

— Ну? — требовательно произнес Родион. — Что ты хочешь мне сказать?

— Успокой меня, — произнес я. — Я уже сам себе не верю.

— Вот и замечательно! — Хрустальский дернул ногами, выдавая короткую чечетку, и взмахнул рукой с бокалом. — Вам надо выпить на брудершафт и забыть все старые обиды.

— Ну чем я могу тебе помочь? — вздохнул Родион.

— Скажи, в чем я был одет в тот вечер, двадцать седьмого февраля, когда мы шли по аллее?

— Не помню, — ответил Родион.

— В пальто, наверное, или в куртке, — пробубнил водитель. — Не в плавках же.

Хрустальский нервничал, блуждая за спиной Родиона. Филя тупо уставился в пустую тарелку.

— А о чем мы говорили? — едва слышно произнес я.

— О бабах.

— Мимо. Мы говорили о репшнуре. Сколько метров ты просил меня купить?

— На-до-е-ло! — крикнула жена жандарма.

— Сто! — с вызовом крикнул Родион.

Все просто окаменели. Шла игра, ставки были огромны — состояние князя Орлова. Родион выкладывал на игровом поле фишки, а присутствующие, затаив дыхание, следили за рулеткой.

— Опять мимо, — ответил я. — Ты заказал шесть бухт по пятьдесят метров, итого — триста!

— Невелика ошибка, — пробормотал Хрустальский. — Сто, триста...

— И последнее, — уже в совершеннейшей тишине произнес я. — Ты не можешь не знать, где и при каких обстоятельствах погибла твоя мать.

У кого-то заурчало в животе. Родион, словно превратившись в соляной столб, возвышался над столом с рюмкой в руке. Татьяна, казавшаяся в сравнении с ним маленькой и хрупкой, уже сидела расслабленно, подобно Филе, и катала шарик из хлебного мякиша. Водитель месил свои потные руки и скрипел кожаной курткой, обсыпанной перхотью. Хрустальский перестал ходить и, сунув руки в карманы, застыл за спиной Родиона, глядя под ноги и, гримасничая, как дергач, разминал мышцы лица. Филя сохранял внешнее спокойствие, рюмку с водкой он не отрывал от губ, словно полоскал в ней язык. Охранники приостановили выяснять отношения с Палычем и уставились на меня.

— Да! — вдруг громко и вызывающе сказал Родион. — Да, я не знаю ответа на твой вопрос, хотя это может показаться странным. Я не помню ни про репшнур, ни про наш разговор двадцать седьмого февраля. Ну, и что это доказывает? А ничего! Вот рядом с тобой сидит представитель прокуратуры, и у него нет ко мне вопросов. Вокруг нас сидят люди, которым плевать на то, что я помню, а что забыл... По большому счету, им плевать на то, кто я: Родион Орлов или Никифор Столешко. Потому что меня признал отец, и у меня есть паспорт на имя Родиона, и потому именно я, физическая субстанция, стоящая сейчас перед тобой, унаследую состояние князя Орлова и буду распоряжаться усадьбой, а значит, и судьбой каждого, кто присутствует в этом зале. Я правильно говорю, друзья мои?

— Правильно!

— Правильно!!

— Правильно!! — завопили гости.

И началось что-то невообразимое. Проливая водку из рюмок, толкая друг друга, грохоча каблуками, к Родиону со всех сторон кинулись те, кто отдал свою судьбу в распоряжение физической субстанции. Водитель угодил под ноги главного жандарма, поскользнулся на лощеном паркете и упал, обливаясь водкой. Жандармская жена, толкая Родиона грудью, чмокала его своими мясистыми губами куда попало. Филя, опоздавший пробиться ближе, использовал свой рост и, стоя на цыпочках, тянул руку с рюмкой поверх голов:

— Святославович! Дружище! Меня, пожалуйста, не забудь!

Хрустальский, пританцовывая вокруг толпы, широко улыбался, отчего напоминал ящерицу. Он пытался растащить в стороны дворника и начальника охраны и пролезть между ними.

— Роман Святославович! — голосил он, плечом оттесняя чью-то задницу. — Да что ж вы мне на ноги наступаете?.. Роман Святославович! У меня есть выход на прекраснейший дом престарелых под Пензой для вашего батюшки... Да дайте же с человеком о деле поговорить!

— Зачем же так далеко? — оторвавшись от щеки Родиона, возразила жандармша. — Можно в нашу больницу. Один укольчик — и все...

— Да что вы в самом деле! — пристыдил женщину водитель. — Пусть живет! Его надо просто изолировать, чтобы он никому не успел попортить кровушки.

Строители, давно не видевшие столько водки сразу, пили ее бокалами, наполняли их здесь же, рядом с кишащей толпой, и пили снова. Рыжий болгарин с круглым и желтым, как блин, лицом не выдержал испытание халявой, и его стошнило водкой. Согнувшись, он громко рычал, поливая свои ботинки мутной жидкостью, а его коллеги, смеясь, ободряюще хлопали по спине. Повариха, вырядившаяся как матрешка, стояла в дверях зала и, прихлопывая в ладоши, пританцовывала на месте, будто в зале играла музыка и мы все танцевали. Татьяна, которую страждущая толпа едва не затоптала, ушла со своего места и теперь стояла рядом с Палычем, и глаза обоих были очень похожи, будто они стояли у гроба своего общего родственника. Садовница не проявляла признаков бурной радости либо по непониманию происходящего, либо по другим причинам, скрытым в потемках ее души. Она достала сигарету, вставила ее в золоченый мундштук и отошла к распахнутому настежь окну.

Мухин, почесываясь, без смысла перекладывал с места на место приборы рядом с собой. Потом он стал ковыряться в зубах, потом ослаблять узел галстука и застегивать пуговицы пиджака, через минуту — все наоборот.

— Завтра утром ко мне, — негромко сказал он. — Расскажешь все, что знаешь об этом Столешко.

— Лучше послезавтра, — ответил я, прикрывая губы бокалом.

— Почему послезавтра?

— Первое апреля, — ответил я. — Вы получите письмо с приглашением от князя... И тогда я вам обо всем расскажу. Так будет лучше...

— Хорошо, — подумав, согласился следователь.

У меня стала кружиться голова — не столько от выпитого, сколько от того, что я увидел и услышал в этом зале. У меня сжималось сердце при мысли о князе. Несчастный старик! Как он все это переживет? Какой несмываемой грязью выпачкана его светлая душа!

Я вдруг почувствовал такую острую жалость к старику, что ноги сами понесли меня к выходу из зала. Выбежав в коридор, я заглянул в мастерскую. На кожаном диване, отгородившись от двери мольбертом, словно ширмой, громко сопел крупнотелый охранник, лежащий на официантке. Он приспустил с себя камуфляжные форменные брюки, и его белые, покрытые редкими волосками и розовыми прыщиками ягодицы студенисто раскачивались, а официантка, расставив рыхлые молочные колени и приподняв раскрасневшееся лицо, смотрела в расписной потолок невидящими глазами и издавала частые отрывистые звуки: «А! а! а! а!..»

Я с грохотом захлопнул дверь, кинулся вниз и без стука влетел в кабинет. Князь с лицом цвета седины, в расстегнутой косоворотке, сидел в кресле и, морщась, массировал грудь. Перед ним на корточках стояла Татьяна и медленно вводила в набухшую вену старика иглу шприца.

— Что? — ахнул я, замерев посреди кабинета.

— Вызови «Скорую», — не двигаясь, произнесла Татьяна.

— Не надо «Скорой», — жестко приказал князь и осадил меня взмахом руки. — Не тростись, как дергунчик, сейчас пройдет... Ах, вероломцы! Облыжные люди! Пригрел змеиный клубок на своей груди...

Слышал ли он о том, как ему готовили дом престарелых или больницу — не знаю, но в этот момент я испытал величайший стыд, словно был виновен перед князем, совершив какой-то омерзительный поступок. Слова застыли у меня в горле, тяжелый взгляд князя прибивал мои ноги к полу, связывал руки, и я стоял истуканом, не в силах поднять глаза.

— Родька-то там как? — спросил князь. — В подпол от позора еще не провалился?.. Твоя игла, камочка, печет, как жигало, и рука занемела... Готовь приказ на завтра: всех вон с усадьбы! Всех в замшелое болото! Оставляю только Палыча да вас обоих.

— А садовницу? — напомнил я.

Князь исподлобья глянул на меня, закряхтел, когда Татьяна вытянула иглу из его руки, и согласился:

— Конечно... И садовницу.

— Не торопитесь, Святослав Николаевич, — сказала Татьяна, заворачивая шприц и обломок ампулы из-под дигоксина. — Приказом вспугнем преступника, и он сбежит безнаказанным. Пусть пока все идет своим чередом. Еще день-два, и мы его возьмем под белы рученьки.

— Пусть будет так, — не стал возражать князь. — Ты у нас командуешь парадом... А вы, смотрю, уже снюхались? Жениться надумали?

Мы с Татьяной промолчали. Я продолжал пялиться на письменный прибор, стоящий на столе, а Татьяна перебинтовывала князю руку.

— Ну да, — по-своему растолковал Орлов наше молчание. — Жениться не долго, да бог накажет: долго жить прикажет. Я не подстегиваю. Но до моей смерти... Смотрите у меня!

И он почему-то только мне погрозил пальцем.

Дверь неожиданно распахнулась, и на пороге объявился Филя. Он зашел в кабинет так вольно, словно это была его квартира, и быстро подошел ко мне.

— Я тебя ищу, а ты здесь прохлаждаешься!

— Ты, наглуша, для приличия хоть бы в дверь постучал, — спокойно заметил князь.

— Да хватит возникать, папаша! — скривил лицо Филя. — Я не к вам обращаюсь.

Я даже опешил от такой наглости и уже определил глиссаду, по которой кассир должен был вылететь из кабинета, но Татьяна незаметно подала мне знак, чтобы я не совершал никаких подвигов.

Князь махнул мне, позволяя выйти. Едва я прикрыл за собой дверь кабинета, Филя положил мне руку на плечо и, почти касаясь своим лбом моей головы, горячо заговорил:

— Ну что ты с ума сходишь? Чего на Родиона окрысился?

— Ты для чего меня искал? — спросил я, снимая руку кассира с плеча.

— Да не ерепенься, говорю тебе! — сердито сказал Филя, тараща глаза и нацеливая свой нос мне в лоб. — Ты мне говорил, что у тебя финансовые проблемы? Я тебе, дураку, живые бабки хочу предложить, а ты в бутылку лезешь!

— Короче.

— Для начала подойди к Родиону в дальнюю комнату, где оранжерея, он хочет потолковать с тобой кое о чем. Только быстро — он ждать не любит. Если не станешь упираться рогами, как козел, — завтра мы с тобой обговорим одно дельце. — И, оглянувшись, добавил: — Сто тысяч баксов на первое время тебя устроят?

— Устроят. Давай! — Я протянул руку.

— Давай! — оскалил зубы Филя. — Заработать надо.

Я поднялся наверх. Из банкетного зала доносился грохот музыки, топот ног, истошный женский визг. По коридору, от стены к стене, плелся водитель и, держась за живот, бормотал:

— Фу, блин, нажрался... Плохо мне...

Я понял, что тоже иногда теряю над собой контроль, потому как мои руки, словно действуя сами по себе, схватили водителя за грудки и кинули его на стену. Он не сопротивлялся, и я не смог его ударить, только с совершенно дурной ненавистью сдавил пальцами бордовую шею, с удовольствием глядя, как он раскрывает рот, хрипит и дергает слюнявым языком.

«Какой это был бы достойный, благородный, прекрасный поступок, если бы я задушил его и утопил в выгребной яме», — подумал я, с брезгливостью отпуская водителя и переступая через него.

Родион поджидал меня в оранжерее за дверями, и, как только я зашел, он беззвучно прикрыл дверь, прижался к ней спиной и, притянув меня к себе, зашептал:

— Говори очень тихо, Филипп все видит и слышит. Во-первых, возьми это и передай Мухину.

Он протянул мне горячую от его ладони тонкую пластину, похожую на калькулятор.

— Что это?

271

— Спрячь в трусы!! Это цифровой диктофон, здесь записан мой разговор с Филей.

— Запись же цифровая! — зашипел я.

— А тебе какая разница?!

— Следствие принимает только магнитную ленту!

— А я откуда знал?

— А что ж ты мне не сказал, что «писать» его надумал?

Родион зажал мне ладонью рот и замер. Мы прислушались. Из-за двери доносилось нестройное пение.

— Черт с ней! — шепнул он, убирая мою руку с диктофоном. — Завтра подойди к Филе и скажи, что я тебя уговорил и ты согласен на него работать. А сейчас немедленно уноси отсюда ноги и не болтайся по усадьбе в темноте. И Таньку береги!

— Не учи! — отмахнулся я. — А ты как?

— Я в этом говне, Стасик, как в танке, — с горькой иронией произнес Родион и добавил: — Ночевать я останусь здесь, за отцом надо присмотреть...

Он замолчал, сделал страшное лицо и, отпрянув от двери, дернул за ручку.

На пороге стоял Филя. Выпустив мне в лицо сигаретный дым, он широко улыбнулся и сказал:

— Палка, палка, огурец, вот и вышел человец... А я стою и думаю: если вдруг сегодня ночью ты умрешь, тебя похоронят с помпой и слезами или же тихо и незаметно, как час назад закопали Митьку? — Он затянулся, качнул носом и, роняя пепел на ковровую дорожку, уже без улыбки добавил: — Шутка.

Глава 38

ДВЕРЬ, ЗАПЕРТАЯ ИЗНУТРИ

Никогда еще я не ходил по усадьбе столь странным маршрутом — через кусты, заросли ежевики, по влажному ковру из прелых листьев, минуя дорожки и тропинки, зато был уверен, что за мной никто не следит. Шел мелкий промозглый дождь. На парк опустился густой туман, приглушив свет фонарей, и потому ночь казалась особенно темной и зловещей.

Дом управляющего, ставший временным приютом для Татьяны, возвышался на пригорке — грузный, слепой из-за отсутствия света в окнах, утонувший в ватных комках тумана. Я долго стоял за деревом, вглядываясь в темное поле перед домом, в смутные очертания сгоревшей конюшни и прислушиваясь к отдаленному бормотанию спящих лошадей.

Я быстрым шагом пересек поляну, на мгновение слился с тенью огромного старого вяза и снова пошел вперед, подгоняемый странным чувством, будто чей-то взгляд, прошедший прорезь в прицеле, щекотал мне спину.

Прижавшись спиной к бревнам дома, я отдыхал, успокаивал дыхание и как мог напрягал зрение, хотя тщетно было что-либо увидеть в кромешной тьме. «Совсем нервы ни к черту», — подумал я, дергая висячий замок, на который была заперта входная дверь.

Я присел перед дровяной кладкой, откуда худо-бедно можно было рассмотреть подступы к дому, и превратился в слух. Через минуть десять я уже жалел, что не встретил Татьяну где-нибудь поблизости от хозяйского дома, и встревоженная фантазия стала тотчас рисовать в уме картины одна страшнее другой.

Сквозь туман стала пробиваться луна, граница видимости сдвинулась к лесу. Шел уже двенадцатый час, я начал мерзнуть и неудержимо зевать. И когда я уже был готов выйти из своей засады и отправиться на поиски Татьяны, как вдруг услышал, как по водосточной трубе, спускающейся по углу дома, что-то щелкнуло, будто ее задели рукавом с металлическими пуговицами.

На всякий случай я прихватил с собой увесистое полено и стал медленно пятиться назад. Если кто-то кинул в трубу камешек, надеясь таким банальным методом заманить меня за угол дома, зайти со спины и тюкнуть по голове, то ему придется придумывать что-то более оригинальное. Медленно и беззвучно ступая по бетонной плитке, я дошел до противоположного угла фасада и, приподняв полено, стал ждать, когда «умник» выйдет прямо на меня.

Но «умник» в самом деле оказался умником, а я признал в себе самоуверенного болвана, когда почувствовал между лопаток твердый предмет и услышал шепот:

— Дернешься — убью!

— Танюха! — с облегчением произнес я, кинув под ноги полено и осторожно оборачиваясь.

Конечно, она, моя милая девушка!

— Какого черта, Стас? — рассерженно произнесла Татьяна, пряча пистолет а карман пальто. — Что ты здесь делаешь?

— Тебя жду. Но как ты меня увидела?

Она вздохнула, словно хотела сказать: нашел чему удивляться.

— Помолчи, пожалуйста, — тихо попросила она и открыла замок.

Мы зашли в прихожую. Татьяна тотчас навесила на скобу мощный крюк и стала водить ладонью по стене в поисках выключателя. При свете мне было бы сложнее начать примирение, и я перехватил руку девушки, обнял ее, на ощупь нашел лицо, губы.

— Не время, Стас! — сказала она, отстраняясь от меня.

Вспыхнул свет, показавшийся ослепительным. Я сразу прикрыл глаза ладонью и некоторое время стоял рядом с кадкой с водой. Зачерпнул деревянной ендовой, попил, снял с себя куртку и следом за Татьяной вошел в комнату.

Татьяна старательно распрямляла занавески на окнах. Я фыркнул:

— Зря стараешься! Вас с Филей было видно лучше, чем в телевизоре.

— Ты понимаешь, что тебе нельзя торчать у меня? — рассерженно спросила Татьяна. — Ты много выпил?

— Не имеет значения, — ответил я и погасил свет в комнате. — Так все же будет лучше. Можешь не беспокоиться за свою нравственность. Сейчас мы с тобой прослушаем одну любопытную запись, и я уйду.

Она не стала спорить и села на стул. Не дожидаясь, когда мои глаза привыкнут к темноте, я самым коротким путем пошел к койке, попутно что-то свалив на пол, сбросил с ног туфли и с наслаждением растянулся поверх покрывала.

— Здесь лучше, — однозначно решил я и нащупал в кармане рубашки тонкий корпус диктофона.

Сначала тихо шипел фон, напоминающий эфирные помехи в походном приемнике. Потом я различил звук шагов.

Гулко, с эхом, хлопнула дверь. Затем невнятный и тихий голос Родиона:

«Здесь нам никто не помешает...»

Татьяна упрямо сидела за столом, шагах в четырех от меня. Слабомощный динамик диктофона вряд ли позволял ей отчетливо слушать запись, и она, кажется, дышать перестала, опасаясь пропустить хоть слово.

«...же какой ты наблюдательный...»

— Стоп! — сказал я и нащупал кнопку перемотки. — Интересное место пропустили.

Любопытство Татьяны оказалось сильнее иных чувств. Она все же подошла ко мне и села на край койки. Я не преминул этим воспользоваться и, обняв ее за плечи, притянул к себе.

— Сейчас получишь! — пообещала девушка.

— Лежа будет лучше слышно! — заверил я ее в своих безгрешных намерениях.

«А я тебя сразу раскусил», — это голос Фили.

Теперь Родион: «Надо же, какой ты наблюдательный!»

«Ловко устроился».

«Как сумел. Какие будут предложения?»

«Не боишься, что старик рано или поздно догадается, что ты не Родион?» — спросил Филя.

«Раз сегодня не заметил, то уже не заметит».

«Ошибаешься! Если ему каждый день капать на мозги и заваливать фактами, то он сам заявит на тебя в милицию».

«Пугаешь меня, что ли?» — усмехнулся Родион.

«Ну зачем так? Всего лишь предупреждаю».

«Ну, дальше, дальше предупреждай! Ты ведь не только это хотел мне сказать?»

«А ты сам не догадываешься, к какому выводу я тебя подвожу?» — стал намекать Филя.

«Нет, давай конкретно!»

«Конкретно с тобой будет прокурор разговаривать, а мы с тобой должны понимать друг друга с полуслова».

— Ускальзывает, сволочь! — прошептал я. Татьяна закрыла мне рот ладонью.

«Хорошо, — согласился Родион. — Ты хочешь убрать князя? Как ты это сделаешь?»

«Это не твоя головная боль. Рассчитываться будешь со мной. Сначала деньги, а потом результат».

«Сколько ты хочешь?»

«Об этом позже».

«Больше ты от меня ничего не хочешь?»

«Подпили рожки своему другу, чтобы он так сильно не бодался, а потом направь ко мне, я попрошу его об одной услуге».

«Это невозможно. Он пошел на принцип».

«Любой принцип можно обменять на деньги. Вопрос только в сумме», — убежденно произнес Филя.

«Значит, ты собираешься использовать его? Но я могу поговорить с ним сам. Зачем ты мне нужен?»

«А не боишься заляпаться? — усмехнулся Филя. — Ты должен быть чист, как глазной хрусталик. Не бери на себя лишние проблемы. Развлекайся, отдыхай, ухаживай за папочкой. А потом ты получишь наследство на золотом подносе... Будь здоров, Родион Святославович, я жду».

И снова шипение.

— Да тут ничего нет! — в сердцах воскликнул я, отключая запись.

Татьяна выхватила диктофон из моих рук и установила начало записи. Мы прослушали ее опять от начала и до конца.

— Да, не густо, — согласилась Татьяна, возвращая мне диктофон и поднимаясь с койки.

— Родион просил, чтобы я передал это следователю, — продолжал возмущаться я. — А на кой черт она следователю? Во-первых, запись цифровая. Во-вторых, здесь нет никакого криминала. Филя ни словом не обмолвился о том, что собирается убить князя. Речь идет о какой-то услуге. Если следователь поинтересуется, о какой именно услуге, Филя скажет: я хотел, чтобы Ворохтин возглавил строительство детского садика. И все обвинения с него как с гуся вода.

— Кое-что все-таки здесь есть, — отозвалась из темноты Татьяна. По звукам я догадался, что она переодевается. — Мы знаем, что Филя хочет использовать тебя для своих целей.

— Об этом я мог догадаться и без записи... Ты чего молчишь?

— Думаю.

— О ком? О Филе?

— Нет, не о нем, — после паузы ответила Татьяна. Я наконец увидел ее силуэт на фоне окна. — Филя — пешка, мелкий хулиган в сравнении с другим человеком, который намного опаснее.

— Это еще кто такой?

— Даже не пытайся гадать.

— Садовница?

Татьяна вздохнула, подошла ко мне и снова села на край кровати.

— Когда Филя предложит тебе дело, — сказала она, — не забудь поставить меня в известность.

·«Сейчас!» — подумал я, но сказал о другом:

— Одолжи мне свой пистолет! На полчасика! Я из кассира признание, как воду из мокрого белья, выжму, — заверил я. — Он мне на этот диктофон всю свою поганую жизнь выложит, когда я «макаров» к его протухшей голове приставлю!

— Ничего я тебе не дам.

— Как то есть ничего? — произнес я, предполагая некоторую двусмысленность ответа, и привстал. — Совсем ничего не дашь?

— Совсем. Иди домой.

Не знаю почему я возвращался по бездорожью — опять через лес, через колючие кусты, пни и овраги. Настроения не было никакого. Я чувствовал себя измученным, опустошенным, как старая бочка из-под соленых огурцов, которая давно рассохлась и на дне которой поселились скучные жабы.

Все тайны и загадки были раскрыты, все вопросы сняты. Оставалось дождаться первого числа, встретить Столешко, пригласить следователя, наряд милиции, собрать в пустом банкетном зале всех служащих, эту отупевшую от жадности кодлу, и устроить им немую сцену. А потом громко посмеяться над ними, выставить их вон и набрать новых сотрудников. Только будут ли новые честнее и чище?

Правда, оставался еще скользкий Филя, которого следовало как можно быстрее посадить за решетку, но он уже не казался мне столь недосягаемым, как раньше. Его будущие ходы я уже легко мог просчитать. Он попался на приманку, поверил, что Родион — вовсе не сын князя, а такой же мошенник, как и он сам. Теперь при помощи шантажа и угроз он попытается его «доить». Но, прежде чем «доить», он должен организовать скоропостижную смерть князя, да расставить силки, чтобы мошенник с наследством не убежал слишком далеко. Последняя задача Фили — прикончить мошенника и присвоить деньги себе.

Теперь, когда я просчитал все предстоящие ходы Фили, мне казалось, что поймать кассира на преступлении — пара пустяков. Для начала я должен встретиться с ним утром и дать свое согласие работать на него. А дальше — дело техники. Мухину не придется долго корпеть над текстом обвинения — это я мог гарантировать следователю уже сейчас. А Танюха пусть продолжает защищать свою профессиональную честь и придумывать всякие страшилки про какого-то страшного и очень опасного преступника.

Я дошел до пруда и уже хотел было свернуть к мосту, как, к своему удивлению, увидел на противоположном берегу Родиона. Он сидел на корточках у самой воды и мыл руки. Он был без пальто, в своем голубом спортивном костюме. Понимая, что человек устал и ему хочется побыть одному, я все же тихо свистнул, привлекая его внимание к себе.

Что произошло потом, я объяснить не мог. Родион вскочил столь резво, словно вместо меня увидел саблезубого тигра, и, круто развернувшись, кинулся в кусты. Разинув рот, я стоял еще минуту, слушая, как где-то в глубине парка затихает треск веток.

«За кого он меня принял?» — думал я, переходя по мосту пруд. Хоть во мне поселились не вполне приятные предчувствия, я не поленился и прошел к тому месту, где Родион полоскал руки. Постоял, посмотрел на противоположный берег. Луна хоть и была завешена дымкой, света хватало даже для того, чтобы рассмотреть тонколапые коряги и куски грязного льда, которые дворники вытащили на берег, вычищая пруд. Опознать знакомого человека можно было запросто.

Еще около часа я блуждал по парку, надеясь встретить Родиона. Из хозяйского дома все еще доносилась музыка, и пятна света, падающего из окон, корчились и двигались в такт ей.

Я вернулся в свой дом, запер замок на два оборота и стал подниматься по лестнице. Тут мой взгляд упал на порожек перед дверью Родиона. На нем лежала глиняная лепешка с прилепившимся к ней прошлогодним листом. Я готов был поклясться, что перед выходом на банкет этого следа здесь не было.

Я спустился к двери Родиона и осторожно надавил на ручку. Дверь была заперта. «Ничего удивительного, — подумал я. — Родион собирался ночевать у отца».

Какая-то смутная тревога заполнила мою душу. Я присел у двери, сдвинул в сторону замковый лепесток, заглянул в скважину и тотчас отпрянул от двери. Изнутри торчал ключ.

Я постучал и негромко позвал:

— Родион! Это я, Стас! Ты там живой?

Мне показалось, что за дверью скрипнули половицы. Я постучал еще раз и, весьма озадаченный странным поведением Родиона, поднялся к себе.

Часа два я ворочался на диване, прислушивался к тишине. Мысли вихрем носились в моем сознании, не позволяя ни сосредоточиться, ни забыться во сне.

Глава 39

ДУБЛЬ ДВА

Я хорошо потренировался утром перед зеркалом и, как только Филя сел ко мне в машину, незаметным и точным движением включил режим записи в диктофоне, который лежал в кармане рубашки.

Кассир пожал мне руку, с легкой усмешкой глядя в глаза, и спросил:

— Ну что? Поговорил с Родионом?

— Поговорил, — ответил я. — Давай сразу по существу: что я должен сделать?

— Ш-ш-ш-ш! — зашипел Филя и постучал себя пальцем по губам. — Не так быстро. Поехали прямо.

Я взялся за рычаг передач. Объем памяти в диктофоне позволял вести запись только в течение тридцати минут, и, если разговор наш пойдет такими темпами, я рисковал получить получасовую запись моторного гула.

— Долго вчера гуляли? — спросил я, чтобы не молчать.

— Не очень, — неопределенно ответил Филя и качнул носом вправо: — Сюда рули!

— А куда едем-то?

— Увидишь.

Он то ли следы запутывал, то ли выслеживал кого-то, то ли просто издевался надо мной. Я сделал два круга по Овражкам, улице Советской и Кушелевскому спуску. Рядом с каким-то тупичком, окруженным почерневшими заборами, он попросил остановиться, вышел из машины, встал у забора и обильно его полил.

— Прямо! — скомандовал он, вернувшись в машину.

Мы проехали сбербанк, миновали пожарную каланчу и свернули к котельной. Я следил за часами. Семь минут записи — коту под хвост.

— Приехали, — сказал Филя. — Паркуйся и выходи!

Мы остановились у двухэтажного, давно не крашенного здания цвета болота, рядом с которым торчала черная длинная труба на растяжках. Филя поднялся на крыльцо и распахнул дверь на ржавых петлях.

— Прошу! — кивнул он, приглашая меня войти первым.

В сумрачном помещении было душно, пахло плесенью и мылом. Филя свернул в коридор и остановился у двери с надписью «Мужское отделение».

— Прежде чем приступать к серьезному делу, — сказал он, протягивая мне пластиковый жетон, — надо отмыть тело и душу.

И только тогда я понял, куда и почему он меня привез. Я сразу сник. Мое состояние трудно было скрыть, но Филя будто не замечал моего рассеянного и блуждающего взгляда. Он получил у банщика простыни, веники и, отыскав свободные шкафчики, стал весело раздеваться.

Я расстегивал пуговицы, расшнуровывал ботинки и стаскивал с себя одежду с таким убийственным видом, будто готовился посетить крематорий. Оголившись, Филя взял тазик, сунул в него веник и, насвистывая, пошел в моечный зал.

Повесив рубашку на крючок, я вынул из кармана диктофон, остановил запись и символически плюнул на прибор. «Куда ж тебя засунуть?» — подумал я, с ненавистью оглядывая себя.

Филю я нашел на нижней полке парной. Париться он не

умел и не любил — это было сразу заметно по его погрустневшему лицу, зато здесь он был уверен, что никаких улик я на него не соберу. Дождавшись, когда из парной уйдет хромой старик в шерстяной шапочке, облепленный березовыми листьями, Филя вполголоса и торопливо начал ставить мне задачу:

— Помнишь то место, где я выходил из машины? Выше по улочке, метрах в пятидесяти, стоит дом Городовицкого. Сегодня в восемь вечера князь ужинает у него. «Понтиак» с водилой будет ждать его ниже, на шоссе, на эту раскисшую горку он не взберется. Место темное, фонарей нет. Больше двух часов князь у Городовицкого не высидит. Значит, около десяти он выйдет из дома и пойдет к ступеням, чтобы спуститься к машине...

— Я понял, — перебил я Филю, хотя понял еще далеко не все. — А охрана?

Расчесывая вспотевшее тело ногтями, Филя мучительно кряхтел, тряс головой, стряхивая со своего замечательного носа капли пота.

— Охраны не будет. После вчерашнего князь им уже не верит. Возможно, он предложит тебе проводить его. Тогда скажи, что ты его встретишь на своей машине.

— А если его выйдет провожать Городовицкий?

— Не выйдет. Он третий день с радикулитом валяется, из дома вообще не выходит. Понял?

— Понял. Какое дашь оружие?

— Оружие! — усмехнулся Филя. — Оружие — это твоя машина. Встанешь с заведенным мотором и выключенным освещением у забора и, как только князь выйдет из улочки, дашь по газам. Разок тюкнешь — и все, старику много не надо.

— Плохо ты придумал, — покачал я головой. — Я оставлю столько следов, что меня уже через час найдут. Следы протектора, вмятина на передке, кровь...

— Нет, чувачок, — покачал Филя головой. — Ты меня не так понял. Ты, оказывается, вообще ничего не понял. Не надо криминала! Не надо скрываться с места дэтэпэ! Ты, как честный автолюбитель, поступаешь согласно правилам. То бишь: затаскиваешь тело в машину и гонишь в первую горбольницу, она за мостом на горке...

— Знаю.

— Знаешь, прекрасно. Подъезжаешь к приемному отделению. Тебя встретит дежурный врач — мужчина лет сорока, крепыш такой, осанистый, рукастый. В общем, другого там не будет. Вместе с ним отнесете тело в операционную. И на этом твоя задача заканчивается. Врач выдаст тебе справку, что ты был трезв, а гаишникам — заключение, что потерпевший был пьян. Вот и все.

— А если князь еще будет жив?

— После того, как он попадет на операционный стол, он уже не будет жить, — спокойно заверил Филя. — Ах, зараза, какая жарища!

— Могли бы поговорить в машине.

— Да кто тебя знает... — пробормотал Филя.

— Сколько ты мне дашь?

— Тридцать тысяч. Баксов.

— А обещал сто. Если бы я не знал, что ты собираешься загребать лопатой деньги миллионера...

— Сорок! — сразу повысил ставку Филя.

— Пятьдесят, — потребовал я.

— Черт с тобой!

Едва мы успели пожать друг другу руки, как в парную снова зашел хромой. Кряхтя, он взобрался на самый верх, взял кружку и плеснул воду на раскаленные камни.

Схватившись за уши и пригибая головы, мы с Филей кинулись к дверям и выскочили в моечный зал, словно нас вышвырнуло паром.

* * *

Никто не должен был знать, что я заходил к князю. Пройдя через ворота проходной, я поздоровался с охранниками и, получив угрюмый и неразборчивый ответ (заступила та смена, которая гуляла вчера вечером на банкете, абстинентный синдром), добавил, что буду безвылазно торчать у себя, так как предстоит серьезный разговор с Родионом. После этого я решительно направился по аллее в глубь усадьбы.

Когда деревья надежно отгородили меня от проходной, я остановился и, убедившись, что меня никто не видит, побежал через малинник и ивняк прямиком к хозяйскому дому.

282

Чтобы не светиться у парадных дверей, я влез в окно столовой, которую официантки проветривали после завтрака, и оттуда благополучно дошел до двери кабинета князя.

Татьяны, как ни странно, на рабочем месте не было, но меня успокоил учетный журнал, раскрытый на странице «31 МАРТА», наполовину исписанной почерком Татьяны. Это свидетельствовало о том, что сегодня утром она здесь уже была.

Чуть-чуть приоткрыв дверь кабинета, я посмотрел в щель и, убедившись, что князь один, зашел внутрь и тотчас запер дверь на ключ.

Орлов выглядел неважно. Завернувшись в плед, он сидел в кресле и, нахмурившись, смотрел в ветхую раскрытую книгу. Кажется, это было старинное издание «Государя» Макиавелли на итальянском. Рядом стоял стакан с чаем в серебряном подстаканнике и тонкая трубочка с нитроглицерином.

— Послушай, — сказал князь, не дав мне рта раскрыть, указал рукой на стул и стал с ходу переводить: — «К людям надо относиться либо ласково, либо жестоко, гладить или убивать; нечто среднее опасно, ибо за малое зло человек может отомстить, а за большое не может; посему бить человека надо сильно, наверняка, чтобы уже не думать о возможной мести».

— Это во что же тогда наша жизнь превратится, если бить нас так, чтобы мы ответить не смогли?..

Князь махнул на меня, приостанавливая мой жалкий лепет. Он не нуждался в моем мнении.

— Нас, русских, не возьмешь лаской. Мы народ лесной, языческий, приручить нас невозможно, — сказал он, глядя в книгу, словно Макиавелли писал о России. — Все равно что в доме льва за кошку держать. Сначала вроде все ладно и мирно, а потом вдруг проснется звериный вольный дух, и полетят в разные стороны головы дрессировщиков. С нами только природа, волюшка и бог сладить смогут... Ну, что ты ерзаешь, что сказать хочешь?

— На вас готовится покушение, Святослав Николаевич... Я должен...

Голосовые связки не выдержали, и я закашлялся.

— Это разве новость! — покачал головой князь и пригубил стакан с чаем. — Если б ты сказал, что Филька с повинной в милицию пошел, то я бы удивился.

— Сегодня вечером он будет в руках милиции, я вам это обещаю, — заверил я. — Гонза предложил мне... В общем, он хочет, чтобы я в отношении вас...

У меня язык не поворачивался произнести: «Чтобы я сбил вас автомобилем».

— Что-то ты, дружок, косноязычен стал, — усмехнулся князь. — Не волнуйся, выкладывай все по порядку.

Я успокоился и, не торопясь, обстоятельно рассказал князю о нашем разговоре с Родионом в оранжерее, о записи, которую дал мне Родион, о том, как мы с Филей парились в бане и какой план он мне предложил.

Мои слова какого-то особого впечатления на князя не произвели. Он оставался спокойным, даже умиротворенным, и, кажется, взгляд его продолжал легко скользить по странице книги.

— Готовы ли вы, Святослав Николаевич, положиться на меня? — спросил я очень торжественно. — Вверить свою жизнь в мои руки, чтобы взять преступника с поличным?

Князь молчал. Встал, скинул с плеч плед, прошелся вдоль книжных стеллажей, поглядывая на корешки, вернулся в кресло и спросил, на своем ли месте Татьяна? Мне показалось, что он думает не о моих словах, а о чем-то другом, о какой-то чепухе.

— Будь по-твоему, — вдруг сказал он. — Барте! Ты парень ловкий и сильный, на тебя положиться можно.

Мы начали обговаривать детали предстоящей операции. Внезапно до нас долетел растянутый парковым эхом звук выстрела. Он был настолько отчетливым, что даже князь, который уже не мог похвалиться острым слухом, вскинул руку вверх, принуждая меня замолчать.

— Ну-ка, братец, сбегай, — с тревогой в голосе приказал князь, — проверь, кто это палить вздумал?

Я кинулся прочь из кабинета, выпрыгнул из окна столовой и со всех ног помчался к гроту. Тут прозвучал второй выстрел. Стая ворон взмыла в воздух и подняла оглушительный галдеж. Теперь я не сомневался, что стреляли где-то совсем близко от нашего с Родионом особняка. У меня похолодело в груди от мрачного предчувствия. Низко пригиба-

ясь, я побежал через лес напрямик. Миновал опушку с гротом, спрыгнул в овраг, подняв ногами опавшие листья, взобрался по его противоположному склону, перепрыгнул через
ручей, по щиколотку замочив ноги, и перешел на шаг, когда
увидел между деревьев особняк с голубой куполообразной
крышей, белыми колоннами у входа и арочными окнами,
украшенными паутинкой тонких реек.

Не успел я отдышаться, как пришлось кинуться к стволу
бука и спрятаться за ним. По дорожке, ведущей к главной
аллее, путаясь в длинных полах пальто, придерживая на голове черную шляпу, бежал Родион. Его лицо было искажено
страхом, голова вжата в плечи. Он озирался, спотыкался и
хрипло дышал. Он был весь скован, сжат, словно пытался
уменьшиться в размерах, и я понял, что он с ужасом ждет
третьего выстрела и в отчаянии убегает от своего убийцы,
надеясь опередить пулю.

Я кинул взгляд на особняк. Никого рядом с ним я не увидел, входная дверь была раскрыта настежь, и, как ни странно, раскрыто было и окно моей комнаты.

«Ну, кассир, — задыхаясь то ли от бега, то ли от тупой
ненависти, подумал я. — Ну, гаденыш, жаба намыленная!
Значит, сегодня ты решил убрать всех, кто стоит на твоем
пути к наследству! Да простит меня бог за самосуд, но терпе-
ния больше нет...»

Не сводя взгляда с двери и окон особняка, я двинулся в
его сторону, натягивая на руки тонкие лайковые перчатки.
Я был настолько целеустремлен, что не смотрел по сторонам
и не пытался объяснить самому себе, почему я решил, что
Филя ждет меня в особняке. Я не думал о логике, о том, что
кассир, промахнувшись, попытается немедленно смыться с
места преступления. Страха не было, чувство мести подави-
ло все оставшиеся эмоции. Не пытаясь хоть как-то прикрыть
грудь от пули, я ввалился в прихожую, издал какой-то жи-
вотный вопль и побежал по лестнице на второй этаж.

Дверь в мою комнату была раскрыта, гулял упругий
сквозняк. Тюль вместе со шторой трепыхались перед раскрытым окном. Я высунулся из окна, выдал какую-то нецен-
зурную брань, врезал кулаком по подоконнику и сбежал вниз.
Апартаменты Родиона тоже не были заперты. Я обошел ка-

минный зал, заглянул в спальню, в библиотеку и вернулся в прихожую.

«Ушел!» Я уже собрался мчаться к воротам, чтобы приказать охранникам перекрыть все выходы, но увидел среди деревьев движение. По дорожке к особняку бежала Татьяна, издали было заметно, как она бледна и взволнованна. «Опаньки! Как всегда, к шапочному разбору! — не без ехидства подумал я. — Телохранительница!» За ней, семафоря желтыми спецовками, шли два строителя, которых я видел у грота. Обгоняя их и часто сигналя, к особняку подкатил милицейский «уазик». Он еще не остановился, а его двери распахнулись, и показались нетерпеливые ноги оперативников. Но не они, оказавшиеся вместе с машиной в самом сердце усадьбы, поразили меня больше всего, а Филя, который прогулочной походкой шел следом за строителями, попыхивая сигаретой.

«Сейчас начнут расспрашивать, где я был в момент выстрела», — вдруг дошло до меня. При Филе я не мог признаться, что был у князя.

Я сел на бревно, лежащее у входа. Одергивая полы плаща, из «уазика» вышел Мухин. Шурша ногами по гравию, он приблизился к двери, взглянул наверх, придерживая шляпу, и походя сказал мне что-то неопределенное:

— И что это значит? Чики-чики?.. Просьба посторонним в дом не входить, ни к каким предметам не прикасаться...

Мне не понравилось, как он взглянул на меня. Обернувшись, привлек внимание сержанта и сказал:

— Витя! Пригласи сюда рабочих!

Татьяна встала рядом со мной. Меня веселило ее озабоченное лицо. Иногда при ошибке люди делают такое серьезное лицо — не подступись! А следовало бы голову пеплом посыпать.

— Ты видел Родиона? — тихо спросила она, глядя на сумеречные тени парка.

— Видел.

— Ничего странного не заметил?.. Тебе его лицо не показалось странным?

— Нет. Только немного испуганное.

Филя прислонился к бамперу «уазика» и приветственно махнул мне рукой. Рабочие вместе с сержантом и следователем зашли в особняк. Мухин закрыл за собой дверь.

— Что случилось? Почему все всполошились? — бесцветным голосом спросил Филя. — Я подумал, что где-то стропила обломились.

Я слышал, как скрипят ступени внутри особняка. Сверху раздались приглушенные голоса. Потом в окне показался Мухин. Свесив голову, он посмотрел вниз, по сторонам и исчез.

— Палка, палка, огурец, — бормотал Филя, рисуя прутиком по песку, — вот и вышел человец... Сегодня подходит ко мне такой гориллоподобный гражданин — лба нет, глаз нет, одна челюсть и затылок в складках. И спрашивает : «Слышь, чувак, могу ли я положить на депозит пятьдесят штук баксов?» Я на всякий случай уточняю: «У вас валюта или рубли по курсу?» А он: «Пока ничего нет, но к утру сделаю».

Филя назвал сумму, которую я запросил у него в бане. Играется? Я смотрел под ноги, где суетились муравьи.

Мухин распахнул дверь, постоял на пороге, посмотрел на небо, на голые деревья, засиженные воронами, и поднял на уровень лица полиэтиленовый пакет, в котором лежал пистолет с каким-то странным толстым стволом.

— Это ваш пистолет? — спросил он меня, шаркая по ступени подошвами.

Мне хотелось протереть глаза.

— Не понял, — пробормотал я. — Как он может быть моим, если я вижу эту штуку впервые...

— То есть пистолет не ваш? — зачем-то уточнил Мухин.

— Я же сказал...

— Очень хорошо, — кивнул Мухин и передал пакет сержанту. — Но при понятых я нашел его под подушкой в вашей комнате. Это так, для сведения... Чтобы вы не скучали на досуге...

— А я не скучаю, — пожал я плечами.

— А это ваше?

Он поднял другой пакет, в котором лежала матерчатая перчатка для строительства.

— И это не мое.

Татьяна поглядывала на меня и покусывала губы. Филя курил и плевал под ноги на свои песочные рисунки.

— Что вы здесь делали в момент выстрела? — спросил Мухин, прохаживаясь передо мной так энергично, что меня стало знобить от ветра, который он поднял.

— Их было два, — поправил я.

— Откуда вам это известно?

— Слышал.

— И что же вы делали здесь в этот момент?

— Ничего. Меня здесь не было.

— А где вы были?

Если бы я признался, что был у князя, Филя сразу бы догадался, с какой целью я к нему заходил, и наша операция неминуемо бы сорвалась. Я не стал жертвовать последним шансом взять кассира на месте преступления — соблазн был слишком велик.

— Гулял по парку, — ответил я.

— Кто-нибудь это может подтвердить?

Я пожал плечами и сказал:

— Разрешите подумать до завтрашнего дня, гражданин следователь?

Мухин молча пошел к машине, а я мысленно сказал Филе: «Ах, кассир, если бы ты знал, с каким наслаждением я буду тебя сегодня бить!»

«Уазик» развернулся, примяв клумбу, на которой начинали всходить нарциссы, и умчался прочь. Татьяна, глядя себе под ноги, словно обронила серьгу или колечко, прошла к краю оврага, постояла там минуту и вернулась обратно. Филя зевнул, поплевал на окурок и втоптал его каблуком в песок.

— Не переживай, — сказал он мне. — Все у нас получится.

И вприпляску, вприпрыжку пошел по дорожке.

— Танюша, — сказал я, — а правда смешно, что один жизнерадостный дятел вьет из нас веревки?

— Это не смешно, — отозвалась Татьяна. — Это совсем даже не смешно.

Глава 40

ЗА МГНОВЕНИЕ ДО СМЕРТИ

Не включая фары, я проехал мимо «Понтиака», припаркованного у лестницы. Водитель дремал, положив голову на панель приборов. Я свернул за коммерческий киоск, остановился и вышел из машины. Если Филя ждал появления моего «жигуленка», спрятавшись за каким-нибудь гнилым забором, то у меня была возможность проверить его бдительность, подойдя к тупиковой улочке незамеченным.

Я сделал приличный круг по чужим огородам и мусорным кучам, спугнув несколько кошачьих свадеб, и вышел к старому, местами провалившемуся погребу, откуда прекрасно был виден мокрый травяной «пятачок», окруженный самыми бедными в городе избами и садами, где, по замыслу кассира, я должен был наехать на князя.

Почти час я ощупывал взглядом трухлявые доски заборов, груду почерневших бревен, тощую лавочку, корявые деревья, слабо освещенные желтым оконцем кривой избы. Когда свет в окне погас, все вокруг погрузилось в беспросветный мрак. Стояла полная тишина, лишь капли дождя, словно часовой маятник, ритмично шлепались на рваный рубероидный колпак погреба.

Филиппа здесь не было, во всяком случае, в радиусе ближайших ста метров. Я вернулся к машине. Было уже четверть десятого, а мы с князем договорились на девять тридцать. Последние пятнадцать минут тянулись мучительно медленно. Я заметил, что мои руки мелко дрожат. Чего не люблю — так это ждать драки.

Я медленно поехал к месту встречи. По грунтовке машина едва ползла, колеса глубоко зарывались в промоины и канавы, приходилось газовать, чтобы выбраться из них, и мне уже казалось, что половина жителей Арапова Поля проснулась и с подозрением следит за мной из своих темных окон.

Вот и «пятачок». Забор. Узкая улочка, по которой давно не ходили машины. Две колеи заросли травой. Я не сводил глаз с часов, вмонтированных в приборную панель. Девять тридцать! Рука невольно легла на рычажок, включающий дальний свет. Одно короткое движение — и ослепительный свет на мгновение разорвал темноту, обнажил тени кустов и заборов, и все, что казалось недосягаемым из-за густого мрака, проявилось в деталях. Я увидел князя. Опираясь на палочку, он быстро спускался к машине, прикрывая глаза рукой.

Я выключил свет и выскочил из машины. Все вокруг было погружено во мрак, еще более густой, чем прежде. Князь, ослепленный, протянул мне руку и крепко сжал ее. Этот бессловесный жест выразил многое: и доверие, и надежду, и просьбу поддержать в трудную минуту. Этот старый человек вызывал во мне величайшее уважение своим мужеством. Я взял его под локоть, подвел к машине и открыл дверцу.

— Все будет хорошо, Святослав Николаевич, — шепнул я.

Он кивнул. Мы помчались в больницу. Я поглядывал на старика в зеркало. Он был спокоен, печать тихой грусти лежала на его благородном лице.

— Тебе придется выносить меня на руках, — сказал он и, шутя, добавил: — Справишься?

Я яростно давил на газ, с визгом преодолевая повороты. Машина стонала, когда колеса бились о колдобины. Свет фар выхватывал из темноты косые нити дождя.

— Ложитесь! — крикнул я. — Подъезжаем!

— Палку придется оставить, — с сожалением произнес князь, без труда умещаясь на сиденье. — Какое бы ни было, а все ж оружие...

На пропускном пункте меня остановили. Опустив стекло, я крикнул охраннику:

— Человек в тяжелом состоянии!

Шлагбаум взмыл вверх. Я подъехал к первому корпусу и остановился у светящейся таблички «Приемное отделение». Выскочил из машины, открыл заднюю дверь и взял на руки легкого, почти невесомого старика. Князь закрыл глаза. Открывая ногами двери, я вошел в ярко освещенное, пахнущее лекарствами фойе. Навстречу мне вышла заспанная женщина, застегивая халат на груди.

— Попал под машину! — крикнул я. — Куда нести? Где дежурный врач?

— Сюда! — засуетилась женщина, открывая дверь в небольшую комнату с кафельными стенами и полом, с носилками, установленными на тележке.

Я положил князя на носилки, прикрыл простыней. Женщина нажала кнопку вызова на пульте, а затем приподняла руку князя и стала считать пульс.

— Давно без сознания? — спросила она, приоткрывая веки старика.

— Пятнадцать минут.

— Как это случилось? Вы свидетель?

— Да не только свидетель, — произнес я, поглядывая на

дверь. Дежурный врач, однако, не торопился. — Я в общем-то сам его сбил. Понять не могу, откуда он на дорогу вывалился. Пьяный, может быть...

Я говорил это с трудом. Мне казалось, я оскорбляю князя.

— Я должна вызвать милицию, — сказала женщина. — У вас есть с собой какие-нибудь документы?

Я протянул ей водительские права и услышал стук каблуков по кафелю. В кабинет зашел маленький, круглоголовый, похожий на карлика, врач с необычно волосатыми и крепкими руками. Филя точно описал его: рукастый. Взглянув на меня наполненным скрытым смыслом взглядом, он подошел к князю и, отрывисто задавая вопросы женщине, первым делом пощупал сонную артерию.

— Куда пришелся удар?

— Кажется, в живот, — ответил я.

— В сознание не приходил? Наружного кровотечения нет?.. Вызовите бригаду во вторую операционную. В милицию звонили?

— Сейчас позвоню! Вот удостоверение водителя.

Врач взял запаянный в пластик квадрат и сунул его в карман.

— Идите за мной, — кивнул он мне. — Сдадите кровь на алкоголь...

Меня начала трясти нервная дрожь, словно я на самом деле сбил человека. Врач вынул из кармана халата скрученный в рулон ремень, перетянул грудь князю и связал концы под тележкой. Затем выкатил тележку в коридор. Он шел настолько быстро, что я почти бежал за ним. Остановившись у дверей лифта, врач нажал кнопку вызова и, ожидая, стал пялиться на меня тяжелым продолжительным взглядом.

«Если он предложит мне сдать анализ, я покажу ему большую фигу, — думал я. — Черт знает, что у него на уме! Может, хочет меня усыпить?»

Створки раскрылись. Врач вкатил тележку в кабину, зашел следом за ней и быстро повернулся ко мне лицом. Едва я попытался зайти в кабину, как врач неожиданно ударил меня кулаком по носу. Он сделал это столь быстро и ловко, что я отшатнулся и в глазах у меня потемнело. Озверев от боли, я кинулся вперед, но налетел уже на закрытые двери.

Меня накрыла волна холодного ужаса. С воплем отчаяния я двинул кулаком по двери, бессмысленно постучал по кнопке и кинулся по коридору. Я бежал по нему, не чувствуя под собой ног, толкая все двери подряд, пытаясь найти вход на лестницу. Ни одна дверь не поддалась.

— Где лестница?! — страшным голосом заорал я и побежал обратно. Женщина вышла из кабинета, и я чуть не сбил ее с ног.

— Лестница?! — закричал я, схватив ее за плечи, и начал трясти. — На каком этаже вторая операционная?! Где лестница?! Отвечайте, или я вас убью!!

До смерти напуганная, женщина беззвучно раскрывала рот, силясь что-то сказать. Я почувствовал, что готов задушить ее, оттолкнул от себя и побежал к выходу. Лестница находилась в самом начале коридора, но дверь была заперта. Я ударил по стеклу ногой. Оно лопнуло, брызнуло во все стороны стеклянной крошкой, и дверь оскалилась, выставив остроугольные лезвия. Куртка затрещала, когда я полез сквозь дверь, руку обожгло острой болью. Не замечая, что оставляю за собой кровавый след, я побежал по лестнице, перескакивая через ступени.

На втором этаже я протаранил дверь с табличкой «Хирургическое отделение», выбежал в сумрачный коридор, разбудив дремавшую под настольной лампой дежурную сестру и, едва ворочая языком, спросил:

— Где вторая операционная?

Молодая сестра, еще почти девочка, стояла передо мной навытяжку с круглыми от ужаса глазами и зачем-то поправляла на голове белый кокошник.

— Там! — жалобно произнесла она, показывая пальцем в дальний конец коридора, готовая ответить на любые вопросы, выдать любую тайну, лишь бы я не причинял ей зла.

— Вторая?

— Да! А что случилось?

— Ничего, — ответил я, снял со спинки стула вафельное полотенце, обмотал им раненую руку и побежал в темень коридора. Человек в выцветшей пижаме, тихий, почти бесплотный, как тень, едва переставляя ноги, прижался к стене. Я для него был опаснее локомотива, сильнее танка. Я сам чувствовал себя кулаком, на который, как перчатку, надевал больницу с ее тихими, провонявшими карболкой коридорами, лестницей со сквозняками, тоскливым от безденежья персоналом.

Я добежал до конца, уперся в стеклянную дверь из толстого стекла, на которой было написано «Операционная», дернул ее на себя, прижался лбом к стеклу, вглядываясь в темную, безлюдную утробу операционной, и понял, что врач меня обманул.

Мне хотелось плакать от отчаяния. Я схватился за волосы, дернул и завыл дурным голосом. Я убил князя! Я, как дурачок, попался на ерунде! Надо было держаться за носилки двумя руками, как за свою жизнь, и ни на секунду не отпускать! Теперь князь, беззащитный, как младенец, остался один на один с убийцей в белом халате. Разве сможет бороться за жизнь тщедушный старичок, привязанный к тележке?

Я уже почти потерял надежду увидеть князя живым, но должен был хотя бы расквитаться с эскулапом. Надо было успеть отыскать его до приезда милиции и исполосовать его же скальпелем.

Вернувшись к сестре, которая продолжала стоять за столом, глядя на меня с раскрытым ртом, я спросил:

— Сколько в больнице операционных?

— Операционных? Две! — судорожно сглотнув, ответила сестра.

— Где еще одна?

— Этажом выше.

Я выбежал на лестницу, поднялся на следующий этаж, но дверь в отделение оказалась запертой. Отойдя к окну для разбега, я снарядом бросился на дверь. Потребовалось несколько ударов, прежде чем язычок замка вырвал щепку и дверь распахнулась.

Этот коридор был копией первого с одной лишь разницей — за столом не было дежурной. Наверное, это была она — высокая женщина в белом, стоящая в странной ломаной позе в пролете распахнутой настежь стеклянной двери. Я побежал к этой двери, из которой вытекал ослепительный свет операционной. «Может, еще не поздно?» Сестра не оборачивалась, хотя я гремел каблуками. Краем глаза я замечал, что многие двери палат были приоткрыты, в коридор выглядывали люди в пижамах и халатах, все смотрели на операционную.

Я перешел на шаг, туже затягивая полотенце на руке, отстранил сестру и окунулся в белый свет. Я был так сильно настроен на драку, что вдруг перестал что-либо понимать, когда увидел сидящего в каком-то стоматологическом кресле князя, живого, с бледным лицом, в расстегнутом плаще, и Татьяну в больничном халате, шлепанцах, приспущенных носках, с пистолетом в руке.

Не сразу я увидел врача. Под дулом пистолета он стал совсем маленьким, его круглая лысина была вровень с раковиной рукомойника, рядом с которым он сидел.

— Повторяю: это какое-то недоразумение, — говорил врач низким воркующим голосом.

Наконец с меня спало оцепенение, и я кинулся к князю, упал перед ним на колени и схватил его за руку.

— Святослав Николаевич! С вами все в порядке? Вы живы? Все хорошо? Все цело?

— Да не тряси ты так, братец, а то оторвешь, — ответил, морщась, князь.

— Слава богу, слава богу, — бормотал я.

— Танюшу лучше благодари, — поправил меня князь. Я уловил в его голосе легкий укор.

Не задаваясь вопросом, откуда и почему так вовремя Татьяна оказалась здесь, я бросился на врача, низвергая на него поток ненависти. Я схватил его за грудки, приподнял и кинул на пол. Пытаясь сохранить достоинство, врач поднялся, поправил на себе халат и сказал, что я буду горько сожалеть о содеянном, но мысль не закончил, нарвавшись на мой кулак, замотанный в полотенце. Я целился ему в нос и не промазал. Разбрызгивая вокруг себя алую кровь, врач опять рухнул на пол.

— Ну, хватит! Хватит! — крикнула Татьяна.

Наконец я стал приходить в себя и адекватно реагировать на окружающий меня мир.

— Я еще раз повторяю, — бормотал врач, прикладывая к носу кусок ваты, — что произошло недоразумение. Вы будете отвечать за симуляцию этого гражданина и ваше хулиганство.

— Откуда ты здесь? — спросил я у Татьяны, разматывая полотенце и кидая его под ноги.

— Из четвертой палаты.

— Ты... ты разве больна?

— Какой же ты тугодум! — покачала головой Татьяна.

— Это я, братец, перестраховался и попросил Танюшу встретить меня здесь, — пояснил князь.

— То есть вы еще днем об этом договорились?

— Именно так.

— Святослав Николаевич! — взмолился я. — Простите меня! Кто ж знал, что этот негодяй... Да его прибить мало!

— Спокойно, спокойно! — произнес врач, вытягивая в мою сторону свою волосатую руку.

— Что он с вами делал, Святослав Николаевич?

— Кажется, намеревался задушить, — спокойно ответил князь. — Вот этой штуковиной!

И он кивнул на маску для наркоза, лежащую на полу.

— Да я хотел перевести вас на искусственное дыхание! — неубедительно оправдывался врач.

— Может быть, — кивнул князь. — Но я почему-то задыхался и не мог дышать. Я кричал, а вы еще сильней прижимали эту гадость к моему рту.

— Ух, паскуда! — процедил я и снова попытался кинуться на врача, но Татьяна остановила меня, как пса:

— Стоять!

— Надо вызвать милицию! — все не мог успокоиться я, чувствуя себя здесь лишним.

— А зачем ее вызывать, если Мухин с нарядом уже два часа как под окнами в кустах сидит. Сейчас будет здесь.

— Я этого так не оставлю, — пробормотал врач, запрокидывая голову и втягивая ноздрями воздух. В его носу еще булькала кровь.

— Ты, говнюк, будешь делить нары с Гонзой! — крикнул я.

— Да не надо же так громко! — взмолилась Татьяна. Она устала стоять, села на операционный стол и переложила пистолет в левую руку.

Я чувствовал себя скверно. Пытался махать кулаками после драки, но от этого сам себе казался смешным. Такой позорный прокол! А Татьяна молодец! При всей моей ревности и зависти я не мог не признать ее полную победу надо мной.

Что ж получается? Она еще днем легла в больницу, симулировав какую-то болезнь?

Решительно и целеустремленно в операционную вошел Мухин в сопровождении двух милиционеров. Плащ развевался на следователе, как бурка на плечах Чапаева. Кепка была чуть сдвинута на лоб и набок, что делало лицо Мухина таинственным и непредсказуемым.

— Ты! — сказал он мне, вонзив мне в живот худой синеватый палец. — Берешь пять чистых листов бумаги и подробно излагаешь суть дела. Ясно?.. Святослав Николаевич! Вы как себя чувствуете? Терпимо?..

Татьяна опустила пистолет, встала со стола и отошла в угол операционной. Врач встал, когда к нему приблизился следователь.

— Здесь стерильно, — сказал он, глянув на ботинки Мухина, вымазанные в глине.

— Первый вопрос! — сказал Мухин, протягивая букву «р», что придавало его речи особо торжественный оттенок. — Ваша фамилия и должность?

— Герасимов. Сегодня — дежурный врач первой городской больницы Арапова Поля... Сразу хочу сделать заявление: вот этот товарищ (он кивнул на меня) вместе с этим господином (кивок на князя) непозволительнейшим образом разыграли сотрудников больницы и меня лично...

— Я разберусь с этим фактом.

— Я могу написать заявление?

— Можете. Но не сейчас. Что вы здесь делали с Орловым?

— Проводил мероприятия реанимационного характера, — ответил врач. — В это понятие входит несколько десятков пунктов. Перечислить все?

— Он пытался задушить князя маской, — сказала Татьяна. Врач дернул головой.

— Эта молодая особа — тоже, кстати, симулянтка — не разбирается в вопросах медицины и не имеет права давать оценку моим действиям!

— Да, я задыхался. Мне нечем было дышать, — подтвердил князь.

— Может быть, я всего лишь на мгновение закрыл ладонью клапан! — пожал плечами врач. Его плутоватые глазки ушли в сторону, и Герасимов стал похож на обиженного Чебурашку. — Это иногда случается.

— Когда я вошла, — усталым голосом сказала Татьяна, — он отпустил князя, подбежал к шкафу, взял оттуда лист бумаги и кинул его в раковину. Потом плеснул туда какую-то жидкость. По-моему, кислоту. Почти весь текст пропал. Я пыталась промыть его водой, но, кажется, бесполезно.

Мухин подошел к раковине, долго смотрел в нее, потом осторожно, двумя пальцами, приподнял ветхий обрывок бумаги с темными разводами.

— «...свое движимое и недвижимое имущество, включая деньги, находящиеся на моих счетах в российских и зарубежных банках, и картины, в том числе выставленные для обозрения в картинной галерее Арапова Поля, — медленно читал Мухин, — завещаю Гонзе Филиппу Борисовичу. Не имея твердого убеждения в том, что человек, который выдает себя за Родиона, на самом деле является моим сыном, в наследстве последнему отказываю...»

Я обомлел. Такого поворота событий я никак не ожидал! Действительно, по нашим законам завещание, заверенное дежурным врачом больницы, приравнивается к нотариально удостоверенным. Вот это ход! Все гладко и логично: я сбиваю князя (можно не сомневаться, что, если бы у Фили все получилось, он упрятал бы меня в тюрьму), дежурный врач без свидетелей умерщвляет князя, отбивает ему внутренности, а когда прибывает бригада врачей, рассказывает, как Орлов за минуту до смерти попросил с его слов написать завещание на имя Гонзы.

Мухин поднял голову и взглянул на врача.

— Это вы писали?

— Что — это? — усмехнулся врач.

Обрывок бумаги буквально таял на наших глазах, как тонкая льдинка. Кислота продолжала пожирать его.

— Фотоаппарат! — крикнул Мухин.

Милиционеры зашевелились, стали зачем-то хлопать себя по карманам. Обрывок бумаги выпал из пальцев следователя и шлепнулся на пол. С перекошенным лицом Мухин смотрел себе под ноги.

— В машине... — сдавленным голосом произнес он, но

едва милиционеры дернулись в сторону коридора, он покачал головой и добавил: — Не надо. Поздно...

Я заметил, как врач воспрял духом.

— Так вот, — приободрившимся голосом сказал он. — Как только я начал укреплять кислородную маску на лице этого пожилого господина, в операционную ворвалась эта молодая особа и стала угрожать мне пистолетом. Она заставила меня сесть на пол и поднять руки. Никаких бумажек я не писал и кислотой не заливал, все это ложь и провокация, и я буду...

— Замолчите, — тихо попросил Мухин.

По-моему, мы все крупно вляпались. У нас не было ни одного серьезного доказательства того, что Филя вместе с врачом пытались убить князя. Следователь, хмурясь, смотрел на серое пятнышко на полу, похожее на размазанную зубную пасту. Затем сдвинул шляпу на затылок и посмотрел на врача.

— Я вынужден вас задержать, — глухим голосом произнес он. — До выяснения всех обстоятельств происшествия.

— Как прикажете, как прикажете, — без возражений ответил врач. — Но сначала я вынужден поставить в известность свое начальство, дабы вместо меня нашли замену...

— Ставьте, — буркнул Мухин и вышел из операционной.

— Позвольте, — с усмешкой произнес врач, подойдя ко мне. Я ногой загораживал ему путь.

— Пожалуйста, — вежливо ответил я и, когда эскулап поравнялся со мной, врезал ему кулаком под ребра.

— И за это тоже ответите, — сиплым голосом прошептал врач, складываясь пополам.

Глава 41

КОГДА НАСТУПИЛО УТРО

Я слышал, как в прихожей ходит Родион, звенит ключами, запирая дверь своих апартаментов, как хлопнула входная дверь и зашуршала галька под его ногами. Мне надо было поговорить с ним, расспросить о вчерашних выстрелах, но открыть глаза не было никаких сил. Сон затягивал в свою сладостную пучину, и, не желая его вспугнуть, я неподвижно лежал поверх покрывала перед открытым настежь окном, и комната была наполнена солнечным светом, щебетом птиц и терпким весенним запахом влажной земли.

Я лежал в куртке и джинсах, но чувствовал, как елозит по спине край шторы, танцующей на сквозняке. Этот мир, мягко вытесняя собой сон, казался светлым и добрым, но я знал, что это впечатление обманчиво, и пытался снова погрузиться в глубину сна, но меня, как ныряльщика, выталкивало на поверхность, к солнечным бликам на стенах, к шторе, плывущей в свежем воздушном потоке...

Все же я встал с дивана и сразу выпачкал свою облачковую душу гадкой мыслью: «Филя на свободе, и доказательств его вины по-прежнему нет».

Одно радовало: его блестящий и продуманный в деталях план рухнул. Филя напуган и встревожен, наследство князя выскользнуло из его рук. Сегодня, когда Родион раскроется перед всеми, кассир получит еще один, не менее чувствительный удар. Он будет с треском изгнан из усадьбы и отдалится от наследства на космическое расстояние. Затихнет, ляжет на дно, будет размахивать своим носом за кассовой стойкой, выдавая пенсии, и в бредовых мечтах видеть себя хозяином усадьбы. Участь не слишком привлекательная, и все же меня не устраивало такое положение дел. Я жаждал мести. Я хотел видеть Филю за решеткой, полоскающим ложку в алюминиевой тарелке с тюремной баландой, и желание это было настолько велико, что отсутствие улик против него не казалось мне чем-то существенным.

Чтобы подпитаться энергией столь прекрасного и чистого утра, я надел спортивный костюм, повесил на шею полотенце и побежал к пруду. Там при помощи большой коряги я отогнал от берега последнюю льдину, больше напоминающую кусок полиэтиленовой пленки, плавающей на поверхности, и несколько раз окунулся с головой в черную ледяную воду.

Эта процедура вызвала ассоциативные воспоминания о том, как мы купались с Татьяной в реке, и сердце мое сжалось от тоски и нежной грусти.

Князь болел. После того, что ему пришлось пережить, стало серьезно пошаливать сердце. Татьяна вызвала «Скорую», и двое врачей уже больше часа уговаривали князя поехать в больницу, но Орлов даже слушать об этом не хотел.

— Сядь, — сказал он мне, когда врачи вышли из спальни, и указал на кресло, стоящее рядом с его кроватью. — Увидишь Родиона, напомни ему, что в двенадцать приедет следователь... как его?.. Мухин! И чтобы к этому часу в каминном зале собралась вся наша свора. Извинитесь перед ними за жестокую шутку, объясните, что первого апреля шутить не возбраняется. А потом укажете всем на дверь... Ну, мы говорили, исключая кого.

Князь лежал на высоких подушках в белой хлопчатой рубахе.

— А с Филиппом что делать будем, Святослав Николаевич? Судить надо негодяя.

— Я знаю, что надо, — ответил князь и нахмурился. — Я сделал, как ты меня научил, и поймал его на счетах. Лишние деньги он из меня вытягивал, засранец.

— Прекрасно! — воскликнул я, вскакивая с кресла. — Мошенничество в своем классическом виде! Очень популярная статья Уголовного кодекса! Дайте мне все счета и квитанции, я сам составлю заявление, а вы его подпишете!

Но князь отрицательно покачал головой.

— Нет, братец, не выйдет. Как я его прищучил, он повалился на колени, стал мне ноги целовать, в три ручья плакать, клукать, прощение вымаливать, и мое сердце дрогнуло. Всыпал я ему торбачем по ребрам дюжину раз и отпустил.

— Что ж вы сделали, Святослав Николаевич? — упавшим голосом произнес я. — Он же не только вас обворовал, он же Родиона дважды пытался убить!

— Ну, ты про это... — сердито оборвал меня князь. — Не доказано — значит, нечего языком трепать.

— Вы же сами говорили, — пробормотал я, — что к людям надо относиться либо ласково, либо жестоко...

— То-то, что говорил! — ответил князь и, помолчав, добавил: — Злости мне не хватает, братец. Разжалобить меня легко. Посмотрел я на мокрые глазки этого счетовода и подумал: а ведь тоже от получки до получки кое-как перебивается. Ни семьи у него нет, ни кола, ни двора, полжизни прожил, а все медяки в кишени перебирает. Оттого и воровать начал... Но увольняю я его безоговорочно! — тверже добавил князь, стараясь этим фактом компенсировать свой поступок. — Тут можешь не сомневаться.

— Вы, — тихо произнес я, не в силах совладать с нахлынувшими на меня чувствами, — вы удивительно благородный и великодушный человек, вы...

— Полно! Полно! — махнул на меня князь слабой рукой. — Приструни свой фонтан. Лучше скажи: где этот ваш Столешко? Пора уж ему объявиться.

— Пока никаких известий, Святослав Николаевич. Я сегодня попрошу Мухина, пусть запросит Шереметьево. Мы хотя бы будем знать, прилетел он из Непала или нет.

— Да, пусть запросит. И чтобы немедленно! Две недели о человеке ничего не известно!.. Теперь доложи о самом главном.

— О чем именно, Святослав Николаевич? — не понял я.

— Помирился с Танюхой?

Я опустил глаза и пожал плечами.

— Смотри, будешь бит! — пригрозил он. — Времени у вас мало осталось...

До меня не сразу дошел смысл его последних слов. Он как-то сказал, что мы с Татьяной должны обвенчаться до его смерти.

— Что вы, Святослав Николаевич! — фальшиво возразил я. — Куда торопиться? Надо сначала сто раз отмерить...

— Нет, братец, времени мало осталось. Чувствую я... А потому наказываю: решить все конфликты с Танюшей полюбовно и венчаться в ближайшую субботу.

Что я думал о Татьяне, выходя из спальни князя? Странное, смешанное чувство испытывал я к ней. Никогда прежде, ни с одной женщиной я не был так расслаблен, так искренен, как в то утро, когда сказал Татьяне, что люблю ее. Будто раскрыл шлюзы, сдерживающие эмоции. Я сделал шаг и провалился во власть волн, бурунов, пены и не думал, чем для меня все это может закончиться. За спиной не осталось ни мостов, ни дорог, ни тропинок для отступления. Все было просто и легко; когда говоришь правду и делаешь то, что само делается, — всегда легко. Я легкомысленно махнул рукой на свои планы и мечты; было радостно от той мысли, что все это теперь придется переписывать заново, с учетом того, что начинается новая жизнь. Даже дело, порученное

301

мне князем, отодвинул куда-то далеко за горизонт, и не испытывал угрызений совести по этому поводу.

Я воспринимал ее как зеркальное отражение: протягивал к ней руки, обнимал, и она обнимала меня, я целовал ее, и она отвечала мне тем же, и потому был уверен, что мы испытываем какие-то очень схожие чувства. И было безумно приятно сознавать себя такой звездной величиной в глазах Татьяны. И ее нежное, податливое чувство ко мне смешно было класть на весы против каких-то договорных обязательств, профессиональной гордости и тщеславия — мне казалось, что любовь перетянула бы весь этот житейский мусор обвально, с грохотом и поломкой весов.

Откуда мне было знать, что Танюха поставила меня куда-то очень далеко от своего сердца. Ее работа и лидерские амбиции встали между нами танковой броней. Конечно, что-то можно было сделать, как-то спасти наши отношения, сохранить хорошую мину при плохой игре, но для этого надо было давить себя, давать задний ход, выцарапывать из души взбесившиеся чувства и запирать их на большой амбарный замок. И еще делать вид, что между нами не происходит ничего особенного — так, пустячок, легкий служебный флирт, какой часто случается в командировках, сексуальный голод и физиологическая разрядка. Трах-бах, и гуд бай, май лав!

Ну разве можно было обо всем этом рассказывать князю, этому святому человеку?

Глава 42

ПЕРВОЕ АПРЕЛЯ

Мы встретились с Мухиным в коридоре перед дверьми в каминный зал. Было без пяти двенадцать. Следователь хмуро взглянул на меня, ничего не сказал и хотел уже зайти в сумрачный зал, где потихоньку собирались работники усадьбы, но передумал, повернулся ко мне и покачал головой.

— Я получил ваше письмо, — сказал он, поджимая губы. — Не представляете, как я был зол! Это у пожарных бывают ложные вызовы, а за обращение в прокуратуру кто-нибудь обязательно должен отвечать. Вы водили меня за нос со своей легендой про пластическую операцию!

— Это был тактический ход, — попытался возразить я. — Помните, как Шарапов прикинулся вором и разоблачил банду Горбатого? И Родион прикинулся мошенником...

— Я вам сейчас такого горбатого устрою, — пригрозил Мухин, — что мало не покажется! А если бы я арестовал Родиона? Засадил бы его в следственный изолятор к рецидивистам?

— Клянусь, ни Родион, ни рецидивисты на вас за это не обиделись бы! — заверил я.

— Устроили тут, понимаешь, маскарад, — проворчал Мухин.

В зале было достаточно диванов и кресел, чтобы все могли сидеть свободно, на таком расстоянии друг от друга, чтобы не чувствовать, как рядом кто-то взволнованно дышит или нервно щелкает костяшками пальцев.

Родион сидел у самого камина, спиной к огню, будто вымок под дождем и хотел согреться. Бордовые тяжелые шторы почти не пропускали солнечных лучей, потому огонь был самым светлым пятном в зале, и оттого лицо Родиона, и без того темное от загара, казалось невыразительным, малорельефным, словно горшок из темной сырой глины, поставленный у камина для просушки. Обрубок его мизинца был перевязан бинтом и, судя по размерам, сильно распух. Мне показалось, что через бинт просочилось немного крови.

Рядом с Родионом, глубоко утонув в кресле, сидел Хрустальский, доступно открыв всем свои белые в ромбик носки, и изучал расписной потолок. Филя, упорно не желающий встречаться со мной взглядом, пожелал слушать собрание стоя и слишком внимательно рассматривал ногти, оперевшись локтем на каминную кладку. Садовница, приветственно улыбнувшись мне, села неподалеку, в углу. Час Золушки прошел, женщина снова была в телогрейке и темных брючках, на ногах ботинки на толстой подошве и с высокой шнуровкой.

Потом повалили, шаркая ногами, строители, дворники, свободная охрана и прочие служащие. Убедившись, что пришли все, кто был приглашен, последней зашла Татьяна и прикрыла за собой дверь

Воцарилась гнетущая тишина. Родион взглянул на меня и кивнул. Мне еще никогда не доводилось выступать перед

303

столь многочисленной и столь омерзительной публикой. Я волновался.

— Представляю, какой шок вызовет сейчас у вас то, что я вам расскажу. Сегодня первое апреля, и для начала позвольте поздравить вас с этим замечательным праздником и объявить о том, что шутка, которую Родион, Татьяна и я для вас подготовили, удалась.

Хрустальский перестал любоваться потолком, повернул голову к Родиону и спросил:

— Что он сказал?

Филя с невозмутимым видом продолжал исследовать ногти. Палыч, пристраивая полено в камине, выпрямился, повесил на крючок кочергу и с нерешительной улыбкой посмотрел на меня, будто хотел сказать: раз кто-то кого-то разыграл, значит, это смешно, почему бы не улыбнуться?

— Нельзя ли конкретнее? — попросил начальник охраны. Он постукивал носком ботинка по полу и смотрел на меня в упор. — О какой шутке идет речь?

— Все, о чем я говорил в интервью, неправда, — ответил я. — Никакого преступления в Гималаях не было. Никто, к великому счастью, Родиона не убивал. Никто не принимал его облик. Не кто иной, как он сам, сейчас сидит перед вами.

Теперь все уставились на Родиона.

— Что значит — никто иной? — пробормотал Хрустальский, глядя на Родиона с подозрением и даже с опаской. — Ничего не понимаю... Вы нас запутали, молодой человек!

— Шутка, надо заметить, дурацкая, — проворчал Мухин. — Хотя, конечно, она принесла поразительные результаты.

— Кто-нибудь, в конце концов, объяснит, о чем идет речь? — высоким голосом произнес водитель, поворачивая плешивую голову во все стороны. — Почему все неправда?

Водителю ничего не надо было объяснять. Он все понял и отказывался в это верить.

— Может быть, слово «шутка» здесь не совсем уместно, — сказала Татьяна. — Скорее это был психологический тест. Перед вами смоделировали ситуацию: Родиона как будто не стало, а его место занял двойник, убийца и мошенник.

— Ну-ну, полегче, девушка, полегче! — высказал недовольство Хрустальский. — Мы сразу обо всем догадались! Думаете, вы смогли нас обмануть? Лично я сразу понял, что это розыгрыш. И к Родиону Святославовичу относился с неизменной симпатией и доверием.

— И я сразу догадался! — приклеился к Хрустальскому водитель, который интуитивно понял, что это единственно спасительный путь.

— Конечно же, мы догадались! — с неестественной веселостью сказал начальник охраны. — Друзья! Это была не совсем хорошая шутка, и в ответ на нее мы тоже нехорошо пошутили про нашего дорогого Святослава Николаевича. Так ведь?

Зал оживился. Водитель, вскочив с места, подошел к Родиону и, склонившись перед ним, стал что-то горячо доказывать. Это вызвало лавину. Боясь опоздать, Родиона вмиг обступили охранники и строители. Хрустальский принялся петухом расхаживать посреди зала. Поглядывая на меня, он щурил глазки и качал головой:

— Ну зачем вы так плохо про нас думаете?

Начальник охраны принялся исполнять свои обязанности и прорвал живое кольцо.

— Все по своим местам! — орал он. — Родион Святославович, внесите же вы ясность! Скажите, что никакой обиды на нас не держите!

Садовница безучастно смотрела на спектакль, который для нее был суетливой пантомимой. Следователь подошел ко мне.

— Орлов плохо себя чувствует, поэтому заявление напишешь ты.

— Какое заявление?

— О том, что отказываешься от своих прежних убеждений в мошенничестве, снимаешь все обвинения в адрес Родиона... Глубоко раскаиваешься... Просишь прощения.

— Хорошо.

— И сворачивай весь этот базар. Смотреть противно.

Тут и Родион не выдержал. Он встал с кресла и поднял руку.

— Что орете? — неузнаваемым глухим голосом произнес

305

он и грубо добавил: — Вы вели себя как свиньи!.. Вы радовались моей смерти...

— Господь с вами! — прошептал водитель. — Родион Святославович, я так не думал... Вот присутствующие не дадут соврать...

— Я предлагаю устроить на природе пикник, — возвестил Хрустальский, — и забыть все взаимные обиды! Шашлык беру на себя!

— Я не сказал вам главного, — произнес я, когда в зале снова стало тихо. — Пришло время назвать имя человека, который дважды пытался убить Родиона, отравил конюха и сегодня ночью пытался убить князя.

Татьяна метнула на меня взгляд и отрицательно покачала головой. Может быть, я отбирал у нее хлеб, но не поставить точку во всех гнусных делах Филиппа не мог. Меня ничуть не смущало, что твердых доказательств у меня нет. Я их представлю в ближайшее время. Обязательно представлю.

Филя с легкой улыбкой смотрел на меня. Он здорово владел собой, я не мог не признать у него завидного самообладания. Я обвел взглядом присутствующих. Какие глаза! Сколько жажды услышать имя супостата и обрушить на него лавину злости, мести и ненависти и тем самым искупить свои собственные грехи.

— Это Филипп Гонза.

Раздался приглушенный возглас удивления. Все одновременно посмотрели на кассира.

— У тебя есть доказательства? — мягко спросил он.

— В тюрьме ты проведешь свои лучшие годы, — заверил я.

— Должен заметить, что это личное мнение Стаса Ворохтина, — уточнил следователь.

— Тебе придется отвечать за клевету, — грустным голосом произнес Филя. — Господа, я уже начинаю сомневаться в здравости рассудка этого человека.

— В самом деле! — поддержал его начальник охраны, очень довольный, что сменилась неприятная тема. — У тебя есть доказательства?

— Все свои преступления, кроме одного, Гонза совершал чужими руками, — ответил я. — В конце февраля в Родиона из собственного охотничьего ружья стрелял наш конюх, отрабатывая деньги, которые ему заплатил кассир.

— Когда я ему платил, ты стоял рядом? — усмехнулся Филя.

По залу прошелся смешок. Черт подери, я медленно начинал терять позиции. И, как назло, Родион словно воды в рот набрал! Странный он был сегодня, очень странный!

— Если бы князь был бы сейчас здоров, — продолжал я, — он бы рассказал, как его едва не удушил подельник Гонзы врач Герасимов из первой горбольницы.

— Скажите пожалуйста! — покачал головой Филя. — А кто, интересно бы узнать, передал Святослава Николаевича в руки этого ужасного врача?

— Да, это сделал я. Но по твоей просьбе!

В зале поднимался шум. Филя приложил руку к груди и стал кривляться на публике:

— Люди добрые! Что ж это происходит? Стоит только мне кого-нибудь попросить, как человек тотчас кидается убивать Святослава Николаевича или Родиона Святославовича! Вот ведь какая власть у меня!

Нарастал хохот. Я уже сам себе казался смешным. Следователь хлопнул меня по плечу и вполголоса произнес:

— Зря ты это делаешь. Замолчи, прошу тебя!

— Послушайте! — вопил Хрустальский, вытирая платком мнимые слезы. — Да господин Марохтин просто какой-то маньяк!

— Родион! — крикнул я. — Тогда, может быть, ты расскажешь о вчерашнем выстреле?

И снова тишина.

— Да, в меня действительно кто-то стрелял, — неуверенно произнес Родион. Что с его голосом, черт возьми?! И какими страшными глазами смотрит на него Татьяна!

— Ты не заметил, кто это был?

Родион неуверенно пожал плечами.

— Я? Не помню... Может быть... Но стреляли из твоей комнаты... Может быть, это ты? — И Родион глупо захихикал.

Мне показалось, что я ослышался. Все удивленно загудели и посмотрели на меня. Теперь у Фили на руках были только козыри, и мне с ним играть было бессмысленно.

— Вот видите, — сказал Филя. — Стреляют из его комнаты, а виноват почему-то я.

— Товарищ следователь! — рычащим голосом сказал начальник охраны. — Мне кажется, есть все основания взять Ворохтина под арест. Если вы дадите мне на это санкцию...

— Он пытался поссорить нас с Родионом Святославовичем! — истерично заголосил водитель. — Чтобы денег побольше хапнуть!

Терпение разорвалось во мне с такой силой, что я даже ослеп на мгновение от ненависти. «Сейчас здесь будет море трупов!» — подумал я и кинулся на водителя.

Я целил ему в челюсть, но промазал и едва не расквасил нос охраннику, который молниеносно втиснулся между мной и водителем. Кто-то схватил меня сзади за руки, кто-то за волосы, но я не сдавался и продолжал рычать и лягаться ногами.

— Мерзавец! Негодяй! — клеймил меня народ, выставляя из зала. — Под суд его! В тюрьму его!

Я оказался в коридоре. Дверь за мной захлопнулась. «Что с Родионом? Он выглядит так, словно принял изрядную дозу героина, — думал я, заправляя рубашку в джинсы. — Стадо взбесилось! А я, наивный, ожидал раскаяния».

Из зеркала на меня глянуло раскрасневшееся существо с расширенными зрачками. Несколько пуговиц на рубашке были вырваны «с мясом», волосы стояли дыбом. Я даже не заметил, как рядом со мной оказалась Татьяна.

— Не надо было говорить про Филиппа, — сказала она.

— Опять! — закричал я, поворачиваясь к девушке. — Еще одна, кто мне рот затыкает, указывает, что говорить, а что нет! Чего ты хотела? Чтобы мы молча стояли перед этими обезьянами, как банановые пальмы? Почему Родион не заступился за меня? Что за пургу он нес? Почему ты, частный детектив, не рассказала, как конюх спустил на меня табун? Один красивый и немногословный, как Иисус, вторая скромная и молчаливая, как Дева Мария... Конечно, это тебе не телом мужиков прикрывать! Дай расческу!

Вместо расчески Татьяна влепила мне пощечину. Потом подождала несколько секунд, чтобы в моем ухе затих звон, и спокойно сказала:

— Иди на улицу и остынь. У тебя истерика.

Я так и сделал. Вышел через парадный вход, сел на плетень и уставился на обрезанные садовницей черенки розы.

Татьяна подошла ко мне. Я не поднимал голову, смотрел на ее ноги.

— Плохо дело, Стас, — сказала она тихо и ласково. — Филя не имеет никакого отношения к последнему выстрелу. Когда это произошло, мы стояли с ним у проходной.

Я поднял на нее многотонные глаза.

— Как я тебе завидую, — произнес я. — У тебя послезавтра заканчивается договор.

Глава 43

МОГИЛА В ОВРАГЕ

— Заявление принес? — спросил Мухин.

Он сидел за столом и, пригнув голову, кусал бутерброд. Колбасный слой в нем был очень тонкий, почти прозрачный, но следователь выедал в основном его, игнорируя хлеб. Крошки сыпались на картонный скоросшиватель, на котором было написано: «Дело №...».

Я положил перед ним заявление.

Кое-как справившись с бутербродом, он сдунул крошки на пол и стал читать мое раскаяние.

— «...невозможностью отобрать сотрудников по морально-деловым качествам... м-м-м... вынуждены были тестировать... искусственная ситуация вынудила сотрудников проявить скрытые, негативные качества...» Хорошо! Годится! Все будет чики-чики!

С этими словами он открыл скоросшиватель, вложил в него заявление и сильно прихлопнул ладонью.

— Все, закрываю дело! В архив! Ну, артисты, навесили вы лапшу всему городу! И мне в том числе... Пластическая операция! К нам едет Фантомас! И многие ведь поверили, а!

— Как это понять — вы закрываете дело? — произнес я. — Разве это дело (я кивнул на скоросшиватель) состоит только из розыгрыша? А выстрел в Родиона двадцать седьмого февраля? А...

— Отсутствие состава преступления! — тотчас отпарировал Мухин.

— А смерть конюха?

— Отравление некачественной водкой.

— Да вы что? — обомлел я. — А то, что мы с вами видели в больнице? А выстрел в Родиона из окна особняка? А пистолет под моей подушкой?.. Вы же начали расследование!

Мухин цвиркнул языком и развел руки в стороны.

— С больницей, к сожалению, тоже ничего не выйдет. Я допросил Герасимова, его действия изучили эксперты — придраться не к чему, реанимационные мероприятия.

— Как это не к чему? — снова начал я заводиться. — Мы же с вами собственными глазами видели завещание, эту фальшивку, написанную и заверенную врачом!

— Вы видели, что завещание было заверено?

— Но это же ясно, как дважды два!

— Дорогой мой! — погрозил мне пальцем Мухин. — Мы с вами можем подтвердить лишь то, что на наших глазах растворился обрывок бумажки с фрагментом текста, где речь шла о завещании Орлова.

— Разве этого мало?

— Это вообще ничто! Какой стороной и к какому месту врача налепить его? Он скажет: я это не писал и не заверял, и опровергнуть его слова не сможет ни один человек на свете. Может быть, это письмо санитара своим родственникам в деревне, в котором он предполагал, каким могло бы быть завещание богатого горожанина, попавшего недавно под колеса автомобиля. Или фрагмент рассказа начинающего литератора Герасимова, написанного им в часы ночного дежурства для районной газеты.

— Но вы же знаете, что это не так! — с отчаянием произнес я.

— Да, — согласился Мухин. — У меня есть свое личное мнение на этот счет, но его к делу подшить нельзя.

— Но пистолет подшить можно?

— Пистолет можно, — кивнул Мухин. — И он уже подшит. Правда, к другому делу. И ты первый, кто будет вызван на допрос по нему.

— Надеюсь, вы будете его вести?

— Увы, увы, увы!

— А кто? — упавшим голосом спросил я.

— Молодой и энергичный следователь из араповопольского ОВД. А я, — Мухин сцепил руки в замок и сладко потянулся, — а я еду домой.

— Нет, — произнес я, садясь на край стола. — Вы не имеете права бросить все и уехать! Вы знаете очень многое, вы верите, что Гонза — преступник, мы с вами уже почти приперли его к стенке...

— Послушай, приятель! — покачал головой Мухин, и реденькая прядь, которая кое-как прикрывала его лысину, съехала с головы и легла на плечо следователя. — У меня же еще десятки дел, которые с нетерпением ждут моего возвращения. К тому же есть семья, по которой я смертельно соскучился, пока занимался вашим маскарадом. А этот молодой следователь — боевой парень! У него энергичный и жесткий стиль работы.

— Да этот молодой парень меня первого в сизо посадит! — начал убеждать я, незаметно придвигая руку к «Делу №...». — Князь болен, у него уже нет сил заступиться за меня. Татьяна тоже сматывается в Москву, у нее договор заканчивается. Родион, кажется, испугался служащих, ходит вареный, двух слов связать не может. И все эти хамелеоны-лицемеры с удовольствием дадут против меня показания, что я вводил их в заблуждение, вбивал клин между ними и Родионом, чтобы изолировать его, выкинуть из усадьбы, убить... А ваш молодой и энергичный не станет разбираться и очень энергично пришьет мне дело.

— Уже шьет, — обронил Мухин.

— Что?! Он завел уголовное дело на меня?!

— Не на тебя конкретно, а по факту незаконного хранения оружия.

— Но я подозреваемый номер один, не так ли?

— Так ли, — признался Мухин.

Молниеносным движением я схватил со стола «Дело №...» и вскочил на ноги.

— Чего ты дергаешься? — крикнул Мухин и сам стал дергаться. — Не усугубляй свое положение!

— Я не позволю сдать это дело в архив! — предупредил я, прижимая скоросшиватель к груди.

— Положь на место! — выкрикнул Мухин и хлопнул ладонью по столу. — Я сказал: дело закрыто!

— Не позднее завтрашнего утра сюда будет подшито заявление князя о финансовых аферах Гонзы.

— Вот принесешь это заявление новому следователю, и он заведет уголовное дело на твоего Гонзу.

— Вы должны завести!

— Все, петух пропел! Я умываю руки и собираю чемодан! Положь, говорю, дело и беги наслаждаться свободой!

Я пятился к двери. Мухин раскачивался на стуле, словно намеревался прыгнуть на меня и вцепиться своими прозрачными пальчиками в скоросшиватель.

— Имей в виду, ты не выйдешь на улицу без моего разрешения, внизу тебя скрутят и опустят мордой на пол.

Он вскочил, неловко шагнул ко мне и налетел на стул. Ударился коленом, сморщился, как сушеный гриб, и сдавленным голосом повторил:

— Положь, говорю... блин горелый! Понаставили здесь стульев!

Он схватился за скоросшиватель и дернул его на себя. Я уже понимал, что не могу бороться за свою свободу, и сжимал дело все слабее. Перед тем как скоросшиватель оказался в руках следователя, из него выпал узкий длинный конверт.

Я поднял его, взглянул на цветные марки, погашенные почтовым штампом, на изображение красного креста в голубом овале, покрытом сеткой меридианов, на адрес получателя, написанный латинскими буквами.

— Что это? — спросил я.

— Можешь посмотреть, — сердито ответил Мухин, приводя прическу в порядок и отступая со скоросшивателем на прежние рубежи. — Я ведь, послушав твои бредни про пластическую операцию, как осел послал в Бангкок запрос... А это ответ на него.

Я вынул из конверта письмо. Оно было отпечатано на английском.

— Переверни, — сказал Мухин, открывая сейф и пряча туда скоросшиватель. — На другой стороне подклеен перевод.

Я стал читать текст, отпечатанный на пишущей машинке. *«Медицинский центр репродукции человека. Таиланд, Бангкок. На ваш запрос уведомляем, что в период с 15 по 25 марта в*

нашем Центре была сделана пластическая операция граждани-
ну Украины (регистрационный номер JWY 785-4388). Выписан
досрочно после частичного заживления швов. Прогноз благо-
приятный (при строгом соблюдении режима применения имму-
нодепрессантов). Рекомендации: постельный режим. В связи с
гарантией анонимности нашим клиентам и коммерческой
тайной Центр считает невозможным предоставления вам
каких-либо иных сведений по вашему запросу...»

— Если честно, то я как прочитал это письмо, так сразу
поверил в твой бред, — почесывая затылок, произнес Мухин. — Ну, насчет пластической операции Столешко. А это
оказалось всего лишь простым совпадением. Вот тебе при-
мер того, как тщательно следует выверять каждый факт, даже, казалось бы, ясный как божий день... Ты что на меня так
уставился? Тебе плохо?

— Ничего, — пробормотал я, все еще пялясь в письмо. —
Ничего, все нормально...

— Раз нормально, тогда иди наслаждаться свободой, и
все будет чики-чики... Э-э, приятель! А письмо-то отдай!

«Что со мной?» — думал я, спускаясь по лестнице. Казалось, все происходит во сне. У выхода кто-то о чем-то спросил меня, но я не отреагировал. Вышел на улицу, спустился
к реке, остановился в метре перед обрывом и долго стоял неподвижно, глядя на гладкую, покрытую плоскими дисками
водоворотов поверхность реки и темнеющий песчаный берег.

«К Татьяне!» — сказал я себе некоторое время спустя.

Когда я подошел к воротам усадьбы, от солнца осталась
лишь бордовая полоса, а на парк опустилась туманная тень.
Охранники проводили меня угрюмыми взглядами, когда я
миновал проходную, а потом стали вполголоса переговариваться за моей спиной. Я быстро шел по аллее в полном одиночестве. Сырые сумерки приглушали мои шаги, и мне казалось, что у меня что-то случилось со слухом, что в мои уши
вставлены ватные беруши, и я часто оглядывался, доверяя
только зрению.

Когда я пересекал поляну рядом с конюшнями, туман
уже сгустился настолько, что растворились контуры дома
Татьяны, лишь нечетким желтым пятном горело окно. Чем
ближе я к нему приближался, тем отчетливее видел силуэт

313

человека, стоящего неподвижно и заслоняющего собой низкую лампу с бахромчатым розовым абажуром. Не знаю, какое у меня было выражение лица, когда я подошел к окну, но в груди происходила какая-то сердечная оргия. Я шел с каждым шагом медленнее, не в силах даже на мгновение отвести взгляд от окна. Когда приблизился к нему на расстояние вытянутой руки, то уже не дышал. Татьяна смотрела на меня, опираясь руками на подоконник, от ее дыхания стекло запотело, ресницы едва заметно дрожали, но мне показалось, что девушка меня не видит, смотрит сквозь меня. Я поднял руку и стукнул пальцем по стеклу.

Она вздрогнула, отошла от окна, взяла со спинки стула плащ и погасила в комнате свет. Скрипнул дверной запор. Девушка вышла на порог. Мы стояли друг против друга и молчали. Я взял ее ладони. Они были ледяными, словно Татьяна только что мыла руки в пруду, посреди которого еще плавал тонкий и рыхлый лед.

— Мне очень плохо, — шепнула она и опустила голову мне на грудь.

Я невольно стал гладить ее волосы. Такая неожиданная доверительность застала меня врасплох. Я думал, что мы остыли друг к другу. Оказывается, я был счастлив уже только от этого прикосновения к себе.

— Тот номер... в гостинице... — бормотала она.

Я кивал: да, да, я понимаю, я все помню.

— Ты освободил его?

— Нет, я все еще там числюсь.

— Поедем туда? Мне страшно здесь.

— Конечно! Хорошо! Только у меня нет ни кофе, ни вина. Надо будет заехать на вокзал...

— Это позже. А сейчас давай прогуляемся. И помолчим, ладно?

Она взяла меня под руку. Мы пошли к пруду. Татьяна разогналась — нарочно, будто она спешила, или это получилось как бы само собой от вечерней прохлады и нервов, и наше стремительное продвижение уже трудно было назвать прогулкой. Друг за другом мы пролетели над озером по мосту. Я направился к гроту и к главной аллее, но Татьяна снова взяла меня под руку и повела к нашему с Родионом особняку.

Тогда я понял, что прогулка в том смысле, в каком я понимал это слово, ее совсем не интересовала. Чтобы не шуршать гравием, мы пошли по рыхлой и вязкой клумбе, поравнялись с входом, посмотрели на темные окна особняка.

— Скажи мне, что ты здесь ищешь? — шепнул я, но Татьяна не ответила и пошла под редкую сень вязов, на край наполненного туманом оврага и встала там — в том же месте, в той же статичной позе, что и в тот день, когда мы сбежались сюда на звук выстрелов. Какая-то черная птица, громко хлопая крыльями, взлетела с ветки, и по листьям защелкали капли дождя.

Я пошел к девушке, но она предупреждающе подняла руку вверх. Теперь я старался идти так, чтобы не загребать листья ногами. Остановившись рядом, на краю оврага, я стал всматриваться в непроницаемую черноту, слегка разбавленную водянистыми комками тумана. Мы стояли так несколько минут, и у меня от напряжения стало звенеть в ушах. Ночь наваливалась на парк все быстрее, мы слепли, и рассмотреть что-либо на дне оврага, как, собственно, и пять минут назад, было невозможно.

И тут мне стало ясно, что Татьяна не всматривалась, а вслушивалась. Ее пальцы сдавили мою руку с такой силой, что я не мог думать уже ни о чем другом, как о состоянии девушки. Я уже не в первый раз удивлялся ее удивительно тонкому слуху: очень смутно я улавливал глухие ритмичные удары, и, если бы не туман, можно было бы подумать, что где-то далеко, за пределами усадьбы, выбивают ковер, но Татьяна, коснувшись губами моего уха, уверенно прошептала:

— Копает...

Не знаю почему, но я сразу подумал о садовнице: раз копает, раз дело связано с землей, никого другого на дне оврага быть не может. Возбуждаясь от мысли, что мне сейчас откроется чья-то жуткая тайна, что я могу кого-то застать за дьявольским занятием, я взял Татьяну за плечи, отвел ее от края оврага, но она поняла, что я собираюсь сделать, и успела схватить меня за ворот куртки, когда я уже начал спускаться вниз.

Я пытался оторвать ее цепкую руку от воротника, но Татьяна схватилась еще и за плечо и повисла на мне, пытаясь остановить меня таким отчаянным способом. Вместо того чтобы застать врасплох ночного землекопа, я отбивался от девушки, как рыбак от русалки. Должно быть, мы производили слишком много шума, чтобы сохранить надежду остаться незамеченными. Мне все же удалось вырваться на свободу, оставив куртку в руках Татьяны, и, уже не таясь, я побежал по скользкому склону вниз, с треском ломая колючие кусты и сушняк. Искусством бега в полной темноте я владел слабо и потому вскоре наткнулся на что-то мягкое и свалился на землю.

— Стой! — заорал я, увидев, как по противоположному склону черной тенью взбежал человек. — Стрелять буду на поражение! Даю секунду на размышление! Уже стреляю!

В этот момент мне так нужен был пистолет, что я даже сжал руку в кулак, выставив в сторону указательный палец, и едва удержался, чтобы, как в детстве, не крикнуть: «Бах! Бах! Ты убит!»

Но чуда не произошло, кулак не хотел превращаться в пистолет, а незнакомец в черном — падать замертво. Он очень быстро удалялся от меня и спустя несколько секунд растворился в темноте.

Я поднялся на ноги и стал отряхивать джинсы от сырой глины.

— Осторожнее! — крикнул я, видя, что Татьяна несется на меня, не замечая ничего вокруг.

— Ну зачем ты побежал! — едва ли не плача крикнула она, когда поняла, что мы спугнули и упустили землекопа.

— А зачем ты мне мешала? Я бы догнал его!

— Я боялась, что ты нарвешься на пулю...

Мы стояли рядом и тяжело дышали. Пригнувшись, Татьяна стала шарить руками по земле.

— Лопата, — сказала она. — Свежая земля... Господи, Стас! Это же могила!

Я уже и сам видел, что налетел на холмик из сырой глины, который здорово смахивал на могилу.

— Пошли отсюда, — прошептала Татьяна и потянула меня за руку.

— Сейчас, — ответил я. — Надо прихватить с собой лопату и утром у дворников или садовницы выяснить, кто ее мог взять... Постой! Здесь еще какая-то банка!

Стоя на корточках, я ощупывал холодные бока трехлитровой банки, закрытой стеклянной крышкой. Крышка была прижата стальной скобой. Я сдернул ее, приподнял крышку и тотчас отшатнулся, почувствовав едкий запах, от которого запершило в носу.

— По-моему, недавно я что-то похожее уже нюхал, — произнес я.

— Это серная кислота, — глухим голосом ответила Татьяна. — Я сейчас умру. У меня дрожат коленки...

— Хотел бы я узнать, — мрачным голосом произнес я, закидывая лопату на плечо, — кого здесь закопали?

— А я не хотела бы, — прошептала Татьяна, озираясь по сторонам.

Я перенес банку в другое место, к толстому мшистому стволу, и завалил ее листьями.

— Ты же дрожишь! — заметил я и снова взял ее холодную руку. — Успокойся, думай о чем-нибудь приятном.

— Что? О приятном?.. Ну, знаешь...

Мы стали выбираться из оврага. Татьяна спотыкалась на каждом шагу. Не заметив коряги, она растянулась на земле.

— Палка, палка, огурец, вот и вышел человец, — пробормотал я, помогая ей подняться.

— Ты думаешь, это был он? — спросила она, тяжело дыша, стряхивая прицепившиеся к плащу листья.

— Даже не сомневаюсь... Одного понять не могу — почему он не залил труп кислотой? Банка была полной.

— Может, впопыхах забыл?

— Не думаю, что о таких вещах можно забыть...

Глава 44

ДЕНЬ ПРОЩАЛЬНЫХ ПОЦЕЛУЕВ

Завернувшись в одеяло, я сидел на подоконнике и смотрел, как на ветке толкаются и выясняют отношения два голубя. Самец, нахохлившись, пытался скрыть недостатки своего исхудавшего за зиму тела, бодался, что-то высматривал в лапках самки, клевал мнимые зернышки и издавал нежные булькающие звуки. А самочка с темным ободком на шее, не обращая на него внимания, смотрела куда-то в сторону, переступала с лапки на лапку, если ухажер толкал ее слишком сильно, и думала, наверное, о своем, о женском: где лучше свить гнездо, да как трудно будет прокормить цыплят в это лихое время, набитое голодными и жестокими котами.

Я спал совсем немного и тихо встал с койки, едва стало светать. Какой тут сон, когда дорога каждая минута! Жалко было будить Татьяну, но уйти без нее я не мог и томился в безделье, подглядывая за жизнью двух вольных птиц.

Когда голуби, не сойдясь характерами, расстались, я подошел к кровати, сел на стул и стал пристально рассматривать лицо Татьяны. Говорят, что люди могут чувствовать на себе чужой взгляд. В течение пяти минут я так старался, что у меня на глазах выступили слезы. Татьяна не реагировала.

Тогда я начал скрипеть стулом и вздыхать.

— Мне кажется, тебя что-то беспокоит, — сказала Татьяна, не открывая глаз.

— Как ты думаешь, может ли человек полюбить абстрактную идею так, чтобы начать воплощать ее в жизнь?

— Может, — произнесла Татьяна, перевернулась на бок и только потом открыла глаза. — Вся наша история построена на любви к идеям... Откуда такие мысли в шесть утра?

— Да так, — уклончиво ответил я. — Вспомнил один фильм... Главный герой, кинокаскадер, снимается в эпизоде: грабит банк каким-то хитрым способом, летая на мотоцикле и бегая по стенам. Один дубль, второй, третий... Все получается впечатляюще, точно по сценарию. А через месяц он на самом деле ограбил банк — этим же способом. Быстро и красиво.

— Сказка, — ответила Татьяна. — В жизни не получится так же красиво, как в кино.

— Ты же знаешь, что не сказка, — возразил я. — У *него* ведь получилось.

— У него? У кого у него? У твоего каскадера?

У меня язык не поворачивался сказать, что я имел в виду Столешко. Но Татьяна, похоже, вовсе не хотела слушать меня, встала, завернулась в одеяло и молча пошла в душевую. Я открыл форточку и высунулся в окно — захотелось вдохнуть свежего воздуха. «Вот же вляпались! — подумал я. — Как же раскрутить клубок, который сами запутали?»

— Полотенце подай, пожалуйста! — попросила Татьяна, высунув мокрую голову из душевой.

«Почему она делает вид, что все в порядке, что мои намеки ей непонятны? Опять профессиональные амбиции? Желание раскрыть запутанное дело без моей помощи?»

Я заварил чай. Татьяна вышла с тюрбаном на голове, села у зеркала и стала рассматривать свое лицо.

— Помады нет, туши нет, — произнесла она, пальцем массируя кожу под глазами. — Надо было вчера взять с собой вещи, чтобы в усадьбу больше не возвращаться.

— Вообще не возвращаться? — уточнил я, раскладывая по чашкам сахар.

— Вообще, — подтвердила девушка. — А что мне там делать? Сегодня последний день нашего с князем договора — день подведения итогов, прощальных поцелуев и... и отъезда.

«Вот оно в чем дело! — подумал я, со звоном вращая ложку в стакане. — Танюха ставит точку. Ее миссия закончена, условия договора выполнены. И потому она так избегает обсуждать страшную тему. «А я бы не хотела узнать, кого здесь закопали», — очень честно сказала она вчера. Понимаю, это желание остаться в рамках договора и не искать себе сверхурочную работу. Как если бы всю зиму строила дом — добросовестно, старательно, а когда подошла пора сдавать его заказчику, выяснила, что под фундаментом лед, который весной растает. Но говорить об этом заказчику не хочется — он же сам выбрал место, значит, пусть это будут его проблемы. Да у нее уже нет сил все начинать сначала, проще присыпать лед песком, обложить кирпичами и сделать вид, что ничего не случилось... Она, как и я, устала, запуталась. В конце концов, она уже никому ничего не должна... А что мне мешает плюнуть на все и уехать с ней? Я тоже сделал все, что просил князь».

— Поехали в Москву? — спросил я, старательно пряча глаза. — Прямо сейчас. Я как чувствовал и вчера колеса поменял.

— Ага.

— Только простимся с князем и сразу поедем, правда?

Татьяна кивнула. Да, я не ошибся. Она даже не уточнила, почему я намерен проститься только с князем, а Родиона забыл. Она поняла, что я догадался про существование подводной части у маленького и с виду безобидного айсберга, которым мы так самозабвенно игрались.

Я подошел к ней со спины, обнял за плечи и хотел поцеловать в шею, но Татьяна резко вывернулась, быстро пошла к двери и, не оборачиваясь, бросила:

— Жду внизу!

Кажется, она стала презирать и себя, и меня.

Мы ехали молча. На душе скребли кошки. Татьяна включила магнитолу, настроила ее на первую попавшуюся мелодию и поставила максимальную громкость. «Чу-чу-чу! — бил по ушам гнусавый, отвратительный голос. — Я тебя так хочу! Спать не могу, и ни гугу! Потому что люблю, кралю мою-у-у-у...»

Я терпел это издевательство минуту, не больше, потом выключил магнитолу. Татьяна с упрямством снова включила ее. «Ча-ча-ча! Ты так горяча! А я страстных обожаю, в кожвендиспансер провожаю-у-у...»

Я снял с магнитолы панель и швырнул ее в окно. Оставшуюся часть пути мы слушали гул мотора. Татьяна опустила стекло, высунула голову. Ветер принялся причесывать ее на свой лад. Она закрыла глаза и не открывала их, не меняла позы до тех пор, пока мы не подъехали к воротам усадьбы.

Я поднялся по ступенькам в проходную. Татьяна в расстегнутом плаще, играя концами пояса, плелась за мной. Охранник вышел навстречу из дежурки, вскидывая вверх руку. Наверное, он хотел что-то сообщить мне, и я остановился.

— Все, командир! — сказал он, заслоняя собой проход. Его руки застыли в таком положении, будто охранник намеревался толкать впереди себя вагон. — Давай назад!

— В каком смысле? — уточнил я.

— В прямом! — с нескрываемой агрессией ответил охранник.

— Дай пройти! — сквозь зубы произнесла Татьяна. Она была настроена решительно.

— Я сказал стоять!! — рявкнул охранник. — Вы уволены с сегодняшнего дня! Оба! Вот приказ!

Татьяна с недоумением взглянула на меня. Охранник протянул мне лист. Я выхватил его и поднял так, чтобы Татьяна могла читать из-за моего плеча.

— «Параграф первый. С третьего апреля, — вслух читал я, — Ворохтин С.М. уволен в связи с грубыми нарушениями производственной дисциплины, противоречащими моим требованиям. Параграф второй. У моего телохранителя Прокиной Т.А. закончился срок действия договора. Объявляю благодарность. Начальнику охраны: проход на территорию усадьбы вышеуказанных лиц категорически запрещаю. Подпись: Родион Орлов».

Я поднял удивленные глаза на охранника. Татьяна вырвала из моих рук приказ и прочитала его еще раз.

— Почему подписал не князь, а Родион? — спросил я.

— Князь болен, — нехотя ответил охранник.

— Я должен его увидеть...

— Повторяю! — громче сказал охранник и снял с пояса дубинку. — Вас впускать запрещено. К тому же князь никого не принимает, все встречи отменены.

— Кобыла с возу — бабе легче, — тихо произнесла Татьяна.

— Какая еще баба? Я за оскорбления знаете что... — вспылил охранник.

— Ладно, заткнись, — попросил я его. — Нам надо забрать свои вещи.

— А это пожалуйста! — примирительно ответил охранник и выволок в проход две картонные коробки, стянутые липкой лентой. Ту, которая была помечена буквой Ж, он подтолкнул ногой к Татьяне. Моя коробка была помечена буквой М.

— И это еще не все! — сказал мне охранник, не в силах сдержать улыбку. — Самый приятный сюрприз! Получи и распишись в получении!

Он протянул мне повестку в отделение милиции, к следователю Панину.

Мы вышли с коробками в руках. Мне казалось, что я клоун, а в коробке сидит пестрый петух, который сейчас выпрыгнет и закукарекает.

— И слава богу, — насильно придавая голосу радостный тон, сказала Татьяна, закинув свою коробку в машину. — Теперь у меня нет никаких моральных затруднений.

— А что делать с этим? — спросил я, рассматривая повестку. — Может, выкинуть и не забивать себе голову всякой чепухой?

Татьяна недолго думала, покусывая губы, и отрицательно покачала головой.

— Нет, выкидывать ее не стоит, сделаешь себе только хуже. Сходи ты к этому Панину и дай показания. Какие к тебе могут быть претензии?

— Пистолет.

— А что пистолет? Его ведь не из кармана твоего изъяли, а нашли в комнате, где ты ночевал всего несколько раз. Это не доказательство. Это вообще черт знает что!.. Ты в самом деле гулял по парку в момент выстрела?

— Нет, я был у князя.

— Что?! У князя?! Так чего ты боишься? Старик подтвердит твое алиби. Вперед к Панину! На все — полчаса, и мчим в столицу. Заедем ко мне, мама такие пельмени приготовит — пальчики оближешь. Выпьем как следует и все плохое забудем. Хорошо?

— Хорошо, — через силу согласился я, затыкая рот совести.

В это время к воротам подъехал горячий и пыльный бортовой «ЗИЛ» с прицепом. На кузовах стояли контейнеры. Из кабины выпрыгнул Хрустальский в тренировочных брюках и розовой рубашке с галстуком. Увидев нас, он радостно взмахнул руками.

— Какие люди! — воскликнул он, на мгновение кинул взгляд на проходную и начальственным тоном крикнул: — Давай открывай! Чего зенки вылупил?

Он протянул мне руку, но, не встретив ответного движения, буркнул «М-м-да!» и спрятал руки в карманы.

— А вы, я слышал, решили нас покинуть? — спросил он, растягивая губы на половину лица. — Что ж, как говорится... А это, кстати (кивок в сторону контейнеров), первая партия оборудования для казино.

— Для чего? — почти в один голос воскликнули мы с Татьяной.

— Вы что ж, ничего не знаете? — часто заморгал Хрустальский, переводя взгляд с меня на Татьяну. — Это же воплощение в жизнь моего генерального плана. Вот смотрите...

Он встал между нами, развернул ладонь, словно собирался просить милостыню, и стал водить по ней пальцем, как по карте:

— Это вот Рига. А это — Москва. Так Арапово Поле, милые мои, находится рядом с главнейшей автомагистралью, которая соединяет Россию с Прибалтикой и прочими высокоразвитыми странами. Эта усадьба (он показал ладонью на забор) будет окном в Европу! Я открываю здесь крупнейшую оптовую базу. С полным комплексом услуг. То бишь: казино, бар, сауна с тайским массажем, кемпинг, стрип-шоу, бильярд и концертный зал для заезжих звезд эстрады. А в плане стоит одна изюминка, моя гордость: центр нетрадиционной медицины по лечению безнадежных онкологических больных. И возглавлять этот центр, милые мои, будет ваш покорный слуга!

— А вы разве врач? — спросила Татьяна.

Хрустальский вздохнул. Он почувствовал в вопросе девушки подвох, но терпеливо разъяснил:

— Я экстрасенс. И лечить буду по фотографиям.

— А вы уже пробовали лечить? — задавала глупые вопросы Татьяна. — И как, получалось?

— Получится, дорогая моя, получится! — радостно заверил Хрустальский и попытался обнять девушку за плечи, но Татьяна увернулась. — Представьте: врачи объявили тысячам, десяткам тысяч больных смертный приговор. И вдруг на телевидении, по радио, в газетах начинается мощный рекламный обвал! Рекламируется мой центр, тысячи излеченных мною людей взахлеб рассказывают о моем чудодейственном методе исцеления. И у тех, кто приговорен, вновь появляется надежда! Надежда на жизнь — вдумайтесь в это священное понятие! Ради нее они ничего не пожалеют — в ход пойдут квартиры, дачи, машины. Совершенно потрясающий бизнес! Но не только деньги меня интересуют, милые мои! Я получу колоссальное моральное удовлетворение. Разве надежду, которую я дарю умирающим, можно с чем-либо сравнить в этом мерзком материальном мире? Как говорил Иисус Христос — вера в меня да исцелит вас...

— Таких ублюдков, как вы, Хрустальский, я еще никогда не встречал, — признался я.

— Что?.. Эх, милые мои, ну зачем же так грубо...

— Гиена, — добавила Татьяна. — Трупоед. От тебя смердит помойкой.

— Хамка! — ответил Хрустальский. — Ей и шоколадку, и цветочки... Дрянь неблагодарная!

И, подтягивая трико, пошел к воротам, через которые

уже тяжело протискивался «ЗИЛ», приминая колесами клумбы с рассадой и ломая тонкие деревья.

Мы сели в машину. Две двери захлопнулись с такой силой, что впору было удивиться, почему не вылетели стекла. Я взял резкий старт с места, и резина колес запищала и задымилась от трения.

— Ненавижу! — бормотал я. — Ненавижу этого урода, эту усадьбу, этот город с его грязью, помойками, алкашами и завистливыми старухами! Прочь отсюда, прочь!

— Ты бы смог его убить? — спросила Татьяна.

— Смог бы, — ответил я. — Дай пистолет!

И подумал: если бы дала, то я бы вернулся и выстрелил в Хрустальского.

Поднимая пыль, «жигуленок» помчался вокруг старой водонапорной башни — самой заметной постройки рядом с вокзалом. Скорость была слишком велика для крутого поворота, и машину вынесло на бордюр. Я затормозил, мотор заглох. Не успел взяться за ключ зажигания, как увидел идущего к платформе Мухина с портфелем, в плаще и кепке, сдвинутой на затылок.

— Как кстати! — пробормотал я, выскочил из машины и крикнул: — Мухин!

Следователь, не останавливаясь, повернул в мою сторону напряженное лицо. Узнав меня, безрадостно улыбнулся и остановился.

— А-а, это ты!

— Извините, я не знаю, как вас по имени-отчеству! — сказал я, подбегая к нему.

— Это уже не имеет значения, — ответил Мухин, позволяя мне пожать его хрупкую, полную куриных косточек ладонь. — Наверное, по повестке?

— Да, только что передали.

— Ну и прекрасно! — сказал следователь, поглядывая на платформу. — Я же говорил, что Панин заводной, как «энерджайзер», все сделает чики-чики. А он вчера уже и Гонзу допросил, и Родиона Святославовича.

— Вот как? — Это известие меня неприятно удивило. — Почему же меня в последнюю очередь?

— На то есть следственная тайна, — пояснил Мухин и

протянул мне руку. — Будь здоров и не чихай! Прости, опаздываю на электричку!

— Послушайте, Мухин! — Я схватил его за рукав. Мысли путались у меня в голове. Я сам не знал, что хочу от следователя — Вчера вечером, рядом с тем местом, где стреляли в Родиона, Гонза копал яму... Точнее, он закопал кого-то. Я догадываюсь, кого... Там была банка с кислотой...

— У меня нет времени, приятель!

— Ну выслушайте меня! Произошла страшная ошибка. Я думаю так... Я уверен в этом! Родион все-таки не Родион. Точнее, все на самом деле так, как я рассказывал вам первый раз. Розыгрыша не было, Столешко действительно сделал себе пластическую операцию и убил Родиона... В общем, если взять мое интервью в газете, то почти так и было на самом деле...

Боже, что я нес! Что нес!

— Опять? — срывающимся голосом вскрикнул Мухин и поправил на голове шляпу. — Снова идиотские розыгрыши? С меня хватит, Ворохтин! Попробуй навесить лапшу Панину, он цацкаться с тобой не станет! Не желаю тебя слушать! Отпустите мою руку, гражданин!

— Я вас прошу! — уже с угрозой произнес я. — Электричек много, а этот случай уникальный...

— Вот и прекрасно! — раздраженно ответил Мухин, отрываясь от моей руки. — Об этой уникальности и расскажете Панину. А я уже в отпуске! Я глух и нем! Меня здесь уже нет!

— Оставьте хотя бы свой телефон!

— К Панину! — уже на ходу крикнул Мухин и, быстро удаляясь, помахал мне рукой. Наверное, он был очень доволен, что сумел оторваться от меня.

— Что ты цеплялся к нему, как репейник за собачий хвост! — проворчала Татьяна, когда я вернулся в машину.

— Может быть, я ошибаюсь, — произнес я, глядя, как темный плащ Мухина скрывается за раздвижными дверями вагона электрички, — но мне кажется, что он ближе всех подошел к истине и мог бы помочь нам. Но у него отпуск, жена, дети... У него, как у тебя, закончилась командировка.

— Ты меня сравниваешь с ним?.. Зачем? Что ты хочешь? — глухим голосом, не глядя на меня, спросила Татьяна. — Чтобы мы вернулись, раскопали могилу и убедились, что там лежит убитый Родион? Чтобы на банке с кислотой нашли твои отпечатки пальцев, чтобы предъявили обвинение не только в незаконном хранении оружия, но еще и в убийстве?

— Я сам не знаю, чего хочу, — вымученно ответил я. — Только... Только очень жаль старика. Он там совсем один, окруженный людьми, которые его ненавидят...

— Знаешь что, — вдруг необычно жестко ответила Татьяна и посмотрела на меня беснующимися глазами, — я тоже поеду на электричке. У тебя же семь пятниц на неделе! Появился шанс выйти из Игры живым, так воспользуйся им! А ты озабочен тем, как сунуть свою голову в петлю. Нам не по пути! Прощай!

С этими словами она взяла под мышку коробку, вышла из машины и захлопнула дверь ногой.

Самое тяжелое — это разочароваться в человеке, которого любишь.

Глава 45

С НОГ НА ГОЛОВУ

«Скатертью дорога!» — подумал я с каким-то вялым безразличием, не испытывая ни злости, ни желания совершать необдуманные и резкие поступки. Плавно тронулся с места, уступил дорогу встречному транспорту, свернул направо и уже через минуту подъехал к отделению милиции.

Припарковавшись рядом с милицейскими «УАЗами», я посмотрел на вход, у которого дежурил хмурый тип с «калашниковым» наперевес, на зарешеченные окна, и внутри меня, под желудком, что-то сжалось. «Обыскивать станут, — подумал я. — Все вещи из карманов придется выложить на стол».

Предчувствие этой процедуры почему-то более всего угнетало меня. Я оставил ключ зажигания в замке, сунул в «бардачок» права, портмоне с деньгами, паспорт, взял с собой только повестку и вышел из машины.

В кабинет следователя меня провожал дежурный. Мы поднялись на второй этаж. Сержант попросил меня подождать у окна, сам подошел к пухлой, обитой ледерином двери, пошлепал по ней ладонью и, приоткрыв, робко сказал:

— Валентин Сергеевич! Ворохтин пришел...

Из кабинета повалил оживленный разноголосый гомон, звон посуды, запах сигаретного дыма и консервов. Сержант посторонился, и в коридор, жуя и вытирая губы салфеткой, вышел коренастый молодой человек в темном двубортном пиджаке, аккуратно причесанный, широкоскулый, с приятным, но малозапоминающимся протокольным лицом. Если бы меня попросили подробно описать его фейс, я бы сделал это приблизительно так: у него был обыкновенный нос, обыкновенные уши, нормальные глаза и ровно поставленный рот.

— Извините, — покашливая, сказал он мне и добавил, словно оправдываясь: — У меня день рождения, как с утра повалил народ — нормально работать совершенно невозможно... Так, где бы нам с вами уединиться?

«Нормальный парень, — подумал я. — День рождения справляет, водку пьет, значит, такой же живой человек, как и я. Может быть, он все мои проблемы решит, как орех расколет».

Следователь толкнул дверь с табличкой «Актовый зал», заглянул внутрь и сказал:

— Очень хорошо! Просторно и неформально... Заходите, а я дело принесу.

Я зашел в зал. Панин закрыл за мной дверь, и я услышал его голос:

— Володя! Мы здесь!

— Понял, Валентин Сергеевич.

«Сержант за дверями стоит, — понял я. — На всякий случай, чтобы я не сбежал. Смешно! Зачем бежать? Куда бежать? Проще все объяснить».

Я рассматривал портреты Дзержинского, Кони и еще каких-то великих, но неизвестных мне мужей. Несколько рядов сидений полукругом обступили трибуну, украшенную чеканным щитом с мечами. Окно было открыто настежь, на подоконнике стояла металлическая банка, полная окурков.

Я сел в первом ряду, предполагая, что следователь непременно займет место за трибуной, и, словно перед экзаменом, еще раз мысленно повторил свои показания: «В момент выстрела находился у Орлова в кабинете. По пути к особняку видел Родиона... Нет, не так, не Родиона. Как сейчас стало модно говорить? Видел человека, похожего на Родиона. Он быстро шел по дорожке в сторону отцовского дома. Был одет в длинное пальто, черную шляпу, на лице было выражение страха...» Следователь спросит: «Кто, по-вашему, мог в него выстрелить?» Своим ответом я сражу Панина наповал: «Именно этот человек, похожий на Родиона, и стрелял в настоящего Родиона из окна моей комнаты. Труп, по-видимому, сбросил в овраг. Все приняли его за Родиона, за жертву нападения, а он был убийцей».

Я поменял позу, сел удобнее, закинув ногу на ногу. Предстоящий разговор с Паниным меня уже не пугал. Напротив, я даже с нетерпением ожидал следователя как внимательного собеседника, с которым мы должны будем обсудить исключительно интересную тему.

«Так, хорошо! — думал я. — Панин вытаращит на меня глаза и спросит: «Позвольте! Родион сам в себя стрелял?» А я отвечу красиво и загадочно: «И да, и нет...» Панин станет нервничать, жадно пить воду из графина и умолять меня: «Что это значит? Конкретнее, пожалуйста: да или нет?»

Я не успел обыграть в уме ответ. В зале появился Панин и, застегивая на ходу пуговицы пиджака, быстро подошел ко мне. Он энергично жевал жвачку, чтобы забить запах водки или какого-то чесночного салата. Место за трибуной, вопреки моему предположению, он оставил вакантным и очень демократично пристроился рядом со мной.

— Я думаю, разговор у нас будет коротким, — сказал он, опуская на колени папку скоросшивателя и раскрывая ее — точь-в-точь такую же, какая была у Мухина. — Вот показания гражданина Гонзы Филиппа Борисовича. Я зачитаю: «Я стоял с гражданкой Прокиной у проходной и разговаривал. В этот момент со стороны особняка Орлова Р.С. прозвучали два выстрела. Я кинулся к особняку. Когда приблизился к нему, то увидел, как из дверей выходит гражданин Ворохтин. Оружия в его руках не было. Он не пытался скрыться с места преступления или оказать сопротивление подъехавшему наряду милиции...» — Панин поднял голову. — Возражения есть по поводу этих показаний?

Я ожидал другого развития событий и потому не вполне хорошо понимал, что происходит и что я должен говорить.

— Все, в общем-то, правильно, только при чем здесь сопротивление наряду?

— Но вы оказывали сопротивление или нет?

— Нет, — ответил я и пожал плечами. — А зачем мне надо было это делать?

— Гонза и не пишет, что вы должны были это делать, — без паузы после моих слов ответил следователь. — Он пишет, что вы этого не делали.

Он вынул из папки другой лист.

— А это показание гражданина Орлова Родиона Святославовича. Зачитываю выборочно: «Приблизительно в одиннадцать часов двадцать минут я вышел из особняка с намерением навестить отца. Стоило мне отойти от двери на несколько шагов, как за моей спиной прозвучал выстрел. Пуля просвистела где-то над моей головой, и когда я понял, что судьба дает мне шанс спастись, кинулся под прикрытие деревьев. Не успел я спрятаться за стволом дерева, как прогремел второй выстрел. И снова мимо! Я обернулся и в последнее мгновение увидел в окне второго этажа гражданина Ворохтина, стоящего с пистолетом в руке. Я обратил внимание, что его рука была в белой перчатке, по-видимому, тканевой...»

— Что? — прошептал я, не веря своим ушам. — Он пишет, что видел меня в окне?

— Аккуратнее! — крикнул Панин, когда я схватился за край листа и потянул его на себя.

— Прекрасно! — воскликнул я, увидев текст. — Теперь у вас полный набор улик! Это писал не Родион! Это писал Столешко!

— Я все понимаю, — сдержанно ответил Панин, торопливо пряча лист с показаниями в папку. — Вы можете даже утверждать, что я не следователь, а главарь мафии. Это ваше право.

— Да это же почерк Столешко! — неизвестно чему радовался я.

— Извините, — вежливо перебил Панин. — Дослушайте меня до конца. На основании показаний свидетелей и в связи с особой опасностью преступления — покушение на убийство — я вынужден избрать для вас меру пресечения в виде заключения под стражу. Вы имеете право выбрать себе адвоката и отказываться от дачи показаний в его отсутствие, а также подать на меня жалобу или ходатайство об изменении меры пресечения...

Мне казалось, что монотонный голос Панина становится все тише, а в ушах нарастает гул, будто я нырнул в ледяную Двину и погружался на глубину. «Все! Приехали! — с ужасом подумал я, расстегивая воротник рубашки. — Из-под ареста я уже не выйду. Меня загнали в ловушку...»

— ...Вы меня слушаете?

Я смотрел на правильное лицо Панина, на его симметричные глаза с ресницами и веками, но они уже не казались мне такими же, как у всякого живого человека. Я видел за влажными линзами глаз ироничную ухмылку кассира и тяжелый взгляд исполосованного шрамами Столешко, похожего на Родиона. Никакие мысли и идеи не отягощали мое сознание. Вся интеллектуальная деятельность увязла в страхе.

— ...Прошу понять меня правильно, — убеждал меня в чем-то следователь, — это в ваших же интересах...

Я превращался в загнанного в клетку дикого зверя, потому что инстинкт самовыживания во мне теплел, твердел и становился неуправляемым, как цемент; не думая о том, что я делаю, наполненный лишь одним желанием убежать от этого отвратительного, наделенного властью человека, я вскочил на ноги и кинулся к окну.

— Стойте! Ворохтин, стойте! — кричал за моей спиной следователь, а я уже ощущал величайшее блаженство оттого, что расстояние между нами быстро увеличивается, что я уже не вижу ровного пробора, присыпанного перхотью, словно ветка ели инеем, заскочил на подоконник, сбивая банку с окурками, и прыгнул вниз, наполняясь пустотой падения.

Мягкий газон ударил меня снизу по ногам, и ударил настолько сильно, что суставы и мышцы обожгло болью. Я по-десантному упал на бок, но тотчас вскочил и кинулся куда-то, подгоняемый криками. Я не мог найти свою машину и метался между милицейскими «УАЗами» и «шестерками».

— ...Ворохтин, вы только усугубите свое положение... — доносился до меня далекий голос Панина, но мне казалось, что между нами уже космос, и я давил ногами землю, бесконечную во все стороны, и мчался по улице куда-то в сторону вокзала, всем телом ощущая движение воздуха вокруг себя.

Я свернул за угол и увидел водонапорную башню. Совсем недавно я объезжал ее на машине, когда был еще свободным, и сейчас эта уродливая постройка казалась мне статуей свободы. «На платформу! — думал я. — Затеряться между вагонов, спрятаться в товарняке, затаиться и уехать отсюда куда-нибудь далеко-далеко».

Я бежал по проезжей части, и сзади меня надрывно сигналила какая-то машина. «Объедешь!» — подумал я. Машина в самом деле стала объезжать меня справа, но ее скорость оставалась прежней. Поравнявшись со мной, она снова принялась сигналить.

Только теперь я посмотрел на нее. Да это же мой «жигуль»! А за рулем Татьяна!

— Садись же!! — крикнула она через открытое окно.

Я перемахнул через горячий капот, как через спортивного коня и, прежде чем запрыгнуть в машину, на какую-то долю секунды обернулся. Я не мог определить назначение тех предметов, которые попали в поле моего зрения, отличить прохожего от милиционера, я лишь запрограммированно искал всякое движение, направленное в мою сторону. Но улица за моей спиной была пустынна.

— Ты что, не слышал, как я тебе сигналила? — крикнула Татьяна, разворачиваясь и выезжая с круга.

— Нет, — пробормотал я, выворачивая шею и глядя назад. — Гони куда-нибудь подальше отсюда... Мерзавец! Он хотел меня арестовать.

— Я как чувствовала, что этим кончится...

— Мне просто повезло! — Я еще не мог поверить в свое спасение и все время оглядывался. — Его кабинет был занят, и мы разговаривали в какой-то ленинской комнате. Там не было решеток на окнах... Сворачивай сюда! Они могут перекрыть главную дорогу.

— Ты ему сказал, что в момент выстрела был у князя?

— Да он даже рта не дал мне раскрыть! Зачитал показания... Ну и сволочь же этот Столешко! Ты представляешь, я узнал его почерк! С выкрутасами, с завитушками... Направо давай!.. Ты письмо его сохранила?

— Какое письмо?

— Которое Столешко в Катманду писал! Я его Креспи и полицейскому еще показывал.

— Да, конечно!

— Береги, как свою молодость! Это главная улика!.. Стоп! Сворачивай сюда и через дворы — на трассу. И гони во всю мощь вдоль рельсов. Хочешь, я за руль сяду?

— Не надо... А почему вдоль рельсов?

— Надо догнать Мухина, иначе мне труба.

— Он откажется разговаривать с тобой.

— Тогда я возьму его в заложники. Другого выхода у меня нет.

— И у меня тоже, — добавила девушка.

— Можешь остановить машину и выйти, — предложил я. — Никто не видел, как ты меня подсадила...

— Ладно, успокойся!

Некоторое время мы ехали молча. Я продолжал оглядываться назад. Роя колесами сырую землю, подскакивая на ухабах, машина петляла по лабиринтам узких дворовых улочек. Наконец мы выскочили на укрепленную гравием грунтовку, идущую вдоль железнодорожного полотна. Татьяна надавила на газ.

— Ты не думай, что я хотела тебя оставить и уйти, — сказала она и опустила руку мне на колено. — Я вспыльчивая, но быстро отхожу. Ты еще за угол не свернул, а я уже за тобой пошла. Я бы ни за что тебя не оставила...

— Я знал об этом, — солгал я.

— Теперь у нас одна судьба, — сказала девушка и взглянула на меня.

«Жигуль» с лету въехал в глубокую колею, наполненную водой, и в обе стороны, словно крылья гигантской стрекозы, взметнулись плоские струи воды. Машину занесло и едва не вышвырнуло на обочину. Ветки кустов розгами прошлись по ветровому стеклу.

— Не газуй! — крикнул я девушке.

Она не послушалась, мотор продолжал реветь, с колес срывались комки грязи. Нас кидало из стороны в сторону. Девушка схватилась за руль обеими руками, подалась вперед. Похоже, ее когда-то учили спортивному стилю вождения, но ее навыки нуждались в обновлении.

— Пристегнись! — приказала она мне.

Поливая все вокруг фонтанами грязи, мы промчались мимо пустой платформы и снова устремились в узкий коридор между насыпью и стеной деревьев и кустов. Дорога, идущая вдоль рельсов, все более напоминала тропинку обходчика. Татьяна старалась не снижать скорости, и несчастный «жигуль» все сильнее подпрыгивал на ухабах, бился днищем об известковые камни и жалобно скрипел подвеской.

Прошло еще минут десять этой безумной гонки, и мы увидели красные огни электрички.

— Дай пистолет! — крикнул я.

— Нет!

— Пистолет!!

Я просунул руку ей под пальто, провел под грудью, под мышками. Татьяна не могла оказать мне достойного сопротивления, она продолжала сжимать руль и лишь локтями пыталась оттолкнуть мои руки. Это была опасная игра на скользкой узкой дороге. Нас так подкинуло, что мы оба ударились головами о крышу кабины. Именно в этот момент я нащупал шероховатую, как напильник, рукоятку «макарова» и выдернул пистолет из кобуры.

Мы подъехали к следующей платформе в тот момент, когда двери электрички закрылись и состав тронулся. Я в ярости ударил кулаком по панели.

— Погнали! — заорал я.

— Куда?! Дорога уходит в сторону!

Размазанная колея изгибалась и терялась в дачном поселке, а рельсы тянулись прямо, между холмов с крутыми склонами, на которых еще лежали пятна потемневшего снега.

— Не стой же! — взревел я. — Хоть куда-нибудь!

Машина сорвалась с места. Меня откинуло на спинку. Татьяна крутила руль, как диск швейной машинки, выбирая любую улочку, которая уходила влево, в сторону железной дороги. Мы неслись между дощатых курятников, брусовых домов и кирпичных особняков. Куры с воплями вылетали из-под наших колес. Временами мне казалось, что Татьяна не справится с управлением и мы налетим на ствол березы или протараним рабицу, как акула рыболовную сеть, и зароемся в чьем-нибудь унавоженном огороде.

— Смотри! — с ликованием воскликнула Татьяна, кивая куда-то в сторону.

Мы неслись по лесной дороге, и слева, за частоколом тонких деревьев, просматривался земляной вал, над которым летели крыши вагонов электрички. Мы мчались с той же скоростью в горку, и Татьяна не могла заставить старый «жигуль» бежать быстрее.

— Ну же!! — взмолился я.

— Все! Педаль до пола!

Подъем закончился, но дорога снова стала отклоняться в сторону. Татьяна притормозила и круто взяла влево. Теперь мы мчались по просеке, мало пригодной для быстрой езды, и я, крепко держась за сидение, молил Бога, чтобы колеса не отвалились раньше времени.

Как она лавировала между деревьев! От дикого напряжения мне хотелось кричать, горло было забито криком, и я не мог дышать. Белые стволы неслись на нас, как обезумевшая толпа, норовя растоптать, смести, но я понимал, что уже не способен контролировать ситуацию и как-то влиять на нее, и чего-то мучительно ждал: то ли окончания леса, то ли удара о дерево.

Не укладывалось в голове, как мы смогли проехать через лес, где наверняка застрял бы трактор. Пропахав борозду в рыхлом перегное, машина выскочила на влажный луг, громыхая, вибрируя, подпрыгивая, оглушая лес торжествующим ревом.

— Платформа!! — в один голос крикнули мы с Татьяной, увидев совсем рядом лестницу, ограду, щит с надписью «47 км» и пустынную платформу с поломанными скамейками.

Она притормозила у ступенек. Мне показалось, что сердце мое провалилось куда-то в живот и там затихло.

— Опоздали, — пробормотал я.

— Нет!! — крикнула Татьяна, показывая рукой на лес.

Беззвучной стрелой электричка выскочила из-за земляного вала и тотчас загрохотала, засвистела тормозами. Я выпрыгнул из машины и, заталкивая пистолет за пояс джинсов, побежал к лестнице.

— Встречаемся на следующей! — крикнул я и, чтобы она

поняла меня наверняка, несколько раз махнул рукой в ту сторону, куда ехала электричка.

Я взбежал на платформу. Рядом со мной остановился последний вагон, двери открылись. Страх упустить эту электричку был настолько силен, что я кинулся в тамбур с такой целеустремленностью, словно это была последняя шлюпка с тонущего «Титаника», и невольно растолкал выходящих пассажиров. Меня обругали вслед. Но это были уже пустяки. Двери закрылись, электричка тронулась. Я вытер пот со лба, пригладил взъерошенные волосы, нащупал за поясом рукоятку пистолета и зашел в вагон.

«Кажется, он где-то в середине состава», — вспоминал я, быстро двигаясь по проходу и присматриваясь к редким пассажирам, из которых кто-то читал, кто-то дремал. Продавцы газет и мороженого громкими поставленными голосами театральных конферансье рекламировали свой товар. Чумазый подросток с коричневым лицом прогуливался по проходу и подозрительно цепко осматривал лежащие на багажных полках сумки и тугие пакеты.

Я перешел в другой вагон. «А если это не та электричка?» Я будто надевал вагон на себя. И снова — ряды деревянных сидений, багажные полки с вещами, спящие, пьющие, плюющиеся под ноги пассажиры... Третий вагон... Четвертый...

Электричка стала притормаживать, вагоны, толкаясь, загрохотали. Мы подъезжали к очередной станции, на которой меня должна ждать Татьяна. Я уже не шел, а бежал. Пятый вагон, шестой... Нет его!

Я сбился со счета, когда вдруг увидел знакомую кепку. Мухин сидел ко мне спиной и читал криминальную газету. Времени оставалось в обрез, электричка тормозила все сильней, несколько пассажиров встали и вышли в тамбур. Мухин на секунду оторвался от чтения, посмотрел в окно и снова вцепился взглядом в статью под заголовком «Трехлетний ребенок вырезал все общежитие».

Никто не обращал на меня внимания. Я вытер вспотевшую ладонь о джинсы и нащупал рукоятку пистолета. Вытащить его так ловко, как мне хотелось, не получилось. В одном шаге от следователя я запутался в собственном свитере. Мухин, краем глаза уловив рядом с собой движение, оглянулся и попытался вскочить на ноги.

Я сдавил рукой его горло, заставляя сесть, и только потом вытащил пистолет и приставил «макаров» к его голове.

— Не делайте глупостей, Мухин, — через зубы процедил я. — Сейчас мы выходим.

— Ты безумец, понял? — проговорил Мухин. — Так нельзя, приятель...

— Я повторяю, Мухин: сейчас встаем и выходим. У меня нет другого выхода, я либо убью вас, либо вы выйдете... Берите же свой портфель!

Я отпустил его шею. Как только следователь наклонился, чтобы дотянуться до ручки портфеля, стоящего под сиденьем, я просунул ему руку под плащ и ухватился за кобуру.

— Я выхожу! — нервно сказал Мухин. — Только не надо ничего трогать!

За окнами поплыла серая полоса платформы. Я рывком повернул Мухина к себе и вытащил из его кобуры пистолет. Теперь у меня в каждой руке было по «макарову». Понимая, что это слишком много для одного безоружного и тщедушного следователя, я затолкал пистолет Татьяны за пояс и прикрыл подолом куртки.

— А у тебя целый арсенал, — заметил Мухин.

Я со злостью толкнул его в спину и зашипел в ухо:

— Повторяю: пистолет, который вы нашли под подушкой, не мой!

— А этот? — Он кивнул на мои джинсы.

— Взял напрокат!

Мы уже привлекали внимание пассажиров. Два подростка в черных куртках, из-под которых торчали нижние края клетчатых рубашек, с любопытством косились на нас. Несколько женщин и мужчин, которые теснились у внешних дверей, напротив, подчеркнуто отводили глаза, не желая привлекать к себе внимание и быть свидетелями какого-то вялотекущего конфликта. В тамбуре повисло гробовое молчание. Мухин стоял впереди меня и безостановочно поправлял на голове кепку — то сдвигал ее набок, то на глаза. Я дышал ему в затылок и упирал в поясницу ствол пистолета.

Электричка остановилась. Двери разъехались в стороны. Мы сошли на платформу.

— Ты запутался вконец, — говорил Мухин, следуя впереди меня. — Твои поступки лишены логики. Ты уже сам не знаешь, в чем хочешь меня убедить. Сначала ты говорил, что Столешко убил Родиона и переделал свою физиономию, чтобы быть похожим на него. Потом ты написал мне письмо и пригласил на собрание, где объявил, что это был розыгрыш. Теперь ты снова говоришь, что Столешко убил Родиона и переделал свою физиономию...

Я смотрел по сторонам, отыскивая взглядом красный «жигуль». Я не узнал свою машину даже после того, как Татьяна посигналила мне фарами — кузов и стекла были заляпаны грязью.

— Хорошо вы подготовились, — оценил Мухин, когда я подвел его к машине, и Татьяна освободила мне место за рулем.

Уже в машине, возвращаясь по разбитой проселочной дороге в Арапово Поле, я рассказал Мухину о том, какие показания зачитал мне Панин и как хотел заключить под стражу.

— Конечно, он погорячился, — сказал Мухин. — Но что ты от меня хочешь? Чтобы я изменил меру пресечения? Так это не в моей компетенции.

— Я хочу, чтобы вы завершили расследование дела, которое вам поручили на основании письма из Непала, — ответил я.

— Я его завершил! — вызывающе крикнул Мухин. — И сдал в архив.

— Считайте, что вам вернули его на доследование.

— Причины?

— Убийство, совершенное на территории усадьбы.

— У тебя есть доказательства, что там было совершено убийство?

— Я покажу вам место, где закопан труп.

Мухин скептически усмехнулся.

— Интересно бы узнать, а чей труп там закопан?

— Я же вам тысячу раз говорил: Родиона Орлова!

— Это тот самый Родион, который на следующий день после выстрелов давал показания Панину?

— Вы напрасно иронизируете, — сказал я. — Если вы забудете, выбросите из головы то письмо, которое я вам послал, и мою идиотскую речь, которую я произнес на собрании, то все встанет на свои места.

— Ты самокритичен... Девушка, милая, не надо все время показывать мне дуло пистолета, я в него регулярно заглядываю, когда чищу ствол шомполом. Было бы лучше, если бы вы вернули его мне.

— Я вам верну оружие сразу же, как только мы с вами въедем на территорию усадьбы, — пообещал я.

Глава 46

ЭКСГУМАЦИЯ

Я притормозил у почтового отделения, как просил Мухин, но не сразу разрешил ему выйти. Некоторое время мы сидели молча. Татьяна, все еще нацеливая пистолет в следователя, ждала моего решения.

— Это не так все просто, приятель, — продолжал убеждать меня Мухин. — Не мы же с тобой будем раскапывать могилу, так ведь? Во-первых, нужно вызвать наряд. Во-вторых, обязательно должны присутствовать Панин и криминалист. Если мы в самом деле найдем труп, то его надо будет вывезти на специально предназначенной для этого машине, а ее тоже надо вызвать.

— Хорошо, Мухин, — согласился я. — Идите к телефону и звоните. Но учтите: от того, что вы скажете в трубку, будет зависеть ваша жизнь.

Мы вышли с ним вдвоем. Татьяна снова пересела за руль. Мухин зашел в будку и снял трубку. Я украдкой показал ему «макаров», который держал в кармане куртки.

— Как ты меня напугал! — вздохнул Мухин и стал крутить наборный диск. — Алло! Дежурный? А где Панин?.. Занят? Это Мухин звонит, следователь по особо важным... Давай Панина сюда! Срочно!

Мухин оторвался от трубки, взглянул на меня и подмигнул:

— Все будет чики-чики, приятель! Но если ты снова вздумал меня вокруг пальца обвести, то я постараюсь, чтобы тебе впаяли на всю катушку... — Он снова прижал трубку к уху. — Алло, кто это? Панин? И чем ты, Валя, сейчас занят? Работаешь? И сколько бутылок уже отработал?..

Он довольно долго трепался о всякой ерунде, а затем, плавно разбавляя шутку правдой, перешел к делу:

— А я твоего подопечного поймал... Нет, не шучу. Он в электричке ехал, а я его — цап за воротник! Обещает отвести меня на место преступления... Нет, я не пил, только кефир... Так что поднимай группу, бери санкцию на обыск и подлетай к воротам усадьбы.

Мухин повесил трубку.

— Ты доволен? — спросил он.

— А вам орден дадут за то, что вы меня за воротник поймали?

— Ну, ладно, ладно! — махнул рукой следователь. — Тебе все равно, кто кого поймал, а мне приятно. Может, премию дадут, куплю детишкам новые колготки взамен драных... Поехали?

— К сбербанку, — сказал я Татьяне, когда мы сели в машину.

— Ты решил по пути ограбить кассу? — удивился Мухин.

— Вы зайдете в зал, — сказал я, — подойдете к Гонзе и попросите его выйти на улицу. Придумайте какой-нибудь повод. Например, вам надо уточнить его показания. Отведете его за угол, чтобы охранник вас не видел...

— По-моему, это уже перебор, — покачал головой Мухин.

— Если вы не выйдете с Гонзой через три минуты, — предупредил я, — то мы уедем и вам не дадут премию. К тому же опозоритесь перед Паниным.

— Серьезный довод, — согласился Мухин. — Опозориться перед Паниным — это серьезно. Одна только просьба: не надо поджидать Гонзу за углом, пугать его пистолетом или бить всякими тяжелыми предметами по голове. Ручаюсь, он добровольно сядет в машину. Только сидите оба здесь и носа не высовывайте.

— У него другие методы, — сказала Татьяна, когда Мухин вышел.

— Если бы я был следователем, а не подследственным, — проворчал я, — у меня тоже были бы другие методы.

Кассир и Мухин вышли из дверей банка. Следователь показал Филе на машину.

— Как ты думаешь, он догадывается, куда мы сейчас поедем? — спросила Татьяна.

— Сядь ко мне, — не ответив, попросил я.

Кассир открыл дверь и сделал вид, что увидел нас только что:

— Ба-а! Полна бочка огурцов! Какая радостная встреча!

— Сделай милость, сядь за руль, — попросил я.

— Это как называется? С самодоставкой? Пожалуйста, если господин следователь не возражает...

— Я не возражаю, — нетерпеливо ответил Мухин.

Филя долго пристраивал свои длинные ноги на педалях управления, подгонял сиденье под свой рост. Наконец мы поехали.

От банка до Кушелевского спуска мы молчали. «Неплохие нервы, — подумал я, наблюдая за Филей. — Держится спокойно. Только одна ошибка: переключился с первой сразу на третью».

— Подходит ко мне, значит, дедуля, — неожиданно начал рассказывать Филя, причем таким тоном, будто он уже что-то нам рассказывал, да только мы прослушали. — До девятого мая еще больше месяца, а он уже весь в орденах... Ладно! Подает мне книжку и говорит: «Был я у вас вчера, и вы мне что-то очень много начислили. То ли миллиард, то ли квадралион. Нельзя ли всю сумму сразу снять?» Я открываю книжку и говорю: «Дедушка, это ваш новый номер счета, а не сумма». А он вздыхает и говорит: «Вот же беда какая! А я уже старухе своей сказал, она меня без денег домой не пустит».

«Это все бравада, — думал я. — Руки дрожат. И суетиться начал, не знает, за что хвататься — за рычаг передач или за руль. А Мухин молчит, выжидает паузу. Очень правильно!»

— Так куда мы едем, друзья? — беззаботно спросил Филя, хотя было хорошо заметно, каким трудом дается ему эта «беззаботность».

Мне очень хотелось сказать: «В тюрьму».

— В усадьбу, — сказал Мухин.

— Прекрасное место, должен заметить... Смородина у дома шефа уже покрылась маленькими листочками. Палка, палка, огурец, вот и вышел человец!

На подъеме машина заглохла — Филя вовремя не переключился на пониженную. Затянув ручник, он попытался запустить мотор, но перед этим несколько раз нажал на педаль газа и залил свечи. Словом, сделал все возможное, чтобы машина встала.

— По-моему, у тебя получится лучше, — предположил Мухин, намекая, чтобы я сел за руль. Но мне было удобнее контролировать следователя и кассира с заднего сиденья. Я вышел из машины. Филя, полагая, что теперь за руль сяду я, освободил место за рулем. Я поднял крышку капота, вынул и протер тряпкой свечи, запустил мотор и вернулся на свое место.

Оставшийся путь до усадьбы Филя был скуп на разговоры и сосредоточенно крутил руль. Мы подъехали к конечной автобуса. Перед воротами усадьбы, словно сторожевые псы, стояли четыре милицейские машины, на двух из них вспыхивали проблесковые маячки. Перед машинами застыл строй милиционеров. Такого количества блюстителей порядка, собранных в одном месте, в Араповом Поле я еще не видел. Перед строем пружинисто прохаживался Панин. Именинник, по-моему, сильно похудел за те часы, как мы с ним скоропостижно распрощались. Он уже не жевал и не вытирал платком губы.

— Мухин, — сказал я, — скажите, чтобы убрали машины и открыли ворота. А Панин пусть немедленно найдет и доставит к особняку Родиона. Только не надо...

— Хорошо, хорошо! — оборвал меня следователь, не желая слушать мои угрозы и предупреждения.

— Куда ехать? — нервно спросил Филя. Его голос уже срывался.

— Прямо на ворота, — ответил я.

— А что, здесь ты приказываешь?

Я не стал подтверждать этот вопрос, а Мухин — отрицать. Мы медленно катились на заслон. Панин сунул руки в карманы, широко расставил ноги и стал напряженно смотреть на нашу машину. Мухин опустил боковое стекло, высунул голову.

— Освободи проезд, дорогой! — попросил он.

Панин смотрел на коллегу с подозрением. Должно быть, ему не понравилось, что я сижу без наручников, рядом с девушкой и не смотрю на него.

— Все в порядке, Георгий Владимирович? — спросил Панин.

— Естественно! — заверил Мухин. — Родиона срочно ко мне!

Перед воротами началась смена позиций. Машины и милиционеры вместо неприступной стены изобразили проход. Мы катились через него, словно через толпу поклонников, а я был звездой эстрады.

— Открывай! — командовал Панин охранникам усадьбы и размахивал руками.

Мы въехали на территорию. За нами, вытягиваясь в колонну, последовал эскорт «Жигулей» с мигалками. Замыкали пешие милиционеры, которым не хватило места в машинах.

— Хотел бы я получить какое-нибудь объяснение всем этим маневрам, — проворчал Филя.

Я изнывал от желания ответить на вопрос кассира. Если бы я сейчас был на месте следователя, то по поводу сути маневров ответил бы приблизительно так: «Окунувшись мордой в тюремную парашу, найдешь объяснение». Да еще бы несколько раз заехал ему по уху за то, что неправильно переключал скорости, заглох на подъеме и за то, что слишком много умничал. А потом бы заклеил ему рот скотчем и привязал брючным ремнем к сиденью за то, что он не пристегнулся ремнем безопасности. Я бы напоил его бензином, накормил воздушным фильтром, смоченным в моторном масле и сдобренным тормозной жидкостью. Уж я бы отвел душу!

Мухин же ответил гуманно и неопределенно:

— Сейчас узнаете.

Мы остановились у особняка. Я смотрел на него и не узнавал: за то время, пока меня здесь не было, с особняком что-то произошло — то ли его выкрасили в темную краску, то ли поставили маленькие затененные окна. Это был психологический обман. Ничего не изменилось, кроме ситуации, но все вокруг уже казалось мне чужим.

Мы с Татьяной вышли из машины. С интервалом в секунду это же сделал и Филя. А Мухин с невозмутимым видом остался на своем месте, ожидая, когда я позволю ему выйти. Он демонстрировал свой статус заложника.

Эскорт безжалостно давил саженцы. Машины запрудили парковую аллею, отравляя воздух выхлопами. Свет маячков просачивался между деревьев и через кусты; повсюду рассыпались обрывки кривых теней. Хлопали двери «Жигулей», милиционеры шли на особняк цепью, не выбирая дороги, трещали ветки, чавкал под подошвами сырой чернозем. Кто-то мочился на клумбу.

Я склонился над окном.

— Не сидите, — шепнул я Мухину. — Делайте что-нибудь!

— Полчаса назад, — сказал он, набивая себе цену, — ты хорошо знал, что нужно делать. А теперь просишь меня... Где эта твоя могила?

— Она, к счастью, еще не моя.

— Не придирайся к словам, приятель, и тогда все будет чики-чики.

По аллее, глядя поверх милицейских фуражек, быстро шел Родион, точнее... Я впервые видел это существо при свете дня. Может быть, какую-то роль сыграло самовнушение, но сейчас у меня даже «мурашки» побежали по спине. Как можно было сомневаться при виде этого распухшего от силикона носа, этих подсушенных, с ломаными хрящами ушей, этих неестественно натянутых щек и губ! Фоторобот Родиона, составленный пьяными свидетелями, выглядел бы привлекательнее, чем этот оборотень.

— В чем дело? — громко спросил он, приблизившись к Мухину. — Я хозяин усадьбы. Это частная собственность. На каком основании здесь находятся машины и эти люди?

— Вы кто? — спросил Мухин, игнорировав все вопросы и претензии.

— Я уже говорил...

— Хозяин усадьбы — это не фамилия.

— Но мы же с вами знакомы! Черт возьми, что происходит?!

«Тоже волнуется, — подумал я. — Значит, горячо. Очень горячо!»

— Спрашиваю в последний раз, — предупредил Мухин и взялся за кепку, удобнее пристраивая ее на своей голове.

— Орлов Родион Святославович, — ответил Столешко и поджал губы. Меня и Татьяну он будто не замечал.

— Ордер на обыск у следователя Панина, — скучным голосом сказал Мухин и принялся ходить перед колоннами.

— Прошу! — с открытостью, свойственной честному человеку, произнес Столешко и жестом пригласил Мухина войти в дом.

Я так пялился на его исполосованную физиономию, что Столешко все-таки не выдержал и, слегка выдвинув голову вперед, рявкнул мне:

— Ну, чего уставился?

— Не похож, — ответил я.

— Надоело! — крикнул Столешко и еще сильней выдвинул вперед голову, словно подставлял ее под водяную струю. — В дурдом иди! Иди в дурдом, понял?

Я посмотрел на Мухина. Тот искоса наблюдал за Столешко, точнее, за его правой ладонью. Удивительная метаморфоза! Мизинец, у которого неделю назад была обрублена фаланга, сейчас был целым и невредимым, как голова Змея Горыныча. Мухин обратил на это внимание, но ничего не сказал.

Филя снова повеселел, принялся жадно курить и забавлять Татьяну историями из банковской жизни. Улучив момент, я близко подошел к Мухину и передал ему пистолет. Следователь сначала посмотрел на его номер, затем извлек из рукоятки магазин и, убедившись, что я не присвоил себе ни одного патрона, сунул «макаров» под плащ.

— Чего ждем? — трубил Столешко. — По какой причине меня оторвали от важного дела?

Напролом, через кусты и грядки, на меня шел Панин с двумя милиционерами. Тройка шла красиво и целеустремленно. На лицах застыло выражение мужественной решительности. Я сделал шаг назад и оказался между Мухиным и Татьяной.

— Пожалуйста, — краем рта попросил я следователя, — не позволяйте Панину выкручивать мне руки. Пусть сначала разроет могилу.

— Хорошо, — согласился Мухин. — Сначала он разроет могилу.

Милиционеры оцепили особняк. Строители и служащие за их спинами выбирали удобные зрительские места. Многие лица я видел впервые.

— Гражданин Ворохтин! — за несколько шагов известил о своем приближении Панин. Однажды в детстве я потерялся на вокзале, а когда мама нашла меня, у нее было очень запоминающееся лицо. Такое же было сейчас у Панина.

— Валя! — сказал Мухин и подрезал Панина, неожиданно шагнув ему навстречу. — Нужны две лопаты.

«Где князь? — думал я. — Почему его здесь нет?»

Татьяна незаметно взяла меня за руку и пожала ее. Она будто спрашивала: все ли правильно мы сделали?

— Ну? — спросил меня Мухин и улыбнулся улыбкой стоматолога, прячущего щипцы за спиной. — Куда дальше?

Я кивнул на овраг и, не таясь, с любопытством посмотрел сначала на Филю, а потом на Столешко. Было уже не просто горячо! Физиономии двух негодяев просто плавились от жара. Филя стрелял глазами по сторонам и глубоко затягивался дымом, словно хотел быстрее собрать ту самую пресловутую каплю никотина, убивающую лошадь. Столешко, этот новоявленный Фантомас в рваной маске, пристроил и зафиксировал на лице выражение иронии и презрения, но прошло несколько минут, и его измученное операцией лицо устало, и бессменное выражение на нем потухло. Нет слов описать, насколько он стал гадок.

— Веди, о Данко! — кивнул Мухин и пошел рядом со мной. Я слышал за собой голодное дыхание Панина. Энергичный следователь не отставал от меня ни на шаг. Мы спускались по скользкому склону. За моей спиной шуршала листва, напоминая шум прибоя. Над нами возмущались и обильно гадили вороны. Краем глаза я видел, как меня догоняет Татьяна; она попыталась встать со мной плечо к плечу, но ее оттеснил Панин. Ветки хлестали по его двубортному пиджаку, щелкали, если попадали по пуговицам. Он не успевал защищаться от веток и соперничать с девушкой, и ему приходилось туго. «Наверное, не успел ни поесть, ни выпить как следует в день своего рождения», — с сочувствием подумал я.

Мы приближались к могиле. Я уже видел между деревьев коричневый бруствер и толстый, зияющий дуплами замшелый ствол, под которым я спрятал банку с кислотой. Пора было приступать к комментариям.

— Вчера ночью, около полуночи... — сказал я Мухину, но он отрицательно покачал головой и взглядом показал на Панина. — Ночью, после того как в моей комнате нашли пистолет, — сказал я Панину, — мы с Татьяной случайно

345

оказались на краю этого оврага и услышали, как внизу кто-то копает...

— Сейчас он скажет, что копал я, — блестяще подтвердил поговорку про вора и горящую шапку Филя.

Мы подошли к могиле. После минувшей ночи ее никто не потревожил — я увидел на комьях глины следы своих кроссовок.

— Что было дальше? — спросил Панин, но мне показалось, что он больше озабочен не моим рассказом, а тем, как бы не упустить меня во второй раз.

— Мы действительно увидели Гонзу с лопатой в руках, — продолжал я. — Когда мы подошли ближе, он кинул лопату и побежал на противоположный склон.

— Интересно, как они могли узнать меня в полной темноте? — хмыкнул Филя. — Может быть, это они сами копали, а потом решили свалить на меня... Вот это чей след, интересно бы узнать?

— Все! — Панин, как регулировщик, поднял руку вверх. — Всем молчать!

Мухин, выполнив все мои требования в обмен на табельное оружие, удовлетворенный и спокойный как никогда, прогуливался вокруг могилы, поглядывая на часы. Наверное, он думал о том, успеет ли на пятичасовую электричку. Столешко прислонился спиной к стволу дерева и скрестил на груди руки. Я заметил, что до этого он сделал несколько безуспешных попыток встать рядом с Филей, но кассир каждый раз отходил от него, стараясь держаться ближе к Панину. Двое милиционеров с лопатами, как с винтовками наперевес, без энтузиазма приблизились к могильному холму. Панин, убедившись, что все возможные пути к моему побегу отрезаны милиционерами, отошел от меня и встал так, чтобы его видели все.

— Что это? — спросил он меня, кивнув на свежий холмик.

— Могила, — ответил я.

— А вы как думаете? — обратился он к Филе.

— Понятия не имею, — ответил кассир. — Какая-то куча глины.

— И кто, по-вашему, в ней похоронен? — снова вопрос ко мне.

— Родион Орлов.

Следователь выждал паузу, склонил голову набок, осмысливая мой ответ, и, стряхнув с себя оцепенение, сказал: «Ага!» Я заметил, как по строю милиционеров волной прошло оживление. Мой ответ шокировал тех, кто читал мое интервью и знал о моих претензиях к человеку, который памятником подпирал собой дерево.

— Приступим, — сказал Панин и кивнул милиционерам с лопатами. Те вонзили штыки в глину.

— Гражданин... э-э-э... Орлов! — обратился следователь к Столешко. — Подойдите, пожалуйста, ближе! И вы, гражданин Гонза!

Я, Столешко и кассир треугольником обступили могилу, словно ближайшие родственники умершего. Без команды ко мне подошла Татьяна, моя верная подруга, решившая испить со мной горькую чашу до дна.

— А вас, девушка, я не задерживаю, — напомнил о своей власти Панин.

— Я свидетель, — ответила Татьяна.

Панин что-то проворчал, но на своем не настаивал. Милиционеры, работающие лопатами, кидали глину нам под ноги. Я с удовольствием следил за тем, как менялось изуродованное лицо Столешко. Маска обреченности застыла на нем. Оборотень с ужасом смотрел на могилу, ожидая той минуты, когда из-под комков глины покажется рельеф человека, когда милиционеры станут снимать последние слои глины руками, чтобы не повредить мертвое лицо — лицо человека, чьим двойником стал Столешко, лицо оригинала, который даже мертвым расставит на свои места следствие и причину, первоисточник и подражание, и Столешко на глазах у десятка свидетелей превратится в страшную куклу, напоминающую пародию на Родиона.

— Ты проиграл, Столешко, — сказал я ему.

Глава 47

ОБЛОМ

Он поднял на меня глаза с воспаленными веками, и я вдруг сквозь маску как наяву увидел настоящее лицо Столешко — безбровое, с глубоко посаженными, как у совы, глазами, с тонкими «съеденными» губами, увидел его мелко вьющиеся рыжие волосы, не поддающиеся расческе. Они червями выползали из кожи, обтягивающей череп, и были хорошо заметны под шапкой выпрямленных «химией», выжженных перекисью и окрашенных под шатена волос.

— Жаль, что мне не удалось убить тебя там, в непальской деревне, — тихо произнес он, — когда ты шлялся ночью по улице...

Это было признание, которое украсило бы любой протокол допроса. Столешко раскрывался! Он понял, что продолжать игру уже бессмысленно. Припертый к стенке доказательствами, он мог потешить себя только в мечтах, представляя, как сносит мне полголовы титановым клювом ледоруба, привязанным к репшнуру.

Никто, кроме меня и Татьяны, не услышал этих слов Столешко, но это уже было не суть важно. Через минуту-другую ему будет предъявлено обвинение в мошенничестве и убийстве Родиона. Этого будет достаточно, чтобы примерно наказать негодяя и утолить мою жажду мести.

«Значит, еще на Плахе он решил уничтожить Родиона и меня, — думал я, глядя на штык лопаты, все глубже уходящий в землю. — Орлова оставил без страховки в надежде, что тот сразу же сорвется с ледяной стены. Мне уготовил холодную ночевку в рваной палатке без провианта и кислорода. Сам спустился в деревню, уверенный, что тайну Игры уже не знает ни один человек на земле. И тут вдруг в этой же деревне появляемся мы с Татьяной. И еще инспектор с нами! Должно быть, он здорово струсил, решив, что мы разыскиваем его. Послал в гостиницу мальчика. Был уверен, что я обязательно попытаюсь этого мальчика разыскать. Все предвидел, кроме одного: крепости моего черепа».

— Валентин Сергеевич! — позвал следователя один из землекопов, откинул лопату в сторону и, опустившись на колено, стал смахивать глину рукой — осторожно, с опаской, будто выкапывал пехотную мину.

Панин подошел к краю ямы. Столешко стало дурно, он уже не смотрел ни на меня, ни в яму, а часто, как при стенокардии, дышал и тер ладонью лоб, будто облик убитого душил его и обжигал лицо. Ему было плохо. Может быть, вовремя не сделал инъекцию иммунодепрессанта, и его новое лицо, слепленное из кусков чужой кожи и хрящей, начинало отторгаться. Филя незаметно, бочком отходил все дальше от Столешко, дистанцируясь от подельника. Он выглядел спокойным, груз его алиби заметно превышал груз улик. Чем Столешко сможет доказать, что Филя был с ним заодно? Тот не убивал, в момент выстрела был на виду у охранников. А то, что именно он закапывал труп, мы с Татьяной вряд ли сможем доказать.

Теперь уже сам Панин выгребал руками глину. Я увидел край рукава белого пиджака Родиона, в который он был одет в день смерти. Татьяна коснулась меня плечом, ей невольно хотелось чувствовать меня рядом. Мы затаили дыхание. Я сжал нервы в кулаке, готовясь увидеть ужасную картину.

— Перчатки бы резиновые, — пробормотал милиционер. — И респираторы...

Он был прав, и Панин не нашел, чем возразить или объяснить отсутствие этих предметов. Ему ничего не оставалось, как приободрить милиционеров личным примером. Он осторожно спрыгнул в яму, по щиколотки увязнув в сырой глине, засучил рукава и, развернув ладони, начал всаживать их в землю в том месте, где предположительно находились плечи убитого.

— Хватай за ноги! — крикнул он милиционеру.

— Да где тут эти ноги, — бубнил сержант, разгребая руками глину, как клубок червей.

У Столешко уже не было сил стоять, и он опустился на почерневший от сырости пень. Филя топтал листья, словно виноград на сусло, качал сокрушенно головой и бормотал:

— Ну и дела! Уже людей в парке закапывают! Мрак!..

— Раз! Два! Потянули! — скомандовал Панин с напряженным лицом.

Вместе с глиной и лесным мусором вверх пошло что-то грязное, крючковатое, одеревеневшее в запятнанном пиджаке.

— Ва-а-а! — крикнул следователь то ли от отвращения, то ли от избытка чувств. Я услышал, как тихо вскрикнула Татьяна. Глаза Фили стремительно расширялись. Столешко, глядя исподлобья на то, что было эксгумировано, побледнел, и лицо его сморщилось.

Не сговариваясь, Панин и сержант выпустили из рук свою добычу, и на листья, нам с Татьяной под ноги, упало мокрое, черное, покрытое слизью и белыми личинками скрюченное бревно, завернутое в окровавленный пиджак.

Панин, отряхивая руки, сплюнул, толкнул бревно ногой, перешагнул через него и посмотрел на меня.

— Это и есть ваш труп?

Я был парализован и смог произнести лишь нечто расплывчатое:

— Во-первых, труп не мой, а во-вторых, я ожидал другого...

— Какой любопытный человец! — бормотал Филя. Глаза его неудержимо косили в сторону Столешко. Тот, наполовину радуясь, наполовину сходя с ума, вскочил на ноги и стал возбужденно ходить вокруг ямы.

— Это просто... не знает границ! Возмутительно! Это какой-то садистский обряд... Мой пиджак! Кто это сделал?

«Не сработало, — подумал я, чувствуя какую-то пустоту в душе и в мыслях. — Идиотизм какой-то! Зачем Филя закопал это чучело? А зачем нужна была кислота? Выходит, он нас всех разыграл? Но по его лицу этого не скажешь. Он просто сияет от счастья, что в яме оказалось бревно вместо трупа. Голову на отсечение — он тоже верил в то, что здесь закопан Родион».

— Вы что-нибудь хотите сказать? — спросил меня Панин.

«Это конец, — понял я. — Он предоставляет мне последнее слово».

— Он сделал это нарочно! — попыталась спасти положение Татьяна, показывая пальцем на Филю. — Чтобы скрыть настоящее место преступления!

— И что вы предлагаете? — спросил Панин, опускаясь рядом с бревном на корточки и проверяя содержимое карманов пиджака. Ничего, кроме глины, там не было. — Перекопать всю усадьбу в поисках несуществующего трупа?

Столешко пришел в себя и начал контрнаступление.

— Я должен получить компенсацию за моральные издержки! — сказал он, вытирая платком пот со лба.

— Получите, — двусмысленно пообещал Панин.

— Так оскорбить меня, представителя потомственного дворянина! Мой отец, когда узнает об этом...

— Палка, палка, огурец... — промурлыкал Филя, с усмешкой глядя на меня, и подмигнул.

Мухин продолжал ходить вокруг нас, но орбита его становилась все шире.

— Значит, вы не отрицаете, что были здесь минувшей ночью? — спросил меня Панин, протягивая пиджак Столешко.

— Не отрицаю, — произнес я, едва ли не физически ощущая, как сам себе копаю могилу.

— Но зачем вы это сделали? — с недоумением спросил следователь.

— Что «это»?

Панин выразительно посмотрел на бревно и вздохнул.

— Вы много преступлений раскрыли? — спросила его Татьяна.

— А что? — тотчас воскликнул следователь, почувствовав, что девушка пытается поставить под сомнение его профессионализм.

— Вы верите в то, что Ворохтин выстрелил в человека, который называет себя сыном Орлова, из окна своей комнаты, дважды промахнулся с десяти метров, затем спрятал пистолет в очень надежном месте — под подушкой, выскочил из дома, прихватив с собой лопату и банку с серной кислотой, выкопал в овраге яму, похоронил в ней бревно, одетое в пиджак Родиона, предварительно выпачкав его в крови...

Милая моя! Она пустила в ход свой последний аргумент — логику.

— Разберемся! — уклончиво ответил Панин. — На то есть психиатрическая экспертиза. Иногда мотивы поступков вообще не поддаются какому-либо объяснению. Задаешь преступнику вопрос: «Зачем ты это сделал?» А он: «Да хрен его знает. Сделал — и все! Бес попутал!»

И Панин перевел взгляд на меня. Он словно хотел сказать: мне очень жаль, но вы все-таки будете сидеть в следственном изоляторе.

Танюша исчерпала себя. Женское отчаяние брало верх над способностью спокойно давить доводами.

— Да вы посмотрите на его руку! — крикнула она. — У настоящего Родиона не хватало фаланги на мизинце! Значит, вырос палец?

— Должен заметить, что про отсутствующую фалангу я

слышал только от вас, — ответил Панин. — Никто из работников усадьбы это не подтверждает.

— И Святослав Орлов?

— Святослав Орлов пока не может давать показания, потому что серьезно болен... Я вас, гражданка, очень хорошо понимаю, но ничем помочь не могу.

Он расстегнул свой двубортный пиджак и извлек из кармана никелированные, красивые, как игрушка, наручники.

— Послушайте, Прокина! — срывающимся голосом произнес Столешко, кутаясь в пальто, словно ему было зябко. — У вас до которого числа подписан договор со мной?

— Не с тобой, — сквозь зубы ответила Татьяна.

— Как бы то ни было, я прошу вас покинуть усадьбу и вернуться в свою контору. В ваших услугах здесь больше никто не нуждается. Будете упрямиться — позвоню вашему начальству и потребую компенсацию за моральные издержки.

— Я приношу вам свои извинения, — сказал Панин Столешко, полагая, что извинения стоят дешевле компенсации. — Мы больше не потревожим ни вас, ни вашего отца.

— Было бы хорошо, если бы вы помогли мне избавиться от этой... этой телохранительницы, — пробубнил Столешко, произнеся последнее слово с демонстративной неприязнью. Он стал рассматривать пиджак и при этом качал головой: — Испортила хорошую вещь...

— Хорошо, — пообещал Панин. — Я позвоню в «Эскорт».

Я искал глазами свою последнюю надежду, следователя Мухина, но его нигде не было видно, наверное, он сошел с орбиты и поехал на вокзал.

— Гражданин Ворохтин, — очень официально произнес Панин, отчего я как наяву почувствовал на своих запястьях холод никелированных браслетов. — Надеюсь, что вы больше не будете допускать необдуманных поступков...

— Не переживай, — шепнула Татьяна, глядя себе под ноги. — Я все сделаю. Два-три дня...

— Ты меня больше не увидишь, — хрипло ответил я. В горле пересохло. — Если сможешь, помоги князю...

Что это? Откуда? По дну оврага, из-за деревьев, гулко стуча копытами по сырой земле, изящно поднимая коричневые коленки, выбежал конь — при всей сбруе, с седлом и уздечкой, остановился, увидев скопление людей, повел ноздрями, изогнул шею, намереваясь взмыть по склону при малейшей опасности, но милиционеры, осадившие склон, следователь, Филя, Столешко — поголовно все оцепенели, застыли, пялясь на удивительно красивое и грациозное животное, невесть откуда здесь взявшееся. Казалось, конь потерял и пытался отыскать своего ездока — князя Орлова; я узнал этого породистого рысистого коня по белым «носочкам» и коротко постриженной гриве.

— Вот так чудо, — произнес кто-то за моей спиной.

Панин нахмурился и взмахнул рукой.

— Чфу! — издал он какой-то странный звук. — Пшел отсюда! Ну! Брысь!

Кто-то свистнул. Рысак шевельнул ушами, посмотрел умными глазами на людей и, склонив голову к земле, понюхал листву, коснулся ее черными замшевыми губами.

— Чья лошадь? — спросил Панин у Столешко.

— Наша, чья же еще! — признал очевидное Столешко.

— Я понимаю, что это не Пегас и через ограду она не перелетела. Я спрашиваю, кто наездник? Как лошадь смогла сама забрести в овраг?

— Это рысак Святослава Николаевича, — сказал я. — Кличка Буран.

— Нет, — покрутил головой Столешко. — Отец не мог ехать верхом. Он болеет...

Следователю что-то не нравилось. Он еще не понимал, что именно, но уже чувствовал в душе тревогу. Татьяна сжимала и царапала мне руку. Я читал ее чувства — если на свете есть Бог, то это он прислал сюда коня.

— Найдите хозяина! — приказал Панин сержанту. — Посмотрим, кто это следит за нами.

— А ну, иди домой! — дурным голосом закричал сержант и замахнулся на коня. Тот вскинул голову, моргнул темным глазом и показал зубы.

— Сейчас или никогда, — шепнул я Татьяне. Она снова сжала мне руку.

— Да что ты машешь на нее! — со вздохом произнес Панин и сплюнул. Милиционеры на склоне смеялись. — Шлепни ее по крупу, и она сама приведет тебя к хозяину.

— Она его сейчас убьет, — заверил я Панина. — Лягнет разок — и летальный исход. Кто ж так с лошадьми обращается? Сначала надо взять за поводья...

С этими словами я перешагнул через яму и направился к коню. Панин кашлянул, но не остановил меня. Осмеянный сержант поспешил отойти от животного на безопасное расстояние. «Идиоты! — подумал я. — Они же дали мне ключи от автомобиля и позволили в него сесть».

— Буран! — ласково произнес я, похлопал коня по шее, поймал поводья и притянул холеную голову к себе. — Не бойся, Буран, дорогой мой! Как же ты, братец, вовремя прискакал...

Я вскочил в седло, приструнил коня, шлепнув его ногами по бокам.

— Эй! — крикнул Панин. — Не балуй!

— А теперь он сам выведет на хозяина! — объявил я сверху и, потянув поводья на себя, заставил коня встать на дыбы. Буран заржал, лягнул передними копытами по воздуху, заставив сержанта и Панина отскочить. Татьяна с самоубийственной отвагой кинулась к коню. Я склонился и поймал ее руку. Буран словно только этого и ждал и, как только Татьяна обхватила его за шею, пустился вскачь по дну оврага — туда, откуда прискакал.

— Стоять!! — услышал я за спиной вопль Панина.

Татьяна не могла сесть верхом, а я не мог отпустить поводья и помочь ей, и она лежала животом на мощной спине коня, ухватившись руками за гриву. Наверное, мы были похожи на Казбича и Бэллу. Буран, не чувствуя нашей тяжести, легко и быстро летел по оврагу. Ветер свистел у меня в ушах. Я тяжело, с хрипом дышал, уподобляясь коню, и не представлял, как и куда надо «рулить».

Минуты три или больше мы неслись на неуправляемом живом снаряде, подчинив себя воле спасителя. Налегая на передние ноги, раскачивая шеей, Буран выскочил из оврага, перешел на шаг, и только теперь я стал ориентироваться в пространстве. Конь, что было естественно, вынес нас к своим «апартаментам» — конюшням, остановился перед оградой, мол, приехали, просьба освободить спину, и как ни в чем не бывало принялся щипать молодую траву.

Мы спрыгнули и, пригибаясь, побежали вдоль конюшни к строю елей, идущему вдоль забора.

— Нас не выпустят через проходную! — кричала Татьяна. — Давай спрячемся в конюшне... Дождемся темноты...

— Ты уже там пряталась, — ответил я, упрямо продолжая бежать в сторону трехметровой чугунной ограды, где можно было запросто нарваться на охранника, но никаких умных мыслей мне в голову не приходило.

Душа была наполнена только одним чувством: на волю! На волю! Любой ценой! И бежать, не оглядываясь, до самой ночи.

— Ах, черт! — крикнул я, увидев, как с аллеи на поле выехал «Понтиак» и, переваливаясь на кочках, поехал нам наперерез.

Схватив Татьяну за руку, я кинулся обратно к конюшням. Универсал стал сигналить. Я обернулся — машина догоняла нас, моргая фарами.

— Подожди! — взмолилась Татьяна. — Сил нет... Это садовница... Да остановись же!

Ссутулившись, тяжело дыша, мы стояли у ограды конюшен и смотрели на «Понтиак». Кроме садовницы, сидящей за рулем, в салоне никого не было. Машина неслась прямо на нас, но на преследование это было мало похоже.

— С чего бы она вздумала по полю кататься? — вслух подумал я, сплевывая. На зубах хрустел песок. — Первый раз вижу ее за рулем...

Универсал развернулся перед нами, взрыхляя колесами влажный грунт, садовница открыла дверь и призывно махнула нам рукой.

Я подтолкнул Татьяну к машине. Мы влезли в салон. Обернувшись, садовница показала рукой на одеяло, лежащее на заднем сиденье, и погнала машину к воротам.

Не пытаясь разобраться в том, что происходит, мы сели на пол, накрылись одеялом, обнялись и затаились. Теперь наша дальнейшая судьба зависела только от этого хлипкого убежища да хитрости странной глухонемой женщины.

Машина выехала на асфальт, разогналась и тотчас остановилась перед воротами. Мы с Татьяной даже дышать перестали. Все органы чувств стали работать только на слух. Мы слышали, как тихо бормочет на холостых оборотах мотор, как переговариваются между собой охранники. «Куда едешь? — громко и отчетливо, чтобы садовница могла прочесть по губам, спросил кто-то из охранников. — На рыбалку?.. В баню?.. В туалет?.. Ах, за саженцами! — И тише, наверное, в сторону: — Ну, валяй, б...дь бессловесная...» Затем скрипнула и загрохотала по рельсу створка ворот. Машина тронулась. Мы с облегчением вздохнули и сорвали с себя одеяло. Я посмотрел в окна, встал и пересел к садовнице.

— Высади нас здесь! — крикнул я, тронув женщину за плечо. — Останови машину! Мы сойдем! Тебе опасно с нами!

Она то ли не понимала, что я от нее хочу, то ли продолжала навязывать нам свою волю и отрицательно покачала головой.

— Оставь ее, — сказала Татьяна. — Хуже нам уже не будет.

Тревога бесилась во мне, как кобра в мешке змеелова. Я смотрел в окна — вперед, назад, предугадывая направление движения и выясняя, не гонятся ли за нами разрисованные синими полосами «шестерки» со спецсигналами.

— Что теперь? — спросила Татьяна.

— Драться надо, — ответил я, хотя смутно представлял себе, с кем и как я буду это делать.

— Я запуталась, — призналась девушка. — Живой или мертвый, Родион был единственным, кто мог припереть к стенке Столешко. Но нет ни того, ни другого.

— Наверное, тебе достанется от начальства, — сказал я.

— Что? — усмехнулась Татьяна. — Нет у меня уже никакого начальства. О себе лучше подумай. Два побега Панин тебе не простит. Ты для него — дело принципа. И этот жук в лепешку расшибется, чтобы засадить тебя за решетку.

Я начал узнавать маршрут, по которому мы ехали: как-то я следил за белым «мерсом», в котором ехала садовница.

— Сейчас ты увидишь дом, в котором она живет, — сказал я.

— Я уже его видела.

— И что ты по этому поводу думаешь?

— Думаю, что у нее очень богатый муж, — сделала удивительно простой вывод Татьяна.

Мы остановились у кирпичной стены. Человек в камуфляже немедленно оказался рядом с машиной и помог садовнице выйти. Она показала нам на калитку, пропустила вперед. Мы зашли. За нами лязгнула дверь, щелкнул замок. Мы оказались в маленьком дворе, где, словно в музее цветоводческого искусства, теснились альпийские клумбы и горки,

356

искусственные пруды с миниатюрными водопадами, и все это покрывал ковер цветов, от изобилия красок которых рябило в глазах.

Заметив наш восторг, садовница остановилась, терпеливо ожидая, пока мы, забыв о всей той гадости, которую нам пришлось пережить только что, впитаем в себя столь прекрасное и притягательное зрелище.

Мы поднялись по спиральной узкой лестнице на третий этаж, прошли по паркетному полу через холл и остановились у тяжелой двери из красного дерева.

— Сейчас выяснится, — едва разжимая губы, произнес я, — что она — главарь мафии, а Филя со Столешко работали под ее руководством.

Садовница встала у двери так, чтобы мы с Татьяной могли войти первыми, и надавила на бронзовую ручку с завитком.

Дверь распахнулась. Первое, что я увидел, была широкая двуспальная кровать с овальным изголовьем, полочками для светильников и книг. Прикрывшись до пояса бежевой шелковой простыней, на кровати лежал Родион. Часть его груди, плечо и предплечье правой руки были туго стянуты бинтовой повязкой.

— Bring by him large goblet with gin, — сказал он садовнице на чистейшем английском. — I can't look at their terrible faces![1]

— Well, — ответила садовница на не менее чистом английском. — It's neccesary to lay ice?[2]

Глава 48

ЖЕНА НАСЛЕДНИКА

— Родион! — ахнула Татьяна, кинулась к кровати, присела и поцеловала Родиона в бороду. — Слава богу, что ты жив! Слава богу! Как ты уцелел?

— Поверить не могу! — признался я, раскинув руки в

---

[1] Принеси им по большому бокалу джина. На эти страшные лица смотреть невозможно.

[2] Хорошо. Лед класть?

357

стороны. — Мы, грешным делом, тебя уже оплакали, а ты, бегемот высокогорный, жив?!

— Да разве это жизнь! — произнес Родион и состроил горькую гримасу. — Отца держат взаперти, усадьбу грабят, вас чуть не посадили за решетку... Мы отступаем по всем фронтам!

— Мы не только отступаем! — подхватила Татьяна, которая просто сияла от счастья и глаз не могла отвести от лица Родиона. — Мы сидим в глубоких тылах и хороним живых... Я не могу всего этого осмыслить!

— Спокойно! — поднял здоровую руку Родион. — Безвыходных положений не бывает.

— Ты ранен? — спросил я и сжал руку Родиона так, что он болезненно поморщился. — Почему ты весь забинтован?

— Этот самозванец всадил мне в плечо пулю, — ответил Родион и покосился на повязку. — Мне пришлось красиво упасть в овраг и притвориться мертвым, чтобы он не сделал контрольный выстрел в голову.

— А могила?! — в один голос крикнули мы с Татьяной.

— Тише! — потребовал Родион. — Рассказываю все по порядку. Меня не перебивать. Все вопросы — в конце.

Он хоть и вел себя с нами нарочито грубо, но я видел, что Родион не меньше нас радуется встрече и, если бы не рана, давно бы заключил нас в свои объятия.

Филя был великолепным психологом. Он мне не верил, что было вполне объяснимо, и твердо знал, что я немедленно сообщу князю о преступном плане кассира после того, как мы выйдем из бани. Не было для него секретом и то, что я постараюсь скрыть от него свой визит к Орлову. Следовательно, я сам себя лишал алиби и в присутствии Фили не смог бы вразумительно ответить, где был утром, между одиннадцатью и двенадцатью часами, когда прогремели выстрелы.

А коль у меня не было алиби, то я был самой подходящей фигурой, на которую можно было кинуть тень. Но Филя не был бы Филей, если бы взялся собственноручно ликвидировать Родиона — он был слишком осторожен и слишком любил себя, чтобы рисковать. Как нельзя кстати в усадьбе появился Столешко. Как Филе удалось так быстро сблизиться с ним — оставалось загадкой. Можно было предположить, что Столешко искал сообщника, который помог бы ему сориентироваться в усадьбе, где он раньше никогда не был, и интуиция указала ему на хитрого и изворотливого Филю. Может быть, Столешко выбрал Филю как ближайшего родственника Орлова из «генеалогического древа». А кассир в лице Столешко приобрел уникальное оружие убийства и обмана.

Словом, эти два жулика быстро снюхались. Кассир предложил Столешко взять ликвидацию Родиона на себя. Сам Филя обеспечил себе безупречное алиби, застряв на «пятачке» у ворот, на виду у охранников и Татьяны. Столешко поднялся ко мне в комнату, занял позицию у распахнутого окна и стал ждать, когда Родион выйдет из своих апартаментов.

Родиона спасло чудо. Первая пуля пролетела мимо, вторая попала в плечо. Он успел обернуться и увидеть в окне второго этажа своего двойника. В первое мгновение он засомневался в здравости своего рассудка, а потом понял, что сказка стала былью, негодяю Столешко так понравилась легенда о пластической операции, что он воплотил ее в жизнь. Родион ничком упал в овраг. Истекая кровью, он лежал неподвижно, прислушиваясь к торопливым шагам, к тяжелому дыханию убийцы, который пытался засыпать его листьями.

Когда шаги убийцы стихли, Родион поднялся и, шатаясь от слабости, пошел наверх, к дому отца. Острая боль и страх смерти на некоторое время лишили его способности ориентироваться в обстановке. Он хотел как можно быстрее выйти к людям, вызвать врача, милицию. Потом как обухом по голове: он уже вычеркнут из жизни, его место занято другим человеком, который называет себя Родионом. Может быть, отец изолирован, нет поблизости верных друзей, и усадьба наполнена предавшими его людьми. «Черт возьми, — подумал он. — Добьют ведь. Сотрут в порошок».

Он снова спустился в овраг, прихватив с собой лопатку, оставленную садовницей на клумбе. Столешко обязательно вернется сюда, понял Родион. Увидит, что трупа нет, и поймет, что промахнулся. Испугается, сбежит из усадьбы — ищи потом его. Или еще хуже: спасая положение, он пойдет на убийство князя. Ведь старик, по сути, единственный человек, кто может безошибочно отличить сына от двойника.

Выходило, что своим «воскрешением» Родион подвергал

отца серьезной опасности, и лучшим выходом из создавшегося положения было «похоронить» себя. Неважно, что подумает Столешко, обнаружив вместо трупа свежую могилу: или решит, что труп спешно закопал Филя или еще кто-то из преданных ему служащих. Пока будет разбираться, Родион получит тайм-аут.

Превозмогая боль в плече, Родион вырыл на дне оврага яму, кинул туда бревно для объема, да еще свой пиджак, залитый кровью, закопал и пошел в глубь парка, к теплицам. Из усадьбы его незаметно вывезла садовница на «Понтиаке».

Теперь нам с Татьяной стало понятно, что делал ночью у могилы Филя. Он не закапывал ее, как мы подумали сначала, а раскапывал. Столешко поручил ему залить труп концентрированной серной кислотой, чтобы впоследствии ни одна экспертиза не смогла установить личность убитого. Мы спугнули кассира, когда он только приступил к раскопке, и заставили его ретироваться.

— Отца колют психотропными препаратами! — с ненавистью крикнул Родион и принялся бить кулаком по подушке. — Эти ублюдки подавляют его волю! Он уже плохо ориентируется в том, что происходит!

— Откуда ты знаешь? Может быть, его просто держат взаперти? — вяло утешил я Родиона.

— Есть надежные источники, — неопределенно буркнул Родион. — Садитесь оба, не маячьте перед глазами.

Он был зол, почти взбешен. Собственный рассказ вывел его из себя.

— Тебе надо немедленно идти к Панину, — сказала Татьяна.

— И что я ему скажу? «Здравствуйте, я Родион!»? Так он мне ответит: «Извините, но вы опоздали. У нас уже один есть».

— Покажи ему свой паспорт! Семейный альбом! — размахивая ладонью, горячо произнес я. — Свидетельство о рождении! Дипломы, договоры, сберкнижки, черт тебя подери!

— Все осталось в моих апартаментах, — ровным голосом ответил Родион.

— Неужели без документов невозможно установить личность человека? — засомневалась Татьяна.

— А как ты это сделаешь? — спросил Родион. — Личность человека подтверждают документы, родственники и генный код, который, к сожалению, я не успел снять. И все! Документов у меня нет. Едва мы попытаемся сунуться к отцу, Столешко или Филя сразу отправят на тот свет. Дальше что?

Я ходил по комнате между трюмо и овальным кожаным диваном.

— Тогда я не знаю, — пробормотал я. — Правда, есть нецивилизованные способы. Например, выловить Столешко и методично отбивать ему почки — до тех пор, пока не сознается. Или просто убить его и растворить в серной кислоте. Никто не будет его искать, так как есть ты...

Я говорил страшные вещи и по взглядам Татьяны и Родиона понял, что переступил грань дозволенного.

— Мы же не звери, — сказал Родион. — К тому же не надо тешить себя иллюзиями — вылавливать Столешко тебе придется очень долго. Эта гадина половину наследства на личную охрану потратит.

— А сам ты что предлагаешь? — спросил я, когда у меня исчерпалась фантазия. — Ты нашел какой-нибудь выход?

— Конечно, — ответил Родион и, испытывая наше терпение, многозначительно повторил: — Конечно... Есть еще один человек, который может с легкостью доказать, что я Родион Орлов. Это моя жена.

— Жена?! — каким-то странным, нарочито равнодушным голосом повторила Татьяна. Было видно, что она неприятно удивлена. — Разве... разве ты женат?

— Без малого десять лет, — ответил Родион.

Меня удивила не столько эта новость, сколько реакция на нее Татьяны. Не надо было напрягать зрение, чтобы увидеть — ее покоробило известие о существовании женщины, которой принадлежало и сердце, и личная жизнь Родиона. Какая, казалось бы, разница ей, признавшейся мне в любви девушке, женат этот человек или холост? Ан нет! Значит, что-то потеряла, значит, где-то очень глубоко в ее душе теплилась почти абстрактная, ничтожная, но все же надежда на то, что она когда-нибудь составит пару этому молодому и обаятельному миллионеру.

У меня сразу упало настроение, просветлевшее небо

моей души заволокли темные низкие тучи. Дальнейшее мое участие в разговоре было весьма условным. Я вроде бы все слышал, все понимал, к месту кивал или отрицал, но в мыслях вихрем носилась эта маленькая, нечаянная измена Татьяны, и я смотрел на ее профиль, на ее глаза, обращенные на Родиона, и испытывал малознакомую нарастающую боль, какая терзает только при утрате чего-то очень близкого и родного.

— Да, — охотно рассказывал Родион. — Это она, «садовница», Леда Клейборн. Этот образ глухонемой женщины я придумал для нее не только из-за языкового барьера — она почти не понимает по-русски. Когда мы ввязались в Игру, я понял, что Леда, как моя жена и наследница, здорово рискует жизнью. Потому решил, что ей опасно раскрываться.

Как раз в этот момент в комнату зашла садовница, то есть жена Родиона Леда Клейборн с миниатюрным сервировочным столиком, накрытым салфеткой. Она не могла не почувствовать на себе скрытые любопытные взгляды и, конечно, догадывалась, что речь шла о ней. Но женщину это не смутило. Напротив, как бы желая дополнить о себе впечатление, она очень мило улыбнулась мне и Татьяне, убрала салфетку и, расставляя по краям столика маленькие фуршетные тарелки, певучим голосом говорила:

— What do you prefer meat or poultry? Gin? Orange juice? Vodka?[1]

— Короче, ешьте и пейте все, что нравится! — перевел Родион.

Я вспомнил фразу, которую написала мне Леда на банкете: «Будет партия с танцем?» Оказывается, она дословно перевела на русский «Dancing party», что по-английски означает «танцевальный вечер», вот и получилась фраза, которую я не понял.

Татьяна сидела перед столиком с каменным лицом, не проявляя никакого интереса к Леде.

— Я есть не хочу, — ответила она, искоса глядя на то, как Леда кладет на ее тарелку ломтик холодной телятины в желе.

«Бесишься? — подумал я. — А положил бы этот кусок Родион — съела бы и тарелку вылизала».

---

[1] Вы будете мясо или птицу? Джин? Сок? Водку?

— Никто, кроме вас и, естественно, отца, про Леду не знает, — сказал Родион. Тон этой фразы был не к месту двусмысленным и назидательным. Подняв бокал, он пригласил меня выпить джина. Я налил себе водки.

— В таком случае, — сказал я вместо тоста, — проблема исчерпана. К Панину надо ехать немедленно.

— Проблема не исчерпана, — возразил Родион и выпил. — Дело в том, — продолжил он, закусив усатой красной креветкой, — что сначала следует доказать, что эта женщина — Леда Клейборн, а не Маша Степанова и что она — моя жена. Значит, снова все упирается в документы, в паспорта и свидетельство о браке, которые находятся у Столешко.

— И как ты думаешь вытрясти эти документы из него? — спросила Татьяна.

— Леда — человек малозаметный. Она может свободно перемещаться по усадьбе. Столешко и Филя не обращают на нее внимания.

— Не справится, — коротко произнесла Татьяна. — Лучше доверьте это дело мне. Я все-таки профессионал.

— Нет, Танюха, у тебя уже закончился договор, — мягко возразил Родион. — Охранники шагу тебе не дадут ступить по территории.

— У меня есть кое-какие навыки, — не сдавалась Татьяна. — И оружие, между прочим.

— У Леды тоже есть оружие.

— Но у меня, в отличие от иностранки, есть право им пользоваться!

Кажется, Татьяна уже не могла скрыть свою неприязнь к Леде. Родион тактично промолчал и повернулся к жене.

— Делайте что хотите, — проворчала Татьяна и уставилась в окно.

Родион и Леда стали вполголоса переговариваться. Суть их разговора сводилась к следующему: завтра утром я отвезу Леду к усадьбе и, не выходя из машины, буду ждать ее возвращения. Она тем временем попытается незаметно проникнуть в особняк и найти документы. Если Леда не выйдет из усадьбы по прошествии часа, я с проходной позвоню Панину. Я для него — сверхсильный раздражитель, и можно не сомневаться, что через несколько минут в усадьбу нагрянет усиленный наряд. Шума и суеты будет много. В этой мутной воде я начну действовать по обстановке.

Ужин закончился далеко за полночь. Когда я рассматривал и обнюхивал парфюмерные пузырьки, стоящие под зеркалом в огромной ванной комнате, постучавшись, зашла Леда, протянула мне большое махровое полотенце и тактично поинтересовалась на полурусском-полуанглийском, стелить нам с Татьяной вместе или порознь.

Я изобразил такое пуританское возмущение, так убедительно объяснил, что безусловно, естественно, однозначно, бесспорно, непреложно стелить надо порознь, причем в разных комнатах, находящихся как можно дальше друг от друга, что Леда густо покраснела, шепнула «Sorry» и удалилась.

Под мансардным окном, через которое на мою постель падал холодный лунный свет, я долго не мог уснуть.

Глава 49

КЛЕТКА ЗАХЛОПНУЛАСЬ

Я был уверен, что когда-нибудь пожалею об этом, но с упрямством уподоблялся коту, пожирающему сосиску из тарелки хозяина: знал, что буду бит, и все же остановиться не мог.

Татьяна испепеляла меня взглядами. Я любезничал с Ледой настолько демонстративно, настолько явно мстил Татьяне, что не увидеть этого было невозможно, и все-таки Танюха принимала все мои комплименты в адрес Леды за чистую монету.

Я нарочно ехал очень медленно, позволяя «Запорожцам» лихо обгонять «мерс», и на замусоренном английском рассказывал женщине, как был очарован ее глазами, увидев ее в первый раз, как сразу обратил внимание на несоответствие между деревенской одеждой и утонченными манерами светской дамы (от слов «светская дама» Танюха даже подскочила на заднем сиденье, затем сделала какое-то движение, отчего я почувствовал удар по затылку). Леде было приятно, она все понимала, что я хотел ей сказать, и, может быть, даже больше. И когда меня уж слишком понесло по колдобинам фантазии и я признался Леде, что если бы вчера не узнал о ее семейном положении, то непременно влюбился бы в нее по уши, женщина неподдельно удивилась и с грустью сказала:

— I regret it very deeply. Rodion spoke, that you love the girl and want to marry vor love[1].

После этого я получил второй удар по затылку, еще более чувствительный, чем первый, и до усадьбы ехал молча.

Я припарковался в том месте, где когда-то выследил Леду, садящуюся поздним вечером в «мерс». Отсюда хорошо просматривались ворота и проходная. Леда вышла. Я мысленно пожелал ей удачи. Татьяна, уютно устроившись на заднем сиденье, с нарочитым вниманием листала какой-то американский каталог. Мы оба хранили гробовое молчание. Но недолго.

Леда подошла к проходной, уже поставила ногу на ступеньку, как вдруг путь ей преградил охранник. Он о чем-то говорил ей, точнее, жестикулировал, отрицательно качал головой и скрещивал перед собой руки. Наш план рушился из-за непредвиденных обстоятельств. Я не мог понять, что именно пытался объяснить охранник садовнице, до тех пор, пока он не вынес из дежурки коробку, перетянутую скотчем.

— Уволена! — воскликнул я и ударил кулаком по рулю.

— Наверное, Столешко понял, что мы сбежали не без ее помощи, — предположила Татьяна. — Глупостью занимаемся. Надо лезть через забор и идти напролом. А вся эта американская законопослушность...

Она не договорила. К Леде, растерянно стоящей с коробкой в руках, вдруг подошел Палыч. Я даже не понял, где он стоял до этого. Кинолог взял садовницу под руку и отвел к остановке автобуса. Они сели на скамейку. Палыч положил себе на колени пакет, достал из него ручку и газету, что-то написал на полях и показал садовнице — очень быстро, наверное, одно слово, но Леда «читала» его долго, минуты три. Затем кивнула, встала и пошла в нашу сторону. Палыч прихватил ее коробку и пошел за ней.

— Зря она это делает, — процедила Татьяна.

— Палычу можно верить, — заступился я за кинолога.

---

[1] Очень жаль. Родион говорил мне, что ты любишь свою девушку и женишься по любви.

— Можно. Но если потом машину остановит милицейский патруль — не удивляйся.

Леда приблизилась к «мерсу», остановилась и обернулась, давая понять Палычу, что его просьба удовлетворена. Кинолог, судя по выражению лица, не до конца был уверен, что садовница правильно его поняла, и все же подошел к машине и склонился перед тонированным стеклом, пытаясь рассмотреть внутренность салона. Это была странная картина: мы смотрели друг на друга глаза в глаза, но я его видел, а он меня нет.

С тихим свистом опустилось стекло. Я улыбнулся и подмигнул удивленному кинологу.

— Во даешь! — произнес Палыч. — И ты здесь? А я Татьяну ищу.

— Я здесь, Палыч! Садись! — отозвалась Татьяна и открыла дверь. — Что случилось?

Леда тоже села в машину. Мы посмотрели друг на друга, я кивнул, давая понять Леде, что я догадался о ее увольнении.

— А я тебя со вчерашнего вечера ищу! — взволнованно сказал Палыч, приглаживая седые усы и крепко прижимая сверток к коленям.

— Хочешь предложить мне щенков? — спросила Татьяна.

— Нет, не щенков... Чудеса! «Мерседес» у вас.

— Это нашей садовницы машина, — сказал я.

Палыч оставил это замечание без комментариев, не определив, пошутил я или сказал правду.

— Дело вот в чем, — сказал он Татьяне. — Вчера днем около особняка Родиона отлавливает меня Мухин, дает мне этот сверток и говорит: срочно спустись в овраг, найди Татьяну и передай это ей — лично в руки! Я вниз спустился, а там милиция, Родион, Филя, все суетятся, злые, меня на хрен посылают. Кто-то сказал, что ты только что на лошади ускакала. Я подумал, что это шутка. До темноты ждал тебя на выгоне, думал, придешь к себе на ночь. А с утра у проходной дожидаюсь...

Татьяна уже разрывала газетную обертку. Мы с Ледой, обернувшись, следили за ее руками. Обнажилась картонная коробка, поверх нее лежала записка. Я почти вырвал ее из пальцев Татьяны и вслух прочитал:

— «Таня! Предполагаю, что это антилимфоцитарная сыворотка, но нужно подтверждение эксперта. Срочно (дважды подчеркнуто) слетай в отделение милиции, найди Дудина Геннадия Васильевича, пусть немедленно сделает заключение. И с ним — с заключением то бишь — ко мне! Я буду ждать в комнате Родиона. Мухин».

Татьяна открыла коробку. В картонных ячейках лежали ампулы желтого стекла, подписанные мелким, почти невидимым шрифтом «HLA-SYSTEM».

— Вот оно! — пробормотал я, осторожно вынимая одну ампулу и рассматривая ее маслянистое содержимое.

— А Мухина ты потом видел? — спросила Татьяна Палыча.

— Нет, — покачал он головой. — Вчера вечером хотел его найти и сказать, что тебя не нашел, так дверь особняка была заперта, свет выключен, на стук никто не отзывался.

— Вы понимаете, что это такое?! — воскликнул я. — Мы же теперь Столешко за жабры поймали! Если это единственная коробка...

Татьяна хмурилась. Отняв у меня ампулу, она положила ее в коробку и закрыла крышку.

— Боюсь, что мы сильно опоздали, — произнесла она.

Я не мог понять, о чем она. Душа моя ликовала от удивительного поворота судьбы. Если этот «HLA» и есть тот самый иммунодепрессант, который Столешко должен вводить себе, чтобы избежать отторжения тканей, если это единственная коробка, которую ему дали в бангкокском центре репродукции, то у нас в руках был мощнейший козырь. При помощи элементарного шантажа из Столешко теперь можно было веревки вить. Он, как наркоман, был привязан к инъекциям, без которых его физиономия, сшитая из кусков чужой ткани, расползется, словно сырой блин в руках.

— Надо спросить у охраны, выходил ли Мухин, — сама себе говорила Татьяна, глядя через окно на загруженный контейнерами «КамАЗ», подруливающий к воротам усадьбы. Потом повернула голову и посмотрела на кинолога: — Палыч, сделай доброе дело, зайди в усадьбу, узнай про Мухина. Ты же у нас пользуешься заслуженным доверием у новой власти, правда? Бессменный и незаменимый!

«И чего мужика обижает? — подумал я. — И слава богу, что не уволили! Будет на что семью кормить».

Но Палыч грустно усмехнулся, болезненно восприняв замаскированный упрек, и отрицательно покачал головой.

— Нет, уже не пользуюсь доверием, — сказал он. — Я вчера заявление об уходе написал. А когда этот... новый управляющий... как его? Хрустальский! В общем, когда он спросил о причине, я ответил, что мне не нравятся ни их делишки, ни их рожи. Хлопнул дверью и ушел.

— Мухин вчера вечером благополучно уехал домой, — сказал я и тотчас понял, что сам в это не верю.

Татьяна кинула на меня короткий взгляд и вполголоса произнесла:

— Тебе лишь бы что-то сказать...

Леда, вынужденная из-за присутствия Палыча молчать, сгорала от любопытства. Не знаю, все ли она поняла из нашего разговора, но по ее глазам можно было догадаться, что женщине не терпится принять участие в разговоре и напомнить нам о себе. Татьяна не могла этого не заметить. Понимая, что более удачного момента для захвата инициативы не будет, она вдруг решительно вынула из коробки ампулу, щелчком ногтя отбила кончик и, приоткрыв дверь, вытряхнула содержимое на землю. Ни о чем не спрашивая, не советуясь, она вышла из машины и, прежде чем закрыть за собой дверь, приказным тоном сказала:

— Ждите меня здесь.

Леда с недоумением посмотрела на меня, словно спрашивая: известно ли мне, какая идея взбрела в голову девушке? Я пожал плечами. Палыч, чувствуя, что интерес к нему угас, не стал навязывать нам свое общество, протянул мне руку и пожелал всех благ. Когда дверь за ним закрылась, я сказал Леде, что Татьяна, по-моему, сейчас наломает дров, а затем минут десять растолковывал, при чем тут дрова.

Мы смотрели, как Татьяна общается с охранником. Высокий и сутулый детина в камуфляже, сунув руки в карманы, широко улыбался и маленькими шажками надвигался на девушку. Она с той же скоростью отступала от него. Можно было подумать, что охранник находится под воздействием весны и не понимает, почему Татьяна так взволнована. Он не давал ей уйти от ворот. Заигрывание продолжалось уже слишком долго, становилось подозрительно навязчивым, и я уже с трудом давил в себе желание выйти из машины.

Я уже нутром чувствовал, что эта бесцельная трата времени добром не закончится, и спустя несколько минут мне пришлось еще раз убедиться в наличии у себя сильной интуиции. Без сигналов, без проблесковых маячков, но быстро и пыльно на круг выскочили три милицейские «шестерки». Шурша шинами и раскидывая во все стороны гравий, они попытались окружить Татьяну, но трех машин для этого замысла оказалось недостаточно — между машинами запросто мог пройти развернутый в боевой порядок взвод пехотинцев.

— Охранник «настучал»! — крикнул я, забыв о том, что использование сленга превращало языковый барьер между мной и Ледой в Великую Китайскую стену, и схватился за ключ зажигания.

Я заставил «мерс» в полной мере продемонстрировать свои недюжинные способности. За считанные секунды он набрал такую скорость, с какой в Араповом Поле разве что летали стрижи. Черный, сильный, тяжелый, как касатка в стае потрепанных дельфинов, он вклинился между «шестерок» как раз в тот момент, когда милиционеры пытались окружить Татьяну живым кольцом. Леда на ходу открыла дверь. В пылевом облаке началась суета. Черная машина, словно свалившаяся на круг с неба, на мгновение отвлекла внимание милиционеров от Татьяны. Воспользовавшись заминкой, девушка кинулась к нам. Я ударил ногой по педали газа. Все триста двадцать «лошадок», сконцентрированные в двигателе, устрашающе заржали. Четыре фары выстрелили ослепительным галогенным светом. Оглушительно завыл сигнал. Машина излучала силу и угрозу в столь внушительных объемах, что живое кольцо разомкнулось. В ту секунду, когда Татьяна запрыгнула в салон, я послал «мерс» по колдобинам. Он бился днищем и прыгал, как молодой конь. Расстояние между нами и «шестерками» увеличивалось настолько быстро, что всякое преследование становилось бесперспективным, однако одна из милицейских машин в течение нескольких минут отважно неслась за нами, забивая воздухозаборники пылью, но в районе моста выдохлась и остановилась.

Я вырулил на трассу, намотал на колеса с десяток километров, после чего остановился на обочине, на краю лесной опушки, и заглушил двигатель.

Теперь я мог выплеснуть все то, что скопилось в душе. Теряя всякую власть над собой, я обернулся к Татьяне и негромко, но весьма неблагожелательно произнес:

— Ты своим аналитическим умом не могла догадаться, что милиция пасет нас обоих? Ты не могла додуматься, что тебе нельзя светиться перед усадьбой?

— Не надо было подъезжать ко мне! — в готовности дать мне отпор, ответила Татьяна. — Я бы сама с ними разобралась!

— К охранникам должна была пойти Леда! — гнул я свое. — Ты все испортила!

— Твоя Леда уже ходила к охранникам! — крикнула Татьяна. Ее глаза были полны мстительного огня. — Кто просил тебя подъезжать ко мне?

— Да если бы я не подъехал, ты тряслась бы сейчас в машине с решетками на окнах!

— Лучше в машине с решетками, чем в машине с тобой!

Леда переводила испуганный взгляд с Татьяны на меня, но в нашу разборку не вмешивалась — то ли не понимала сути конфликта, то ли в ней сидела типичная американская манера не ввязываться в чужую драку. Я был на грани того, чтобы открыть дверь и выставить Татьяну вон. Эмоции хватали меня за руки, заставляя это сделать, а мозг неповоротливо, как парализованный гений-философ, тихо советовал одуматься и не делать глупостей.

Нахмурившись, я смотрел сквозь запыленное стекло на молодой еловый лес и барабанил пальцами по рулю. Все молчали. Леда, полагая, что мы с Татьяной выяснили друг у друга все, что хотели, волнуясь и оттого очень неграмотно составляя вопрос, поинтересовалась у Татьяны, для чего ей понадобилась ампула.

Татьяна стала отвечать, причем говорила быстро, ничуть не беспокоясь, в достаточной ли мере Леда ее понимает. Ее рассказ был адресован мне, но задетое самолюбие вынуждало общаться со мной через Леду.

— Я попросила охранника срочно передать ампулу Столешко и пригласить его к телефону, который находится в дежурке. Охранник стал сомневаться, что шеф захочет со мной говорить. А я заверила, мол, увидит ампулу — захочет... Надо быстрее искать ближайший телефон и поставить Столешко ультиматум.

— Надо сначала переговорить с Родионом, — поправил я, глядя на Леду как на переводчицу. — Предупредить, что милиция засекла номер «Мерседеса» и с минуты на минуту может ворваться к нему домой.

— Я не думаю, что Родион настолько глуп, чтобы без ордера открыть дверь Панину, — так же, через Леду, ответила мне Татьяна.

Я не стал спорить и развернулся к городу. Татьяна допустила серьезный прокол, но не хотела признавать это из-за ревности, которая всякую женщину лишает разума и заставляет бездумно следовать глупым принципам. Она, конечно, переживает из-за своей неудачи, хотя и не подает виду. До тех пор, пока я буду дразнить ее, оказывая знаки внимания Леде, Татьяна будет все делать назло мне и в конце концов загубит наше дело. Я должен либо извиниться перед ней, либо изолировать ее, как ненормальную, чтобы она не путалась под ногами... Нет, последний способ не годится. Грубо и жестоко. Но просить прощения у той, которая, еще не остыв от моих поцелуев, впала в умиление и потеряла разум при виде лежащего в постели молодого миллионера?! Только не это!

Пересекая черту города, я так и не пришел ни к какому выводу. Но, завидев худую и черную, на растяжках, трубу котельни, вдруг внутренне просиял и свернул к бане, где несколько дней назад Филя предстал передо мной во всей своей омерзительной наготе. Баню в качестве переговорного пункта я, как и Филя, выбрал не случайно. Если мне не изменяла память, в мужском отделении на стойке банщика стоял телефон.

Моя демонстративная самостоятельность напоминала решительную атаку на усадьбу, осуществленную Танюшей полчаса назад. Но я был уверен, что в отличие от претенциозной телохранительницы способен просчитывать на несколько ходов вперед.

Первым делом я попросил Леду сесть за руль и немедленно ехать к мужу, ибо энергичный Панин обязательно припылит сюда спустя несколько минут после моего звонка в усадьбу. Затем я бесцеремонно выхватил из рук Татьяны коробку с ампулами, сунул ее под майку и вышел из машины.

Телохранительница с требованиями вернуть ей ампулы последовала за мной. Леда послушно укатила на черном чудовище, немного устав от вопросов, которые вызвали у нее наши с Танюшей любовные флюиды. Я раскрыл дверь банно-прачечного комбината и подошел к кассовому окошку. Татьяна не отставала от меня ни на шаг. Я кинул на нее недоуменный взгляд, но промолчал. Кассирша дала мне жетон и сдачу. Танюша недальновидно игнорировала кассу, и мне стало жалко девушку. Она жизнерадостно следовала за мной, как собачка за хозяином, который направлялся в театр, и не знала, бедолага, что собакам в театр вход заказан и она обречена быть привязанной к газонной ограде.

— Ты со мной? — поинтересовался я, останавливаясь у входа в мужскую раздевалку.

— Что ты задумал? — требовательно спросила Татьяна, пряча глаза.

— Помыться хочу.

— Не смей звонить Столешко!

— Ты мне приказываешь?

— Я тебе не доверяю.

— Я тебе тоже.

Завершив наш непродолжительный разговор вотумом недоверия, я раскрыл дверь и вошел в душную раздевалку, полную влажного тепла и противоречивых запахов. Татьяна не позволила двери захлопнуться перед ее носом, подставила ногу, оперлась плечом о косяк и уставилась на меня. Я протянул жетон банщику, взял ключ от шкафчика, веник, простыню и стал на ходу расстегивать куртку.

— Добрый день, девушка! — поздоровался банщик, налегая тугим животом на стойку и приглаживая черные усы. — Какие проблемы? Вы ничего не перепутали?

Я подошел к своему шкафчику, повернулся к Татьяне лицом, подмигнул и стал стягивать с себя джинсы. Какое-то тощее существо с прилепившимся к малиновой заднице березовым листом прошлепало к стойке. Татьяна не знала, куда девать глаза.

— Я прошу тебя... — произнесла она тихо, но тон был по-прежнему требовательным. Налобная шерстяная повязка немного съехала вниз, закрыла брови, и оттого лицо девушки казалось особенно мрачным и сердитым.

— Сквозняк делаете, — заметил банщик. — Вы или заходите, или отпустите дверь.

— Спрячься в женском отделении, — посоветовал я. — Там тебя Панин не достанет.

Татьяна не смогла больше торчать на пороге и с силой хлопнула дверью. Я разделся, завернулся в простыню, незаметно сунул под мышку коробку и подошел к банщику.

— Позвонить можно?

Я знал, какие условия поставлю Столешко, но еще не позаботился о собственной безопасности. Судя по тому, как быстро милиция отреагировала на появление Татьяны у проходной усадьбы, можно было не сомневаться, что я еще не закончу разговаривать со Столешко, а колонна «шестерок» во главе с Паниным уже будет приближаться к банно-прачечному комбинату. Когда следователь, шурша плащом, ворвется сюда и предъявит удостоверение, банщик охотно расскажет, как только что звонил молодой высокорослый тип худощавого телосложения, стриженный почти «под нуль», с темным от загара лицом и выгоревшими до пивной желтизны бровями и ресницами. Панин всех голых особей мужского пола поставит в строй. Он достанет меня и в парной, и в моечном отделении, и даже со дна бассейна вытащит.

Банщик уже поставил на стойку телефон, буркнул: «Минута — три рубля», а я еще не знал, как спасти себя. Конечно, можно было сказать Столешко всего несколько слов: «Перезвоню через несколько минут, стой у телефона», быстро одеться и побежать на почту. Но милиция столь же легко высчитает меня, когда я буду звонить с почты, и успешно накроет меня там. Жалкая провинция! Во всем городе было всего три-четыре телефона-автомата, расстояние между которыми самый разбитый автомобиль мог покрыть в считанные минуты.

Я поднял трубку и замер, словно не мог вспомнить номер телефона. Взялся за гуж, а коня-то нет! «Убежать через окно моечного отделения? — думал я. — Но куда я побегу голым, завернутым в простыню? А если сначала одеться, потом позвонить и выйти через дверь? Но где гарантия, что на улице я нос к носу не столкнусь с Паниным?»

Я опустил трубку на рычаги, пробормотал, что забыл номер, вернулся к своему шкафчику и увидел свое отражение в зеркале. Римский сенатор, ссутулившийся под гнетом проблем! И тут меня осенило. В раздевалке никого не было, и я быстро натянул на себя джинсы, подвернул их до колен, затем, словно кушак, обмотал вокруг пояса майку, затем куртку, связав узлом ее рукава, перекинул связанные шнурками кроссовки через плечо и снова накрылся простыней. Римский сенатор несколько поправился в талии, но из-под туники по-прежнему торчали голые ноги.

Коробку с ампулами я сунул за батарею парового отопления и запер дверку опустевшего шкафа на ключ.

Банщик ничего не заметил, молча принял от меня ключ, поинтересовался, вспомнил ли я телефон, и принялся заставлять холодильник бутылками с пивом.

Я набрал номер дежурки, повернулся спиной к банщику и отошел в сторону, насколько позволял провод. Напротив меня находилось закрашенное известкой окно, фрамуга была приоткрыта, с улицы доносилось чириканье воробьев.

Трубку сразу взял Столешко. Я узнал его по хриплому голосу. Дыхание его было частым и шумным.

— Я слушаю! — почти крикнул Столешко.

— Как здоровье? — поинтересовался я, поправляя нижний край простыни, из-за которых выглянули джинсы.

— Нормально, — отрывисто ответил Столешко и задышал еще чаще. — Что ты хочешь?

Он сразу перешел к торгу. Значит, положение его было серьезным.

— Встретимся? — спросил я.

— Да, — немедленно ответил Столешко. — Где и когда?

— Вспомни сумму, которую тебе заплатил Родион в Катманду. От этого числа убери три нуля и отними два. Это будет время нашей встречи... Ты считаешь?

— Да, — ответил Столешко. Трубка в его руке скрипела. Я слышал даже, как он причмокивает губами, облизывая их языком.

— А место встречи покажет выпущенная тобой пуля, которая, к счастью, не попала в Родиона... Представляешь?

— Да, — тем же тоном ответил Столешко. — Что я должен сделать?

— Принести с собой паспорт и свидетельство о браке Родиона. Это первое условие.

— А второе?

— Второе узнаешь при встрече.

— Но ты... — Он предполагал, что разговор может прослушиваться, и не решался сказать про лекарство.

— Я дам тебе то, в чем ты очень нуждаешься.

— А чем ты докажешь, что *это* у тебя?

— Спроси что-нибудь.

— Сколько в коробке штук?

— Двенадцать... Было двенадцать, — поправил себя я. — Одну она разбила.

— Что написано на коробке?

Я назвал фармацевтическую фабрику, наименование иммунодепрессанта, цифровой код, условия хранения. Столешко меня прервал:

— Достаточно. Я все сделаю.

Я уже с тревогой поглядывал на окно. Банщик похлопал меня по спине:

— На десятку наговорил!

— Учти, — предупредил я Столешко, — я приду пустой. Сначала ты выполнишь мои условия, а только потом я скажу тебе, где *это* спрятано. Так что побеспокойся о моей безопасности. И не вздумай тянуть время — твои ампулы лежат в тепле и могут протухнуть.

— Хорошо, хорошо!

— И последнее! — торопливо сказал я, услышав, как за окном скрипнули тормоза автомобиля. — Тебе может позвонить кто-нибудь еще, с теми же условиями. Не соглашайся — это будет блеф. То, что тебе надо, — только у меня...

Я опустил трубку, сказал банщику, что рассчитаюсь при выходе, и, придерживая на себе сваливающуюся «тунику», поспешил в моечный зал. Рискуя поскользнуться на обмылках, раскиданных по теплому мокрому кафелю, я приблизился к окну, прихватив по пути шайку; кинул ее на пол, встал на нее и дотянулся до шпингалета. Я скинул с себя простыню, словно открывал себя как памятник. Распахнув створку окна, я встал на подоконник и прыгнул на скобу трубы. С десяток голых людей, покрытых пеной, молча и бесстрастно смотрели на меня.

— Прикройте, пожалуйста, окно! — попросил я и полез по трубе вверх.

Поднявшись до уровня крыши, я благополучно перепрыгнул на нее, сел на краю карниза, свесив ноги, оделся, а потом несколько минут любовался оперативной работой Панина и его верноподданных. Пяток крепких милиционеров оцепили вход в банно-прачечный комбинат, другой пяток, толкаясь в узком дверном проеме, ринулся внутрь здания. Я мысленно пожурил их за суетливость и неорганизованность и спрыгнул с противоположной стороны на большую кучу угля, насыпанную рядом с котельной. Пока Панин будет смывать пену со всех посетителей, рыскать по душевой, парной и тыкать палкой по дну бассейна, пройдет не меньше десяти минут. Этого времени мне вполне хватит на то, чтобы неторопливо дойти до неухоженных дебрей школьного сада. А оттуда я смогу незаметно пройти на дальние огороды, спуститься к реке и вдоль нее дойти до высокого песчаного обрыва. Там, под забором усадьбы, я дождусь, когда на моих часах пропиликает восемнадцать ноль-ноль и наступит время встречи со Столешко.

Глава 50

ШЕРСТЯНАЯ ПОВЯЗКА

«На этот случай мне бы не помешал пистолет, — думал я, медленно ступая по влажным листьям оврага и постоянно озираясь по сторонам. — Надо было взять его у Татьяны, как я это уже делал — прижать к стене и сунуть руку ей под куртку... Вышла девочка из игры, сдалась. Она упустила и коробку с ампулами, и инициативу. Жалко, конечно, ее растоптанное профессиональное достоинство. Когда вернусь с документами к Родиону, надо будет уступить ей финал. Пусть вместе с Родионом и Ледой едет к Панину и все ему объясняет. А я буду пить водку и отсыпаться...»

Чем ближе я приближался к месту встречи, тем сильнее меня охватывала нервная дрожь. Я вспоминал свои слова, сказанные Столешко по телефону, тот ребус, в котором я зашифровал время и место встречи. Сумма гонорара — двадцать тысяч баксов. Убрать три нуля — двадцать. Вычесть два — восемнадцать. Все правильно. Мои часы показывали восемнадцать часов три минуты. Он уже должен стоять у могилы.

Я остановился на дне оврага, до боли в глазах всматриваясь вперед. Между серых стволов деревьев проглядывала кучка глинистых комков и лежащее рядом сучковатое бревно с корявыми ветками. «Что-то его не видно, — подумал я. — Может, прячется где-нибудь выше и оттуда высматривает меня?»

Хлопая крыльями, над моей головой пролетела черная птица. От неожиданности я вздрогнул, по спине прошел холодок. Мелкий дождь, задерживаясь в сети из плотно сплетенных веток, редкими тяжелыми каплями падал на землю. Я поднял воротник куртки. «Иногда интуиция мешает, — подумал я. — Слишком разговорчива и осторожна».

Я пошел дальше, но уже совсем медленно. Панин, подслушав разговор, не мог вычислить место нашей встречи без помощи Столешко, думал я. Но трудно поверить, что Столешко добровольно выдал меня милиции. Это для него смертный приговор. Не мог он это сделать. Не должен был это сделать...

К подошвам кроссовок стала налипать грязь. Я посмотрел под ноги. Комки земли были раскиданы вокруг ямы... Точнее, ямы уже не было, ее закопали и разровняли бруствер. А ту землю, которая не вошла, раскидали в стороны... «Так быть не может, — думал я. — Бревно, которое Родион использовал для объема, второй раз закапывать не стали. Вот оно лежит. А земля все-таки не уместилась в яме. И ее, чтобы не было холма, раскидали».

Я не мог оторвать взгляда от клочка перекопанной земли, напоминающей маленькую грядку, словно кто-то решил разбить в лесу огород. От него исходил какой-то притягательный ужас. Я опустился на корточки, сжал в кулаке пучок травы и приподнял тяжелый срез дерна, словно человеческую голову за волосы. Остановиться уже не было сил, и я стал разгребать рыхлый грунт ладонями, и чем глубже уходили в землю мои руки, тем страшнее мне становилось. И когда я уже вымазал рукава куртки по локоть, нащупал под слоем земли ткань и, холодея, схватился за нее и потянул на себя. Опять, мысленно твердил я, опять закопали какую-то одежду. Это была бессмысленная попытка обмануть себя, потому что я уже видел рукав серого плаща, черные пуговицы с рельефным вензелем «Г», чувствовал его тяжесть и не смог не крикнуть, когда, взрыхляя землю, на поверхность вырвалась скрюченная, паукообразная, почерневшая рука.

— Тебе не надоело здесь ковыряться?

Я выпрямился тугой пружиной. Передо мной стоял Столешко. Он был в больших черных очках, лицо его наполовину прикрывала широкополая шляпа. Свитер с высоким воротом накатывал на подбородок. И все же я без труда заметил воспаленные шишки и гнойные корки на его небритых щеках. Губы распухли и потрескались, край рта кровоточил, и Столешко прикладывал к нему платок в бурых пятнах. Перемена, которая произошла с ним за последнее время, была разительна. От прежнего сходства с Родионом почти ничего не осталось. Передо мной стоял больной урод.

— Ты выбрал не совсем удачное место, — сказал Столешко хриплым голосом и прижал платок ко рту. — Тебя могут сверху заметить охранники. Спустимся по оврагу ниже, только быстрей!

Он перешагнул через руку мертвеца и пошел вниз, ничуть не опасаясь идти ко мне спиной. Он действительно беспокоился о том, чтобы меня никто не заметил, но в его поведении что-то меня настораживало.

— Значит, так, — говорил он, не оборачиваясь. — Будем беречь время — и твое, и мое. В твоем распоряжении десять минут. Если я не поднимусь к особняку, Гонза по радио вызовет милицию... Панин совсем рядом, у ворот...

Он резко остановился, обернулся и протянул мне какой-то предмет. Я не сразу понял, что это диктофон.

— Для начала послушай запись. Она короткая, всего минуты на две...

Я не прикоснулся к диктофону, и тогда Столешко сам включил кнопку воспроизведения и поднес ладонь с диктофоном почти к моему лицу. Я сразу узнал голос Татьяны, хоть он и был искажен мембраной телефона:

«Слушай меня, Столешко! Если ты не хочешь, чтобы я разбила все оставшиеся ампулы, через пятнадцать минут ты должен ждать меня на автобусной остановке у ворот в усадьбу с паспортом и свидетельством о браке Родиона...»

(«Все-таки она сделала по-своему, — подумал я. — Бешеная лисица! Рысь! Камышовая кошка!»)

«Подожди, подожди! — прозвучал громкий и более отчетливый голос Столешко. Должно быть, он держал диктофон у самого рта, когда говорил по телефону. — Они у тебя?»

«Да, у меня! Ты получишь их спустя полчаса после того, как отдашь мне документы».

(Господи, какой дешевый блеф! Дурак поймет, что никаких ампул у нее нет!)

«Но чем ты можешь доказать, что ампулы у тебя?»

«Разве не достаточно того, что я передала тебе одну ампулу через охранников?»

«Но она была разбита! А где остальные? Мне нужны гарантии!»

«У меня в руках записка от Мухина, которую он передал мне вместе с ампулами. Могу зачитать... «Предполагаю, что это антилимфоцитарная сыворотка, но нужно подтверждение эксперта. Срочно слетай в отделение милиции, найди Дудина Геннадия Васильевича, пусть немедленно сделает заключение...» Достаточно?»

«Достаточно. Только я подъеду к остановке на машине, чтобы охранники не видели».

«Хорошо. Запомни — через пятнадцать минут, и не пытайся валять дурака, иначе ампул тебе не видать как своих ушей... Если, конечно, они у тебя еще не отвалились...»

Столешко выключил диктофон и сунул его в карман пальто. Из другого кармана он достал желтую налобную повязку и повесил ее мне на руку, как на гардеробный крючок. Я стоял перед ним, согнув в локтях выпачканные в глине руки, и смотрел на шерстяное вязаное кольцо, которое еще днем было на голове у Татьяны.

— Надеюсь, ты догадался, что мы встретились с Татьяной, поговорили, и мне пришлось ее временно задержать. Сейчас она сидит в холодном сыром подвале и ждет от тебя подвига. Я надеюсь, что ты поможешь ей обрести свободу, — изменил тон Столешко и кинул недвусмысленный взгляд на могилу. — Чем быстрее ты привезешь мне ампулы — все одиннадцать штук, — тем быстрее я ее отпущу. Обмен, по-моему, равнозначный. Ты со мной согласен?

— Послушай, Столешко, — произнес я, чувствуя, как

онемел во рту язык. — Чего ты добиваешься? Ты же проиграл. На твоей поганой физиономии уже все написано. Если я не дам тебе ампулы, то через неделю от твоей рожи останется один голый череп и Родион собственной рукой вобьет в него ржавый гвоздь...

— Я знаю, — спокойно сказал Столешко. — Но через неделю в этом овраге будет братская могила, и если ты еще не будешь сидеть в тюрьме, то вместе с Родионом выкопаешь не только Мухина, но и гнилые трупы Татьяны и князя.

— Ты получишь от этого удовольствие?

— Я хочу жить! — вдруг страшным голосом крикнул Столешко и затряс кулаками у себя над головой. — Я хочу вернуться к нормальной жизни! Я альпинист, понятно? Отдай мне ампулы, и я уйду из усадьбы!

— Ты убийца, Столешко, — ответил я. — А за убийство Мухина милиция никогда не даст тебе уйти и спокойно жить, поверь мне.

— А это еще надо доказать, что я его убил! — зашипел Столешко и помахал пальцем перед моим лицом. — Это он, Филя! Это он пытает князя и делает из него идиота! Это у него руки по локоть в крови! А я... я...

Он издал какой-то утробный звук, всхлипнул и ломаным голосом произнес:

— Я был нормальным человеком! «Снежным барсом»! Три восьмитысячника! А вы с Родионом впутали меня в это грязное дело! Я докажу! Я все докажу! У меня есть записи! Свидетели! Я докажу, как вы впутали меня в свои грязные делишки! Вы не уйдете от возмездия!

— Не надо врать, — произнес я. — Тебя просили всего лишь посидеть пару недель в Хэдлоке, а ты, сволочь, решил сыграть по-крупному и присвоить наследство князя.

— Нет!! — завопил Столешко. — Ложь!! Я хочу только... я хочу вернуть свое лицо! Господи, как мне страшно!!

Его прорвало, и слезы полились по изуродованным щекам. Он прижал кулаки к глазам и отвернулся от меня. Плечи его вздрагивали, со шляпы, словно слезы, срывались капли дождя.

А ведь я легко мог бы его убить, думал я, глядя на сутулую спину Столешко. И он знает об этом. Знает, но не боится. И не потому, что я воспринял известие о Татьяне спокойно, будто мне все равно. Сердце не дрогнуло, это правда. Но это не демонстрация выдержки. Нервы, крики, рваная рубашка на груди — это все лишнее. Спокойная запрограммированность убеждает сильнее. Я как робот буду делать все возможное, чтобы помочь ей, — молча идти через стены, без каких-либо эмоций ставить на кон свою жизнь, без колебаний отдавать последнее, как будто спасаю себя самого. Наверное, я все еще люблю ее. И Столешко знает об этом лучше меня, потому спокойно поворачивается ко мне спиной...

— Я приду сюда через полчаса, — произнес я и пошел по дну оврага к забору.

Глава 51

КЛИН КЛИНОМ

Банщику я не стал ничего объяснять, несмотря на его округленные глаза, молча прошел мимо его стойки к окну и вытащил из-за батареи коробку с ампулами. На моем лице, наверное, была написана полная готовность взорваться от любого, самого безобидного вопроса, и банщик предпочел молчать. Я без спросу достал из-под стойки телефон, набрал номер Родиона, но трубку на другом конце провода никто не взял.

Я вздохнул, выразительно посмотрел на банщика, который под давлением моего взгляда начал нервно ощипывать сухой веник, и вышел. Все складывалось из рук вон плохо. И во всем была виновата Татьяна. Я чувствовал себя так, словно на мне был ошейник.

Я вернулся к усадьбе прежним маршрутом. Быстро темнело. Небо заволокло низкими тучами. Усиливался ветер. Прежде чем перелезть через забор, я вынул из-за пазухи коробку с ампулами и долго рассматривал ее, словно пытался отыскать какой-нибудь мудрый совет. Отдать ампулы Столешко — значит, лишить себя самого мощного оружия против него. Но не отдать — значит подвергнуть жизнь Татьяны серьезному риску. Столешко блефовать не станет, на карту поставлена его жизнь. В таком состоянии он способен на самый жестокий и безумный поступок. Отдать нельзя. Не отдать — тоже. Тупик.

Я раскрыл коробку, выбрал из нее все ампулы и рассовал их по карманам. Коробку разорвал на кусочки и втоптал в песок. Можно еще поторговаться, думал я, хватаясь за чугунные копья ограды. Половину отдать за Татьяну, оставшиеся ампулы обменять на документы. Попытка не пытка. Иного выхода у меня нет.

По оврагу я бежал. Фигура Столешко темнела впереди, напоминая спиленный телеграфный столб. Я остановился шагах в десяти от него.

— Принес? — спросил Столешко.

Он широко расставил ноги и сунул руки в карманы. Своей позой он будто хотел показать, кто хозяин положения.

— Сначала веди к Татьяне, — потребовал я.

— Нет проблем! — Столешко оказался на удивление сговорчивым. Он повернул голову в сторону, показывая взглядом на густые заросли молодой рябины, и добавил: — Можешь забирать.

В первое мгновение я понял: происходит что-то не то. Татьяна вышла из-за частокола деревьев без конвоя, расслабленно, шурша листьями и глядя себе под ноги. В опущенной руке она держала пистолет. Казалось, она не видит или же не узнает меня. Но, приблизившись, девушка вскинула руку с пистолетом и направила черный зрачок ствола мне в лицо.

— Ампулы, — тихо сказала она.

Мне захотелось выругаться и выпить водки одновременно. Я ровным счетом ничего не понимал.

— Ты... — пробормотал я, с трудом сдерживаясь, чтобы не протереть глаза. — Это как понять?

— Не тяни, — произнес Столешко. — Лучше делай, что она говорит.

— Татьяна! — воскликнул я.

— Молчать! — оборвала меня девушка. — Дай мне ампулы!

— Я тебя не понимаю! — клялся я, не желая верить очевидному.

Татьяна медленно поднесла к пистолету другую руку и передернула затвор, досылая патрон в патронник. Теперь тупая головка пули была нацелена в меня.

— Может быть, ты еще и стрелять будешь? — спросил я.

— Может быть, — ответила Татьяна. — Дай мне ампулы. Считаю до трех...

— А ты не больная, Таня?

Оглушительный щелчок выстрела заставил взлететь с веток воронье. Овраг наполнился истошным карканьем. Окаменев, я прислушивался к своим ощущениям, пытаясь определить, в какую часть тела вонзилась пуля, и вонзилась ли вообще. Боли, если говорить только о физической, не было.

Я вынул из кармана куртки две ампулы и кинул их на землю.

— Остальные! — потребовала Татьяна, продолжая смотреть на меня через прицел пистолета.

— Остальные я закопал на сто тридцать шестом километре араповопольской магистрали.

— Ты врешь. Я видела, как ты рассовывал их по карманам.

— Позволь, я его обыщу? — оживился Столешко, глядя голодными глазами на ампулы, лежащие на земле.

— Конечно! — возразил я. — Позволю я тебе прикасаться ко мне своими погаными руками!

Мое упрямство могло стоить мне слишком дорого. Я ведь не Бэтмен, не Найтмен, чтобы взлететь над усадьбой и совершить массу подвигов, тем более что Татьяна в них вовсе не нуждалась. Я чувствовал пустоту в душе. Стержень, на котором держалась моя воля и сила сопротивления, сломался быстро и легко. Я не испытывал к Татьяне ненависти, она уже не вызывала во мне недоумения. Девушка поступала так, как считала нужным. Это было ее право — выбирать, кого держать на прицеле, а кого нет. Она профессионал, она работала, она делала себе карьеру, премиальные и мостила дорогу к высоким должностям. А я играл в рыцаря.

Я принялся вытаскивать ампулы из карманов и кидать их на землю. Столешко ползал у моих ног и подбирал их, как холоп мелкие монеты, раскиданные пьяным и щедрым барином. Татьяна вытянула в его сторону руку и нетерпеливо пощелкала пальцами.

— Да, да! — спохватился Столешко, встал на колени, похлопал себя по груди и вынул из внутреннего кармана пальто две тонкие книжечки в кожаных обложках. — Вот паспорт, а вот свидетельство.

Татьяна взяла документы, поочередно раскрыла и спрятала под куртку.

— Я вам больше не нужен? — спросил я и, не дожидаясь ответа, пошел по склону вверх, к особняку.

Сейчас я наделаю много ошибок, думал я. Но зато впервые испытаю, что такое полная свобода, когда ничего не боишься и не жалеешь себя.

Я стал выбираться наверх. Обошел на почтительном расстоянии могилу, свернул немного в сторону, к замшелому стволу старого дерева, окруженного, словно колючей проволокой, кустами малины. Царапая руки, раздвинул ветви и нащупал горловину банки с кислотой. Надеюсь, не выдохлась, подумал я.

Особняк Родиона казался слепым из-за ставней, которыми были наглухо закрыты окна. Между стволов деревьев пробивались лучи фонарей, стоящих вдоль главной аллеи. Я сделал всего несколько шагов по направлению к ней, как меня догнала Татьяна и взяла за руку.

— Подожди, надо поговорить!

Я остановился, бережно прижимая банку к груди.

— Зачем тебе это? — спросила она.

— Пельмени поливать буду, — ответил я.

— Я обязана довести это дело до конца, — произнесла Татьяна. В ее голосе уже не было прежнего металла. — Я обязана защищать Родиона. От уголовников, от милиции — от кого угодно. Обязана, понимаешь?

— Понимаю, — охотно признался я. — Не дурак.

— И потому документы должны были попасть в мои руки, а не в твои, — оправдывалась она, заглядывая мне в глаза.

— Значит, это была твоя идея — магнитофонная запись, налобная повязка, сырой подвал? — на ходу спросил я, вытаскивая из кармана желтую повязку и делая вид, что вытираю ею нос. — Ты сговорилась со Столешко и заманила меня в ловушку?

— Да какое это сейчас имеет значение? Мы получили документы! Мы вырвали у этого оборотня жало. У него теперь ни лица, ни документов!

— Танюша, — тихо произнес я, — а у тебя есть настоящее лицо? Ты когда-нибудь отдыхаешь от работы? Когда-нибудь бываешь сама собой, чистой от лжи и игры?

— Все уже кончено, Стас! — взмолилась Татьяна. — Расслабься же ты наконец! Я вызвала милицию. Панин будет здесь с минуты на минуту. И Родион с Ледой вот-вот подъедут.

— И вы начнете ловить Столешко и Филю, как тараканов в темной комнате?

— Это не твое дело! Мы, а не ты о них позаботимся! Это наша работа! Ты мешаешь профессионалам!

— В вашем профессионализме я успел убедиться, когда дважды едва не загремел за решетку. К тому же у меня свои счеты с Филей.

— Ты не сможешь войти в хозяйский дом! Охранники будут стрелять без предупреждения, и твой красивый порыв закончится очень плачевно... Господи, какой же ты упрямый!

— Ну? — произнес я. — Почему же ты не угрожаешь мне пистолетом? Давай доставай свою игрушку!

— Тупица, — тихо произнесла Татьяна. — Упрямый осел.

— Ты очень точно меня характеризуешь...

— Что ты хочешь мне доказать?!

— То, что женщина становится некрасивой, склочной и грубой, когда пытается подменить собой мужчину.

— Что? — ахнула от негодования Татьяна. — Склочной и грубой?

Кажется, она пыталась влепить мне пощечину, но я вовремя закрылся банкой.

— Осторожнее, — предупредил я. — Это концентрированная серная кислота. Одна капля прожигает ладонь за семь секунд.

— Но почему, почему я повстречала именно тебя, а не нормального человека! — со слезами в голосе произнесла Татьяна. От порыва ветра распахнулась входная дверь особняка, звякнул ключ, вставленный в замочную скважину изнутри. Это было знамение.

— Давай зайдем, — предложил я, — и я тебе в спокойной обстановке объясню, почему ты не повстречала нормального человека.

Татьяна не стала возражать и в расстроенных чувствах направилась к двери. Я поставил банку у крыльца и зашел следом за Татьяной в прихожую. На минуту мы застыли, как мраморные статуи, прислушиваясь к завыванию сквозняка где-то в каминном зале апартаментов Родиона. Было сыро и неуютно. Ничего, подумал я, наверху полно одеял.

— Ты помнишь... — не к месту начала вспоминать что-то хорошее Татьяна, но я не дал ей досказать и крепко обнял. Полагая, что мною движут безусловно нежные чувства, Татьяна сразу все мне простила и, считая себя прощенной, прикрыла глаза и подставила губы для поцелуя.

Я тотчас воспользовался ее беспомощным состоянием, провел рукой по груди и без труда извлек пистолет из кобуры. Татьяна не успела оценить, насколько мой поступок подл и коварен, как я мягко толкнул ее на поручень лестницы и быстро вышел вон, не забыв по пути вытащить из замка ключ. Чудовищный град ударов, сопровождаемый пронзительным визгом обманутой самки, обрушился на дверь, но я уже крепко подпирал ее плечом и проворачивал ключ на третий оборот.

Ужасные эпитеты неслись из-за запертой двери в мой адрес, среди которых «негодяй» и «мерзавец» были самыми ласковыми, но я удалялся от особняка настолько быстро, что очень скоро оказался во власти тишины поздних сумерек. Мысленно сочинив оправдательную теорию, что влюбленный мужчина — подневольный человек, не способный решать ответственные задачи, и потому на период активных физических действий должен изгонять из своего сердца всяческую амурную блажь, я избавил себя от угрызений совести и нежно погладил гладкую прохладную сталь спрятанного в кармане пистолета.

Когда я дошел до грота с его строгими арочными пролетами, двумя симметричными лестницами с белыми поручнями и балясинами, полого поднимающимися на открытую террасу с конусовидной крышей на колоннах, то почувствовал, как в груди что-то сжалось от тоски по безвозвратно ушедшей чистоте помыслов и надежд князя. Это легкое, нежно-розовое строение, которое князь хотел отдать под музыкальный салон, так и осталось недостроенным. Прекрасно разбирающийся в зодчестве и архитектуре, князь запутался в поисках нравственности. И в одном, и в другом все остановилось. Впрочем, моим утонченным чувствам не пришлось развиваться дальше.

Ослепительный свет фар фонтаном прошелся по стволам деревьев, выдавливая из них тонкие и длинные тени. Я услышал гул автомобильного мотора и отрывистые крики. Машина — кажется, это был «Понтиак» — медленно катилась по аллее. Я прижался к стволу дерева, но тотчас понял, что очень скоро буду заметен не хуже, чем суфлерская будка на сцене. Не теряя времени, я пригнулся и побежал к гроту. Чтобы не светиться на длинной и совершенно открытой лестнице, я нырнул в арочный пролет, откуда на второй этаж, в салон, вела винтовая служебная лестница.

В большой круглой комнате, пол которой был засыпан свежими, пахнущими сосновой смолой стружками, я присел у пустой оконной рамы и сунул руку в карман, где лежал пистолет. «Понтиак», поливая все перед собой светом фар, поравнялся с гротом. Я думал, что машина поедет дальше, к тыльным воротам, но она круто повернула к гроту, проехала через строй молодых дубков и остановилась в нескольких метрах от лестницы. Хлопнули двери. Я увидел, как к гроту побежали охранники, огибая его с двух сторон. Все были вооружены винтовками.

Тогда-то я испугался по-настоящему и уже без колебаний вытащил из кармана «макаров». Я недоумевал, как они могли заметить меня, если я ни разу не попал в свет фар. Но мое недоумение длилось недолго. Снизу донеслось хриплое дыхание и крадущиеся шаги. Не успел я нацелить пистолет на лестницу, как из проема показалась широкополая шляпа. Столешко!

Он не сразу заметил меня в темноте, поднялся, путаясь в тяжелых длинных полах Родионового пальто, потом упал на колени и наконец заметил меня. Он оцепенел.

— Эй, дружище! — донесся из парка голос Фили. — Мы знаем, что ты там прячешься. Будет лучше, если ты сам спустишься вниз!

— Не выдавай меня! — зашипел Столешко и ткнулся лбом в стружки. Шляпа слетела с его головы, темные очки съехали на нос. Я внутренне содрогнулся от омерзительного вида его лица.

— Ляг на пол, — спокойно и тихо сказал я.

— Не выдавай, умоляю, — шептал Столешко, растягиваясь на стружках. — Все, что хочешь... Они меня убьют...

— Ты меня хорошо слышишь, дружище? — продолжал вещать снизу Филя. Я не мог видеть его. Кассир, должно быть, стоял рядом с машиной, и ослепительный свет фар делал его невидимым. — Не заставляй нас вытаскивать тебя силой! Я гарантирую тебе безопасность взамен на твое послушание!

— Он лжет! — бормотал Столешко, прижимаясь щекой к стружкам. — Он меня сразу же убьет и растворит в кислоте! С таким лицом я больше никому не нужен...

— И мне в том числе, — заверил я. Столешко уткнулся носом в пол, стал загребать руками стружки и тихо скулить.

— Прости меня... — выдавливал он из себя. — Умоляю, прости... Я хочу жить, хочу вылечиться... Мне еще нет тридцати... Я же талантливый альпинист...

— К тому же еще и скромный, — добавил я. — Но все равно тебе надо будет посидеть в тюрьме.

— Да, да, — с чувством зашептал Столешко. — Я согласен! Там меня хотя бы не убьют и вылечат! Сдай меня Панину, пожалуйста! Помоги уйти от этих убийц!

— Дружище! — устало повторил Филя. — Сколько можно просить? Даю пять минут на размышления, а потом не обижайся.

Я полулежал, опираясь спиной на брусовую стену, и искоса наблюдал за машиной и силуэтами охранников, оцепивших грот. Столешко молил меня о помощи и не знал, что я находился в том же положении, что и он. Быть может, еще в более худшем — не только Филя, но и милиция, и даже Татьяна были моими врагами. Если ничего не предпринимать, то через пять минут охранники поднимутся сюда и, кроме Столешко, обнаружат меня. Ну, уложу я двоих или троих. Это ничего не меняет, и оставшиеся церберы изрешетят меня из своих стволов.

— Снимай пальто, — сказал я. — Да не поднимай же ты голову, чучело!

Урод смотрел на меня из-за стружек и не понимал, зачем мне понадобилось его пальто.

— Поторопись, у тебя осталось меньше пяти минут! — напомнил я.

— Да, да...

Он перевернулся на бок и стал расстегивать пуговицы.

Потом вынул из нагрудного кармана связанный в узел платок и бережно опустил его на пол. Развязал, разровнял, и я увидел горсть ампул и шприц. «И надо ему было себя калечить?» — подумал я, снимая с себя куртку и кидая ее Столешко.

— Останешься здесь, — сказал я, с брезгливостью надевая на себя тяжелое пальто. — Сиди как мышь, пока я не приду.

— Да, да, — бормотал Столешко, отламывая у ампулы кончик и окуная в нее иглу шприца.

— И не вздумай уйти, Фантомас!

— Куда я уйду?.. После инъекции мне три часа лежать надо...

Он задрал к груди рубашку и всадил иглу под правое ребро. Я отвернулся и водрузил на голову шляпу. Она оказалась несколько великовата и съехала на уши.

— Очки дай!

Столешко обмякал. Он разобрал шприц, спрятал иглу в колпачок и осторожно свернул платок.

— Время прошло, дружище! — крикнул с улицы Филя. Я оттянул затворную планку пистолета, надел очки, оперся о косяк рамы и двумя точными выстрелами погасил фары машины.

В наступившей внезапно темноте началась суета. Охранники и Филя, привыкшие к свету, теперь были слепы, как котята. Моля бога, чтобы он не дал мне запутаться в полах пальто, я вылез через окно на внешнюю лестницу и, перемахнув через перила, спрыгнул вниз. Подо мной затрещали кусты, кто-то закричал, один за другим хлопнули несколько выстрелов.

— Вот он!.. За деревом!.. Слева от лестницы! — раздались из темноты голоса.

Я выстрелил еще пару раз — не целясь, заставляя охранников держаться от меня на почтительном расстоянии, и, прикрывая лицо от веток, помчался через заросли к оврагу. Шляпа здорово защищала уши, а пальто — ноги и руки, и я летел по парку снарядом. Кажется, кто-то пытался меня преследовать, но не слишком настойчиво, так как вскоре за моей спиной стихли и крики, и беспорядочная стрельба. Я повалился на прелую листву, от которой уже шло тепло набирающей силы весны, и лежал так до тех пор, пока в груди не успокоилось сердце.

Я, как всякий нормальный человек, испытывал больше страха перед покойником, нежели перед живыми людьми, хотя умнее было бы делать наоборот, и потому не стал приближаться к могиле, обошел ее по широкой дуге и поднялся к особняку.

Послушав тишину, которой был наполнен дом, я постучал в дверь и негромко спросил:

— Эй, мышка! Ты там еще не уснула? — И только сейчас вспомнил, что оставил ключ от этой двери в своей куртке. Мышка не сразу подала признаки жизни, и мне пришлось постучать громче.

— Пошел вон, — донесся до меня из-за двери измученный разочарованиями голос Татьяны.

— Слушаюсь, — ответил я, поднял с земли банку с кислотой и пошел к хозяйскому дому, к которому мне не удалось подойти с первой попытки полчаса назад.

Глава 52

ФИНАЛ

Хозяйский дом напоминал штаб революции в решающую ночь. Во всех окнах горел свет. Со второго этажа доносилась музыка — правда, далеко не революционные марши. У входа скучал охранник. Я опустил голову, чтобы он не смог узнать меня, и хозяйской поступью приблизился к двери.

Однако охранник вовсе не думал отдавать мне почести и даже не встал по стойке «смирно». Видимо, охота на Столешко началась еще днем, и о ней знала вся усадьба. Ничего удивительного! Филя опять намеревался продемонстрировать удивительную способность выходить сухим из воды. Не стоило сомневаться: он понял, что Родион жив, а когда увидел, какая страшная метаморфоза стала происходить с лицом Столешко, то немедленно начал заметать следы и готовить себе оправдание. Убить, стереть с лица земли Столешко — это действительно было самым разумным решением. Прекрасная формула: нет Столешко — нет и доказательства преступного сговора с ним. И когда Родион на белом коне въехал бы в усадьбу, Филя вместе со всеми служащими как ни в чем не бывало начал бы верой и правдой служить ему. И на любые вопросы следователя недоуменно моргал бы глазами: «Простите, не расслышал, о каком таком двойнике вы говорите? Какая такая подмена? Не знаю никаких столешек. Кому служил вчера, тому служу и сегодня... Ах, это были разные люди?! Виноват, гражданин начальник, никогда бы не подумал!» И все. Взятки гладки. Обвинить его и всю гнилую команду в групповом предательстве будет невозможно.

Словом, мое появление охранник воспринял, как охотник, сидящий в засаде, если бы об его спину вдруг почесался лось. Он сдвинул пятнистую кепку на затылок, негромко охнул, будто я ненароком дал ему под дых, и начал восторженно заводиться:

— А куда это ты идешь?! Куда это ты направился с таким решительным видом?

— Отец просил... — бормотал я, не поднимая головы.

— Что?! Назад, говорю, давай! Руки за голову!

— Отец просил самогонки принести, — произнес я, приподнимая банку. — Местная экзотика...

— Какая еще экзотика? Это ты у нас местная экзотика! Что за гадость?

— Первач, — объяснил я и снял стеклянную крышку с горловины. — Можешь попробовать.

Охранник попался и сам сунул голову в петлю. Едва он склонил свой нос над банкой, я плеснул ему в лицо кислотой. Вопль был ужасный, и, если бы не музыка, доносившаяся сверху, он бы заставил проснуться в холодном поту добрую часть Арапова Поля. Выронив помповое ружье, охранник отпрянул от меня и схватился руками за обожженное лицо. Я поднял с земли ружье и кинул банку под ноги охраннику. Стекло лопнуло, и едкая маслянистая жидкость растеклась по земле. Теперь здесь никогда не будет расти трава, почему-то подумал я и одним ударом сбил охранника с ног. Он упал спиной на кусты, я перевалил его на клумбу, затолкал ему в рот кепку вместе с землей и стянул руки за спиной его же курткой.

На втором этаже толпа прыгала по полу в такт музыке, и потолок над моей головой вибрировал. Стараясь не задерживаться в прихожей, где меня могли заметить сразу несколько человек, я прошел по коридору к кабинету князя. Надежды увидеть его там у меня не было, и меня задело по сердцу не столько пустующее кресло Орлова, сколько непривычный беспорядок в кабинете. Книжные стеллажи, которые от пола до потолка закрывали все стены, бесследно исчезли, книги были стопками сложены у окна. Широкой полосой по всему периметру стен шли зеркала, иллюзорно делающие кабинет необыкновенно просторным и пустым. Письменный стол с чернильным прибором был сдвинут в угол, и на зеленом сукне отпечатались белые следы чьих-то ботинок. Печь, облицованная глазурованной плиткой, была выщерблена, часть ее угла обрушилась, на полу лежали кирпичные крошки — кто-то пытался разнести печь кувалдой, да, видимо, не хватило сил.

Я погасил в кабинете свет, открыл настежь окно и снова вышел в коридор. Теперь я стал замечать детали, которые не заметил раньше. Пахло известью и сырой бумагой. Обои во многих местах были оборваны, пол присыпан известковой пудрой. Многочисленные следы ботинок цепочкой тянулись от приемной князя до прихожей и дальше — к комнатам прислуг и кухне. Все двери первого этажа были заперты, изнутри не доносилось никаких звуков.

Послышался шум мотора. Я быстро пошел к выходу. Прежде чем выйти на крыльцо, снял кроссовки, подошвы которых оставили бы на ступенях известковые следы, тенью выскочил наружу и присел за кустами самшита.

«Понтиак» остановился перед дорожкой, ведущей к дому. Я слышал, как хлопнула дверь, как Филя приказал кому-то прочесать с фонарями весь парк. Вскоре я увидел его. Кассир шел на шаг впереди охранника, который сопровождал его, слишком рьяно вращая по сторонам головой. Филя тер платком нос, покашливал и сосредоточенно смотрел себе под ноги. Он приближался к крыльцу достаточно быстро, погруженный в свои мысли, но не был бы Гонзой, хитрым и изворотливым преступником, если бы не обратил внимание на отсутствие у двери охранника, выключенный свет в кабинете князя и распахнутое настежь окно.

«Все-таки тебя можно просчитать», — с облегчением подумал я, увидев, как кассир резко замедлил шаги, встал за колонной, прикрывая себя от черного взгляда хозяйских окон, и кивком головы показал охраннику на дверь.

— Сходи посмотри, что там...

Охранник храбро кинулся вперед, распахнул дверь, повел по сторонам стволом помпового ружья и с воинственным видом исчез в прихожей. Дверь за ним захлопнулась. Я медленно выпрямился, на цыпочках подошел к Филе, который внимательно смотрел на половые доски, и приставил к его затылку «макаров».

— Тихо, — шепнул я и большим пальцем оттянул курок. Филя замер, вспоминая мой голос, и на это ему не понадобилось много времени.

— Рад тебя слышать! — с оптимизмом сказал он.

— Напрасно, — возразил я и просунул у него под рукой ствол ружья. — Открывай дверь и выбирай стену, с которой будешь соскабливать свои мозги.

— А в чем, собственно, дело? — задал Филя идиотский вопрос. Мне пришлось стукнуть его стволом по затылку. У кассира сразу пропала охота выяснять причину моего столь негуманного поведения. Открыв дверь, он вошел в прихожую и остановился перед лестницей, полагая, что я поведу его на второй этаж.

— Где князь? — спросил я.

— Он болен...

— Я спрашиваю, где он находится?

— Послушай, дружище, — приветливо произнес Филя. — Давай так: ты высказываешь мне все свои претензии, и мы вместе обсудим...

Мой горячий характер немедля заявил о себе. Ненависть и злость затмили сознание. Сильным рывком я развернул Филю лицом к себе, толкнул его на стену и вставил ему в рот ствол пистолета. Я не рассчитал силы, и из разбитой губы кассира, смешавшись со слюной, на подбородок стекла струйка крови. В каштановых глазах отразилась боль.

— Вот что, тварь скользкая, — заговорил я. — Не надейся, что я сдам тебя милиции. Для меня будет лучшей наградой и утешением нашпиговать свинцом твой поганый череп, а потом на твоей могиле построить образцово-показательный сортир. Мне не нужны ни правосудие, ни справедливость. Я хочу твоей смерти. Я умираю от желания наступить ногами на твой труп, понимаешь меня?

Филя тяжело дышал. В его горле булькала кровь. Он судорожно глотал ее и косился на ствол пистолета, как пациент стоматолога на щипцы. Я вынул пистолет, вытер ствол о куртку Фили.

— Собственно, ты мне не нужен, я все равно найду князя. Продолжительность остатка твоей жизни зависит только от того, на сколько еще у меня хватит сил видеть тебя живым.

Я сам не знал, насколько искренне говорю и как близок к тому, чтобы осуществить свою угрозу. Но на Филю мои слова подействовали, он не стал дожидаться, когда я вставлю ему в рот ствол ружья, и кивнул на дверь комнаты горничной.

— Там!

Не нагибаясь, я принялся надевать кроссовки. Филя видел, как я топчусь на месте, не рискуя пригнуться и взяться за шнурки, и, кажется, посмел усмехнуться. Будь у меня нервная система более расшатанной, я бы влепил ему в физиономию ружейный заряд.

— Ну! Смейся! — говорил я ему, сдавливая цевьем ружья его горло. — Почему же ты не смеешься, а хрипишь?

Я слишком много времени тратил на дрессировку этого негодяя. Охранник, который сопровождал Филю, уже показался в конце коридора. Схватив Филю за волосы, я поставил его перед собой, и с его плеча выстрелил — так, чтобы охранник услышал пулю над своей головой. В известковой пыли что-то загрохотало. Кажется, охранник повалился на пол, накрываясь стульями и шкафами. Я подтолкнул кассира к двери горничной.

— Открывай! — Гонза стукнул кулаком по двери и зло крикнул: — Павлуха! Это я!.. Ты уснул там, что ли?!

— Сейчас, сейчас! — не сразу донесся из-за двери приглушенный голос. — Минуточку!

Я выстрелил из ружья по двери почти в упор. Картечь вырвала из дубовой доски щепку размером с ладонь, оголила волокна, размочалила древесину. По лестнице загрохотали ботинки охранников, заклацали затворы винтовок.

— Стоять!! — заорал я, нервно постукивая дулом пистолета по затылку Фили, словно кием по бильярдному шару.

— Не надо ничего делать! — продублировал команду Филя, сплевывая кровь. — Поднимитесь наверх!

Трое охранников в расстегнутых куртках, с винтовками, краснолицые, потные, замерли посреди лестницы.

— Идите к черту! — жестче повторил Филя. — Сейчас приедет милиция и во всем разберется! Убирайтесь вон!

Дверь комнаты, перед которой мы стояли, приоткрылась. Я ударил по ней ногой. Невысокий бронзоволицый человек в свитере и широких брюках, с головой, похожей на колобок, отскочил от двери. Я узнал Герасимова. Врач пятился спиной к печи, в которой полыхало пламя. В маленькой комнате стоял удушливый запах лекарств. Над кроватью, частично прикрытой занавеской на веревке, тускло горело бра. На кровати лежал князь — неподвижный, с заострившимся желтым лицом. Я толкнул ногой дверь, закрывая ее за собой.

— В угол, оба! — крикнул я и кинулся к кровати. Орлов казался мертвым. Мятая и несвежая косоворотка на груди была выпачкана в бурых пятнах крови. На табуретке, рядом, стоял стакан с мутной жидкостью, лежало несколько смятых лекарственных упаковок. Я приподнял его невесомую руку. Пальцы князя были выпачканы в чернилах. Пульс едва прощупывался.

— Он жив, не надо так беспокоиться, — откашлявшись, сказал врач. Он подавил свою взволнованность, хотя глаза еще беспокойно двигались, словно со мной в комнату ворвалась толпа мятежников и врач рассматривал всех подряд. — Он спит.

— Что вы с ним сделали?

— В каком смысле? — все более самоуверенно спросил врач. — Вас интересует, как и от чего я его лечу?

Филя взял со стола упаковку стерильного бинта, вскрыл ее и приложил к губам целый рулон. Потом сел в кресло и закинул ногу на ногу.

— Я попытаюсь вам объяснить, что случилось со Святославом Николаевичем, — скороговоркой сказал Герасимов. — В результате психогении, обусловленной воздействием психотравмирующих факторов, у моего пациента развился так называемый астенический невроз, требующий усиленной медикаментозной терапии. В частности, наиболее эффективны оказались транквилизаторы и нейролептики этаперазин, хлорпротиксен, неулептил и другие... Я достаточно ясно выражаюсь?

Я выдвинул верхний ящик прикроватной тумбочки и вывалил его содержимое на пол. Упаковки с лекарствами, резиновая груша, скомканный грязный бинт, глазная пипетка... Продолжая направлять ружье и пистолет в тот угол, где притихли Филя и врач, я вытряхнул содержимое нижнего отдела тумбочки. Упаковки одноразовых шприцев, две пачки воды для инъекций, резиновый шланг, влажная тряпка в бурых пятнах...

— Вы хотите что-то найти? — спросил врач. — Может, вам помочь?

— Ну ладно, хватит! — поморщился Филя, отнимая ото рта рулон бинта. — Все всем понятно: он хочет найти улики. Завещание, написанное князем на мое имя, орудия пыток, психотропные препараты? Я прав?

Он встал, подошел к окну, сдвинул в сторону тяжелую штору и посмотрел в темноту парка.

— Опоздал, братец! — сильным голосом произнес Филя, поворачиваясь ко мне лицом. — Завещание уже сгорело в печке. Психотропные препараты тоже. А орудие пытки валяется у тебя под ногами... Да-да, эта самая тряпочка. Рассказать, как это делается? Мы привязывали князя к кровати, клали тряпочку ему на лицо и поливали водой. Через полчаса у него начинала идти горлом кровь. Пятнадцать минут перерыва — и все заново. И никаких синяков и ушибов! Но доказать, что мы его пытали, невозможно. Больные, страдающие астеническим неврозом, часто прикусывают себе язык. И потому появление пятен крови можно легко объяснить.

Мне казалось, что мои ноги превратились в гипсовые столбы. Руки наполнились свинцовой тяжестью, и я не смог удержать ружье. Вот самая страшная пытка — чувствовать свое бессилие при явном преимуществе.

— Палка, палка, огурец, вот и вышел человец, — пробормотал Филя, снова глянув в окно. — Ну? Что ты щеки надуваешь? Ничего ведь сделать не можешь! Не по зубам оказалась тебе задачка, правда? Сейчас приедет милиция, и мы с Павлухой напишем на имя Панина заявления о том, как ты издевался над нами, угрожал оружием, пытался уговорить врача засвидетельствовать написанное тобой ложное завещание...

— Филя, — произнес я, — неужели ты не боишься смерти? Неужели думаешь, что мои нервы бесконечно крепки?

— Допустим, ты нас убьешь, — кивнул кассир, опять прикладывая бинт к губам, которые все еще кровоточили. — Панин сделает все возможное, чтобы на суде тебе дали вышку. И тебя прикончат выстрелом в затылок в каком-нибудь тюремном подвале. Неужели тебе не жалко отдать жизнь за двух таких несимпатичных и безнравственных типов, каковыми являемся мы с Павлухой?

Они переглянулись и усмехнулись.

— Думаешь, я не понимаю, для чего ты здесь? — продолжал Филя. — Думаешь, никто не видел, как ты выслуживался перед князем, лез к нему в доверие, чтобы оторвать приличный куш от его состояния? Мы с тобой, братец, одного поля ягоды. Только ты лицемеришь, а мы с Павлухой не скрываем своих намерений. Ты чужой человек, а я родственник князя. Разницу улавливаешь?..

Он осекся и замолчал. Мгновением раньше я почувствовал слабое движение на кровати. Повернув голову, я увидел, что старик осмысленно смотрит на меня из-под полуприкрытых век и губы его беззвучно шевелятся. Я не успел сделать шаг к князю, как Филя, воспользовавшись моментом, кинулся на меня и повалил на пол. Вместе с нами грохнулась тумбочка. Винтовка оказалась под моей спиной, а руку с пистолетом придавил к полу ботинок Фили. Окровавленный рот кассира приблизился к моему лицу. Я дернул головой, словно отбивал мяч, и попал лбом по носу Фили. Сочно хрустнула переносица. Взвыв от боли, Филя откинулся назад. Герасимов пытался связать мне ноги полотенцем. Я лягался, не позволяя себя скрутить.

— Пистолет отбери!.. Пистолет! — хрипел врач.

Мне пришлось отпустить винтовку, чтобы освободить правую руку. Филя душил меня, навалившись на меня всем телом. Я скрипел зубами и бил его кулаком по уху. Положение было очень неудобным, удары получались слабыми. Герасимов, усевшись на мои ноги верхом, тянулся к лежащей на полу упаковке со шприцами.

— Держи его так! — орал он. — Еще немного!

Ему удалось дотянуться до упаковки. Он принялся рвать ее зубами. Я изловчился и схватил Филю за волосы. Он рычал от боли и напряжения. Его рука вспотела и начала соскальзывать с моей шеи.

— Оглуши его! Ударь утюгом! — кряхтя, давал советы доктор. Я притягивал голову кассира к себе. Он выворачивал шею, на его губах пузырилась кровавая слюна. Мне удалось надавить большим пальцем ему на веко. Филя слабел от боли и дергал ногой.

— Кочергу подай... — с трудом произнес он. Я дотянулся ртом до его шеи и вцепился в горло зубами. Филя заорал дурным голосом, сразу же отпустил меня, и я смог оторвать плечи от пола, но в то же мгновение сильный удар в голову снова повалил меня навзничь.

— Все! — задыхаясь, крикнул Филя. — Пистолет у меня! — Он не смог придумать ничего нового, как попытаться сунуть ствол «макарова» мне в рот. Я насколько мог повернул голову. Края шляпы, оказавшейся под моей щекой, мешали Гонзе. Пистолет уперся мне в скулу.

— Ну?! Скоро ты там?

— Сейчас! — пыхтел в моих ногах Герасимов. — Уже набираю...

Я плюнул и попал Филе в глаз. Он попытался ударить меня по носу головой, и я тотчас схватил его за руку, в которой он сжимал пистолет.

— Убьюю-у-у-у! — страшным голосом завыл кассир. Прогремел выстрел, затем еще один. Филя давил на курок, а я из последних сил отворачивал ствол в сторону. Пули дырявили пол в нескольких сантиметрах от моей головы.

— Ты что?! Ты что?! — истерично кричал Герасимов.

— Разбей же ему голову!

— Сейчас... Придержи ему ноги, я не могу попасть...

Мне казалось, что моя песенка спета. С двумя здоровыми мужиками я справиться не мог. Силы быстро покидали меня. Гладкий и горячий ствол пистолета медленно выскальзывал из моей ладони. Если Филя хоть на секунду завладеет оружием, он выстрелит без промаха. Герасимов, чтобы окончательно обуздать мои ноги, передвинулся на колени. Я почувствовал, что могу приподнять от пола поясницу. Со сдавленным борцовским стоном я выгнул спину и, отпустив волосы Фили, вытащил из-под себя ружье. Не знаю, как палец сам нащупал спусковой крючок и надавил на него. Грохнул выстрел. Я услышал, как коротко икнул Герасимов и тяжело повалился на пол, ударившись об угол тумбочки головой. Я уже плохо соображал, что делаю. Оттолкнув от себя руку Фили с пистолетом, я схватился за ружье, как за гимнастическую перекладину, и без замаха, коротким толчком, ударил кассира прикладом по голове. Пистолет отлетел в сторону, ударился о стену, упал на князя и завалился за кровать.

Я вскочил на ноги, злой, избитый, страшный. Герасимов неподвижно лежал на полу, поджав под себя колени и схватившись обеими руками за живот. Под ним увеличивалась в размерах лужа темной крови. Филя, стоя на коленях и обхватив голову руками, покачивался взад-вперед, словно молился. Я дрожал, испытывая восторг победителя. Мне хотелось продолжения схватки, хотелось откинуть ружье в сторону и снова вцепиться Филе зубами в горло.

— Ну?! — орал я и, схватив кассира за ворот куртки, заставил его подняться на ноги. — Тебе мало?! Хочешь еще?!

Я толкнул его на печь. Филя стукнулся о горячую облицовку затылком. Он был страшно бледен. По его лицу скользили алые блики.

— Не надо, — произнес он, облизывая окровавленные губы. — Довольно...

— Сейчас я суну твою поганую голову в печь! — пообещал я. Филя тряс своей поганой головой и бормотал:

— Не надо... Не надо меня убивать...

— Бери бумагу! — орал я, не в силах перейти на спокойный тон. — Ручку! Пиши: «Я, ублюдок Гонза, пытками и издевательством пытался заставить князя Орлова написать завещание в мою пользу...»

— Хорошо, хорошо, — бормотал Филя, повернулся ко мне спиной, оперся руками о подоконник и прижался лбом к запотевшему стеклу. — Хорошо... Я все напишу... Только ты сначала полюбуйся... Посмотри на это зарево. Не догадываешься, что это горит?

Я сначала не воспринял слова кассира, как если бы это были бессмысленные междометия или всхлипы. Я слышал вой милицейских сирен и боялся, что до прихода Панина не успею выбить из Гонзы признание. Я уже хотел врезать кассиру кулаком по почкам, чтобы поторопить его, но тут мой взгляд упал на окно, порозовевшее от огненных бликов.

— Что это? — пробормотал я, испытывая надвигающийся ужас. Филя повернулся ко мне. Я никогда еще не видел более страшного лица.

— Это горит грот, — произнес он, в упор глядя мне в глаза. — И еще дом Родиона...

— Что?! — не своим голосом заревел я и, вмиг позабыв про Филю, про истекающего кровью Герасимова, про князя, равнодушно смотрящего на меня, прыгнул на окно. Рама лопнула. Осколки стекла брызнули во все стороны. Запутавшись в длинных полах пальто, я упал на кусты. Душа заледенела от предчувствия страшной беды. Я вскочил на ноги и что было сил побежал к особняку Родиона. Сердце уже не билось, оно дрожало в груди, дыхание разрывало легкие, ветер свистел в ушах. Я ломал собой ветви деревьев, изгороди клумб, сбивал с ног каких-то людей с ведрами и огнетушителями, я пожирал расстояние, хватаясь руками за воздух, который с каждым мгновением все более превращался в дым, и уже чувствовал на лице жар пламени, уже видел исполинский костер, взметнувшийся в ночное небо.

— Татьяна!! — орал я, и ветер размазывал по щекам слезы. — Прости меня... Прости меня!!

Кто-то стоял поодаль от особняка, кто-то расплескивал ковшом воду из ведра, кто-то норовил кинуть мне под ноги пожарный шланг. Пламя облизывало стены дома, плотно закрытые на замки ставни и подкидывало к зеленому куполу огненные облака малиновых искр. Из щелей в ставнях второго этажа и мансарды валил густой дым, кажущийся красной тягучей жидкостью, языки пламени проедали брусовые стены, норовя ворваться внутрь. Дверь, охваченная огнем, трещала, стреляла искрами, и из грязного потока дыма, струящегося снизу вверх, торчала страшная, обугленная ручка, под которой выворачивались лепестками края замочной скважины. Ничего не соображая, я кинулся на дверь, ударился об нее плечом, но дубовая доска еще не прогорела, еще была крепка, и меня откинуло от нее, как мяч от стены. Я успел глотнуть раскаленного дыма, опалить волосы и ресницы. Кашляя, задыхаясь, сходя с ума от безысходности, от осознания того, что я натворил, я с воплем кинулся на груду гранитного лома, которым были обложены клумбы, схватил камень потяжелее и вместе с ним снова кинулся на дверь.

— Держите его! — крикнул кто-то. Камень с глухим стуком ударился о дверь. Я не удержал его и выронил. Пламя обожгло мне лицо. Я схватился за воротник пальто, натягивая его на уши. Все пропало! Все пропало! — сжигал я себя словами безнадежья. Раскидывая ногами пустые ведра, я кинулся к какой-то женщине с ведром, вырвал его у нее из рук и вылил себе на голову.

— Деньги у него там, — доносились до меня обрывки фраз. — Валюта горит... Может, что и подороже... С ума сошел...

Я ухватился за край сырого трехметрового бруса, несколько десятков которых было сложено у торца особняка, взвалил его себе на плечо и с криком «Поберегись!» кинулся на дверь. Тупой конец бруса тараном врезался в дверь. Она треснула, сорвалась с верхней петли и наклонилась. Освобожденный, изнутри наружу повалил дым. Тяжелое дерево выгибало, ломало обожженную шею, боль была нестерпимой, но зато я знал, что еще живу, что еще способен выбивать ненавистную дверь и буду делать это до тех пор, пока не ворвусь в охваченный пламенем дом, где разделю с Татьяной ту страшную судьбу, которую, сам того не зная, ей уготовил.

Со второго удара дверь накренилась настолько, что в образовавшийся проем можно было протиснуться, и я, вобрав в грудь воздуха и закрыв глаза, нырнул в черную, заполненную дымом утробу особняка. Мне казалось, что я ползу по гигантской раскаленной плите, хватаясь руками за огненные конфорки. Слепой, ревущий от боли, как раненый зверь, я завалился в прихожую, встал на колени, широко расставив руки, и так — на коленях — пошел вперед. Должно быть, я налетел на торец приоткрытой двери апартаментов Родиона, и тупая боль заставила меня согнуться в три погибели, прижавшись лицом к коленям. Руки тотчас легли на что-то мягкое, я нащупал тонкие, растекающиеся между пальцев волосы, горячую ткань куртки. Я попытался перевернуть безжизненное тело на спину. Мне не хватало воздуха. Я вдохнул дыма, горло сразу сдавило раскаленным обручем, из глаз хлынули слезы.

— Таня!! — выкрикнул я. Я провел ладонью по ее лицу, нащупал теплый и влажный платок, повязанный девушке на лицо. Я не хотел давать себе надежду, но понял, что еще не имею права умирать. Я почти лег под нее, взвалил себе на плечо и с трудом поднялся на ноги. Огонь, глотнув кислорода, быстро перетек в прихожую и начинал облизывать ступени и балясины. Я шел по колено в огне. Дым, окутавший дверь, был настолько плотным, что я не сразу нашел проем. Опасаясь, как бы не вспыхнули волосы девушки, я накрыл ее голову подолом пальто и нырнул в черноту. Я съехал по двери на животе. Татьяна упала на руки дворникам, меня кто-то тащил за воротник пальто, мешая мне подняться на ноги, а я сиплым голосом орал, отталкивал от себя своего спасителя, но меня никто не слышал, и один за другим обрушивались на голову потоки воды.

Пальто тлело на мне, но я этого не замечал и не мог понять, почему все хватают меня за рукава и пытаются раздеть. Татьяну положили на скамейку, стоящую на краю аллеи, где гулял чистый южный ветер. Я стоял перед ней на коленях и осторожно развязывал узел на затылке. Платок закрывал все ее лицо, и мне казалось, что это бинтовая повязка и что под ней я не увижу привычного милого лица, а обнажатся ужасные ожоги, черные корки обуглившейся кожи, тугие волдыри. Платок был длинным, я медленно разматывал виток за витком, и жизнь во мне в эти мгновения как бы замерла. Она успела закрыть им рот и нос, подумал я. Может быть, едва почувствовав запах дыма. Лицо девушки прикрывала тонкая полоска ткани. Я взялся за ее край и, прикусив губу, приподнял. И тотчас услышал слабый стон. Она дышала!

Я потерял голову от избытка чувств. Схватил девушку за плечи, прижал к себе, неистово целуя. Я что-то кричал, я тряс ее, я ощупывал губами ее щеки, лоб, шею, каждый ее палец на руке, я умолял ее простить меня до тех пор, пока суетливые и грубые люди в белом не оттащили меня к кустам и не перенесли Татьяну в машину «Скорой помощи».

Мозги мои, наверное, сварились всмятку, и в каком-то странном полусне я долго сидел на земле, откинувшись на упругие и пружинистые ветви кустарника, глядя, как пожарная команда щедро поливает из шлангов обугленный остов дома, как синие блики от проблесковых маячков милицейских и пожарных машин разбиваются о стволы деревьев и выкрашивают лица работников усадьбы в трупный цвет.

— Стас! Стас, черт подери! Это ты? — Меня тряс за плечо Родион. Склонившись надо мной, он заглядывал мне в лицо.

— Она... умерла? — едва слышно спросил я.

— Кто? О ком ты говоришь? Где твоя куртка, козел ты безрогий! Почему ты в этом пальто?

Я не понимал, почему он так кричит на меня, какая ему разница, в чем я одет в эту дикую ночь. Родион схватил меня за грудки и посадил на лавку. Потом присел рядом, заглядывая мне в лицо.

— Ты хоть немного соображаешь или нет? — зло кричал он. — Можешь ответить на мой вопрос? — Он бил меня по щекам, не зная, что они обожжены. Мне было больно, я морщился и вяло прикрывался ладонями. Они тоже были в волдырях. — Ответь мне, почему ты в этом пальто?!

— Мы поменялись одеждой...

— С кем?!

— С ним.

— Со Столешко?! — с отчаянием воскликнул Родион.

— Да.

— Но зачем, кретин?!

— Долго объяснять.

— Дубина-а-а! — взвыл Родион, резко встал и подбоченил руки. — Ты понимаешь, что я принял его за тебя? Он обвел меня вокруг пальца, как мальчишку! Я вижу — кто-то стоит на другом берегу пруда. Я в темноте только куртку разглядел и решил, что это ты... Он, значит, знаками показывает, чтобы я не приближался, и шепчет, что Столешко только что побежал в сторону оврага. Надо, дескать, взять его в кольцо... Это просто цирк! Как мальчишку провел! Нет, я этого не переживу! Бегу с ментами в овраг, там мы, как идиоты, полчаса ползаем по земле... Это просто смешно! Это комедия! Я еще никогда так не веселился, как на этом грандиозном спектакле!

Он хохотал. В свете автомобильных фар его лаковые туфли блестели, как шерсть черной пантеры, а белоснежный шарф, нежащийся на воротнике пальто, отливал холодным лунным серебром.

Глава 53

УМЕРЕТЬ ОТ ПЕЧАЛИ

Я брел по горбатому мосту, глядя на темную воду, в которой отражались ветви деревьев, и оттого пруд напоминал покрытое сетью трещин зеркало. Рассвет был медленным и тяжелым, в котором трудно уловить момент, когда закончилась ночь и наступило утро. Клочки тумана, смешиваясь с остатками дыма, плыли над парком. В них увязали звуки, и мне казалось, что я оглох или смотрю немой черно-белый фильм.

Панин с красными от дыма и недосыпа глазами бегал по усадьбе с группой криминалистов, демонстративно отворачивался от меня, когда мы встречались, и всякий раз сквозь зубы цедил: «Никуда не уходи!» или: «Будь здесь!» Пожарные машины, кажущиеся инородными телами в бесцветном мире, перепахивая мощными колесами аллею и тропинки, покидали территорию. Серый фургон с закрывающейся на засов задней дверью увез труп Мухина. На двух «Скорых» в больницу отправили врача Герасимова с пулевым ранением в живот и охранника с обожженным кислотой лицом. Филя поехал в отделение милиции на «шестерке» из дорожно-постовой службы — на переднем сиденье, без наручников. Остальным служащим разрешили разойтись по своим домам.

Но никто не расходился. Усадьба наполнилась призраками людей и лошадей.

Конюшни, дом Родиона и дом управляющего сгорели дотла. От грота остался фундамент и надстройка с арками, потому что были выложены из кирпича. Часовня вспыхнула последней, когда первая пожарная машина уже въехала на территорию, и ее удалось потушить. Сгорели только соломенная крыша и частично стропила.

Я дошел до главных ворот. На круге ветер скручивал в спираль пыль, поднимал в воздух рваные полиэтиленовые пакеты и бумажные обрывки. На автобусной остановке, вокруг нее и далеко за ее пределами стояли люди. Казалось, все они ждут автобуса, ждут уже не меньше недели; народ все прибывает, а автобуса нет, но никто не ропщет, не скандалит и не уходит. «Когда они успели проснуться и прийти сюда?» — думал я, глядя на кепки, платки, телогрейки, розовые щеки и выцветшие до небесной голубизны глаза. Никогда в жизни на меня не смотрело столько человек одновременно. Я сел на парапет ограды, поднял воротник пальто, натянул на уши шляпу. По толпе прошла волна оживления. На круг выехал «Понтиак», развернулся и стал сдавать задним ходом к воротам. Из усадьбы, опираясь на руку Леды, вышел князь. Он был в шароварах, сапогах и в той же косоворотке. На плечи накинута норковая шуба. Лицо бледное, но взгляд властный и жестокий. Медленная и осторожная походка выдавала его слабость. Глядя сквозь толпу, словно это был частокол деревьев, князь подошел к машине, поставил на ступеньку ногу, но вдруг обернулся.

— Вы этого хотели? — спросил он и громче повторил: — Вы этого хотели?!

Те, кто был рядом с машиной, зашевелились, ожили, стали оправдываться, перебивая друг друга:

— Да я пока с двумя ведрами прибежал...

— У меня стоит мешок с песком, да кобылы нет, хоть на себе тащи...

— Прости нас, Николаич, бес попутал...

— Мы все заново отстроим, вот те крест...

— Простите, бога ради, Святослав Николаевич... — Старуха в белом платке, низкорослая, сухонькая, как плетень на заброшенном огороде, подошла к князю и протянула ему корзинку с крашеными яйцами.

— Возьмите к Пасхе яички. Только освятить их не забудьте.

И тут остальных как прорвало. Люди окружили машину и стали предлагать то картошку, то лук, то парную свинину, то молоко.

«Понтиак» тронулся с места. Безостановочно сигналя, машина продвигалась вперед, словно катер через буруны к далекому берегу.

* * *

Князь умер на следующий день после Пасхи. Тихо и легко. Проснулся утром, попросил у сиделки воды, попил и уснул снова, на этот раз уже навсегда. Его похоронили рядом с церковью, далеко от усадьбы.

Родион еще недолго пожил в Араповом Поле, продал свой дом и вместе с Ледой вернулся в США, где опять занялся фильмом о своем сольном восхождении на высочайшие вершины мира. Переуступать аренду усадьбы он никому не стал. Собственно, никто его об этом и не просил. Какие-то совестливые мужики пытались отстроить заново грот и конюшни, поставили фундамент, даже обвязку сложили кое-где, но очень скоро их энтузиазм исчерпался. Сильно подорожали стройматериалы, и строительные работы затихли. Некоторое время в хозяйском доме жили беженцы с Северного Кавказа, потом и они пропали, и опустевший дом как-то ночью сожгли пьяные подростки. Над Гонзой и Герасимовым, который, к несчастью, выжил, состоялся суд. Адвокаты отбили все пункты обвинения против них, кроме покушения на убийство, то есть удалось доказать, что они пытались меня убить. Оба получили по два года условно и были освобождены из-под стражи прямо в зале суда.

Столешко был объявлен в розыск. Составили его фоторобот в двух ипостасях: лицо до операции и лицо Родиона. Разослали по всем отделениям милиции. У Родиона потом начались неприятности. В аэропорту Шереметьево, к примеру, на него надели наручники и положили лицом на пол. Сутки он просидел в камере для временно задержанных и опоздал на самолет.

Что касается меня, то сразу после похорон князя я уехал на Кавказ, бесился на стенках пятой категории сложности, ночью свободным лазанием[1] вышел на штурм Ушбы — что-то кому-то хотел доказать или свести счеты с жизнью, не знаю. Потом отлегло, и я в прекрасной спортивной форме примкнул к съемочной группе Родиона в качестве высотного оператора.

Еще я не сказал про Татьяну...

Головная боль! Заноза в сердце! Она вымотала мне всю душу! Случилось это спустя три недели после похорон князя, когда я, простуженный, с отмороженными пальцами, вернулся с Ушбы в Москву. Был майский вечер. Гадкий вечер, с дождем и мокрым снегом за окном — сколько живу, такого мая не помню. Я сидел перед телевизором, закутавшись в плед, и смотрел какой-то скучный сериал.

В дверь позвонили. Я ждал соседа, который, идя с работы

---

[1] То есть без использования крючьев, шлямбуров и прочих средств страховки.

домой, часто заходил ко мне, потому как знал, что у меня в баре всегда был богатейший выбор спиртного. Не спрашивая, я сразу открыл дверь и... нет, не удивился, а просто не узнал ее.

Татьяна была одета непривычно — в длинное бежевое пальто свободного покроя, в сапоги на каблуках-шпильках, без черных очков, без налобной повязки, какая-то хрупкая, слабая, беззащитная. Я стоял на пороге, смотрел на нее и хлопал глазами.

— Можно войти? — спросила она низким грудным голосом, будто была простужена.

Я кивнул и отступил на шаг, пропуская ее в прихожую. Не снимая пальто, не разуваясь, она кинула сумочку на пол и сразу обвила руками мою шею. Она целовала меня как сумасшедшая. Ее слезы обжигали мои щеки. Мне не хватало воздуха.

— Прости меня, — зашептала она, ткнувшись холодным мокрым носом мне в шею. — Я только сейчас поняла, кем ты для меня был... Мне стыдно за то, что я тебе говорила...

— Когда, Таня?

Она не ответила, отрицательно покачала головой.

— Я тебе звонила неделю подряд, искала тебя... Мне казалось, я медленно схожу с ума, задыхаюсь без тебя. Та наша первая ночь... Помнишь? Она не выходила из моей головы... А помнишь, как мы, стоя на коленях, клялись друг другу в вечной любви...

— До гроба, — уточнил я.

— Я была готова убить себя...

— Да что с тобой?!

Я оторвал ее ладони от лица, заглянул в глаза. Она смотрела на меня через слезы.

— Я люблю тебя... Мне надо было время, чтобы это понять. Тогда я думала: работа, карьера — вот что самое главное в жизни, а поцелуи, ласковые слова — это все глупости, досуг, развлечение... Я хочу выпить! У тебя есть что-нибудь выпить?

Она скинула пальто и прошла в комнату. Постояла, посмотрела на стеллажи с книгами, на спортивные кубки, вымпелы, фотографии гор, коллекцию камней...

— Я уволилась из «Эскорта», — сказала она, когда я подал ей бокал с мартини.

— Зачем? Ты нашла более выгодную работу? — Я так не

думал, но язык сам произнес эту фразу. Татьяна сделала глоток и отрицательно покачала головой.

— Ничего я не нашла, — ответила она тихо. — Я ушла потому, что мне стало одиноко. Вроде все есть, а жизнь проходит бесследно. И я никому не нужна, и мне никто не нужен... У многих моих подруг уже по двое детей. Мама говорит: ты посмотри на себя в зеркало!.. Нет, не о том я... Не слушай меня!

Она поставила бокал на стол и, очень волнуясь, стала ходить по комнате.

— Зачем? — говорила она в сильном возбуждении. — Зачем мне все это было надо? В усадьбе на меня как на мужика смотрели! Телохранительница! Тьфу!.. Я баба, милый мой, я баба! Я любить хочу, хочу рожать! Я хочу делать глупые поступки, когда приказывает только сердце. Я хочу быть слабой и не стыдиться слез!

И она их не стыдилась. Я лакал мартини бокал за бокалом, и у меня в голове вскоре все спуталось окончательно. Сосед позвонил в дверь, когда мы с Татьяной уже лежали в постели.

— Это женщина? — тихо, не открывая глаз, спросила она, лежа на моей груди.

— Теперь это не имеет значения, — ответил я.

Утром меня разбудил телефонный звонок. Было что-то около семи. Я поднял трубку, встал с постели и вышел на кухню. Я был уверен, что звонит сосед, чтобы сделать мне, как он любил говорить, «выговор с занесением в черепную коробку».

— Привет, Стас! — услышал я мужской голос, который узнал не сразу.

— Привет, — ответил я. Можно было сразу напомнить собеседнику правила хорошего тона, рявкнуть: «Представляться надо!» — и отключить трубку, но я почувствовал, что этот звонок особенный, когда сообщают новость, меняющую жизнь если не радикально, то основательно.

— Как здоровье? — последовал ничего не значащий вопрос.

— Ничего, — осторожно ответил я и тотчас вспомнил этот слегка гнусавый, отчетливый, как у радиокомментатора, голос Филиппа Гонзы!

— Хочу тебя поздравить, — продолжал он. — Ты еще ничего не знаешь?

Я промолчал. Филя неприятно рассмеялся, отчего у меня по спине прошелся холодок.

— Открыли завещание князя, — продолжал Филя. — Старик отвалил вам с Танюшкой четыреста тысяч баксов с условием, что вы женитесь... Алло! Ты там в обморок от счастья не шлепнулся?

У меня ком встал в горле. Я закашлялся.

— Так что, поторопись со свадьбой, старина! А я тебе, если хочешь, могу рассказать, что в любви она более всего предпочитает... Как мужик мужику! Ага? Мы ведь с Танюшкой в свое время лихо на сеновале в конюшне кувыркались...

— Все, можешь больше ничего не говорить, — тихо ответил я. — Ты меня уже расстроил, Гонза. Я ведь надеялся, что ты все-таки умрешь от печали.

И отключил трубку. Минуту сидел неподвижно, тупо уставившись в окно. Потом стал торопливо набирать код Арапова Поля и номер Родиона.

Сначала трубку взяла Леда. Я не стал представляться, чтобы не утонуть в бесцельной болтовне с ней, и сразу попросил Родиона.

— А-а, мой дорогой пропавший друг! — сонным голосом произнес Родион. — Я с ног сбился, разыскивая тебя.

— Я ходил на Ушбу.

— Прекрасно!.. Что ж, хочу тебе доложить, что мой отец оставил вам с Татьяной четыреста тысяч долларов. Минутку! Сейчас зачитаю... «Стасу Ворохтину и Татьяне Прокиной завещаю четыреста тысяч долларов при условии, что они создадут прочный, основанный на любви и взаимоуважении брак, освященный церковью...» Все понял? — Мне казалось, что мне не хватит сил удержать трубку. Холодный пот выступил на лбу.

— Родион, — прошептал я, — Татьяна... Татьяна знает об этом?

— Не могу точно сказать, дружище! Во всяком случае, я в Араповом Поле ее не видел... Значит, по закону осталось пять месяцев, чтобы вам определиться. Ты понял, о чем я говорю?

— Понял...

— Эй, дружище! Что-то мне твой голос не нравится. У тебя что? Проблемы с Татьяной?

Я не мог вымолвить ни слова. Родион сопел в трубку.

— Слушай меня, — тише произнес он. — Если у вас там какие-то неразрешимые проблемы, то мы как-нибудь обойдем этот момент... Я имею в виду брак. Ты меня понял?

— Нет, Родион, — произнес я. — Никаких проблем...

— Вот и прекрасно! Тогда жду приглашение на свадьбу!

Я опустил трубку на стол, вышел в коридор, встал у двери спальни, глядя на Татьяну. Девушка крепко спала. Ее волосы разметались по подушке. Ресницы слегка подрагивали. Крохотное невесомое перо, вылезшее из одеяла, словно травинка из газона, шевелилось, играло от неслышного слабого дыхания.

Я будто прирос к косяку. В груди нарастала странная боль, как бывает на вершине восьмитысячника, когда, ликуя, срываешь с себя кислородную маску и вдыхаешь разреженный высотный воздух. «Опять игра? — думал я. — Вот такая до безумия циничная и жестокая игра? Она снова обманывает меня? И ее вчерашние слезы, клятвы в любви и верности мне — всего лишь способ получить наследство?.. Как мне больно!»

Я давно сошел со сцены и сидел в темном пустом партере. Я запутался и перестал отличать игру от реальной жизни. И декорации, как грибы, выползали прямо из пола, взламывая доски, и занавес, как гигантский парус, закрывал горизонт, и оркестровая яма превращалась в могилу, подготовленную для захоронения, и все люди вокруг — в масках, с силиконовыми губами и носами, с контактными линзами в глазах, с фарфоровыми зубами, искусственными сердцами и почками, и с надежно упрятанными в туфли копытами да рожками в пышных прическах...

Я приблизился к кровати, сел на ее край. Осторожно коснулся розовой гладкой пятки, выглядывающей из-под одеяла. Татьяна вздрогнула, спрятала ногу, что-то пробормотала, не открывая глаз, и повернулась на другой бок.

Господи, что ж это со мной?!

В окно билась майская метель. Зима в этом году убедительно переиграла весну, и на нашу с Татьяной свадьбу гости пришли в плащах и куртках.

Литературно-художественное издание

Дышев Андрей Михайлович
ИГРА ВОЛЧИЦЫ

Издано в авторской редакции
Художественный редактор *В. Щербаков*
Оформление *Г. Сауков*
Художник (суперобложка) *С. Яковлев*
Технические редакторы *Н. Лукманова, Т. Комарова*
Корректор *В. Назарова*

Изд. лиц. № 065377 от 22.08.97.

Налоговая льгота — общероссийский классификатор
продукции ОК-005-93, том 2; 953000 — книги, брошюры

Подписано в печать с готовых диапозитивов 14.07.99.
Формат 60×90^1/$_{16}$. Гарнитура «Таймс». Печать офсетная.
Усл. печ. л. 26,0. Уч.-изд. л. 21,9.
Тираж 25 000 экз. Зак. № 4422.

ЗАО «Издательство «ЭКСМО-Пресс».
123298, Москва, ул. Народного Ополчения, 38.

Отпечатано с готовых диапозитивов
в полиграфической фирме «КРАСНЫЙ ПРОЛЕТАРИЙ»
103473, Москва, Краснопролетарская, 16.

ISBN 5-04-003119-X

9 785040 031191 >

Книжный клуб "ЭКСМО" - прекрасный выбор!

Приглашаем Вас вступить в Книжный клуб "ЭКСМО"! У Вас есть уникальный шанс стать членом нашего Клуба одним из первых! Именно в этом случае Вы получите дополнительные льготы и привилегии!

Став членом нашего Клуба, Вы четыре раза в год будете БЕСПЛАТНО получать иллюстрированный клубный каталог.

Мы предлагаем Вам сделать свою жизнь содержательнее и интереснее!

С помощью каталога у Вас появятся новые возможности! В уютной домашней обстановке Вы выберете нужные Вам книги и сделаете заказ. Книги будут высланы Вам наложенным платежом, то есть БЕЗ ПРЕДВАРИТЕЛЬНОЙ ОПЛАТЫ. Каждый член Вашей семьи найдет в клубном каталоге себе книгу по душе!

Мы гарантируем Вам:

- Книги на любой вкус, самые разнообразные жанры и направления в литературе!
- Самые доступные цены на книги: издательская цена + почтовые расходы!
- Уникальную возможность первыми получать новинки и супербестселлеры и не зависеть от недостатков работы ближайших книжных магазинов!
- Только качественную продукцию!
- Возможность получать книги с автографами писателей!
- Участвовать и побеждать в клубных конкурсах, лотереях и викторинах!

Ваши обязательства в качестве члена Клуба:

1. Не прерывать своего членства в Клубе без предварительного письменного уведомления.
2. Заказывать из каждого ежеквартального каталога Клуба не менее одной книги в установленные Клубом сроки, в случае отсутствия Вашего заказа Клуб имеет право выслать Вам автоматически книгу – "Выбор Клуба"
3. Своевременно выкупать заказанные книги, а в случае отсутствия заказа – книгу "Выбор Клуба".

Примите наше предложение стать членом Книжного клуба "ЭКСМО" и пришлите нам свое заявление о вступлении в Клуб в произвольной форме.

По адресу: 101000, Москва, Главпочтамт, а/я 333, "Книжный клуб "ЭКСМО"

В заявлении обязательно укажите полностью свои фамилию, имя, отчество, почтовый индекс и точный почтовый адрес. Пишите разборчиво, желательно печатными буквами.

Отправьте нам свое заявление сразу же, торопитесь! Первый клубный каталог уже сдан в печать!

«КРИМИНАЛ»

С.Романов «Мошенничество в России. Как уберечься от аферистов»

Многим из нас приходилось становиться жертвой мошенников. Что поделаешь? Доверчивых людей легко обвести вокруг пальца. И это с успехом проделывают аферисты всех мастей — от уличных попрошаек до строителей «финансовых пирамид».

О способах и видах мошенничества, а также о доступных методах борьбы с этим явлением пойдет речь в этой книге.

А.Максимов «Российская преступность. Кто есть кто»

Книга российского журналиста А.Максимова — первая попытка подведения итогов Великой криминальной революции. Крупнейшие московские и подмосковные преступные группировки 1995–1997 годов. Проникновение мафии в Государственную Думу. Институт современного киллерства. Оборотни в погонах. Пройден ли порог терпимости общества, которое захлестнул криминальный беспредел?

В.Карышев «А.Солоник – киллер мафии»
В.Карышев «А.Солоник — киллер на экспорт»

Одни называют А.Солоника преступником и убийцей (хотя суда над ним не было), другие – Робин Гудом, выжигающим «криминальные язвы» общества. Но так или иначе Солоник – личность, способная на Поступок. Три его побега из мест заключения, включая последний из «Матросской тишины», сделали его легендой преступного мира. Автор этой книги – адвокат и доверенное лицо Солоника, владеющий уникальной информацией, полученной «из первых рук», рук своего «героя».

С.Дышев «Россия уголовная»
С.Дышев «Россия бандитская»
В.Карышев «Солнцевская братва»
В.Карышев «Сильвестр»
В.Карышев «Воровской общак Паши Цируля»
А.Барбакару «Одесса-мама – каталы, кидалы и шулера»

500-700 стр., целлофанированный переплет, шитый блок.

«ДЕТЕКТИВ ГЛАЗАМИ ЖЕНЩИНЫ»

Собрание сочинений Т.Поляковой

Что общего между любовью и... преступлением? А то, что по жизни они идут рука об руку. Сексуальные и умные, страстные и прагматичные героини романов Т.Поляковой не боятся крови и мертвецов, милиции и бандитов. Они шутя играют со смертью, они готовы преступить самую последнюю черту и не блефуют только в настоящей любви. Потому что спрятаться от самой себя невозможно!

Т.Полякова «Невинные дамские шалости»
Т.Полякова «Ее маленькая тайна»
Т.Полякова «Мой любимый киллер»
Т.Полякова «Капкан для спонсора»

Собрание сочинений П.Дашковой

Если от чтения у вас перехватывает дыхание, если вам трудно отложить книгу, не дочитав ее до конца, если, прочитав роман, вы мысленно возвращаетесь к нему снова и снова... Значит, все в порядке — в ваших руках побывал детектив Полины Дашковой. Ведь каждая ее книга — новое откровение для поклонников детективного жанра!

П.Дашкова «Место под солнцем»
П.Дашкова «Образ врага»
П.Дашкова «Золотой песок»

Собрание сочинений А.Марининой

Что ни говори, а книги Александры Марининой запали в душу читателей. Их любят молодые и старые, женщины и мужчины, утонченные эстеты и просто поклонники остросюжетного жанра. Александра Маринина – это детективное чудо, происходящее у нас на глазах. Ее популярности могут позавидовать и эстрадные звезды, и знаменитые актеры, и телеведущие. Ибо сегодня Маринину знают все.
Ее книги разыскивают, расхватывают, их «проглатывают». Но главное, их всегда ждут.

А.Маринина «Я умер вчера»
А.Маринина «Мужские игры»
А.Маринина «Светлый лик смерти»

Все книги объемом 500-600 стр., целлофанированная обложка, шитый блок.